AUTORAS DRAMÁTICAS ESPAÑOLAS
ENTRE 1918 Y 1936
(TEXTO Y REPRESENTACIÓN)

BIBLIOTECA DE TEATRO

PILAR NIEVA DE LA PAZ

AUTORAS DRAMÁTICAS ESPAÑOLAS
ENTRE 1918 Y 1936
(TEXTO Y REPRESENTACIÓN)

Consejo Superior de Investigaciones Científicas
Instituto de Filología
Madrid, 1993

© C. S. I. C.
© Pilar Nieva de la Paz
Diseño de cubierta, páginas interiores y maquetación: M.A. Barón y A. S. Insúa
I.S.B.N.: 84-00-07360-6
Depósito legal: M-16667-1993
Impreso en España
Printed in Spain

Impr. BOUNCOPY, S.A. San Romualdo, 26 - Tels.: 304 73 43 / 304 78 43 / 304 81 45 - 28037 Madrid

*A mis padres, Mª Cruz y Gregorio, con amor y
gratitud.
A Luis..., sin palabras.*

"Durante la etapa de la República (...) cuando yo era niña (...) me fascinaban aquellas jóvenes universitarias, actrices, pintoras o biólogas que venían retratadas (...) con sus melenitas cortas y su mirada vivaz y que cuando hablaban de proyectos para el futuro no ocultaban como una culpa el amor por la dedicación que habían elegido ni tenían empacho en declarar que estaban dispuestas a vivir su vida. No sabían las pobres lo que les esperaba. Pero yo las veneraba en secreto. Fueron las heroínas míticas de mi primera infancia".

Carmen Martín Gaite
(*Usos amorosos de la postguerra española*)

NOTA PRELIMINAR

El presente estudio parte de la reelaboración de mi tesis doctoral, realizada en el Instituto de Filología del Consejo Superior de Investigaciones Científicas bajo la dirección de la doctora Mª Francisca Vilches de Frutos, en el marco del proyecto de investigación "El teatro español entre 1900 y 1936" que ella dirige junto con el profesor Dru Dougherty. Fue la doctora Vilches quien hace ya varios años me puso en camino tras las huellas de las olvidadas autoras teatrales de la preguerra. A su inolvidable magisterio, que supo combinar en todo momento el rigor exigente con el más cálido aliento humano, debo, sin duda alguna, el haber llegado hasta aquí. Para ella, mi gratitud más sincera.

La citada tesis fue defendida en la Universidad Autónoma de Madrid en la primavera de 1992, recibiendo la calificación de Apto *cum laude*. Agradezco a los profesores que formaron parte del tribunal académico evaluador (Mario Hernández, Dru Dougherty, Emilio Miró, Juan A. Ríos y Florencio Sevilla) y al ponente de la misma, Francisco Caudet, sus valiosas observaciones y sugerencias, que he intentado aprovechar en la presente versión tanto como me ha sido posible.

Deseo manifestar la deuda contraída con el profesor Alberto Sánchez Álvarez-Insúa, que tanto ama el teatro y la literatura de entreguerras, por el entusiasmo y cuidado con que ha trabajado por esta publicación, y con otras personas del campo profesional -entre ellos, muy especialmente con el Prof. Dru Dougherty, cuya inagotable curiosidad intelectual me ha servido de ejemplo y ayuda, y con mis compañeros Teresa García-Abad, José Ibáñez, Mariano Martín, Julio Checa y Elena Santos-, y a instituciones como la Fundación Juan March, de Madrid; el Institut del Teatre, de Barcelona; la Hemeroteca Municipal y la Biblioteca Nacional, de Madrid; el Instituto Universitario de Estudios de la Mujer, de la UAM, y la Sociedad General de Autores de España.

Por último, expresar mi gratitud y alegría ante la muestra continua de apoyo afectivo y material de familiares y amigos, que me ayudaron al unísono en los momentos más difíciles de esta investigación. A Amparo, Carmen, Dory, Maribel, Mercedes, Teresa, Gabriel, Javi, José Luis, Julio, Kiko, Pedro, Santi, Tino, y muy especialmente, a Rafa, que estuvo a mi lado con su impagable humor, gracias de todo corazón.

ÍNDICE

PRÓLOGO

Cuando se analiza la presencia de la mujer como autora teatral en la escena española contemporánea, llama la atención comprobar cómo, a diferencia del mundo de la narrativa, nuestras escritoras se mueven, sobre todo, en los circuitos alternativos. Hay algunas excepciones, sin duda, como en el caso de Ana Diosdado y Mª Manuela Reina, que han situado algunas de sus obras entre los principales éxitos comerciales de la última década, pero, en general, las autoras teatrales españolas ven sus creaciones representadas por compañías y grupos de teatro que rara vez logran traspasar los límites de las salas con programación estable. ¿Responde esto a los mismos condicionamientos sociales que impulsan a considerar como un gran logro conseguir en el ámbito político una cuota de participación femenina del 25 por ciento? Creo que no hay ninguna duda al respecto. Hoy por hoy, el tema de la igualdad femenina sigue siendo objeto de debate y el mundo del teatro refleja la situación real de la mujer en la sociedad española.

Al emprender hace años el estudio de la presencia de la mujer como autora y directora teatral en la escena española del siglo XX, me llamó poderosamente la atención la ausencia en manuales y ensayos críticos de referencias a su participación en la década de los veinte y treinta. ¿Significaba eso que la irrupción de la mujer en la escena era un fenómeno contemporáneo? Un detenido estudio del teatro español de esos años arrojaba unos primeros datos que desmentían estas ausencias, aunque, sin embargo, eran todavía nombres asociados a unos títulos representados y rara vez impresos. Era necesario abordar un estudio en profundidad que aclarara qué títulos de los que se llevaban a escena pertenecían a mujeres, cuál había sido su recepción entre el público y la crítica, qué obras se habían "inmortalizado" en los textos impresos, y qué elementos morfológicos configuraban las distintas creaciones.

Estas preguntas han encontrado respuestas adecuadas en el libro que tenemos entre manos. *Autoras dramáticas españolas entre 1918*

y 1936: Texto y representación, de la Dra. Pilar Nieva de la Paz, nos
ofrece respuestas concretas a todas estas preguntas. Una constante
búsqueda a lo largo de varios años en los fondos de las hemerotecas
y bibliotecas públicas; un permanente contacto con los herederos de
las autoras estudiadas, y un detenido análisis de la documentación
obtenida desde la óptica de las principales corrientes de la crítica
actual, han dado como resultado un exhaustivo volumen de amena
lectura y fácil consulta, donde el lector podrá encontrar numerosos
datos. Así la autora de este ensayo nos sitúa en el variado mundo de
la creación femenina, del que sorprende la cantidad de textos escritos por mujeres en relación a su escasa representatividad en el
mundo de la escena de aquellos años -con alguna rarísima excepción, por supuesto-. Pasando sus páginas, descubriremos cómo, a
pesar de que cultivaron con asiduidad la comedia, el drama y la tragedia, su interés se centró, en gran medida, en el teatro infantil y los
géneros menores -el sainete y el juguete cómico, sobre todo-. Leyendo sus sugerentes capítulos conoceremos los temas que les preocu-
paron, las técnicas estilísticas que utilizaron, y, algo de especial relevancia, la proyección que tuvieron entre el público y la crítica.
Quiero llamar especialmente la atención sobre este último aspecto,
ya que todo historiador conoce la dificultad de trabajar con la prensa
periódica y localizar las múltiples referencias aparecidas en los más
prestigiosos medios de comunicación de la época, sin despreciar por
ello las interesantes revistas teatrales y los periódicos de menor difusión. Una labor ímproba que la autora del libro ha coronado con
éxito.

    Grandes creadoras como Encarnación Aragoneses *(Elena Fortún),*
Carmen Baroja, Sofía Blasco, Mª Teresa Borragán, Mª Francisca Clar
(Halma Angélico), Carmen Díaz de Mendoza, Concha Espina,
Mª Teresa León, Pilar Millán, Carmen Eva Nelken *(Magda Donato),*
Isabel Oyarzábal *(Beatriz Galindo),* y Pilar de Valderrama, por citar
sólo algunas de las más conocidas, hallan un inteligente tratamiento
en el ensayo de la Dra. Pilar Nieva de la Paz, que permitirá al lector
adentrarse en el apasionante mundo de la temática y personajes
creados por estas admirables mujeres y tener un documento sociológico de indiscutible calidad sobre la situación de la mujer en la España de los años veinte y treinta. Cualquier lector interesado en la
sociología o en la historia "silenciada" del teatro español de este
período, encontrará en estas páginas un documento de extraordinario valor, cuyo éxito, desde estas líneas, auguramos.

Mª FRANCISCA VILCHES DE FRUTOS

INTRODUCCIÓN

En el presente volumen convergen dos focos de interés de indiscutible actualidad. A la cada vez mayor atención que suscita el período de entreguerras entre los historiadores, tanto en su dimensión histórica general (política, economía, sociedad...) como en relación con el devenir de la literatura y las artes en particular, viene a sumarse la proliferación en los últimos años de ensayos inscritos en la corriente denominada *Estudios de la Mujer,* dedicados a analizar la presencia y participación de las españolas en las diversas facetas de la vida nacional durante estas dos décadas. No cabe duda de que los años 20 y 30 tienen una especial significación por lo que respecta a la ya consolidada Historia de la Mujer[1], puesto que fue entonces cuando comenzaron a fraguarse algunas de las más importantes transformaciones en las relaciones entre los sexos, al tiempo que se producían avances legales esenciales para la mejora de la situación social femenina y se desarrollaba un movimiento general que llevaría a la mujer desde su tradicional inscripción en la esfera doméstica y privada hacia su progresiva incorporación a la esfera pública (educación, trabajo y participación política).

Las investigaciones realizadas dentro de esta nueva corriente historiográfica se han basado alternativamente en la utilización de la prensa diaria y/o en la búsqueda de fuentes orales apoyada en los presupuestos teóricos de la *Historia de la Vida Cotidiana*[2]. Los trabajos llevados a cabo están modificando sustancialmente el conocimiento histórico tradicional del período aportando datos fundamentales que rescatan la realidad personal, familiar y social de las mujeres españolas durante el reinado de Alfonso XIII y la Segunda República. Se sabe ya bastante, aunque quede aún mucho trabajo por hacer, sobre la vida diaria de las mujeres en la intimidad del hogar, sus ocupaciones y distracciones preferidas, los valores e ideales que configuraban sus sueños y expectativas, su nivel de educación y de participación en la actividad laboral extra-doméstica, su situación ante la ley y las cotas de integración alcanzada en la vida política.

Si nuevas han sido las fuentes de investigación e innovadores los métodos, no menos sorprendentes parecen los resultados obtenidos a partir de este tipo de estudios, algunos de los cuales se revisan en la descripción del contexto histórico presentada en el primer capítulo de este ensayo. Sin embargo, varias investigadoras llaman la atención sobre la conveniencia de completar dichas fuentes examinando los textos literarios escritos por las mujeres como potencialmente reveladores de su emplazamiento en el medio, de su relación con la sociedad y con los problemas palpitantes en su momento histórico concreto[3].

Los estudios literarios se han visto, pues, inmersos en este innovador proceso que responde a inquietudes sociales sin duda generalizadas. De ahí que proliferen últimamente ensayos de carácter histórico-crítico (catálogos de escritoras, estudios sobre figuras concretas y análisis de sus creaciones literarias) y teórico (predominando las traducciones de la teoría crítica feminista francesa y anglo-americana) a través de los cuales la investigación española se suma a los ya consolidados esfuerzos en este sentido de países como Francia, Inglaterra o Estados Unidos[4].

De hecho, las múltiples tendencias del feminismo crítico -a cuya práctica aluden algunas especialistas bajo la general denominación "ginocrítica"[5]- constituyen hoy una de las más potentes corrientes de investigación literaria, sobre todo por lo que respecta al mundo académico anglo-sajón. La recuperación del teatro de las autoras de preguerra que aquí se pretende entraría "sensu stricto" dentro de lo que Gabriela Mora define como práctica crítica frecuente en la corriente feminista:

> El intento más constante ha sido redescubrir y revalorar los escritos de mujeres que en el pasado no recibieron adecuada atención. El examen de las obras rescatadas del anonimato, más aquéllas que gozaron de algún renombre, va permitiendo poco a poco una aproximación a cuestiones generales y otras más específicas, algunas de las cuales presentan dificultades que llevará tiempo resolver[6].

Conviene tener en cuenta, sin embargo, la gran variedad de posturas críticas englobadas actualmente dentro de la así llamada Crítica Feminista. Mientras proliferan los análisis basados en la plena "identificación" crítica con el objeto de estudio, que enjuician los textos en razón de su conciencia y eficacia políticas (se inscriben en esta línea amplios sectores de la corriente crítica feminista norteamericana: Sandra Gilbert, Susan Gubar, Myra Jehlen...)[7], otras "teóricas" del feminismo crítico ponen un especial énfasis en postulados "filosóficos" herederos del deconstruccionismo de Jacques Derrida (representados mayoritariamente por el también pujante feminismo crítico francés: Hélène Cixous, Luce Irigaray, Julia Kristeva...). En este caso se trata de "desmantelar" los postulados críticos habituales como necesariamente deformados por sus gestores y defensores, los críticos varones, haciendo especial énfasis en aspectos filosóficos y psicoanalíticos.

Frente a posiciones "radicales" como las más arriba enunciadas[8], las posturas más objetivas y matizadas de algunas de las pioneras en este campo como Anette Kolodny, que propone un acercamiento individual a cada obra de autora que evite la demostración necesaria de postulados previos en torno a la especificidad de la escritura femenina, o Mary Ellmann (fundamento de la corriente de "imágenes de la mujer") revelan interesantes puntos de vista acerca del análisis de la imagen femenina y masculina retratada en los textos (aspecto que se ha tenido muy en cuenta en este trabajo), incidiendo en la valoración del contexto socio-histórico de las creaciones literarias y en el reflejo del mismo que se puede encontrar en ellas[9]. De este tipo de postulado, ejemplificado en la siguiente cita de Elaine Showalter, puede deducirse la consideración del condicionamiento social de la creación teatral femenina (relación con empresarios, actores, editores, estamento crítico, etc.) como directa explicación en muchos casos de numerosos hechos de recepción -o mejor, de "no-recepción"- de sus obras:

> La idea de estudiar a las escritoras como un grupo aparte no está basada en que todas sean iguales, o en que desarrollen un estilo parecido, propiamente femenino. Pero sí cuentan con una historia especial, susceptible de análisis, que incluye consideraciones tan complejas como la economía de su relación con el mercado literario; los efectos de los cambios sociales y políticos en la posición de las mujeres entre los individuos y las implicaciones de los estereotipos de la escritora así como de las restricciones de su independencia artística[10].

Revisar la historia del teatro español de preguerra partiendo de esta nueva perspectiva crítica e historiográfica enriquece el panorama presentado hasta el momento en ensayos, historias y antologías con una parcela poco conocida de la creación dramática -la realizada por mujeres en estos años-, al tiempo que puede suponer una interesante contribución específica a la Historia de la Mujer. No en vano el teatro es el género más directamente ligado al palpitar social de su tiempo, el género que transmite con mayor inmediatez y transparencia los códigos de valores, mentalidades, hábitos sociales y gustos estéticos de una época que estuvo protagonizada, también, por mujeres.

Una enorme cantidad de información de índole sociológica está implícita en el éxito o fracaso de una obra teatral ante el público. El análisis de las razones explicativas de la recepción favorable o desfavorable que los espectadores brindan a la creación teatral puede proporcionar revelaciones sorprendentes acerca de las actitudes sociales y códigos morales imperantes en un momento histórico concreto. En el caso del período de entreguerras, este hecho resulta tanto más revelador por cuanto que el teatro disfrutó de un protagonismo en la vida del país que hoy resulta asombroso. Al gran número de obras estrenadas cada temporada, la importante cantidad de salas comerciales, la popularidad de autores, actores y críticos y el privilegiado espacio otorgado en la prensa de estos años a las noticias y polémicas ligadas al mundo del teatro hay que añadir la gran variedad de la producción dramática del momento, que abarcaba desde el teatro más comercial hasta las propuestas teatrales más vanguardistas, muchas veces relegadas al ámbito del texto[11]. Los autores de éxito, en cambio, eran continuamente solicitados por las mejores compañías para escribir nuevas obras, ganaban grandes sumas de dinero con el negocio teatral, y eran la envidia de muchos novelistas, periodistas y políticos famosos, que a menudo caían en la tentación de emprender la aventura teatral.

En medio de este panorama de extraordinaria pujanza sorprende la ausencia de nombres de mujer entre los escritores de teatro que han pasado a formar parte del canon dramático de nuestro siglo. Tan sólo han llegado hasta nosotros los nombres de algunas de las excepcionales actrices que pueblan la escena madrileña de la preguerra: Irene Alba, Catalina Bárcena, Julia Cava, Josefina Díaz, María Guerrero, Irene López Heredia, Lola Membrives, Carmen Moragas, María Palou, Rosario Pino, Loreto Prado, Aurora Redondo, Margarita Xirgu... Las historias del teatro más importantes y los ensayos específicos sobre esta misma materia excluyen a la mujer escritora de sus nóminas de autores por lo que a los años 20 y 30 se refiere. Teniendo en cuenta que por estos mismos años empiezan a ser populares escritoras que colaboran en la prensa con poesías, artículos, cuentos y novelas breves, publicando también en las numerosas colecciones semanales de novela corta (Caterina Albert, Carmen de Burgos, Sofía

Casanova, *Magda Donato,* Sara Insúa, Concha Espina, Margarita Nelken, Blanca de los Ríos...), cabría pensar que el teatro fue el único
género del que se alejó la mujer dedicada a la actividad literaria.

Sorprendida por la "aparente" ausencia de mujeres dedicadas a la
escritura teatral en estos años, decidí emprender una investigación
que dio lugar a la redacción de la tesis doctoral de la que parte este
ensayo. Se trataba de dilucidar cuál fue la presencia real de la mujer
en el teatro español como autora, traductora y adaptadora entre 1918
y 1936, desde una doble y complementaria perspectiva: el teatro
como hecho espectacular y el teatro como texto. Por un lado me
propuse la localización del teatro en lengua castellana escrito, adaptado o traducido por mujeres, que se representó en los escenarios
madrileños entre la temporada 1918-1919 y la 1935-1936. Por otro,
convenía completar dicha nómina con la búsqueda de textos teatrales escritos, adaptados o traducidos por mujeres publicados en España en lengua castellana por las mismas fechas.

Como ya señalé al inicio de esta introducción, la elección del año
1918 como punto de partida del estudio, dejando por el momento a
un lado la información relativa a las dos primeras décadas del siglo,
tuvo su origen en el testimonio facilitado por la prensa del momento
de la intensa conmoción que produjo en España la incorporación de
la mujer durante los años de la guerra europea a las tareas productivas y de apoyo logístico-bélico en los países de nuestro entorno más
inmediato. Al finalizar la contienda, se inició en nuestro país un
debate intelectual y social de amplio alcance acerca de la mujer y su
situación en la vida pública y privada. Las mujeres, por su parte, se
vieron afectadas también por la influencia foránea, haciéndose eco
del fortalecimiento europeo de las reivindicaciones feministas. De ahí
que surgieran en España entre 1918 y 1920 una gran cantidad de
asociaciones femeninas de todo signo que dan viva cuenta del proceso de cambio que se estaba produciendo en el país. Formaron
parte de dichos movimientos asociativos varias de las escritoras que
aquí se estudian, destacando por su especial protagonismo en los
mismos nombres como los de *Halma Angélico,* Carmen Baroja,
Zenobia Camprubí, Trudy Graa, María de la O Lejárraga, Carmen y
Margarita Nelken, Isabel Oyarzábal... Los años 20 y 30 presentan, en
suma, un enorme interés para el estudio del nacimiento de una
"nueva mujer" que había empezado a ser anunciada en otros países
desde principios de siglo[12].

Por otro lado, el escaso conocimiento que aún se tiene de la actividad teatral llevada a cabo en los teatros españoles de preguerra
explica la restricción del marco espacial del presente estudio a los

escenarios madrileños de estos mismos años. Las investigaciones sistemáticas llevadas a cabo por los profesores Mª Francisca Vilches y Dru Dougherty de la cartelera madrileña entre 1918 y 1936 (*La escena madrileña entre 1918 y 1926. Análisis y documentación*) ofrecen los únicos datos completos al respecto que hasta el momento se poseen. Es de esperar que la concreción de otros proyectos en marcha, como los desarrollados por el equipo dirigido por el profesor José Romera Castillo en torno al teatro representado en diversas comunidades autónomas, permitirá extender el estudio del teatro estrenado a otras zonas del territorio nacional.

El absoluto vacío crítico existente respecto a la participación de la mujer en la vida escénica española así como la sorpresa creciente según avanzaba la investigación por la inesperada riqueza del objeto de estudio elegido, han sido causa de la importante reducción del alcance inicial previsto, dejando fuera de los límites del presente ensayo la valoración del papel desempeñado por actrices, directoras, escenógrafas, figurinistas, compositoras, etc. Sobre varias de las más importantes intérpretes se puede encontrar alguna información bibliográfica que es necesario actualizar y ampliar a nuevas figuras aún no abordadas[13]. Menor información aún nos ha llegado acerca de la función de dirección escénica desempeñada por varias de ellas (Anita Adamuz, María Gámez, Hortensia Gelabert, María Luisa Moneró, Antonia Plana, Camila Quiroga, Concha Torres, Margarita Xirgu...) y por directoras de grupos de arte como *Magda Donato* ("Teatro de la Escuela Nueva") o Pura Maórtua de Ucelay ("Club Teatral Anfistora"). La consulta de la prensa madrileña de estos años ha facilitado también múltiples referencias a figurinistas (Mª Rosa Bendala, Amparo y Gloria Brime, Emilia Cuesta, Victorina Durán, Anita Marinette, María Guerra Ozores...), escenógrafas (Victorina Durán, Carmen Monné, Piti Bartolozzi), compositoras (Pilar Contreras, Carmen López Peña, Joaquina Ortiz, María Rodrigo, Remedios de Selva...) y coreógrafas (Paloma Pardo, Tórtola Valencia), que trabajaron para el teatro en el Madrid de la preguerra. Una nómina en buena medida desconocida que ha de ser estudiada en profundidad en sucesivos trabajos si se quiere tener una visión completa del papel desempeñado por la mujer en el complejo mundo del espectáculo teatral del momento.

Volviendo al objeto del presente ensayo, el largo rastreo llevado a cabo en prensa, colecciones teatrales, bibliotecas y catálogos para la exhumación de las casi siempre olvidadas escritoras de teatro del período de entreguerras, ha permitido la localización de más de sesenta autoras y casi veinte adaptadoras y traductoras que estrenaron o publicaron alguna de sus obras para el teatro durante las dieciocho temporadas abordadas. Conviven en el marco definido por estas escuetas cifras las creaciones dramáticas de escritoras más o menos conocidas por su dedicación a la novela, el cuento, el periodismo y la poesía como *Magda Donato* (Carmen Eva Nelken), Concha Espina, *Elena Fortún* (Encarnación Aragoneses Urquijo), Sara Insúa..., con la labor dramática de otras mujeres a las que se ha seguido con alguna atención debido a su relación matrimonial o sentimental con algún escritor de fama, cuyo éxito ha servido para ocultar en bastantes casos la valía humana y literaria de las preteridas escritoras. Tal es el caso de Zenobia Camprubí (traductora casada con Juan Ramón Jiménez, del que fue ayudante eficaz en sus tareas poéticas y editoriales), Mª Teresa León (escritora y mujer de importante vinculación en la política cultural durante la guerra, casada con Rafael Alberti), Concha Méndez (editora y poetisa que contrajo matrimonio con otro poeta de la Generación del 27, Manuel Altolaguirre) o Pilar de Valderrama (poetisa casada con el escritor Martínez Romarate, más conocida por su platónica relación con Antonio Machado).

Un caso especialísimo de ocultamiento a la sombra del esposo ha sido el de María de la O Lejárraga, que firmaba con su nombre de casada, María Martínez Sierra. La lectura de su autobiografía sentimental y literaria, *Gregorio y yo. Medio siglo de colaboración,* los testimonios de escritores y críticos teatrales que conocieron a la pareja así como las investigaciones realizadas por Patricia O'Connor, Alda Blanco y Antonina Rodrigo demuestran la participación de María de la O Lejárraga en la prolífica creación teatral firmada por Gregorio Martínez Sierra, escritor, empresario y editor de enorme popularidad en la época. Aunque la citada escritora tuvo una intensa vida profesional y política, no huyendo del protagonismo y el compromiso personal cuando lo consideró necesario -como narra ella misma en su autobiografía política *Una mujer por caminos de España*-, no quiso, sin embargo, firmar ninguna de sus creaciones para el teatro hasta después de la muerte de su esposo[14]. Queda por estudiar aún la naturaleza de la colaboración del matrimonio en cada una de las obras del extenso repertorio firmado por "Martínez Sierra" con el fin de establecer el grado de participación de la escritora en las diferentes piezas. A la espera de una mayor luz sobre la cuestión, y aun estando firmemente convencida de que María Martínez Sierra es probablemente una de las mejores escritoras teatrales españolas del presente siglo, me ha parecido prematuro incluir indiscriminadamente las obras firmadas por "Martínez Sierra" en los apéndices finales del libro.

Existe, por último, un tercer grupo de autoras casi totalmente olvidadas: Pilar Algora, *Halma Angélico* (MªFrancisca Clar Margarit), *Adebel* (Adelina Aparicio y Ossorio), Elena Arcediano, Mercedes Ballesteros, Carmen Baroja, Sofía Blasco, Mª Teresa Borragán, Carmen Díaz de Mendoza -Condesa de San Luis-, Isabel Oyarzábal, Matilde Ras, etc. Una relativamente extensa nómina de escritoras que se verá aumentada sin duda tras la aparición de un próximo volumen que completará el estudio de la creación dramática femenina del primer tercio de siglo con la revisión de la producción de las autoras que representaron y/o publicaron su teatro entre 1900 y 1918, y entre las que se encuentran figuras conocidas por otras dedicaciones -la novelista Emilia Pardo Bazán, la periodista Sofía Casanova, la penalista y escritora Gertrudis Gómez de Avellaneda...- junto con otras autoras caídas en similar e injusto olvido como Eva Canel, Joaquina García Balmaseda, Felisa Girauta Lajusticia, Dolores Ramos de la Vega, Elena Sánchez de Arrojo, etc.

La importancia y novedad de los datos encontrados no puede hacernos olvidar, sin embargo, la absoluta desproporción cuantitativa que se observa en relación con el apabullante número de obras teatrales escritas por hombres en estas casi dos décadas. Según los datos facilitados en el ya citado libro de Vilches y Dougherty, tan sólo durante las ocho temporadas comprendidas entre 1918 y 1926 se estrenaron 2.928 títulos en los teatros madrileños, de los cuales veintitres corresponden a obras escritas o adaptadas por mujeres. Entre 1926 y 1936 se representaron en Madrid sesenta y nueve títulos de autoras entre estrenos y reposiciones. Aunque fue algo mayor la presencia de la mujer en el ámbito del teatro impreso -se han localizado más de un centenar de títulos hasta el momento-, resulta palpable el desnivel entre la producción teatral de hombres y mujeres en estos años.

A la hora de buscar posibles razones que den cuenta del hecho, la situación socio-histórica de la mujer española de entreguerras se nos presenta como inevitable piedra de toque en el análisis. La condición social de la mujer, su bajo nivel educativo, su aislamiento dentro de la esfera privada, los constantes obstáculos que tuvieron que vencer las aventuradas mujeres que intentaban por primera vez incorporarse a la esfera de lo público -¿y qué hay más público que el negocio del teatro?- son algunos de los factores que explican el alejamiento de la mujer escritora de la actividad teatral. Parecía, pues, oportuno situar históricamente la producción dramática de las escritoras antes de emprender su análisis específico. De ahí que el primer capítulo se dedique a describir sucintamente la posición legal y real de la española en la familia, sin olvidar un breve esbozo de su situación en la esfera pública, definida en relación con tres cuestiones sumamente polémicas en el momento: la educación de la mujer, la incorporación de la misma a nuevas profesiones, y su participación creciente en la vida política del país (asociacionismo, voto, feminismo, etc.).

Por otro lado, las enormes carencias educativas y profesionales que padecían las españolas se vieron agravadas por la dura oposición de una gran parte de los hombres que controlaban el negocio del teatro, temerosos de la competencia que las mujeres podían empezar a representar en los diferentes aspectos de la actividad pública. Cristóbal de Castro, escritor y crítico que demostró un real interés por la polémica "Cuestión femenina" en sus numerosos artículos y ensayos, se refería claramente a las barreras adicionales que la autora novel tuvo que vencer para llegar al público, para hacer de su teatro algo vivo, representado:

> ¿Hemos de referir "el calvario de las autoras"? Tan público y notorio es que huelga exponerlo. Más aún si se trata [...] de escritoras ya conocidas: entonces el "calvario" es peor. Todavía las absolutamente inéditas pueden, aprovechando la ocasión, colocar una obra, siempre a título de rareza o de extravagancia y siempre "por una sola vez". Porque con éstas no hay cuidado. Mas las escritoras de firma ofrecen ya serios peligros. ¿Y si, por dejarlas entrar, se avecinan definitivamente? [...] Ante tanta dificultad para estrenar sus obras, no les queda sino un camino: publicarlas. Puesto que el empresario no busca a las autoras, las autoras, por medio del libro, van en busca del empresario[15].

Unas barreras adicionales que, desgraciadamente, no parecen haberse superado totalmente en la actualidad. Hoy como ayer, las escritoras de teatro se lamentan de su posición marginal en la profesión, de los tremendos obstáculos que han de vencer para acceder a los circuitos comerciales de difusión teatral[16]. Algunos afirman todavía que la mujer prefiere otros géneros literarios, sea la novela o la poesía, queriendo ignorar tal vez la existencia de un importante grupo de escritoras teatrales activas y decididas a abrirse camino en la profesión. A los ya populares nombres de Ana Diosdado o Mª Manuela Reina, dos autoras que han visto estrenadas con notable éxito varias de sus producciones, se añaden los de Marisa Ares, Yolanda García Serrano, Maribel Lázaro, Lourdes Ortiz, Paloma Pedrero, Pilar Pombo, Carmen Resino, Concha Romero..., autoras que difícilmente han conseguido acceder a los escenarios comerciales madrileños[17]. Queda, pues, mucho camino por andar en dirección a una más plena integración de la mujer al mundo del espectáculo teatral "vivo".

Partiendo de una concepción sociológica del hecho teatral, íntimamente ligada a la utilización de los textos recuperados como testimonio de la realidad femenina de los años 20 y 30, en el segundo capítulo de este ensayo se lleva a cabo un análisis socio-temático del conjunto de obras teatrales de autora localizadas que pretende recuperar la experiencia social femenina en las dos esferas, pública y privada, anteriormente mencionadas. De este modo se enriquece la información proporcionada por la cada vez más abundante bibliografía sobre la condición social de las españolas del primer tercio de siglo con el testimonio personal y con las contradicciones artísticas e ideológicas esperables en un momento histórico en el que están gestándose profundos cambios en las relaciones entre los sexos. Siendo central en el desarrollo de este capítulo la concepción de una influencia significativa de las condiciones de vida de las mujeres en la creación de su producción dramática, interesa fundamentalmente en él reflexionar acerca del modo (especular o crítico) en que las escritoras reflejan en sus obras el referente social y, al mismo tiempo, los diferentes medios de transmisión de códigos políticos, ideológicos, morales... empleados por ellas.

El deseo de presentar un panorama global, el de la creación autorial femenina en la España de entreguerras, ha motivado la elección de un enfoque comparativo y totalizador en perjuicio de la presentación detallada y completa de las personalidades creativas individuales. Con este fin se ha recurrido a la clasificación de las obras según su adscripción formal a los diversos marcos genéricos -drama y tragedia, en el capítulo 3; comedia, sainete y juguete cómico, en el 4; teatro infantil y otros géneros, en el 5-, clasificación que facilita la percepción de tendencias predominantes que articulan la creación total del corpus de autoras estudiado.

La característica convivencia en el teatro de los años 20 y 30 de autores perfectamente integrados en la escena comercial madrileña como Serafín y Joaquín Álvarez Quintero, Carlos Arniches, Jacinto Benavente, G. Martínez Sierra o Pedro Muñoz Seca, junto con otras figuras que mantuvieron unas posiciones teatrales difícilmente asumibles por el gran público -Rafael Alberti, Max Aub, Azorín, R. Gómez de la Serna, Jacinto Grau, parte del teatro de F. García Lorca, Miguel de Unamuno, R. Mª del Valle-Inclán, etc.-, es en buena medida trasladable al análisis de la producción del corpus de escritoras que aquí nos ocupa.

El eje tradición-innovación, concebido actualmente por los estudiosos del teatro de preguerra como articulación esencial de su compleja y varia realidad[18], resulta una vez más especialmente fructífero para una coherente comprensión de la producción teatral femenina en su conjunto. Entre las escritoras estudiadas se encuentran toda clase de postulados políticos, ideológicos y morales, desde la posición monárquico-conservadora de una Pilar Millán Astray hasta el anarquismo de *Halma Angélico* y las posturas claramente revolucionarias de Mª Teresa León, pasando por el reformismo feminista moderado de Pilar Algora o Elena Arcediano. Parecida variedad se observa en su particular acercamiento a los distintos géneros. Aunque las modalidades "dramáticas" son las preferidas por las autoras más innovadoras, también en la comedia, la pieza infantil o la obra en un acto pueden encontrarse ejemplos notables de renovación teatral, si bien más orientados hacia la introducción de nuevos temas y motivos que en el orden compositivo o en el manejo de los diversos lenguajes escénicos. En algunos casos, las modalidades genéricas elegidas responden a un claro deseo de inserción en el marco del teatro más comercial (Adelina Aparicio, Sofía Blasco, Pilar Millán Astray, Dolores Ramos de la Vega...), mientras que en otros nos encontramos con escritoras estrechamente vinculadas a las propuestas renovadoras del teatro de arte, que contaban con un público minoritario y una generalmente única representación de las piezas estrenadas. En este segundo grupo cabe incluir a autoras tan diversas como Carmen Baroja, Zenobia Camprubí, *Magda Donato,* Isabel Oyarzábal o Pilar de Valderrama. Autoras teatrales de calidad como Mercedes Ballesteros o Matilde Ras, cuyas obras apuestan claramente por fórmulas renovadoras en temas y técnicas, padecieron una situación aún más extrema al tener que conformarse con dar sus textos a la impresión, sin conseguir la representación de los mismos.

Algunas de las posibles inexactitudes en la clasificación de las obras, que tienen su origen en la aceptación respetuosa del género asignado en carteleras o textos impresos, se han visto matizadas por la consulta de las reseñas periodísticas, muy a menudo preocupadas por la correcta delimitación de las características genéricas de las obras estrenadas. Este hecho lleva a pensar que estudios como el presente podrían contribuir a un mejor conocimiento del canon genérico con respecto al cual se juzga la creación en un tiempo concreto:

> Se sitúa en el primer plano del interés la recepción de la literatura por medio de un público determinado. Al mismo tiempo, sin embargo, los juicios hechos sobre aquellas obras reflejan

ciertas actitudes, orientaciones y normas del público de entonces, de manera que en el espejo de la literatura aparezca el
código cultural por el que tales juicios están condicionados.
(...) En todo caso, la historia de la recepción descubre las normas enjuiciativas de los lectores y con ello se convierte en
punto de apoyo para una historia social y del gusto del público lector[19].

La dimensión social de este tipo de acercamiento "recepcional" a
la obra dramática convierte el estudio de la acogida que público y
crítica brindan a la misma en absolutamente esencial para la mejor
comprensión del "horizonte de expectativas" funcionalmente actuan-
te en un momento histórico concreto. En el caso de las escritoras, el
análisis de la actitud de la crítica coetánea a la hora de enjuiciar sus
estrenos pone de manifiesto los prejuicios que subyacían tras muchas
de estas valoraciones, afectadas claramente por el sexo de las enjuici-
das (vid. apartado 6.1.). Actitudes especialmente significativas por
partir de un estamento crítico formado por algunos de los escritores
e intelectuales más importantes de los años 20 y 30.

El análisis de la opinión que cada uno de los críticos y periódicos
más destacados manifiesta con respecto a una obra, una autora e,
incluso, al conjunto de las autoras como tal, se completa en el punto
siguiente -6.2- con una revisión del tratamiento otorgado a las escritoras teatrales de estos años en la bibliografía secundaria posterior.
Es de lamentar que la consulta de los catálogos de escritoras españolas contemporáneas -Calvo, Galerstein, Marsá, Pérez...- se orienten
muy especialmente hacia las narradoras, por lo que apenas facilitan
información alguna sobre el género teatral, una carencia a la que hay
que sumar la escasez de bibliografía sobre la mayor parte de las
autoras dramáticas estudiadas. Se puede afirmar, pues, que el presente trabajo constituye el primer acercamiento sistemático a la producción teatral de las autoras de los años 20 y 30. A la inexistencia de
una bibliografía previa sobre el tema -una de las más importantes
barreras encontradas en la presente investigación- se deben en parte
algunas de sus deficiencias y olvidos. Una parcela de estudio como
ésta, prácticamente inexplorada, hace deseable la continuación en
los esfuerzos emprendidos por parte de nuevos investigadores. El
estudio bio-bibliográfico de las escritoras del corpus no sería, en este
sentido, uno de los caminos menos productivos. De hecho, no existe
apenas información biográfica accesible sobre la mayor parte de
ellas, siendo imprescindible para un mejor conocimiento de sus personalidades creativas recurrir, como se ha hecho en el curso de esta
investigación siempre que ha sido posible, al testimonio personal de

familiares y amigos de las escritoras, fallecidas en su mayoría.

Varios han sido los problemas encontrados en una investigación que se concreta documentalmente en los apéndices finales que cierran prácticamente el libro. Unas dificultades que se explican en muchos casos por la situación marginal de las autoras en la realidad teatral de la preguerra. En el primer apéndice se intenta recoger un catálogo completo del teatro en castellano escrito, traducido y adaptado por autoras que se representó en los teatros comerciales de Madrid en las dieciocho temporadas comprendidas entre 1918 y 1936, con información de un buen número de representaciones de aficionados localizadas. Se recogen en él el género, la fecha y el lugar del estreno de cada una de las obras, seguido de las referencias bibliográficas completas de las reseñas, autocríticas y entrevistas previas al estreno localizadas en los ocho periódicos madrileños que han sido rastreados sistemáticamente (*ABC, El Debate, La Época, Heraldo de Madrid, La Libertad, El Liberal, El Sol y La Voz*). En la elección de los mismos se ha pretendido lograr una variedad de opiniones determinada por el amplio espectro ideológico que todos ellos representan así como una relativa homogeneidad, que parte de su extensión cronológica a través de casi todo el período.

Para su elaboración se ha contado con la excelente información facilitada por el citado volumen de Dougherty y Vilches, junto con la revisión de su banco de datos sobre la década siguiente, en curso de publicación, habiéndose localizado así la existencia de varias autoras de las que no queda rastro alguno en bibliotecas y catálogos. Es previsible, sin embargo, que vayan apareciendo nuevos datos en relación con las representaciones de aficionados, sobre todo en el ámbito del teatro escolar infantil. La escasa difusión de las representaciones al margen de los circuitos comerciales establecidos dificulta el acceso a una parcela de la creación dramática en la que las escritoras tuvieron una importante participación.

Parte fundamental en el estudio del teatro de autoras efectivamente representado en los escenarios madrileños durante estas dieciocho temporadas ha sido también la localización de las reseñas de los estrenos, realizada básicamente en la Hemeroteca Municipal de Madrid y en la Biblioteca Nacional de esta misma ciudad. A los habituales problemas de consulta que afectan a buena parte del material periodístico de estos años, se añade la menor atención prestada frecuentemente a los estrenos de las autoras en relación con los que protagonizaban simultáneamente sus colegas varones -el espacio concedido a estos comentarios fue mínimo en muchos casos, tratándose a veces de una mera notificación del hecho acaecido o quedando incluso totalmente ignorado en beneficio de la obra "del día"-. Realizadas repetidas búsquedas, ha sido inevitable en muchos casos resignarse a consignar las frecuentes ausencias señaladas en las tablas del apéndice final.

El segundo apéndice contiene un inventario del teatro publicado o impreso por las autoras en España en estos mismos años que se ha localizado hasta el momento. Al igual que el apéndice de teatro representado, aparece ordenado por sucesión alfabética de autoras y títulos (originales seguidos de adaptaciones) para facilitar su más rápida consulta. En este caso los problemas más importantes han surgido en el proceso de localización de los textos para su posterior lectura y análisis. La difusión en ediciones de corta tirada de la mayoría de las obras de autora -con algunas excepciones como *Magda Donato*, Pilar Millán Astray o Dolores Ramos de la Vega, presentes en colecciones de gran popularidad en esos años- e, incluso, la imposibilidad de acceso a la edición editorial que sufrieron muchas de ellas -conservándose en algunos casos las copias mecanografiadas utilizadas en los ensayos o conservadas cuidadosamente por avisados coleccionistas como Arturo Sedó (Institut del Teatre)- ha imposibilitado el análisis de obras de cuya existencia tengo noticias por la prensa, las solapas de las obras editadas -muy frecuentes en las mayoritarias ediciones de la Sociedad General de Autores Españoles- o a través del Departamento de Derechos Dramáticos de esta misma sociedad. En todos estos casos, las obras anunciadas han permanecido al margen del apéndice de teatro impreso, a la espera de poder comprobar con la localización de los textos los datos de publicación encontrados.

Por último, el tercer apéndice incluye una tabla general en la que se recoge la totalidad de reseñas de estreno localizadas, especificando el juicio emitido por los periódicos en la valoración de la obra (positiva, negativa e intermedia) y el balance global que resulta de todas las opiniones recogidas. El mismo planteamiento sustenta la estructuración de la segunda tabla, referida en este caso a traductoras y adaptadoras únicamente. La presencia de las citadas escritoras en algunos de los ensayos de conjunto que abordan con cierta extensión el estudio del teatro español del período, completa la panorámica presentada y da paso al índice de bibliografía consultada, en el que se pone al día la escasa información ya existente sobre algunas de las escritoras objeto de este estudio.

Existen, pues, varias vías posibles de cara a futuras investigaciones sobre el tema. Es necesario, sobre todo, ir ampliando el alcance cronológico y espacial abordado para avanzar en la elaboración de la historia de un teatro desconocido, el teatro realizado por mujeres, incluyendo otras facetas tan interesantes como la dirección de escena, la escenografía, la composición musical, etc. También ha de abordarse una imprescindible tarea de revisión crítica que conducirá al establecimiento de un canon femenino que complete la visión del teatro español presentada en las historias y ensayos fundamentales. Tal vez el pasado ofrezca ánimo e inspiración a esas escritoras actuales que a menudo se lamentan del desasimiento cultural que supone la "ausencia" de una tradición propia. Una tarea que ha de partir del estudio en profundidad de las autoras más interesantes y, sobre todo, de la urgente reedición de sus textos.

NOTAS A LA INTRODUCCIÓN

[1] Bajo este título se han publicado recientemente en España los primeros volúmenes de dos macro-proyectos traducidos del inglés y francés respectivamente: Bonnie S. Anderson y Judith P. Zinsser, *Historia de la mujeres, Una historia propia*, 2 vols., Barcelona, Crítica, 1991, y Georges Duby y Michel Perrot, *Historia de las mujeres*, vols. I y II, Madrid, Taurus, 1991-1992. De gran interés resulta igualmente la traducción de varios artículos clásicos de esta moderna corriente que han editado James S. Amelang y Mary Nash, *Historia y género: Las mujeres en la Europa Moderna y Contemporánea* (Valencia, Edicions Alfons el Magnànim-Institució Valenciana D'Estudis i Investigació, 1990).

[2] Destacan dentro de este campo los libros de Pilar Folguera (*Vida cotidiana en Madrid. El primer tercio de siglo a través de las fuentes orales*, Madrid, Comunidad de Madrid, 1987) y Mª José González Castillejo (*La nueva Historia. Mujer, vida cotidiana y esfera pública en Málaga [1931-1936]*, Málaga, Universidad de Málaga, 1991). Véase también D. Bussy, "Problemas de aprehensión de la vida cotidiana de las españolas a través de la prensa femenina y familiar (1931-1936)", en Pilar Folguera (ed.), *La mujer en la historia de España (s. XVI-XX)*, Madrid, Universidad Autónoma de Madrid, 1984, y Mª Angeles Durán, "Sobre literatura y vida cotidiana", en Mª Angeles Durán y J.A. Rey (eds.), *Literatura y vida cotidiana*. Actas de las IV Jornadas de Investigación Interdisciplinar, Zaragoza, Seminario de Estudios de la Mujer de la Universidad Autónoma de Madrid, 1987, pp. 11-33.

[3] Ejemplos de este tipo de acercamiento a las fuentes literarias se encuentran en Isabel Segura y Soriano, "La literatura de mujeres como fuente de documentación para la recuperación de la experiencia histórica de las mujeres", *Literatura y vida cotidiana*, pp. 251-260 y G. Gómez Ferrer, "La imagen de la mujer en la novela de la Restauración: ocio social y trabajo doméstico", en Rosa Mª Capel (ed.), *Mujer y sociedad*, Madrid, Ministerio de Cultura, 1982. Veáse también los trabajos de Mª Angeles Durán y Mª José González Castillejo (nota 2).

[4] Generalmente han sido profesoras de origen anglo-americano las que se han interesado por elaborar catálogos y ensayos de conjunto sobre las escritoras españolas. Vid., entre otros, Carolyn Galerstein (ed.), *Women Writers of Spain. An Annotated Bio-Bibliographical Guide*, Westport, Conn., Greenwood Press, 1986; Janet Pérez, *Contemporary Women Writers of Spain*, Boston, Twayne Publishers, 1988; J. Brown, *Women Writers of Contemporary Spain*, New Jersey, Associated University Presses, 1991, y Elizabeth J. Ordóñez, *Voices of Their Own. Contemporary Spanish Narrative by Women*, Lewisburg, Associated University Presses, 1991. Entre los escasos repertorios bio-bibliográficos españoles cabe citar los de Margarita Nelken, *Las escritoras españolas*, Barcelona, Labor, 1930; I. Calvo Aguilar, *Antología biográfica de escritoras españolas*, Madrid, Biblioteca Nueva, 1954, y P. Marsá Vancells, *La mujer en la literatura*, Madrid, Torremozas, 1987. Por lo que respecta a la pasada centuria, los catálogos de Criado Domínguez, Diego Parada y Manuel Serrano y Sanz se han visto magníficamente continuados con la reciente aparición del excelente volumen de Mª del Carmen Simón Palmer, *Escritoras españolas del siglo XIX. Manual bio-bibliográfico*, Madrid, Castalia, 1991.

[5] Mar de Fontcuberta, *La ginocrítica*, Barcelona, Universidad Autónoma, 1983.

[6] Gabriela Mora y Karen Van Hooft [eds.], *Theory and Practice of Feminist Literary Criticism*, Michigan, Bilingual Press, 1982, p.5.

[7] Postulados sistemáticos de deformación se defienden continuamente desde posiciones radicales como la que representa, por citar un solo ejemplo, Penny Boumelha, quien afirma al respecto: "I want to propose that a feminist reading of any text, whether it is by a woman or a man, needs to know and accept that is an *appropiation* of the work for feminism rather than a revelation of any pre-existing belief or intention of the author. Vid. Penny Boumelha, "George Eliot and the End of Realism", en Sue Roe (ed.), *Women Reading Women's Writing*, Brighton, The Harvester Press Limited, 1987, p.25.

[8] Una de las defensoras del presupuesto de implicación crítica, Selma Leydesdorff, relaciona directamente también la "identificación" de las historiadoras con su objeto de estudio con el origen de la historiografía feminista. Vid. Selma Leydersdorff, "Politics, Identification and the Writing of Women's History", en Arina Angerman et al., *Current Issues in Women's History*, London and New York, Routledge, 1989, pp. 9-20.

[9] Mary Ellmann, *Thinking about Women,* New York, Harcourt, 1968, y Annette Kolodny, "Some Notes on Defining a 'Feminist Literary Criticism'", *Critical Inquiry,* II (1975), 1, p.79.

[10] Elaine Showalter, "Women and the Literary Curriculum" *College of English,* XXXII (1971), pp. 13-14, apud. Toril Moi, *Teoría literaria feminista,* Madrid, Cátedra, 1988, p.61. Recientemente se han manifestado contrarios a la conveniencia de "aislar" la producción femenina en estudios de género críticos como J. I. Ferreras ("Mujer y literatura", *Literatura y vida cotidiana,* pp. 39-52), Ricardo Senabre ("Literatura femenina", *ABC,* 14-01-1992), e Ignacio Soldevila ("Sobre la escritura femenina y su reivindicación en el conjunto de la historia de la literatura contemporánea de España", *Revista Canadiense de Estudios Hispánicos,* XIV [1990], 3, pp. 606-616). Sus argumentos, relacionados siempre con la dificultad de definir la especificidad de la literatura de mujeres, contribuyen a un planteamiento polémico de la cuestión, todavía muy lejos de haber sido resuelta por las diferentes corrientes de la crítica feminista.

[11] Una completa descripción de la realidad teatral madrileña en estos años puede verse en Dru Dougherty y Mª Francisca Vilches, *La escena madrileña entre 1918 y 1926. Análisis y documentación,* Madrid, Fundamentos, 1990, pp.13-65. Están próximos a aparecer dos nuevos volúmenes que darán cuenta del teatro representado en Madrid entre 1926 y 1936. Agradezco muy sinceramente a los citados investigadores el que me hayan permitido acceder a su valioso banco de datos inédito sobre este segundo período.

[12] En Estados Unidos, por ejemplo, el teatro del primer cuarto de siglo escrito por mujeres gira en torno al nuevo personaje de la "Mujer Moderna". Vid. Sharon Friedman, "Feminism as Theme in Twentieth-Century American Women's Drama", *American Studies,* XXV (1984), 1, p. 81.

[13] Aunque perteneciente a una etapa anterior del teatro español, la influencia de la actriz María Guerrero en la escuela interpretativa española resulta determinante en estos años. Véase Luis Antón del Olmet y José de Torres Bernal, *Los grandes españoles: María Guerrero,* Madrid, Renacimiento, 1920; Nicolás González Ruiz, *Sara Bernhardt y María Guerrero,* Barcelona, 1946; Ismael Sánchez Estevan, *María Guerrero,* Barcelona, Joaquín Gil Editores, 1946, y Felipe Sassone, *María Guerrero (La Grande),* Madrid, Escélicer, s.a. Sobre la gran actriz de los años 20 y 30 Margarita Xirgu, puede verse los libros de Antonina Rodrigo *Margarita Xirgu y su teatro,* Barcelona, Planeta, 1974, y *Mujeres de España. Las silenciadas,* Barcelona, Círculo de Lectores, 1989 (1ª ed. 1979). A propósito de la primera actriz de la compañía de Martínez Sierra, Catalina Bárcena, véase José Ramírez, *Catalina Bárcena,* Caracas, 1928.

[14] María Martínez Sierra, *Gregorio y yo. Medio siglo de colaboración,* México, Biografías Gandesa, 1953, y *Una mujer por caminos de España.* Ed. de Alda Blanco. Madrid, Castalia-Instituto de la Mujer, 1989. Sobre las autobiografías de María de la O Lejárraga, véase Alda Blanco, "In Their Chosen Place: On the Autobiographies of Two Spanish Women of the Left", *Genre,* XIX (1986), 4, pp 431-445. Vid. también Patricia O'Connor, *Gregorio y María Martínez Sierra, Crónica de una colaboración,* Madrid, La Avispa, 1987, y Antonina Rodrigo, *María Lejárraga, una mujer en la sombra,* Barcelona, Círculo de Lectores, 1992.

[15] Cristóbal de Castro (ed.), *Teatro de mujeres. Tres autoras españolas,* Madrid, Aguilar, 1934, pp. 10-11.

[16] Un ejemplo de este tipo de denuncia puede verse en "Encuesta: ¿Por qué no estrenan las mujeres en España?", *Estreno,* X (1984), 2, pp. 13-25; Eduardo Galán, "La política teatral impide los estrenos teatrales de autoras", *Ya,* 1-04-1989, p.31, y el coloquio moderado por Lourdes Ortiz "Los horizontes del teatro español: Nuevas autoras", *Primer Acto* (1987), 220, pp. 10-21. La misma realidad se presenta en los artículos de Patricia O'Connor "¿Quiénes son las dramaturgas contemporáneas, y qué han escrito?, *Estreno,* X (1984), 2, pp. 9-12, y "Six Dramaturgas in Search of a Stage", *Gestos, V (1988), pp. 116-120.* Sobre la situación de las dramaturgas españolas contemporáneas, consúltese también Patricia O'Connor, *Dramaturgas españolas de hoy,* Madrid, Fundamentos, 1988.

[17] Esto es lo que se deduce de la información facilitada por Mª Francisca Vilches en sus trabajos anuales sobre la temporada teatral a lo largo de la década de los 80. Véase Mª Francisca Vilches, *La temporada teatral española 1982-1983,* Madrid, CSIC, 1983; L. García Lorenzo y Mª Francisca Vilches, *La temporada teatral española 1983-1984,* Madrid CSIC, 1985, y sus monografías aparecidas todos los años en la revista *Anales de la Literatura Española Contemporánea* (Colorado) desde 1983 hasta la actualidad.

[18] Así lo ha puesto de manifiesto el recientemente celebrado Seminario Internacional cuya dirección ha estado a cargo de Dru Dougherty y Mª Francisca Vilches, coordinadores y editores de las actas del mismo, en las que se recogen los trabajos de más de cuarenta especialistas en el teatro del período bajo el significativo título aludido. Vid. *El teatro en España entre la tradición y la vanguardia: 1918-1939,* Madrid, CSIC-Tabapress, 1992.

[19] Wolfgang Iser, *El acto de leer,* Madrid, Taurus, 1987, p.56. En esta dirección apuntan las observaciones de Mijail Bajtin (*Teoría y estética de la novela,* Madrid, Taurus, 1989) sobre las aportaciones de la Estética de la Recepción al estudio histórico de la literatura: "La lectura de un texto se realiza en un 'horizonte de expectativas' que cambia histórica y personalmente y destaca unos signos frente a otros, unas relaciones frente a otras, sin agotar ni unos ni otros en ninguna lectura" (p.170). Vid. también D.W. Fokkema y Elrud Ibsch, "La recepción de la literatura (Teoría y práctica de la estética de la recepción)", *Teorías de la literatura del siglo XX,* Madrid, Cátedra, 1988, pp. 165-196, y H.R. Jauss, *Experiencia estética y hermenéutica literaria,* Madrid, Taurus, 1986.

CAPÍTULO PRIMERO

LA SITUACIÓN SOCIAL DE LA MUJER ESPAÑOLA DURANTE LOS AÑOS DE PREGUERRA

No es necesario insistir en la importancia que tuvo el teatro como forma de diversión preferida por el español medio en los años 20 y 30. El teatro atraía numerosos y variados tipos de audiencia, procedentes de los más diversos grupos sociales. En consecuencia, aquellas figuras que lograban destacarse en cualquiera de las facetas del espectáculo teatral conseguían una fama y un prestigio social seguros. ¿A qué causas pudo deberse entonces el aparentemente escaso interés de la mujer escritora en la producción dramática? Probablemente, la aparente preferencia de las autoras por los géneros poético y narrativo y su alejamiento del negocio teatral, generador en la época de elevados beneficios, puede explicarse en buena medida a partir del análisis de la situación socio-histórica en la que se enmarcaba la vida de las mujeres españolas y de sus condicionamientos, gustos y valores.

El período que nos ocupa ofrece, por otra parte, un enorme interés para la historia de la mujer por cuanto que la "cuestión femenina" fue absolutamente central en el debate intelectual del momento. En la prensa de estos años aparecieron con frecuencia en primera plana artículos de opinión y noticias relativas a la incorporación de la mujer a las más "insólitas" y llamativas esferas de la actividad pública -deportes y nuevas profesiones, fundamentalmente-[1]. Son frecuentes en los periódicos del día noticias sobre mujeres que destacan por algún motivo dentro de un campo profesional concreto, informaciones acerca de la organización y desarrollo de congresos internacionales relacionados con la mujer y el sufragismo, etc.

Periodistas, políticos, filósofos, escritores y científicos, se manifestaron pública y reiteradamente acerca del papel cambiante de la mujer en la sociedad española. El fenómeno tuvo su epicentro en el cuestionamiento del papel social que las féminas debían desempeñar que se generalizó en Europa después de la Primera Guerra Mundial. Durante la contienda, la mujer se había mostrado a sí misma como un ser capaz e independiente, incorporándose a la actividad productiva de sus respectivos países e, incluso, a los cuerpos de apoyo de los distintos ejércitos (Intendencia y Sanidad, principalmente). Después de acabada la guerra no fue ya tan fácil sostener la incapacidad de la mujer para el trabajo extra-doméstico o acusarla de inhibirse de los problemas nacionales. Se impuso, pues, una reconsideración de actitudes y creencias en torno al ser y existir de miles de mujeres europeas que se empezaban a manifestar como "problema" para la generalidad de sus compatriotas.

Aunque España no había tomado parte activa en el conflicto, también la mujer española empezó a salir de casa para atender a las nuevas necesidades productivas de un país que se convirtió en uno de los principales abastecedores de las naciones en guerra y para paliar de paso las funestas consecuencias que la arrolladora inflación estaba teniendo en la mayor parte de los hogares españoles. Como más adelante tendré ocasión de comentar con algún detenimiento, la incorporación de la mujer a nuevas profesiones -mecanografía y taquigrafía, correos y telégrafos, archivos, bibliotecas y museos...- y el cambio en la imagen externa de la mujer (la alegre y deportiva "garçonne" de los años 20) sirvieron de agentes provocadores del debate general sobre "la mujer moderna", también llamada en la prensa y en la literatura de la época "la Eva moderna". Adolfo Perinat y Mª Isabel Marrades en su libro *Mujer, prensa y sociedad en España: 1800-1939* comentan el cambio producido en la imagen femenina de moda durante la segunda década de este siglo. Así describen el prototipo dominante hasta entonces:

> La 'dama de buen tono' es la perfecta mujer de su clase, de belleza digna, noble y reservada, vestida con una elegancia "aristocrática", es la imagen que predomina y se mantiene constante hasta la segunda década del siglo veinte.

La nueva moda impuso, por el contrario, el traje *tailleur,* con su falda alargada y ceñida, más adecuado para las actividades extradomésticas femeninas. Allá por 1915 la mujer se liberaba por fin del corsé mientras arrinconaba los incómodos y emperifollados sombreros. El tipo de mujer "vamp", que el cine americano hizo popular en los años 30, se había liberado ya de la falda larga, se movía con desenfado, practicaba deporte y gustaba de asistir a cócteles y actos sociales[2]. La evolución de la moda femenina hacia formas cada vez más simples y cómodas fue motivo de constantes comentarios en la prensa de estos años. Emilio Palomo reflejó esta general sensibilidad hacia el nuevo físico femenino ("La Eva de hoy es lisa; tiene las piernas largas; guía 'auto', y pronto jugará al fútbol, mostrando, tenso y duro, su muslo de efebo"), en un artículo en el que pretendía justificar el piropo, denostado por las mujeres "emancipadas", en razón de la "provocación" que suponía para el hombre la cada vez mayor desnudez femenina:

> No parece sino que lo que impedía a la mujer ser libre era la ropa. A juzgar por la forma en que va simplificando sus vestidos, o es ya libre del todo o cuando llegue a serlo, si va avanzando en esta eliminación, su ideal, que es que los hombres presencien su victoria, no lo va a conseguir. Habrá acabado antes con ellos[3].

En la mentalidad colectiva iba calando la nueva oposición entre el tipo tradicional y profundamente castizo de la mujer española y la "mujer de hoy", que se identificaba por lo general con lo foráneo, con lo ajeno. Físicamente, la joven moderna era descrita en los medios de comunicación según el tipo anglosajón de mujer alta, rubia y de estilizada silueta. Su imagen se perfilaba a menudo insistiendo en sus rasgos "masculinizados", es decir, en la suavidad o casi inexistencia de sus formas, en los cabellos cortos -tan de moda-, en su afición por el tabaco -atributo hasta entonces exclusivamente masculino-, por el deporte o por los "cock-tails"[4]. Estos rasgos correspondían, desde el punto de vista conservador, a la inclinación que demostraban estas jóvenes hacia la actividad y la relación social, al preferir la calle a la casa y el trabajo a la familia.

Para muchos, el nuevo fenómeno suponía una profunda adulteración de la identidad esencial femenina, asimilada a los hábitos y gustos tradicionalmente impuestos a las españolas de cierta posición desde su tierna infancia: el salón de té, el paseo, las visitas de cumplido, el teatro, el trabajo doméstico... Acusaron, además, a las jóvenes "de hoy día" de ser terriblemente prácticas y poco sentimentales, de tenerle pánico a la vulgaridad y de padecer el corrosivo mal del aburrimiento. Es, en suma, el retrato de una mujer bella, pero fría, ambiciosa y egoísta, desinteresada de los "verdaderos" valores femeninos -el amor, el matrimonio y la maternidad- y deseosa, por el contrario, de vivir en libertad y disfrutar de todos los placeres que ésta pueda proporcionarle.

Dos fueron, pues, las actitudes que surgieron durante los primeros años del reinado de Alfonso XIII frente a la naciente realidad de una mujer que empezaba a cobrar cierto protagonismo en la vida social. Por un lado, el rechazo a la mujer nueva y la defensa a ultranza de la imagen tradicional femenina, que cobra su más pleno significado en la visión de la mujer como "ángel del hogar"[5]. Por otro, la decidida defensa del naciente "feminismo" español que encarnan, entre otros, autores tan conocidos como Carmen de Burgos o G. Martínez Sierra.

Según Mary Nash, las virtudes que se identificaban con la mujer ideal eran el afecto, la sensibilidad, los sentimientos, la dulzura, la intuición, la pasividad, la abnegación, es decir, todos aquellos rasgos que hacían de ella un ser perfecto para su integración en la esfera privada, mientras que el hombre se caracterizaba por su adecuación para la esfera pública -la política y el trabajo-[6]. El hogar, el matrimonio y la maternidad -sobre todo esta última- se concebían como los tres pilares fundamentales del "ser esencial" femenino, sobre el que tanto se debatió en estos años[7]. El discurso reiterado sobre el "eterno femenino"[8], o lo que es lo mismo, la discusión sobre las características esenciales de la mujer, sirve de tópico aglutinador para todo tipo de teorías conservadoras, que se niegan a admitir cualquier cambio en la distribución establecida de los roles sociales para hombres y mujeres.

En defensa de la mujer de su casa, cristiana, sumisa y bondadosa, se adujeron reiteradamente todo tipo de argumentos seudo-científicos de carácter psicológico, anatómico, etc., que sostenían la inferioridad mental de la mujer y la proclamaban inútil para todo cuanto no fuera la maternidad y el reino de los afectos familiares. A las teorías freudianas de la "castración" femenina y de la imposibilidad de realización total para la mujer por cuanto se considera a sí misma un hombre incompleto y valora por encima de todo las cualidades masculinas, hubo que añadir una innumerable serie de variantes discursivas en torno a las teorías de Moebius, de Spencer y de otros autores europeos (Weininger, Simmel, etc.) empeñados en demostrar científicamente la necesidad de mantener en su puesto tradicional a la mujer. Algunos intelectuales españoles, destacando entre ellos Gregorio Marañón y José Ortega y Gasset, basaron sus propias teorías en las argumentaciones de los anteriormente citados. A menudo la tan debatida teoría de la diferenciación, expuesta por Marañón en *Tres ensayos sobre la vida sexual,* se utilizaba para justificar el confinamiento de la mujer en la esfera doméstica y demostrar su incapacidad para cualquier actividad creativa[9]. Aunque negaba la inferioridad de la mujer, no era ésta más que una forma encubierta de intentar frenar los avances que, ya tímidamente durante la Dictadura de Primo de Rivera y más aún en tiempos de la República, iban produciéndose en el terreno legal en favor de la igualdad de derechos entre hombres y mujeres en la educación, el trabajo, la política y la familia. Todavía en los años 30 se seguía defendiendo con algún tesón estos presupuestos 'científicos' importados, que sintonizaban perfectamente con las tradicionales enseñanzas de *La perfecta casada,* de Fray Luis de León o con las doctrinas anti-feministas de Fenelon y Rousseau.

El concepto de *feminidad* o feminilidad (como gusta de llamarlo Carmen de Burgos en *La mujer moderna y sus derechos),* que empieza a popularizarse durante la década de los años 20, se convierte en el enemigo fundamental contra el que han de luchar los partidarios de la progresiva emancipación femenina:

> Esto debe dar la alerta a las mujeres que proclaman lo que denominan un *feminismo sensato,* y hablan de la *feminilidad* (sic), contraponiéndola al *feminismo.* Generalmente son mujeres de escasa cultura, deseosas de arrancar un fácil aplauso de la multitud ignorante y rutinaria.
>
> El feminismo no está reñido con la feminilidad y la mujer será más femenina cuanto más mujer sea en la amplia acepción de la palabra.
>
> Ser *femenina* como quieren las ilusas, es estar sometida sólo a los imperativos sexuales, sin aspirar más que a ser nodriza y gobernante. Ser *feminista* es ser mujer respetada, consciente, con personalidad, con responsabilidad, con derechos, que no se oponen al amor, al hogar y a la maternidad[10].

Resulta especialmente reveladora esta oposición entre *feminidad* y *feminismo* que tan lúcidamente expone la periodista y escritora Carmen de Burgos. Según ella, el feminismo es la reivindicación de los derechos de la mujer, asunto que no tiene nada que ver a su juicio con la tan temida alteración de la esencialidad femenina: "Nadie habrá capaz de sostener el absurdo de que porque a un sujeto de derecho se le reconozcan éstos, pueda variar en su naturaleza y en sus cualidades intrínsecas"[11]. Por su parte, Gregorio Martínez Sierra, en su libro *La mujer moderna* (1920), recoge los resultados obtenidos tras una encuesta en torno al "problema del feminismo", que inicia con la pregunta: "¿Cree usted que en realidad existe oposición esencial entre feminidad y feminismo, entendiendo por feminismo la igualdad de la mujer y el hombre en derechos civiles y políticos, y, por lo tanto, la facultad de intervenir efectiva y directamente en la vida de la nación?"[12].

Después de haber comentado brevemente las concepciones contrapuestas que sobre la mujer coexistían durante estos años y de haber resaltado la forma en que las actitudes más conservadoras se agudizaron por reacción al emergente tipo de la "mujer moderna", parece inevitable referir las opiniones citadas a la situación socio-histórica concreta de la mujer española en la familia, la educación, el trabajo y la política de estas dos décadas para, finalmente, abordar el análisis de las corrientes reformistas que, oponiéndose al movimiento conservador católico orientado a la mujer, pretendían contribuir a la superación de las barreras que coartaban su progreso.

La significativa evolución que se produjo en estos años con respecto a la situación social de la mujer se vio determinada por el proceso histórico-político general que abarcó dos períodos fundamentales: el reinado de Alfonso XIII -con las importantes reformas relativas a la mujer adoptadas durante la Dictadura de Primo de Rivera- y el régimen republicano.

1.1. LA MUJER EN LA FAMILIA. VIDA COTIDIANA Y SITUACIÓN LEGAL

El papel que desempeñaba la mujer en la familia española al terminar la segunda década del presente siglo dependía fundamentalmente de su edad, estado civil y clase social. En todos los casos, sin embargo, la inserción de la mujer en el entorno doméstico fue un factor determinante de su existencia, puesto que la misión de la mujer estribaba exclusivamente en prepararse lo mejor posible para ser esposa y madre de familia.

Nada más iniciarse el siglo, el escritor anarquista José Prat, en su conferencia "A las mujeres", denunciaba los distintos tipos de marginación padecida por la mujer dependiendo de su nivel social. Si la mujer pertenecía a la clase alta, era considerada como "un simple objeto de lujo con derechos muy restringidos", instruida muy superficialmente con el objeto de lucir más "en los salones de contratación de matrimonios". Abandonada después en manos de la Iglesia, escribe Prat, se conducía siempre dirigida por ésta mientras esperaba pacientemente a ese príncipe azul que no llega o que acaba convirtiéndose en un tipo vulgar. Si no se resignaba a este funesto destino, le quedaba la soltería o el convento: "Esto cuando por cuestión de intereses no se la obliga a contraer a la fuerza un matrimonio que repugna a su corazón. De ahí que en las clases altas sea tan corriente el adulterio"[13].

LA MODA ACTUAL
TRAJE DE LANA INGLESA, COLOR TIERRA. (FOTO ORTIZ)

Páginas para la mujer de la
revista *Blanco y Negro*.

Caricatura de Miguel
Mihura (1929).

"¡Oh José, qué ganas tengo de que nos casemos para poder estar muy juntos! ....

Desde una posición ideológica más conservadora, aunque decididamente feminista, Martínez Sierra denunció también la estéril existencia de las jóvenes españolas de clase media, que llevaban una vida rutinaria y gris, carente de proyecto propio:

> Tienen ustedes que romper la rutina de un método de vida gris, sin ideales, consagrado a charlas sin substancia; a diversiones tontas; a visiteos insubstanciales; a murmuraciones estúpidas; a preocupaciones sin sentido, de trapos y moños; a rivalidades mezquinas de amor propio, entre amigas; a paseos, sin otro gusto ni provecho que el de la vanidad, siempre malcontenta. Es preciso que se decidan ustedes a vivir para algo y que rompan valerosamente el hielo que les separa de la humanidad[14].

Para la mujer obrera, José Prat describía en su citada conferencia un destino aún peor. De niña dedicaba todo su tiempo a los quehaceres domésticos o al taller, sin haber terminado aún de adquirir los más elementales conocimientos en la escuela. Trabajando en ínfimas condiciones, la joven solía enfermar y envejecer prematuramente, proceso que aceleraba un temprano matrimonio acompañado de nuevos sufrimientos físicos y morales. La mujer, en suma, concluía José Prat, no hacía valer nunca sus derechos, sino que, por el contrario, vivía aplastada por múltiples deberes.

El bajo nivel de instrucción que caracterizó a la mujer en estos años y la mentalidad social imperante limitaban sus posibilidades de sobrevivir dignamente al matrimonio[15]. Si éste no se producía, la mujer tenía que resignarse a ser acogida por algún familiar próximo -padre, hermano, tío- y ser considerada como un ser parasitario e inútil. Ahora bien, mientras que la joven del pueblo se veía obligada a trabajar a cambio de un mísero salario en cuanto sus fuerzas se lo permitían, la soltera de clase media podía esperar pacientemente dentro del ámbito doméstico la llegada de ese hombre que cambiaría su vida haciéndola su esposa. Fueron precisamente estas mujeres de la clase media las más afectadas por la alarmante disminución en la tasa de nupcialidad que comenta Francos Rodríguez en *La mujer y la política españolas*:

> En la clase proletaria, el hombre halla en seguida compañera, en la clase aristocrática los enlaces se organizan también con cierta facilidad, porque a ellos inducen tradiciones de familia y mutuas conveniencias.(...) El dolor se siente en las clases intermedias (...), en las cuales las rentas medianas no dan para que las hijas puedan constituir, con recursos propios, hogares

pudientes; por lo cual necesitan esposos con fortuna o profesionales que logren abundantes ingresos[16].

Al margen de estas aisladas voces en contra de la mentalidad predominante, el matrimonio era considerado por el conjunto de la sociedad como la única carrera para la mujer, posibilidad por la que ésta debía sacrificarlo todo. De hecho, aun aquellas mujeres que trabajaban, consideraban su empleo como algo transitorio, una forma de llenar ese intermedio que las separaba de su destino final, el matrimonio[17]. Pero el deseado "paraíso" matrimonial distaba mucho de ser tal en bastantes ocasiones.

Una vez casada, la mujer perdía sus derechos como individuo para ser considerada únicamente en cuanto que miembro de la unidad familiar presidida por el varón. La ley se encargaba de velar por los intereses del *pater familias* penalizando cualquier tipo de desacato a la autoridad masculina por parte de la mujer. Al casarse, perdía ésta el derecho a votar que el régimen primorriverista había concedido a la mujer soltera o viuda mayor de 23 años, ya que se consideraba impensable que una mujer pudiese oponerse con su voto a la voluntad del cabeza de familia.

También se le negaba a la mujer casada el derecho a administrar sus bienes[18], realizar compraventas sin el consentimiento de su cónyuge o, incluso, viajar al extranjero sin el citado permiso, situación de la que se hace eco de nuevo José Francos Rodríguez en su libro *La mujer y la política españolas:*

> Las casadas, en sumisión al marido, no pueden disponer de sus bienes, carecen de libertad hasta para adquirir muebles y joyas de uso; pero el esposo en tanto, y tales hechos menudean en la vida, consume la dote de la esposa en aventuras y administra a su antojo el patrimonio conyugal. La mujer no administra, no puede ni vender ni gravar las riquezas conyugales; el marido puede por torpeza o por perversión dar al traste con el haber del matrimonio[19].

La lista de discriminaciones legales en este ámbito no acaba aquí. Si contraía matrimonio con un extranjero, la española tenía que asumir la nacionalidad del marido abandonando la propia. En caso de adulterio, la condena no sólo moral, sino también legal, era infinitamente más dura para con la mujer, que perdía en cualquier caso la custodia de sus hijos y podía ser enviada a prisión.

Así, en la línea progresista de Francos Rodríguez y en relación a la ya citada inferioridad de la mujer casada ante la ley, declaraba Gregorio Martínez Sierra en su libro *Feminismo, feminidad, españolismo:* "Porque casi toda la esclavitud del derecho forjado por los hombres cae sobre la mujer esposa", y más adelante:

> La ley da al hombre todos los derechos; la patria potestad es suya, la administración de los bienes es suya, la facultad de legislar es suya, suya es, en la mayoría de los casos, la fuerza física, fundamento ancestral de su tiranía en todos los órdenes. La esposa es, sencillamente, una esclava... en el caso más favorable, una favorita[20].

De la misma opinión, Margarita Nelken denunció en su libro *La condición social de la mujer en España* (1919) esta flagrante y por todos aceptada discriminación:

> El matrimonio es, en España, todavía hoy, la única, situación posible para la inmensa mayoría de las mujeres; no digo que sea ésta una situación mejor o peor (...); me refiero únicamente a la falta de *liberación moral* que aún tienen las españolas que les hace considerar el matrimonio como único refugio, única salvación posible ante la vida; por esto las condiciones del matrimonio son para la mujer española lo más importante de su situación ante la ley[21].

A pesar de semejante situación de marginación legal y dependencia económica, cualquier cosa resultaba preferible a ser calificada de "solterona" y despreciada como ser estéril, a no tener familia en que ocuparse y volcar las energías reprimidas, a permanecer sola y sin defensa en una sociedad que asimilaba la mujer al nivel social y económico de los varones de su familia y la condenaba a menudo a refugiarse en un convento para ocultar así la "desgracia" de no haber conseguido el tan ansiado matrimonio.

Las razones que explican el que una mayoría de mujeres aceptara someterse a una situación tal de inferioridad eran en buena medida económicas. El matrimonio de conveniencia era habitual en todas las clases sociales de la España de fines del siglo pasado. María Laffite, condesa de Campo Alange, en su libro *La mujer en España. Cien años de su historia (1860-1960)* comenta la pervivencia del modelo familiar decimonónico a comienzos de siglo, modelo en el que el factor económico resultaba pilar básico de la institución matrimonial ("Sigue el matrimonio como solución económica. Y no sólo para la mujer, sino para el hombre, que decidido a triunfar, opta por la ley del menor esfuerzo o aprovecha todas las posibilidades")[22]. Más adelante tendremos ocasión de comprobar la enorme importancia que este extendidísimo fenómeno social del matrimonio debido a intereses familiares de índole económica tiene para las autoras teatrales del momento.

En materia sexual, y también de acuerdo con esta autora, el hombre prefería la inexperiencia de la que sería su esposa, mientras que era socialmente aceptable la práctica previa por parte del varón. Ya Margarita Nelken en su libro anteriormente citado, preocupada por la educación de la mujer en temas de maternología y puericultura, se lamentaba de la ignorancia en que se encontraban sus compatriotas a la hora del matrimonio en todo lo tocante a sexualidad, fisiología elemental, embarazo, etc.:

> Nuestras muchachas, acostumbradas a considerar los actos más naturales de la vida como algo vergonzoso, llegan al matrimonio y a la maternidad en un estado de sabiduría mal aprendida en novelas leídas a escondidas, en conversaciones con amigas pervertidas, etc[23].

La doble moral imperante favorecía la total libertad sexual del hombre, soltero o casado, mientras que se condenaba al mayor ostracismo a la mujer que transgredía las tácitas normas morales que la convertían en depositaria del honor familiar desde épocas remotas. La propia mujer había internalizado estos valores y apreciaba positivamente los "pecadillos" juveniles de su novio, marido, hermano... Esto es lo que Gregorio Martínez Sierra, feminista conservador, de vocación educadora y reformista, pretendía combatir cuando escribe:

> ¿Acaso habéis creído alguna vez en serio el sofisma de que el hombre puede pasar por la podredumbre del Vicio sin mancharse con él? ¿Acaso habéis aceptado (...) la afirmación idiota de que un alma de hombre puede salir limpia del barrizal en que se pierde un alma de mujer?[24]

No obstante, los conceptos de maternidad responsable y control de natalidad empiezan a introducirse en la sociedad española de los años 20-30. Durante los primeros años del siglo XX se publican a menudo en las revistas médicas españolas propuestas de médicos y eugenistas para el mejoramiento de la raza a partir del matrimonio consciente ("eugénico") y del mantenimiento de una descendencia sana y suficientemente alimentada. La teoría eugenista defendía que el problema del deterioro o degeneración de la raza era de tipo hereditario, por lo que debían impedirse los matrimonios no convenientes tanto por el estado de salud de los cónyuges como por la existencia de taras familiares, a la vez que era necesario promover los matrimonios "eugénicos", destinados a mejorar la raza y la progenie[25].

En torno a los años treinta se puede apreciar ya un ligero cambio de actitud de las jóvenes hacia el matrimonio. Según Nash, por esta época empiezan a surgir pequeños núcleos de mujeres con profesión, que no querían recurrir al matrimonio como única solución vital. Fue precisamente durante la Segunda República cuando se produjeron los cambios más importantes en el ámbito legislativo en relación con la situación familiar de la mujer como resultado de un incipiente cambio de actitud hacia ella procedente de ciertas minorías intelectuales.

Aunque las primeras reformas legales que intentaron mejorar la situación de discriminación que afectaba a la mujer datan del período primorriverista (leyes de protección al trabajo, facilidades para cursar estudios universitarios, posibilidad de obtener cargos en el gobierno municipal e incluso derecho al voto femenino restringido), fue la proclamación de la República (14 de abril 1931) el momento de inflexión clave en el proceso hacia la igualdad entre hombres y mujeres.

El Gobierno provisional había elaborado ya algunas disposiciones favorables a la mujer aun antes de que ésta hiciera petición alguna[26]. Los avances legales más importantes vieron la luz, sin embargo, con la aprobación de la Constitución el 9 de diciembre de 1931, que establecía la igualdad ante la ley y el trabajo del hombre y la mujer, reconociendo además los mismos derechos electorales para ambos. La posición legal de la mujer en la familia mejoró, al menos teóricamente, gracias al establecimiento de reformas tales como el matrimonio civil, el reconocimiento de la igualdad entre hijos legítimos e ilegítimos, la investigación de la paternidad y el divorcio. Claro que estas medidas no lograron transformar sustancialmene la tradicional y generalizada actitud frente a la mujer y sus opciones sociales[27].

Entre estas cuestiones, el tema del divorcio, con la polémica que desató en la sociedad española de los años 30, fue el que mayor repercusión tuvo en la conciencia social del momento[28]. La indisolubilidad del vínculo matrimonial se había mantenido hasta entonces por encima de cualquier consideración, y muchas veces gracias a la resignación o ignorancia de la mujer. Sin embargo, la así llamada "crisis del matrimonio" era ya tema frecuente en las páginas de los periódicos durante las dos primeras décadas del siglo XX. La encuesta llevada a cabo por Carmen de Burgos en su columna del *Diario Universal* sirvió para crear un clima de intenso interés sobre el tema[29]. Los argumentos en contra del divorcio se basaban en la obligación de la mujer de sufrir y resignarse, antes que asumir la deshonra que el divorcio suponía. Bajo los presupuestos vigentes de una doble moral social, se aceptaba sin reparos que el hombre pudiese buscar afecto donde quisiera, mientras que la mujer abandonada quedaba degradada ante los ojos de todos.

En 1931, España e Italia eran las dos principales excepciones en Europa en cuanto a la imposibilidad del divorcio se refería. Sin embargo, la ley española de divorcio, aprobada el 26 de febrero de 1932, a partir del artículo 43 de la Constitución del 31, fue una de las más progresistas de las existentes. No hay que olvidar, con todo, que la mayor parte de las mujeres españolas se manifestaba contraria al divorcio, opinión determinada en gran parte por la poderosa influencia de la Iglesia Católica en la moral social así como por la generalizada dependencia económica femenina. Por ello, a pesar de todos los desastres pronosticados con anterioridad a la promulgación de la ley por los contrarios a la misma (destrucción de la familia, abandono de los hijos, degeneración de la raza, etc.), fue relativamente escaso el número de solicitudes presentadas[30].

Las reformas del Código Civil y Penal de 1931 sobrepasaron en éste y otros aspectos las expectativas y los deseos del predominante sector conservador del movimiento feminista español. Aunque se produjeron notables mejoras legales (la mujer casada podría mantener su nacionalidad y tener personalidad jurídica propia; la madre poseería los mismos derechos y autoridad que el padre y la administración matrimonial se realizaría conjuntamente), la vida cotidiana de la mujer en el ámbito familiar y doméstico no sufrió apenas cambios en el período citado en relación con los hábitos tradicionales. La siempre lenta evolución de las mentalidades apenas había empezado a ponerse en marcha cuando el desenlace de la guerra truncó la posibilidad de implantación del nuevo esquema de relaciones entre los sexos que se había vislumbrado como posible gracias a las reformas de la República.

1.2. LA EDUCACIÓN Y LA CULTURA FEMENINA

A principios de siglo, la situación de la mujer en el terreno educativo era francamente deplorable. A la elevada tasa de analfabetismo (71.4 por ciento en 1900 y un 47.5 por ciento en 1930)[31], había que añadir la superficialidad de una minoritaria cultura femenina "de adorno", a la que sólo podían acceder las mujeres pertenecientes a las capas sociales más elevadas. Se trataba, como afirma José Luis Aranguren, de una cultura "diferencial", específicamente concebida para mantener a la mujer en el restringido mundo doméstico:

> Antes, la cultura que recibía ésta [la mujer] era diferencial y, como técnicamente se llamaba, de 'adorno': piano, labores y cosas parecidas. Con tal formación la mujer quedaba recluída en un 'mundo femenino', especie de gineceo cultural, totalmente incomunicable con el del hombre[32].

Para conocer en profundidad el contenido y objetivos de esta educación de "buen tono", sería imprescindible emprender el análisis exhaustivo, aún por realizar, de las guías para la conducta y educación de la mujer, que tanta trascendencia tuvieron en la propagación de modelos femeninos válidos para las jóvenes de clase media. En el siglo XIX y durante los primeros años del XX se escriben una enorme cantidad de estas guías o manuales, dedicadas a temas relativos a la "competencia doméstica" y el *savoir faire* social. En estos manuales se aludía, según Geraldine Scanlon, a los nuevos conceptos de igualdad y emancipación que empezaban a penetrar en otros países, atacándolos con dureza por considerar que eran el origen del desorden y destrucción de la familia cristiana[33].

Con todo, este primer tercio de siglo fue testigo de un considerable progreso en el terreno educativo para la mujer, que no tuvo parangón en otros ámbitos de la vida social. Se produjo un notable aumento cuantitativo en la matriculación femenina (Pilar Folguera lo estima equivalente al 67.7 por ciento), propiciado por la apertura de nuevos centros destinados específicamente a la educación de la mujer, dado que cada vez más mujeres sentían la necesidad de acceder a una formación que les permitiera ser económicamente independientes.

Para comprender la enorme importancia que adquirió el debate educativo en los años 20 y 30, sólo hay que recordar que todos los movimientos feministas de principios de siglo centraron sus reivindicaciones en reclamar una educación integral para la mujer junto con el derecho al voto. Las cuestiones más debatidas en torno al problema educativo fueron dos: la coeducación y el acceso de la mujer a la enseñanza universitaria. Ambos temas se abordaron desde una doble perspectiva: el punto de vista liberal-progresista, representado por la corriente institucionista, y el católico-conservador.

Los institucionistas no sólo teorizaron sobre la coeducación, sino que la pusieron en práctica en su Instituto-Escuela. Esta "promiscuidad" escolar fue, por otro lado, ampliamente criticada por los sectores educativos dependientes de la Iglesia, ya que veían en ella la destrucción de la tradicional identidad femenina, contaminada por las enseñanzas masculinas que se iba a impartir a las muchachas.

La creciente preocupación por la mejora de la enseñanza de la

María de Maeztu Whitney en la Residencia de Señoritas.

Biblioteca de la Residencia de Señoritas.

mujer durante estos años arrancaba de la labor pedagógica y educativa de Fernando de Castro a fines del siglo XIX. En 1867, Fernando de Castro, compañero de Sanz del Río y vinculado al grupo liberal krausista, comenzó a impulsar la reforma de la instrucción de la mujer. Entre 1868 y 1870 inauguró la Escuela de Institutrices. En 1871, fundó la Asociación para la Enseñanza de la Mujer, entidad privada en la que colaboraron Francisco Giner de los Ríos y Gumersindo de Azcárate. Esta fue la primera organización fundada por los krausistas, seis años antes que la Institución Libre de Enseñanza, lo que demuestra hasta qué punto la preocupación por la situación de indigencia cultural en que se encontraba la mujer en la segunda mitad del XIX fue central en el citado movimiento pedagógico reformista[34]: "Lo que intentaba crear el entonces rector de la Universidad de Madrid era un marco para las mujeres de clases medias en donde adquiriesen preparación para el desempeño de algunos empleos como institutrices, empleadas de comercio, etc."[35]

También en el ámbito institucionista, destaca la labor pedagógica desarrollada por María de Maeztu, que representa palmariamente la línea seguida por el feminismo reformista, obsesionado con la necesidad de educar a la mujer por encima de cualquier reivindicación de tipo legal o político. María de Maeztu llevó a cabo en 1915 la fundación de la Residencia de Señoritas, dependiente de la Junta de Ampliación de Estudios, que dirigió con la colaboración de José Castillejo hasta su exilio en 1936: "La Residencia de Señoritas llegó a tener tres edificios. Igual que la de Estudiantes, ofrecía conferencias y clases y laboratorios para ampliar los estudios ofrecidos en la universidad"[36]. Por la Residencia pasaron varias de las mujeres que constituirían la elite femenina durante la Segunda República (Victoria Kent, entre ellas). Antonina Rodrigo, en las páginas biográficas que dedica a María de Maeztu Whitney (1882-1948) en *Mujeres de España. Las silenciadas,* afirma que ella fue la gran propulsora de la cultura femenina en España, hasta mediado el primer tercio del siglo XX. Gracias a la Residencia, las estudiantes podían entrar en contacto con profesores y artistas españoles y extranjeros así como participar en conferencias, tertulias y toda clase de actividades culturales. Fueron asiduos de la asociación "Azorín", F. García Lorca, Juan Ramón Jiménez, Gregorio Marañón, R. Menéndez Pidal, Eugenio Montes, J. Ortega y Gasset, R. Pérez de Ayala, Pedro Salinas, etc[37].

El tema de la instrucción de la mujer cobra relevancia en la prensa española paralelamente a su creciente protagonismo social después de finalizar la gran contienda europea. Adolfo Perinat y Mª Isabel Marrades, en su libro *Mujer, prensa y sociedad en España. 1800-*

1939, destacan la negativa visión que predomina en la prensa española de estos años con respecto a la mujer "culta", idea que resulta fundamental para entender el sentimiento de rechazo y marginación que expresan a menudo las escritoras de las que más adelante nos vamos a ocupar. Así se defendía una "intelectual" catalana de la presión social que sentía en contra, en un artículo publicado en la revista *Feminal* en 1917:

> Estoy indignada por el concepto en que aún es tenida entre nosotros la mujer, digamos... intelectual, (...) porque conviene sentar definitivamente el precedente de que nosotras, las feministas catalanas, siempre seremos por encima de todo mujeres, y que escribir novelas, componer música, pintar cuadros, idear comedias, hacer versos, así como ocuparnos de mejorar la suerte de la mujer en todas las esferas sociales en que la vida la coloca, no puede ser ni será nunca en detrimento de ninguno de los quehaceres reservados a nuestra misión en el hogar y fuera de él[38].

Respondiendo a la encuesta que sobre feminismo realizó Martínez Sierra en 1920, María de Maeztu reclamaba el derecho de la mujer a entrar en el mundo de la cultura y a recibir una educación adecuada, en unas líneas que tituló significativamente como "Lo único que pedimos"[39]. Muchos otros profesores y pedagogos institucionistas abogaron por una enseñanza laica y mixta, que pusieron en marcha con la creación del Instituto-Escuela[40]. Desde las líneas más comprometidas del progresismo liberal se comprendía que sin esta imprescindible labor de educación de la mujer, ésta se vería incapacitada para reclamar sus derechos en otros ámbitos y, si finalmente lo hacía, le serían negados arguyendo su lamentable incultura. En este sentido se pronunciaba Gregorio Martínez Sierra al aconsejar insistentemente a la mujer española que se preparase, que buscara su propio desarrollo personal, adelantándose a la soledad que sin duda llegaría a su vida si la hacía depender exclusivamente de sus hijos y su marido[41].

Otro proyecto clave en el desarrollo cultural de la mujer española en el período giró también en torno a María de Maeztu, la gran figura de la educación de la mujer en estos años. El Lyceum Club Femenino fue fundado en Madrid en 1926 siguiendo el modelo de otros ya existentes en Europa:

> El Lyceum Club se instaló en la Calle de las Infantas, 31. Formaron la Junta directiva: Vicepresidentas, Isabel Oyarzábal y Victoria Kent; secretaria, Zenobia Camprubí; vicesecretaria, Miss Helen Phipps; tesorera, Amalia Galinizoga, y bibliotecaria, María Martos de Baeza.

El Lyceum Club se montó sin ayuda oficial, simplemente con el tenaz esfuerzo de un grupo de mujeres entre las que se encontraban las figuras de mayor prestigio intelectual del momento en el país. Carmen Monné de Baroja, para recaudar fondos, organizó funciones y rifas de cuadros en su teatrito particular "El mirlo blanco"[42].

Ajena a toda tendencia política o religiosa, la asociación pretendía ser una casa de reunión para españolas y visitantes extranjeras, donde se fomentara el espíritu colectivo femenino, facilitándose el intercambio de ideas y encauzando actividades artísticas, sociales, literarias y científicas orientadas al bien de la colectividad. A pesar de tratarse de una asociación de tipo cultural fue, sin embargo, duramente atacada, dado que se trataba de una entidad independiente y alejada de la habitual influencia de la Iglesia en las organizaciones de mujeres.

Los responsables del sector educativo privado dependiente de la Iglesia y de la enseñanza pública no dejaron de oponerse reiteradamente al sistema coeducativo, basándose en las distintas funciones sociales que ambos sexos habían de desempeñar. Rosa Mª Capel, en su excelente libro *El trabajo y la educación de la mujer en España (1900-1930)*, afirma que lo que se temía no era tanto el "mal" del contacto físico, como el reconocimiento de la igualdad en las capacidades intelectuales de ambos sexos que llevaba implícita la educación conjunta[43].

La pseudo-educación de la mujer que se defiende desde el sector conservador (religión, labores domésticas, música, francés...), estuvo siempre supeditada a la función maternal, la única justificación que se encontraba para mejorar el nivel educativo de la mujer. No obstante, este argumento se utilizó desde posiciones ideológicas enfrentadas. La educación de la mujer fue defendida por los sectores afines al movimiento feminista argumentando que sólo una mujer preparada podía ser madre consciente y educar a sus hijos en la tierna infancia[44], mientras que desde posturas conservadoras se insistía en que la educación femenina repercutiría en la formación "cristiana" y "moral" de los hijos. En este sentido se manifestaba Carmen Rojo, profesional de la educación de la mujer que se oponía al movimiento de emancipación femenina, propugnando una educación para la mujer basada en un ambiente de religiosidad, sencillez y modestia, que tratase de despertar en ella las ideas de deber, patria y humanidad:

Esto no quiere decir que deba prescindirse de la colaboración de la mujer en la obra social. Creo que puede y debe intervenir eficazmente de modo indirecto educando a sus hijos, inspirándoles altos ideales, creando en ellos virtudes personales y cívicas, y compartiendo la vida intelectual con el marido, en quien influye, evidentemente, toda mujer de espíritu superior[45].

El acceso de la mujer a la enseñanza superior fue ampliamente discutido en el período que nos ocupa. Sólo a partir de 1910 pudieron las mujeres españolas obtener títulos universitarios sin tener que solicitar permisos o gracias especiales. De ahí el bajo número de estudiantes universitarias matriculadas en nuestro país cuando está a punto de finalizar la segunda década del siglo. El testimonio de Margarita Nelken pone de manifiesto el rechazo generalizado que la sociedad española demostró con respecto a la mujer universitaria, rechazo propiciado por la excepcionalidad de este fenómeno en el momento en que escribe su famoso libro *La condición social de la mujer en España* (1919). Nadie creía posible, por otra parte, que las jóvenes universitarias intentaran ejercer sus carreras, y esto a pesar de que las estudiantes "son chicas impulsadas por un deseo vehemente de elevarse espiritualmente", que mantenían unos altos rendimientos académicos[46]. El porcentaje de universitarias se incrementó, sin embargo, a lo largo de la década 1920-1930, de forma que las 161 mujeres matriculadas en el curso 1919/20, que representan el 2.2 por ciento de la población universitaria, se transformaron en 784 (8.9 por ciento) en el curso 1929/1930[47].

Cuando se inicia la década de los 30, la mujer está empezando a tener una cierta presencia en algunas facultades universitarias, destacando las de Filosofía y Letras, Farmacia, Medicina y Ciencias, por este orden[48]. Todavía este fenómeno no había repercutido en el acceso femenino a las profesiones liberales y, sin embargo, ya estaba modificando la actitud de estas mujeres hacia el matrimonio, como pone de manifiesto la siguiente cita de Joan Gaya (1936), cuya longitud creo justificada por el interés testimonial de la misma:

> La futura licenciada o doctora comienza por recibir una educación igual a la de los muchachos, el bachiller. Nada de labores ni guisados (...). ¿Qué habría de hacer con ello? Nada, desde luego, si no lo miramos cara a la constitución de una familia.
>
> Ya en este período se acostumbra a la libertad. Las "clases" lo exigen.(...) También se acostumbra al trato con muchachos, (...), y con ello pierde el delicioso aroma de la femineidad.
>
> Después entra en los estudios universitarios y todos estos males se acentúan. Por si esto fuera poco, acostumbra su inteligencia a las abstracciones filosóficas o a las elucubraciones científicas y descuida la educación del sentimiento. Al acabar,

> a los veintitrés años, formada en este medio y en esta escuela,
> ¿cómo queréis que esté sujeta en casa, que encuentre gusto en
> las ocupaciones de su sexo, que piense con ilusión en los
> gozos de la maternidad? A aquella chica la habéis deformado
> como mujer. La carrera que había de poseer solamente como
> medio de defensa será la finalidad de su vida y mirará de ejer-
> cerla siempre[49].

Efectivamente, el acceso de la mujer a la educación superior
supondría unas expectativas distintas a las habituales por parte de
estas jóvenes en relación al matrimonio. No se conformarían ya, probablemente, con cualquier compañero, ni admitirían cualquier comportamiento. Este hecho, en sí germen de una subversión radical del
"orden", preocupó a los más inteligentes y previsores de entre los
defensores del *statu quo* en las relaciones entre los sexos. También
las escritoras del período objeto de este estudio reflejaron, como en
muchos otros casos, esta nueva realidad social[50].

1.3. LA MUJER Y EL TRABAJO

Durante la Primera Guerra Mundial, la mujer europea se vio abo-
cada a desempeñar tareas laborales consideradas hasta el momento
como exclusivamente masculinas. Después de la incorporación de la
mujer a la fábrica, que se produjo simultáneamente a la progresiva
implantación en Europa de la Revolución Industrial, fue éste el
segundo momento histórico más relevante en lo que se refiere al trabajo extradoméstico femenino. También en España, los últimos años
de la segunda década del siglo fueron testigos de una mayor participación femenina en el mundo laboral. Sin embargo, el trabajo de la
mujer no pasó de ser en ningún caso -ni en ningún país- una actividad considerada como sustitutiva y temporal:

> De igual modo que ocurriese en otros países [durante la déca-
> da de los veinte], será la evolución económica interna la que
> familiarice a los españoles con la idea de la actividad asalaria-
> da femenina, aunque no se supere esa postura intermedia que
> la acepta ante el imperativo de las circunstancias y que, por
> tanto, no deja de concebirlo como complementario, eventual,
> mal menor antes de morir de indigencia o perder la honra[51].

Las mujeres francesas e inglesas se vieron forzadas a volver al
hogar para dejar libres sus puestos de trabajo a los ex-combatientes.
Las españolas, por su parte, sólo trabajaron cuando, siendo solteras,

no podían ser mantenidas por sus padres -clases trabajadoras y clases medias, durante los momentos de dura crisis económica- y, todavía más infrecuentemente, cuando eran casadas. En este último caso, su salario se consideraba un complemento imprescindible para la supervivencia del hogar y sólo se justificaba en razón de una necesidad económica más o menos coyuntural. Esta situación de complementariedad del trabajo extra-doméstico femenino explica la discriminación salarial y legal que caracterizó el trabajo de la mujer durante todos estos años.

El documentadísimo volumen de Rosa Mª Capel, *El trabajo y la educación de la mujer en España: 1900-1930,* se propone desvelar las claves más importantes del paulatino proceso de incorporación de la mujer a un empleo remunerado durante el primer tercio de siglo. El despegue demográfico acontecido entre 1900 y 1930 (de 18.618.086 habitantes a 23.677.794), con el resultado de un 51 por ciento de población femenina, y la disminución de la nupcialidad, explican en buena parte el citado fenómeno[52]. También tuvo mucho que ver en el mismo la evolución de la vida doméstica, con la consiguiente simplificación de las tareas del hogar. El papel "industrial" del hogar (fabricación casera del pan, los tejidos, etc.) había sido desplazado por el abaratamiento de dichos productos en el comercio. La mujer no estaba, por tanto, tan ocupada en casa. Desde el punto de vista económico, este hecho significaría la existencia de una reserva de mano de obra potencial barata y poco conflictiva.

Capel insiste también en la consideración social de este trabajo como complementario y transitorio, lo que venía a justificar el que por la misma jornada laboral la mujer recibiera un salario la mitad o un tercio menor al del hombre. El mantenimiento de la jerarquía hombre-mujer en el mundo de la fábrica protegía así el orden social vigente:

> En resumen, la nueva teoría defendía el derecho de la mujer al trabajo socialmente productivo siempre que se llevase a cabo en determinadas circunstancias -ausencia del esposo-, dentro de unos límites -los impuestos por su 'naturaleza'- y controladas sus posibles consecuencias emancipadoras. La asimilación de los conceptos 'trabajo'- 'independencia' y la reacción negativa que produce en el cuerpo social hacen que también sus defensores den prioridad a las labores domésticas sobre las externas[53].

Tres fueron las ramas productivas que acogieron principalmente el empleo femenino: agricultura, industria y servicio doméstico. Destaca el predominio de los sectores primario y secundario, los cuales absorbían, según Rosa Capel, la mayor parte de la población activa femenina. Con respecto al sector terciario afirma:

> Las labores administrativas, burocráticas, docentes en sus niveles inferiores, serán las destinadas a ocupar a toda esa legión de chicas procedentes de los estratos sociales intermedios, educadas para subvenir a las necesidades económicas reales sin tener que acudir al trabajo fabril, socialmente denigrante desde su punto de vista[54].

La desprotección legal en que se encontraba la mujer trabajadora a fines del XIX y principios del XX empieza a ser paliada durante el reinado de Alfonso XIII, destacando la atención prestada a la obrera industrial sobre la trabajadora agraria o doméstica. La ley intentó mejorar las condiciones físicas del trabajo femenino (ley de la silla, reducción de jornada, descansos antes y después del parto, etc.), pero no se ocupó de las opciones profesionales o de su nivel económico[55].

Muchas voces se alzaban, sin embargo, contra el trabajo femenino, que se consideraba pernicioso para la moralidad, la familia y el mejoramiento de la raza. Aquellos sectores contrarios al trabajo de la mujer profetizaban la destrucción del hogar, puesto que aseguraban que la mujer abandonaba la familia y el aseo doméstico cuando salía a trabajar. Tan sólo una pequeña nómina de actividades laborales -ligadas siempre a la beneficencia, la asistencia sanitaria, la enseñanza y, para los más "avanzados" la administración municipal-, junto con el trabajo realizado a domicilio, por otra parte durísimo y muy mal pagado, conseguían escapar al general anatema:

> Las pequeñas industrias que pueden desarrollarse dentro del hogar, el Arte, el Comercio, algunas profesiones como la Medicina y la Farmacia, son ocupaciones bastantes para emplear a todas las mujeres que necesiten ganarse el pan o sostener a un padre anciano o a un huerfanito; pero entiéndase bien, que hablo de la mujer soltera o viuda sin hijos, o con hijos emancipados. A la mujer casada se le debe prohibir toda ocupación que la separe del hogar y que sea incompatible con los sagrados deberes de la maternidad[56].

La explotación de la mayoría de las trabajadoras, cuya mal retribuida jornada superaba las diez horas, fue argumento utilizado demagógicamente en contra del empleo femenino. Atacando el trabajo remunerado de la mujer, pretendían sus detractores "defenderla" de tal injusticia. Julio Senador Gómez, en su artículo de *El Liberal*

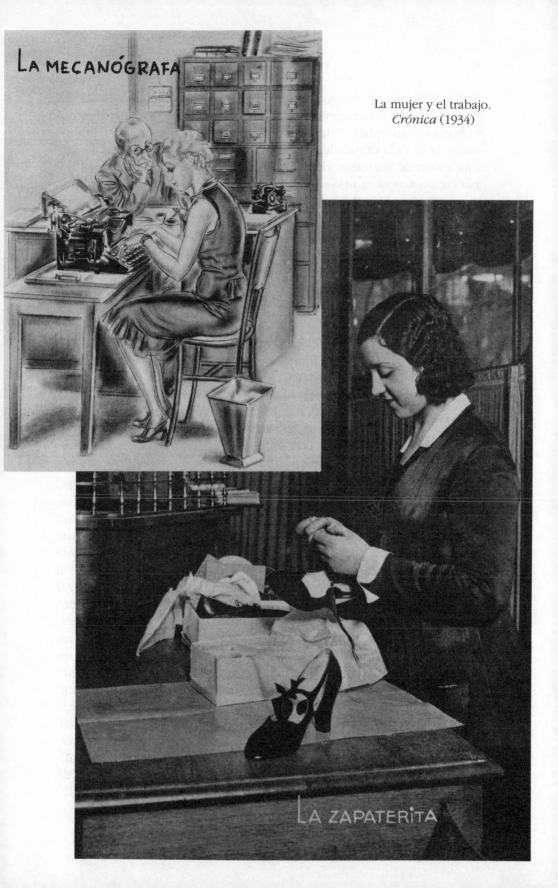

LA MECANÓGRAFA

La mujer y el trabajo.
Crónica (1934)

LA ZAPATERITA

"Sobre el feminismo", recomienda contra lo que considera "la actual indefensión de las mujeres", el acrecentamiento de los matrimonios en lugar de un trabajo "siempre problemático, mal retribuido, perturbador de la vida doméstica y origen además de muchos riesgos en la honestidad de las trabajadoras"[57]. Lo que se pretendía con tales argumentaciones no era más que impedir la progresiva incorporación de la mujer a empleos de mayor prestigio y remuneración, es decir, preservar la división de esferas y los roles pre-establecidos.

Curiosamente la misma sociedad que rechazaba el acceso de la mujer a ciertas profesiones reservadas al hombre, bajo el pretexto de su dificultad y dureza, aceptaba impertérrita el trabajo rudo que llevaban a cabo innumerables obreras, como denunciaba "Andrenio" (E. Gómez de Baquero) en su artículo de *La Voz* "¿Ocupadas u ociosas?":

> La alarma no se ha producido cuando millares de mujeres del pueblo acudían a las fábricas a ganar un jornal y pasaban allí una larga jornada de trabajo, ni cuando las muchachas campesinas emigraban a la ciudad a colocarse en el servicio doméstico. La ruina del hogar sólo se ha entrevisto como una perspectiva fatídica cuando la mujer de la clase media, la señora, ha empezado a competir con el hombre en las oficinas, en el comercio y en las profesiones liberales[58].

Un leve atisbo de cambio en la concepción del trabajo extradoméstico de la mujer se aprecia hacia 1925, momento en que éste empieza a ser considerado como un medio de proteger la virtud femenina, siempre que se trate de un empleo "que la tenga ocupada hasta el matrimonio solamente"[59]. Se había iniciado un proceso que difícilmente se podría ignorar. Los partidarios e impulsores de la incorporación de la mujer al mundo del trabajo intentaron realizar una labor divulgadora, dando a conocer a las mujeres profesiones más o menos nuevas que pudieran ser adecuadas a su naturaleza. Así Martínez Sierra, por ejemplo, defiende la necesidad de crear un oficio nuevo, intermedio entre la *nurse* y la chica de jardín de infancia, que equivaldría a "una verdadera suplente a sueldo de la madre de familia". También presenta el oficio de bibliotecaria como carrera esencialmente femenina, puesto que requiere condiciones "tan femeninas" como son las de orden, limpieza, paciencia, espíritu de clasificación, estudio de idiomas, etc. Este autor planteaba también en términos profesionales la actividad del ama de casa, detalle muy significativo en lo que se refiere a sus esfuerzos por dignificar la imagen de la mujer[60].

Por su parte, *Magda Donato,* una de las autoras de teatro más interesantes del período, escribió para *El Liberal* una serie de artículos bajo el título general de "¿Qué profesión elegir?: La mujer ante el trabajo", donde describía varias profesiones nuevas que abrían entonces sus puertas a la mujer: archivos, bibliotecas y museos, enfermería, correos y telégrafos, estadística, farmacia, etc.[61]. Se trataba principalmente de buscar salidas naturales a las clases medias femeninas que empezaban a sentir la necesidad, y el deseo también, de trabajar. Reproduzco a continuación una cita muy representativa del conciliador espíritu que alienta en estas reivindicaciones de nuevos cauces para la actividad de la mujer española, reivindicaciones que combinan el progresismo emancipador con un intento de tranquilizar temores y vencer pacíficamente resistencias:

> Las horas de trabajo [en la profesión de archivero], siendo pocas y fijas, son perfectamente compatibles con las faenas del hogar y los deberes de la maternidad, por lo cual harán bien en emprender la carrera de Archivos, bibliotecas y museos las que tienen el buen juicio de admitir que el ganarse la vida, aun y sobre todo de una manera esencialmente cultural, lejos de estar reñido con los cauces naturales de la vida de la mujer, es el complemento necesario, digno, humano, en fin, de la feminidad[62].

O esta otra, que expresa magníficamente la indefensión de unas mujeres que, aun deseando la progresiva liberación femenina, no pudieron desprenderse del todo de los valores que se les había inculcado desde la infancia: "La profesión de enfermera es una de las que más seguramente conducen al matrimonio; es un hecho comprobado que casi todas las enfermeras se casan"[63]. *Magda Donato* defendía, en suma, la legitimidad del trabajo extra-doméstico de la joven de clase media, pero sin abandonar completamente la concepción tradicional de las virtudes y valores femeninos.

Otra fórmula considerada "ideal" por ciertos sectores de la intelectualidad del momento para incorporar la mujer al trabajo sería la que acuñó el cliché "pareja de profesionales", es decir, la unión de ambos esposos en una tarea, generalmente científica o artística, común[64]. Este prototipo perfecto de integración afectiva y profesional permitía a los defensores del trabajo femenino quebrar una lanza en favor del mismo sin romper moldes, puesto que la mujer sería así supervisada y controlada por el marido y la familia se beneficiaría de esta asociación, probablemente mucho más comprensiva por lo que respecta a las obligaciones domésticas de la mujer que una relación laboral normal. Algunas de las obras del corpus dramático que aquí nos ocupan reflejan esta colaboración ideal, que comentaremos también en relación con una pareja de autores dramáticos, los Martínez Sierra.

En la realidad, sin embargo, la actividad creativa estaba prácticamente vedada para la mujer, considerada intelectualmente poco capacitada para la ciencia y el arte. Tan sólo una profesión se salvaba del veto impuesto tácitamente por la sociedad, la de actriz:

> Todavía a principios de siglo, ser actriz es la profesión más brillante a que la mujer puede aspirar. Salir de la estrechez económica y del anonimato, afrontar la opinión pública, captar su atención y tal vez pasar a la posteridad no es una aventura trivial para nadie[65].

Esta es la faceta de la vida teatral en la que la mujer se integró más plenamente. A la escasez de autoras, adaptadoras, traductoras, directoras, escenógrafas, coreógrafas, compositoras, etc., se pudo oponer el número y la categoría de nuestras actrices, llegándose a establecer como tópico crítico la existencia de un "teatro de actriz" en la época, es decir, un teatro escrito pensando generalmente en alguna de las grandes mujeres de la escena española.

Con todo, en la mayoría de los ocasiones el trabajo no supuso un elemento de emancipación femenina. Para la mujer de clase obrera, su incorporación al mundo laboral no representó un derecho a ejercer o una elección personal, sino que fue generalmente fruto de la más cruda necesidad. En el caso de la mujer de clase media, si no encontraba marido, su situación económica solía ser apremiante. Sin embargo, estas mujeres consideraban el trabajo como algo vergonzante, asumido, según Margarita Nelken, como la última salida. Las empleadas, procedentes de estas capas intermedias, resultaron ser las más explotadas dentro del ámbito laboral. Su conciencia de superioridad sobre la obrera anulaba toda posible protesta, caracterizándose por una funesta pasividad ante la injusticia de que eran objeto[66].

Se puede afirmar, pues, que la educación y el trabajo fueron los objetivos básicos de los partidarios del feminismo en su intento de mejorar la condición social de las españolas. La meta de las reivindicaciones sobre el derecho al trabajo de la mujer era la incorporación de las mujeres de clase media a las profesiones liberales, puesto que, como afirma Scanlon "las mujeres aristócratas apenas participaron en la lucha por razones obvias, y el trabajo de las mujeres de clase baja o era aceptado como parte del orden natural de las cosas o se consideraba lamentable, pero inevitable"[67]. Frente a éstas, las reivindicaciones políticas fueron, como veremos, mucho menos generales, más discutidas y, en cualquier caso, posteriores.

1.4. LA MUJER Y LA POLÍTICA. LOS MOVIMIENTOS Y ASOCIACIONES FEMENINAS. EL SUFRAGISMO.

Mientras que las reivindicaciones entre las minorías femeninas más concienciadas en favor de mejoras en el terreno educativo y laboral empezaron a cobrar cierta repercusión desde finales del XIX, estas mismas mujeres parecieron ignorar la necesidad de promover la participación femenina en la vida política del país[68]. Concepción Arenal, que defendía en *La mujer de su casa* y en *La mujer del porvenir* la necesidad de educar a la mujer para hacer de ella un ser realmente libre y responsable, preocupándose además por la situación de franca discriminación que se deducía de los códigos civil y penal vigentes, tranquilizaba a los posibles lectores masculinos con un conciliador rechazo de la participación política de la mujer en la vida española[69]. Consideraba esta autora, origen y símbolo del feminismo hispano, que la política corrompería la pureza de espíritu de la mujer. Además, no siendo su carácter acorde con el ejercicio de la violencia, sería imposible esperar que la mujer impartiese justicia o detentase el poder con la necesaria firmeza.

Por el contrario, una de las autoras teatrales del período, Carmen Díaz de Mendoza y Aguado, Condesa de San Luis, en la conferencia que leyó en la Real Academia de Jurisprudencia y Legislación el 22 de enero de 1923 bajo el título de *Política feminista,* defendía la adecuación de las cualidades esenciales femeninas al ejercicio político y argumentaba a favor de la directa participación de la mujer en el gobierno de lo colectivo en razón de la supuesta moralización que de ella se derivaría:

> Es lamentable que la masa de las mujeres no se dé cuenta exacta en España -como se la da en otros países- de todo lo que *debe y puede* exigir. *Debe,* porque la exigencia de su intervención redundaría en beneficio del país, y *puede,* porque si se unieran representarían una fuerza arrolladora con la que tendrían que contar gobiernos y entidades[70].

La lucha por el progresivo reconocimiento de los derechos políticos de la mujer fue elemento caracterizador de la historia política española del primer tercio de siglo. Entre los años 20 y 30 mujeres dedicadas a la política como las socialistas Margarita Nelken y Victoria Kent se opusieron también a la entrada directa de la mujer a la vida política a través del sufragio, porque consideraban que la mayoría de las españolas carecían de la formación e independencia de criterio necesarias. Margarita Nelken afirmó, incluso, que faltaba un espíritu social en las españolas, sin el cual era mejor que no votasen por el momento. Esta autora enfocaba la lucha feminista, no en la dirección internacionalmente predominante del sufragismo, sino en la de la igualdad legal, no dudando en afirmar: "Hoy por hoy, nada podría ser más funesto al progreso político de España que el voto femenino"[71]. El control que la Iglesia ejercía sobre las mujeres en España era el argumento esgrimido para intentar evitar un conservadurismo que podía desestabilizar, a juicio de muchos, el naciente sistema. A los que adujeron la moralización y el pacifismo que la mujer con su voto introduciría en la política nacional, Margarita Nelken respondía que había que olvidar todo falso sentimentalismo, puesto que la mujer europea salió a la calle orgullosa y entusiasta ante la marcha de los hombres durante la guerra mundial.

En sentido contrario se manifestó Armando Palacio Valdés en *El gobierno de las mujeres,* donde defendía la conveniencia de que la mujer interviniese en la política, pero no por ideas igualitaristas, sino porque consideraba esta actividad secundaria y equiparable al gobierno "casero" de lo colectivo. El arte, la cultura y la ciencia, como actividades creativas y por tanto superiores, quedarían reservadas al hombre[72].

Pocos fueron, con todo, los que abogaron por la necesaria participación política de la mujer. El más ilustre defensor del voto femenino fue, sin duda, José Francos Rodríguez, quien reclamó, frente a la costumbre histórica de la influencia indirecta de las féminas sobre los gobernantes, la lícita y declarada intervención de la mujer en los asuntos políticos: "La mujer, como elemento social, tiene derecho para intervenir en la suerte del país en que vive, y se le ha de reconocer sin mirar a lo que resulte de inclinaciones determinadas"[73].

El aparente desinterés de la generalidad de las españolas por su incorporación activa a la vida política corrió paralelo al notable retraso que las iniciativas de organización femenina en España guardaron respecto a los tempranos movimientos sufragistas de Gran Bretaña y otros países europeos. Puesto que se ha considerado que la lucha por el voto y el asociacionismo femenino de tipo político son las dos características definitorias del movimiento, resulta fundamental el estudio de las diferentes organizaciones femeninas para una correcta datación del origen del feminismo en España.

No fue hasta la segunda década del siglo XX cuando surgió el primer movimiento organizativo entre las españolas. Mercedes Roig sitúa el nacimiento del movimiento feminista español en el período histórico que va desde la crisis de 1917 hasta la Guerra Civil. Se produjeron entonces las condiciones favorables necesarias, tales como la fructificación en las generaciones siguientes de los ideales educativos krausistas que ya mencionamos, el mayor número de mujeres que desempeñaba un trabajo extra-doméstico y la influencia del movimiento internacional a través de la acción divulgadora de los medios de comunicación y de la publicación de obras como las de Bebel, Posada, etc[74].

Empezaron a llegar entonces al Parlamento peticiones de organizaciones femeninas acerca del derecho al sufragio. Como ya anticipé en la introducción, el año 1918 resultó determinante en lo que a la historia del movimiento femenino español se refiere. En este año sitúa Concha Fagoaga el inicio del movimiento organizado[75]. Poco a poco iban surgiendo asociaciones femeninas de diverso signo, que agrupaban a esa minoría de mujeres, de clase media y alta principalmente, conscientes de la necesidad de fomentar un espíritu colectivo para conseguir las necesarias mejoras en la situación política y social de la mujer.

Una de las organizaciones que tuvieron más peso en estos años fue la "Asociación Nacional de Mujeres Españolas", fundada en 1918 por María de Espinosa (primera presidenta de la asociación, que fue sucedida por Benita Asas Manterola y, posteriormente, por Julia Peguero)[76]. Entre 1921 y 1936 esta asociación se ocupa de hacer campañas en su órgano de propaganda, *Mundo femenino,* en pro de la igualdad de derechos civiles y políticos. Una de las autoras teatrales de mayor relieve entre las estudiadas, *Halma Angélico,* fue vicepresidenta de la "A.N.M.E." en 1935.

Contemporánea de "A.N.M.E.", la "Unión de Mujeres de España" ("U.M.E."), fundada y dirigida por la escritora María de la O Lejárraga García, y en la que también participara otra de las autoras teatrales estudiadas, *Magda Donato,* comenzó sus actividades a finales de 1919. Siguió funcionando durante un par de años y a partir de ahí quedó reducida a un pequeño núcleo que cristalizaría, ya al filo de los 30, en la "Asociación Femenina de Educación Cívica" ("A.F.E.C."), también liderada por María de la O Lejárraga[77].

Al margen de estas dos grandes asociaciones femeninas, el movimiento va progresivamente ramificándose. Surgen así organizaciones como la "Juventud Universitaria Femenina" ("J.U.F."), la "Cruzada de Mujeres Españolas", la "Liga Internacional de Mujeres Ibéricas e Hispanoamericanas" (presididas ambas por Carmen de Burgos) y otras muchas:

> En la década de los años veinte se constituyen: "La Mujer del Porvenir" y "La Progresiva Femenina" en Barcelona; "La Liga Española para el progreso de la Mujer" y la "Sociedad Concep-

ción Arenal" en Valencia; la "Asociación Nacional de Mujeres Españolas", todas ellas constituían el "Consejo Superior Feminista de España"; la "Unión del Feminismo Español", creado por Celsia Regis en 1924; la "Acción Femenina", de Barcelona; y otras de carácter estatal, como la "Liga Internacional de Mujeres Ibéricas e Hispanoamericanas", la "Cruzada de Mujeres Españolas" y la "Asociación Católica de la Mujer"[78].

Varias de estas asociaciones llevaron a cabo una interesante labor cultural a través de sus diferentes secciones educativas. Muchas de ellas contaban incluso con grupos de aficionados que representaron numerosas obras durante el período. Entre estos grupos destacan la "Asociación para el Trabajo de la Mujer" (1925); el "Instituto de Cultura Femenina"(1927); "España Femenina" (1931); el "Club Teatral de Cultura" -que cambió su nombre por "Club Teatral Anfistora" cuando Federico García Lorca pasó a codirigirlo junto con Pura Ucelay- (1933-1936) y la "Asociación Femenina de Educación Cívica" (1935), ambas ligadas a la asociación presidida por María de la O Lejárraga; la "Asociación para la Enseñanza de la Mujer" (1933-1936); la "Juventud del Lyceum Club" -dirigida por la autora teatral *Halma Angélico* en 1936- (1932-1936); "Mujeres Republicanas" (1936), y la "Sección Femenina de Renovación Española" (1935)[79].

La eclosión del movimiento de mujeres en España que dicha actividad asociacionista pone de manifiesto, coincide, según Fagoaga, con la mayor difusión internacional del feminismo a partir de comienzos de los años 20[80]. También evidencia este fenómeno la falta de cohesión entre la elite femenina progresista. De hecho, la causa que impidió la celebración en España en 1920 del VIII Congreso de la International Women's Suffrage Alliance fue la rivalidad existente entre "A.N.M.E." y "U.M.E.", las dos grandes agrupaciones femeninas del momento. Las diversas formas de entender los problemas de la mujer y de enfocar sus soluciones se corresponden, asimismo, con la variedad de posturas ideológicas de estas mujeres, una variedad que, como tendremos ocasión de comprobar, se manifiesta perfectamente en la creación literaria y artística en general.

El "Lyceum Club Femenino", fundado en Madrid en 1926 siguiendo el modelo de otros ya existentes en Europa y Estados Unidos, fue un importante centro de reunión para muchas de las mujeres que formaban parte de las asociaciones anteriormente citadas. Concha Fagoaga, resalta en su libro *La voz y el voto de las mujeres. El sufragismo en España (1877-1931)* la heterogénea composición ideológica del club, en el que se reunían las principales promotoras del movimiento de mujeres entre 1926 y 1936. Esta autora destaca la par-

Número suelto, 20 céntimos

Se reparte gratis a las asociadas

PRO PAZ
UNIVERSAL
CULTURA

Mundo femenino

DEBER
DERECHO
JUSTICIA

Órgano de la Asociación Nacional de Mujeres Españolas
SE PUBLICA UNA VEZ AL MES

AÑO XIII.—NUM. 79.   DIRECCIÓN Y PRESIDENCIA: CALLE DE BLASCO IBAÑEZ, 40 (antes PRINCESA)   OCTUBRE DE 1931.

La ilustre abogada señorita Clara Campoamor, primera mujer que ha hablado en el Parlamento como diputada a Cortes, defendiendo el voto femenino integral con elocuencia insuperable.

La labor de la señorita Campoamor en el Congreso de los Diputados, no sólo defendiendo los derechos de la mujer, sino también otros importantes aspectos de los que integran las actuales Cortes Constituyentes, se consignará en la historia del progreso de nuestro país como un verdadero acontecimiento. Orgullo legítimo sentimos al hacerlo constar en esta Revista donde halla merecida ponderación la mujer destacada, la mujer valiente y culta que, como la Srta. Campoamor, con generoso y elevado gesto, en momentos solemnes, cuales son los que precedieron a la votación del sufragio femenino en el Parlamento, supo dar una nota vibrante de capacidad, mereciendo su gallarda actitud el aplauso entusiasta de todas las españolas, las felicitaciones cariñosas de las mujeres extranjeras y la gratitud de cuantos saben calcular la importancia de esta conquista femenina.

(En otro lugar de este número publicamos uno de los discursos de la señorita Campoamor en el Parlamento.)

La República, mujeres españolas, nos ha elevado a la categoría excelsa de ciudadanas reconociéndonos la plenitud de derechos al igual que al hombre.

Las mujeres españolas debemos a la República proclamada el 14 de abril un culto perpetuo de gratitud, y a su engrandecimiento -que es el de la Patria- debemos consagrar nuestros más nobles valores espirituales y nuestros más poderosos medios materiales.

Párrafos elocuentes de algunos diputados al defender en el Parlamento el voto femenino

El señor Juarros: Respecto al pretendido histerismo de la mujer, se ha jugado aquí excesivamente con un vocablo técnico empleado sin suficientes conocimientos de su significado; la mujer no es histérica sino en determinado número de casos; el histerismo constituye una enfermedad, no excesiva del sexo femenino. Es igualmente patrimonio del hombre, pese al significado de la palabra, y además de serlo, cada vez abunda más en la sociedad actual el tipo de hombre histérico.

Hay otra razón que impele a esta minoría a sostener la conveniencia de conceder el voto a la mujer. Que sólo los hombres puedan votar a la mujer, plantea el siguiente problema: la mujer que viene a la Cámara lo hace elegida por sentimientos y razones de índole masculina; pero no de índole femenina. Representa, por tanto, una opinión masculina. La que la ha votado. Mientras la mujer no tenga el voto de las demás mujeres, no se puede afirmar seriamente que representa al sexo femenino. Si tiene características que biológicamente le han sido otorgadas al sexo, no es lícito desconocerlo. Constituyen más de la mitad de la Nación, y no es posible hacer labor legislativa seria prescindiendo de más de la mitad de la Nación. La mujer representa un sentimiento de maternidad que el hombre no puede ni concebir. La psicología de la mujer es distinta de la del hombre, y por ello resulta bufo y tan cómico que ciertos escritores pretendan conocer el alma femenina. (Rumores.) Probablemente el alma femenina no la conoce la misma mujer (Risas.), porque debi-

do al régimen de inferioridad en que ha vivido hasta estos últimos tiempos, la mujer se habituó a situaciones de defensa, que le impidieron desarrollar su temperamento de manera tan amplia, tan liberal y tan abierta como le ha sido posible al hombre.

Estas son las razones esenciales por las cuales esta minoría cree que se debe conceder el voto a la mujer y por qué se le debe conceder a la misma edad que a los hombres. Representarán un sentido de la vida distinto del propio del hombre. Un hombre solo no representa el ideal biológico si no va unido a una mujer. Aisladamente, ni el pensamiento de un hombre ni el de una mujer pueden traducir el progreso del pensamiento social. Por estas razones nos oponemos a la enmienda, digan lo que digan los atemorizados políticamente.

El señor Castrillo: Sólo dos minutos para cumplir el deber de cortesía de contestar al discurso del señor Molina. Pero, dicho sea con los máximos respetos, me parece que ha invertido su señoría veinticinco o treinta minutos en demostrar que la Comisión tiene plena razón al redactar el artículo en forma que resulta en el dictamen.

En efecto, su señoría, largamente ha hecho aquí un cálido elogio de las conquistas feministas, de la necesidad de llevar a la Constitución la igualdad de derechos de los dos sexos. Su señoría no tiene más que recordar lo ocurrido esta tarde en la discusión entre las señoritas Kent y Campoamor, que obedecía a eso, e incluso que la Comisión demostró de una manera clara y terminante, que en la Constitución del Estado

Clara Campoamor y el voto femenino.

ticipación de miembros de la "J.U.F." (Juventud Universitaria Feminista) y de la "A.N.M.E." en el Lyceum: "El Lyceum Club se convertiría a partir de entonces, en una labor ininterrumpida hasta 1936, en un centro para aunar esfuerzos en la realización de acciones acordadas por las mujeres de posiciones diversas dentro del movimiento"[81]. Además de servir de punto de encuentro para las mujeres del movimiento, actuó también como punto de contacto con aquellas otras pertenecientes a las capas medias y altas, que no se habían incorporado a militancia alguna.

Halma Angélico -última presidenta del Lyceum-, Carmen Baroja -vicepresidenta en 1930-, Zenobia Camprubí -secretaria bajo la dirección de María de Maeztu-, Ernestina de Champourcín, *Elena Fortún,* Trudy Graa, María de la O Lejárraga, Concha Méndez, Carmen Monné, Isabel Oyarzábal de Palencia -presidenta en la etapa inicial del Lyceum- y Pura Ucelay, mujeres que se interesaron por el teatro como autoras, traductoras -Zenobia Camprubí- e incluso directoras -en el caso de Monné y Ucelay-, son algunas de las mujeres de teatro que pertenecieron al Club. En él participaba la elite femenina intelectual y artística, miembros activos de la avanzada del movimiento emancipador de la mujer española[82]. El sector conservador del movimiento femenino, por el contrario, nunca quiso tener nada que ver con el centro.

Desde el Lyceum se propulsaron numerosas iniciativas dirigidas a construir una tradición cultural femenina, organizándose homenajes, celebraciones, etc., dedicados a figuras relevantes de la intelectualidad femenina como Rosario de Acuña, Emilia Pardo Bazán y, sobre todo, Concepción Arenal, erigida en símbolo de la lucha por la igualdad de la mujer. Los intentos de crear esta conciencia colectiva de identidad fueron más bien aislados, pero resultaron suficientes para extender unas inquietudes específicas, caldo de cultivo en el que se fraguó esa común sensibilidad por los problemas de la mujer en que se desarrolla la obra creativa de varias de las escritoras de las que me ocuparé después.

Paralelamente al desarrollo de esta variedad de organizaciones vieron la luz numerosas revistas feministas de las cuales *La Voz de la Mujer* fue probablemente la más importante:

> Otros periódicos feministas vieron la luz en Barcelona, Valencia y algunas otras ciudades españolas, entre 1915 y 1920, a la vez que proliferaban los organismos dedicados a la defensa de los derechos de la mujer como Mujeres del Porvenir, Progresiva Femenina, Liga Española para el Progreso de la Mujer, Sociedad Concepción Arenal, Asociación Nacional de Mujeres

Españolas, Consejo Superior Feminista de España. Casi todos ellos tenían su publicación, pero éstas fueron efímeras. Citemos solamente *Mujeres, Mujeres Españolas* y *Unión Femenina*, de Barcelona[83].

Escribieron en la prensa femenina autoras de teatro como *Halma Angélico (Mundo Femenino, Mujer)*[84], Sofía Blasco *(Mujer)*, Carmen de Burgos, *Magda Donato (La moda práctica)*, Concha Espina, Margarita Nelken *(Mujer)*, María Martínez Sierra *(Mundo Femenino)*, Mª Luz Morales, Isabel Oyarzábal *(Semanario de Cultura integral y femenina, Mundo Femenino)*, etc.

La historia reciente del feminismo hispano sitúa los orígenes del movimiento en los últimos años de la segunda década del siglo. El término feminismo empieza a ser familiar en la sociedad española allá por 1920. Las conferencias de Gregorio Martínez Sierra y los hermanos Alvarez Quintero en el Eslava o los libros de Carmen de Burgos y la Condesa de San Luis, contribuyeron a desarrollar un clima de polémico interés en torno al tema al filo de los "felices" veinte. Martínez Sierra, en su libro *Feminismo, feminidad, españolismo* (1920), comenta con irónica satisfacción la campaña de ataque al feminismo desatada en España, campaña que sirve para comprobar la expansión y popularidad crecientes de las ideas feministas:

> ¡Sí, sí! Ya se habla en mi tierra de la 'oposición irreductible entre el feminismo y la feminidad', de la 'mujer emancipada', sinónimo de 'marimacho'; ya se aboga por el 'hogar amenazado', por el 'amor despoetizado', por la 'moralidad en peligro', etc., etc., etc... Ya es hora de publicar la edición española de *Catecismo feminista* (...), en el cual están catalogados, casi por orden alfabético, todos los susodichos lugares comunes, y comentados, para uso de antifeministas de primeras letras. ¡Albricias, españolas de mi corazón![85]

María Laffite, condesa de Campo Alange, comenta esta oposición general en relación con la imagen de las feministas que los contrarios a toda evolución en el rol social de la mujer española propagan por estos años:

> El término *feminismo* llega cargado de inquietudes y recelos, y en general despierta pocas simpatías. Sugiere un tipo de mujer física o sentimentalmente desgraciada que, en franca rebeldía, adopta actitudes desenfadadas o agresivas[86].

El naciente movimiento español no intentaba, con todo, provocar "revoluciones" ni subvertir el orden social vigente. De raíz liberal burguesa y con un evidente afán reformista, aspiraba más bien a una conciliadora evolución de las relaciones hombre-mujer que caminara, todo lo lentamente que fuera necesario, hacia una mayor igualdad entre los sexos. El general conservadurismo de la elite femenina que sustentaba el ideario emancipador, el peso de la Iglesia entre las mujeres españolas del momento, el retraso cronológico con respecto al desarrollo internacional del mismo y la indiferencia casi generalizada de los partidos políticos hacia el movimiento de mujeres, explican el absoluto predominio de un "feminismo sensato" y moderado, que declaraba una y otra vez respetar la autoridad masculina en la familia y en la sociedad.

Los partidarios de este tipo de feminismo proponían un ideal de mujer más culta, que pudiera ganarse la vida con un trabajo digno siempre que le fuera necesario, y que no padeciese una discriminación legal como la existente. Sin embargo, el lugar de la mujer seguía siendo la familia, aunque eso sí, reformada y mejorada: "La mujer ha nacido para la familia, para el hogar, para la maternidad, y esto no hay quien lo niegue, ni feminista ni antifeminista"[87]. Gregorio Martínez Sierra, uno de los principales representantes de esta corriente de opinión que, recogiendo una expresión repetida por varios autores de la época, hemos denominado "feminismo sensato", elogió el pragmatismo posibilista que el movimiento femenino estaba demostrando por el momento e impulsó a las mujeres a seguir por este "razonable" camino:

> Las mujeres, con sutil argucia femenina, se decidieron a no pedir estos derechos sino con el fin de ser útiles, y, además, (...) aseguraron que no piensan reclamarlos todos de repente, por muy fundados en justicia que los crean; han hecho así de su causa, no la causa egoísta de un partido, sino la de la humanidad, y se resignan a triunfar únicamente con el triunfo de la justicia.(...)
>
> Hay que reconocer que este feminismo sensato es tal vez el más hábil y el que más seguramente realizará los fines que se propone[88].

Por otro lado, después de haber examinado brevemente la variedad de asociaciones y publicaciones existentes, parece lógico cuestionar la entidad del movimiento como fenómeno unitario. Varios autores del período que se interesaron por el tema suelen remitir a la diferenciación que Adolfo Posada hiciera ya a fines del XIX entre "feminismo radical", "feminismo oportunista y conservador" y "feminismo católico". También se ha diferenciado el feminismo socialista - interesado principalmente por las condiciones discriminatorias que sufrían las trabajadoras-, del feminismo burgués o sufragista[89]. En cualquier caso, es el feminismo conservador, calificado por Posada, Nelken, Laffite y otros como "oportunista", el mayoritariamente predominante. Los sectores ligados a un feminismo radical fueron realmente mínimos[90].

Distinto del feminismo conservador, el movimiento impulsado por la Iglesia para organizar a las mujeres españolas y apartarlas de las nuevas doctrinas igualitarias desembocó en la creación de importantes asociaciones como la "Acción Católica de la Mujer" (1919) o los "Sindicatos Femeninos Obreros", de María de Echarri[91]. Desde una perspectiva actual, se ha venido cuestionando la adecuación del término "feminismo" aplicado al movimiento femenino impulsado por la Iglesia en los años 20 y 30, ya que rechazaba explícitamente la igualdad de derechos definidora del movimiento feminista. Según Fagoaga, cuando la Iglesia comprobó la imposibilidad de intervención en el movimiento femenino, decidió promover campañas con el objeto de neutralizar dicho movimiento mediante la transformación consciente del significado propio del concepto "feminismo"[92].

Geraldine Scanlon observa también en su completo estudio sobre el feminismo español *La Polémica Feminista en la España contemporánea (1868-1974)* la existencia de una compleja división entre un feminismo de izquierdas, otro de derechas, otro apolítico-centrista, etc. En cuanto al feminismo católico comenta:

> El feminismo conservador católico consistía esencialmente en un adorno del ideal tradicional; las concesiones hechas en el terreno del trabajo y de la educación estaban condicionadas por tantas reservas que no significaban prácticamente nada. Nunca se llegó a plantear la radical alteración de las relaciones entre los sexos (...). Los orígenes del movimiento feminista conservador, como hemos visto, no había que buscarlos en un deseo de mejorar la posición de la mujer, sino en un deseo de refrenar la marea revolucionaria[93].

Coincidimos con Fagoaga en que no es adecuado el popularizado concepto de feminismo católico, que tanto se repite en la época referido al movimiento de mujeres vinculado a la iniciativa de la Iglesia, pero sí es necesario admitir la existencia de un feminismo conservador, el feminismo de Celsia Regis y la A.N.M.E, por ejemplo, al que se adscriben implícitamente autoras como la Condesa de San Luis, Pilar Millán Astray, etc., y que, por su aparente moderantismo, pasa a ser en esta época de 'orígenes' el mayoritario. Son pocas las feministas españolas que se ajustarían a una definición actual -y en consecuencia anacrónica- del término, pues mujeres de izquierdas como

Margarita Nelken o Victoria Kent rechazaban, al igual que las conservadoras aunque por diferentes motivos, las aspiraciones sufragistas.

Otro aspecto fundamental del desarrollo del clima emancipador en España es el referente a las sucesivas reformas legales que a él fueron ligadas. Si el final de la guerra supuso, como hemos podido comprobar, un gran impulso para el movimiento de mujeres también en España, la Dictadura de Primo de Rivera representó igualmente un momento importante en la historia política de la mujer española contemporánea, pues durante su mandato se llevaron a cabo reformas importantes con respecto a la mujer, destacando la concesión del derecho al voto en las elecciones municipales a todas las mujeres solteras o viudas mayores de 23 años (8 de marzo de 1924). Las casadas fueron excluidas del mismo, ya que se consideró que su voto era siempre idéntico al del cabeza de familia y, por tanto, inútil. Se preservaba así la autoridad masculina en la célula básica de la institución social, dejando fuera del sufragio a la gran mayoría de las españolas.

Sin embargo, las expectativas de voto creadas, aunque no llegaron a cumplirse por falta de ocasión durante la dictadura, representaron un impulso fundamental para la aspiración sufragista de las minorías femeninas favorables al proceso emancipador. Con todo, una buena parte de las feministas españolas no incluyeron, como veíamos, el derecho al voto entre sus reivindicaciones, centrándose en la lucha por la mejora educativa y legal. Este hecho se debió no sólo al mayoritario conservadurismo del feminismo hispano de la época, sino más bien a un pragmatismo posibilista que intentó conciliar posiciones y tranquilizar los temores masculinos.

La República, un tanto forzada por este precedente, no podía quedar por detrás del dictador, y de este modo, el tema del voto femenino sale a la luz ya durante las Cortes Constituyentes. Por otro lado, a pesar del gran número de organizaciones femeninas existente entre 1918 y 1930, sería necesario esperar al período republicano para ver cristalizar el movimiento en torno a la importante discusión sobre el sufragio. En estos debates intervinieron dos diputadas, puesto que la mujer disfrutaba del llamado derecho pasivo de voto, es decir, podía ser elegida aunque no pudiera votar. Estas dos mujeres, Clara Campoamor y Victoria Kent, mantuvieron posturas opuestas, defendiendo la una y negando la otra, el derecho al sufragio universal femenino.

La diputada radical Clara Campoamor fue la defensora del derecho a voto de la mujer en solitario, sin contar siquiera con el apoyo tácito de su propio grupo político. Tuvo que enfrentarse con el miedo republicano al tan proclamado reaccionarismo del voto femenino, argumento de orden pragmática, que no ética, con el que se pretendía defender a la república de las derechas pro-monárquicas. Los grupos políticos considerados como más progresistas y liberales pretendieron así incumplir las promesas electorales que la República había hecho a las españolas en la campaña previa al derrocamiento electoral del sistema monárquico. Radicales, radicales socialistas y miembros de Acción Republicana fueron en su mayoría contrarios a la concesión del voto femenino. Tras el duro debate del 30 de septiembre en que se opusieron frontalmente Clara Campoamor y Victoria Kent (que afirmaba renunciar a su ideal para defender a la naciente República), el 1 de octubre se aprobó el sufragio femenino por 161 votos a favor y 121 en contra. Una nueva votación se llevó a cabo el 1 de diciembre, debido a una enmienda articulada para dejar sin efecto la disposición anterior, circunscribiendo el voto femenino al ámbito de las elecciones municipales. Ausentes en aquella ocasión de la cámara las derechas, aun así salió la concesión definitiva por tan solo cuatro votos de diferencia[94]. Esperanza García Méndez comenta, en su libro sobre la actuación de la mujer en las Cortes de la República, que las mujeres que más activamente participaron en la vida política del país se mostraron adversas a la concesión del voto a la mujer, con las excepciones notables de la mencionada Clara Campoamor y de la escritora y autora dramática María de la O Lejárraga. Todas ellas creyeron que con el voto femenino peligraría el desarrollo y avance liberal democrático[95].

El miedo masculino al incipiente, pero ya popular, movimiento feminista determinó en buena parte la actitud de férrea oposición al sufragio. Resulta reveladora en este sentido la siguiente cita de un texto de un conservador catalán que data de 1932:

> En buena hora vengan las mujeres a las luchas políticas investidas de su carácter de esposas, de madres, de hijas, es decir, esparciendo por doquier gracia y luz familiar (...). Si las cosas se cuecen de esta manera, si las mujeres vienen a la política de esta forma, todo se andará bien en la República. Pero, ¡pobres de nosotros si la invasión llega del lado feminista; tristeza eterna del feminismo! Yo no sé por qué a la mujer feminista la veo siempre sembrando en todas partes el desorden y el malestar y destruyendo el ritmo de la belleza, es decir, deshaciendo la familia[96].

Incluso los partidos de izquierda, que habían sido los primeros en abrir sus puertas a la militancia femenina, estaban dominados, como denuncia Campoamor en su libro, por el miedo a la igualdad de derechos y a la total incorporación de la mujer a la vida pública. La línea política oficial de socialistas, anarquistas y comunistas ignoraba la particularidad del problema de la mujer. Estos partidos carecían de una acción femenina específica puesto que consideraban que la lucha en pro de la emancipación de la mujer debía supeditarse a los intereses generales de la lucha de clases[97].

La mujer entró a formar parte de la Cámara legislativa por vez primera durante la Segunda República, aunque su presencia numérica fuera escasa. Las diputadas pertenecieron mayoritariamente a los partidos de izquierda, predominando las del P.S.O.E[98]. Durante estos seis años resultaron elegidas para las Cortes nueve mujeres. En el primer bienio hubo tres diputadas: Victoria Kent Siano (radical-socialista incorporada más tarde en Izquierda Republicana), Clara Campoamor Rodríguez (radical) y Margarita Nelken Mausberger (socialista). Kent y Campoamor prometieron sus cargos el 27 de julio. Nelken no lo hizo hasta el 19 de noviembre, ya que fue elegida diputada el mes de octubre, en segunda vuelta. Cuando se incorporó al Parlamento, el proyecto de Constitución estaba ya prácticamente discutido, por lo que no pudo participar en su elaboración. En noviembre de 1933 fueron cinco las mujeres elegidas: de nuevo Margarita Nelken, María de la O Lejárraga y García, Matilde de la Torre Gutiérrez y Veneranda García-Blanco Manzano, por el partido socialista. Vinculada a la CEDA, Francisca Bohigas Gavilanes, agraria, fue elegida por León. Durante el gobierno del Frente Popular, figuraron en la cámara otras cinco diputadas. Continuaron Nelken, Matilde de la Torre y Victoria Kent. Por primera vez fueron elegidas Dolores Ibarruri Gómez (comunista) y Julia Alvarez Resano (socialista). La participación en la vida parlamentaria de las diputadas estuvo desvinculada de cualquier posible inquietud feminista. Según García Méndez, la única diputada que centró primordialmente su actividad en temas femeninos fue la radical Clara Campoamor.

De especial interés para esta investigación resulta la dilatada experiencia parlamentaria de Margarita Nelken, escritora y política de origen alemán (nacionalizada española), que figura entre las escasas adaptadoras de teatro del período 1918-1936, así como la elección de María de la O Lejárraga, autora y traductora, por la provincia de Granada, en 1933.

Se puede afirmar, en suma, que fueron franca minoría los que defendieron la plena igualdad de hombres y mujeres en lo que a sus derechos políticos se refería. El recelo y la abierta oposición al sufragio femenino por parte de muchos intelectuales y políticos, e incluso de bastantes mujeres vinculadas a partidos de izquierda, demuestra lo arraigado de ciertas concepciones relativas a la estricta división de las esferas de actividad masculina y femenina. El temor a una subversión total de los roles sociales asignados a cada uno de los sexos estuvo detrás de la fuerte oposición con que tuvieron que enfrentarse los que defendían el progresivo reconocimiento de los derechos políticos de las mujeres españolas, derechos que, por otra parte, interesaban tan sólo a una minoría de mujeres de las capas media y alta.

El incremento de la actividad asociativa femenina a comienzos de los años 20, con su plasmación en las numerosas publicaciones orientadas a las mujeres, hizo cobrar actualidad al debate intelectual sobre el feminismo iniciado ya en la década anterior. Se puso de manifiesto también con este hecho, la variedad de tendencias que sirvió de base al naciente feminismo hispano:

> Las fuertes tensiones políticas y sociales en España perjudicaron el desarrollo del feminismo en el siglo XX. En otros lugares, las feministas de diferentes opiniones políticas consiguieron unir sus fuerzas para la causa de la emancipación, pero semejante colaboración fue imposible en España. El movimiento fue tachado de irrelevante y burgués por la izquierda, que a cambio ofrecía la perspectiva de una total emancipación en una sociedad socialista o anarquista. La derecha, por otra parte, vio claramente, tras su desconfianza inicial, que la mejor manera de debilitar el movimiento era aprovecharse de él y explotarlo para sus propios fines. El movimiento se debatió, por tanto, entre la indiferencia de la izquierda y las ambiciones de la derecha, y, en consecuencia, consiguió muy poco[99].

Las reformas relativas al voto, el divorcio y la familia que se llevaron a cabo durante la República, supusieron para las mujeres españolas un avance enorme en su condición legal, avance que no fue acompañado por un cambio paralelo de actitudes y hábitos sociales. Para la mayor parte de las españolas, estas reformas resultaron incluso excesivas, yendo más allá de sus propias aspiraciones. Heterogéneo y confuso en sus objetivos y planteamientos ideológicos, el feminismo español consiguió, no obstante, situarse en un plano relevante de la actualidad polémica nacional.

Varias de las mujeres que tomaron parte en las diversas asociaciones y revistas del movimiento femenino de estos años fueron periodistas y escritoras que se interesaron también por la producción teatral, como tendremos ocasión de comprobar más adelante. Las contradicciones de un fenómeno relativamente nuevo en la sociedad española, que apenas nacido y siguiendo la cola del cometa internacional, experimenta una rápida ramificación y desarrollo, se reflejan en las obras dramáticas de estas autoras. Las posturas alternativamente abiertas y pro-feministas o conservadoras y tradicionalistas que coexisten a veces en un mismo texto se explican así a partir de la configuración todavía inmadura de una nueva imagen de la mujer y de su rol social que está empezando a imponerse en el período.

NOTAS AL CAPÍTULO PRIMERO

[1] El estudio de la prensa femenina y de la imagen de la mujer en la prensa general han sido dos de los campos de la *Historia de la Mujer* más cultivados hasta el momento. Véanse los artículos de Mª del Carmen Simón Palmer, "Revistas femeninas españolas del siglo XIX", *Homenaje a don Agustín Millares Carlo, I,* Caja Insular de Ahorros de Gran Canaria, 1975, pp. 401-445, y Danièle Bussy Genovois, "Tiempo histórico y tiempo de las mujeres: notas sobre la prensa femenina entre 1931 y 1936", *Bulletin du departement de recherches hispaniques pyrenaica,* XXIX (juin 1984), pp. 99-123, así como los libros de Mª Antonia Galán Quintanilla, *La mujer a través de la información en la II República Española,* Madrid, Universidad Complutense, 1980; Adolfo Perinat y Mª Isabel Marrades, *Mujer, prensa y sociedad en España: 1800-1939,* Madrid, Centro de Investigaciones Sociológicas, 1980; Isabel Segura y Marta Selva, *Revistes de dones (1846-1935),* Barcelona, Edhasa, 1984; Mercedes Roig, *La mujer en la historia (Francia, Italia, España). A través de la prensa, Siglos XVIII-XX,* Madrid, Instituto de la Mujer, 1986, e Inmaculada Jiménez Morell, *La prensa femenina en España (desde sus orígenes a 1868),* Madrid, Ediciones de la Torre, 1992.

[2] Adolfo Perinat y Mª Isabel Marrades, *Mujer, prensa y sociedad en España: 1800-1939,* p.141.

[3] Emilio Palomo, "Mujeres", *La Libertad,* 24-06-1926, p.1. Se lamenta este autor de la falta de correspondencia entre la nueva y ligerísima indumentaria femenina y la todavía vieja y trasnochada moralidad de las aparentemente modernas mujeres: "Allí [en otros países] ha cambiado la mujer de traje y de moral; aquí, no. En el fondo (…) sigue tan alejada, tan separada del hombre como en las épocas en que una religión inexorable y cruel condenaba hasta la mirada". También sobre la nueva y más ligera moda femenina puede verse José Escofet, "La mujer y el hombre", *La Voz,* 11-05-1929.

[4] Félix del Valle asume la defensa de la mujer moderna y la defiende de la citada acusación de masculinismo creciente en su artículo "Puntos de actualidad femenina", *La Libertad,* 8-02-1930. Según Valentín Andrés, las virtudes tradicionales femeninas (hogareñas, tímidas, recatadas…) eran postizas, es decir, determinadas por el deseo y el imperativo masculinos. Con todo, resulta más que evidente su recelo ante los imprevisibles cambios que los nuevos hábitos femeninos y sus recién adquiridos derechos (el voto, principalmente) pueden ocasionar ("Las mujeres y las abstracciones", *La Voz,* 27-04-1934). Claro ejemplo de la postura contraria se encuentra en los artículos de Curro Vargas, publicados en *El Debate* bajo el general epígrafe de "La mujer de hoy" en febrero del 33 (2-02; 12-02; 18-02 y 22-02). En cada uno de ellos, Vargas presenta a una de estas modernas jóvenes en polémico diálogo con otro personaje que defiende las ideas del propio periodista y de su conservador periódico.

[5] Regina, "El triunfo de la feminidad", *La Voz,* 2-07-1928.

[6] Mary Nash, *Mujer, familia y trabajo en España (1875-1936),* Barcelona, Anthropos, 1983, p.16.

[7] En este sentido se lamenta la anarquista Lucía Sánchez Saornil: "He dicho que teníamos nuevamente enfrentados el concepto de mujer y el de madre, y he dicho mal; ya tenemos algo peor: el concepto de madre absorbiendo al de mujer, la función anulando al individuo". Véase Lucía Sánchez, "La cuestión femenina en nuestros días", *Solidaridad Obrera,* 15-10-1935, citado en Mary Nash, *Mujer, familia y trabajo en España,* p. 76.

[8] Lucía Canyà, *L'etern femení,* Barcelona Librería Durán, 1934. Véase también José Luis Aranguren, "La mujer, de 1923 a 1963", *Revista de Occidente,* I (nov.-dic. 1963), 8-9, p.236. Aranguren sostiene que el irrealismo programático de principios de los 20 originaba que "el tema de lo femenino tendiese a ser rápidamente levantado por encima de lo sexual y aún de lo ocupacional, para la indagación de su 'esencia', la de la 'cultura femenina', el 'Amor' o, incluso, 'la mujer eterna'".

[9] Mary Nash, *Mujer familia y trabajo en España,* p. 15: "Marañón partió de la premisa de que la mujer no es inferior, sino diferente. La mujer puede en casos excepcionales, como la soltería o la viudez, realizar funciones similares a las que desempeñan los hombres, pero su función primordial es la de ser madre y esposa, y cualquier otra actividad queda limitada por esta condición previa". Véase también Gregorio Marañón, *Tres ensayos sobre la vida sexual,* Madrid, Biblioteca Nueva, 1927, pp. 92-94.

[10] Carmen de Burgos, *La mujer moderna y sus derechos,* Madrid, 1927, p.21. Mª Aurèlia Capmany, por su parte, relaciona este concepto con el sector ideológico conservador de la Segunda República: "De la mateixa manera que podem trobar en las disposicions i els decrets de la Generalitat el fil d'una dinàmica progressista que va acostant la dona al que ella ha de ser com a persona, no cal oblidar que els temps posen en circulació el concepte de *feminitat.* Les dones comencen a ser *femenines,* cosa que no les havia afectades ni en els temps més ferotges del patriarcat"; Mª Aurèlia Capmany, *La dona i la II Republica,* Barcelona, La Gaia Ciencia, 1977, s.p.

[11] Carmen de Burgos, *La mujer moderna y sus derechos,* p.22. Algunos historiadores como los ya citados Perinat y Marrades atribuyen a la mujer el origen de este nuevo y confuso concepto: "Por estas fechas, al doblar el primer cuarto de siglo, en que la mujer se va liberando de la opresión en el vestir, que empieza a participar en la vida productiva del país o que accede a la carrera universitaria y a puestos políticos, surge en España el mito de la feminidad. Hasta entonces no había duda de que el hombre era masculino y la mujer femenina, pero al entrar ella en la vida activa, parece como si sintiera de repente la imperiosa necesidad de pensar que no podía romper con su pasado, dejar de asumir sus roles tradicionales. La imagen de su feminidad parecía bambolearse y no encontrar un soporte sólido". Véase Adolfo Perinat y Mª Isabel Marrades, *Mujer, prensa y sociedad en España: 1800-1939,* p. 155.

[12] Gregorio Martínez Sierra, *La mujer moderna,* Madrid, Saturnino Calleja, 1920, p.13.

[13] José Prat, *A las mujeres,* Barcelona, Biblioteca de la Juventud Libertaria, 1904, apud. Mary Nash, *Mujer, familia y trabajo en España,* p.80. Interesante información acerca de los distintos prototipos de mujer en la clase alta, media y popular durante el último cuarto del siglo XIX puede encontrarse en los artículos que publicó Emilia Pardo Bazán en la revista *La España Moderna* (junio y julio 1890), recogidos en su libro *La mujer española y otros artículos feministas,* Madrid, Editora Nacional, 1976, y en los de la historiadora contemporánea Guadalupe Gómez Ferrer, "La imagen de la mujer en la novela de la Restauración: ocio social y trabajo doméstico" y "La imagen de la mujer en la novela de la Restauración: hacia el mundo del trabajo (II)", en Rosa Mª Capel et al., *Mujer y Sociedad en España (1700-1975),* Madrid, Ministerio de Cultura, 1982, pp. 147-206.

[14] G. Martínez Sierra, *Cartas a las mujeres de España,* Madrid, Renacimiento, 1918, pp. 53-54.

[15] Este hecho fue a menudo denunciado desde una óptica profeminista por parte de algunos de nuestros intelectuales, como muestra la siguiente cita de Luis Araquistáin: "El feminismo (…) dará a la mujer mayor independencia económica y social y la redimirá de esa suprema preocupación del matrimonio, que de ese modo pasará a ser una de tantas cosas en la vida, en vez de ser, como hoy, la fundamental y casi la única" (G. Martínez Sierra, *La mujer moderna,* pp. 124-5), o en este fragmento de José Francos Rodríguez: "Lo dicen muchos: la carrera de la mujer es casarse. Espere con paciencia a que llegue quien ha de graduarla con el título de esposa. Si no alcanza tal suerte, resígnese con la que Dios le dió. Viva con recato a la sombra de los padres, si los tiene; deje transcurrir su existencia sin amores, sin nada risueño que conforte su espíritu, acaso careciendo del sustento material" *(La mujer y la política españolas,* Madrid, Pueyo, 1920, p. 231).

[16] J. Francos Rodríguez, *La mujer y la política españolas,* p.234. Vid. también Margarita Nelken (1919), *La condición social de la mujer en España,* Madrid, Ediciones CVS, 1975, p. 51.

[17] Gloria Nielfa Cristóbal en su artículo "Las mujeres en el comercio madrileño del primer tercio del siglo XX" explica la explotación y discriminación salarial a que se ven sometidas las dependientas madrileñas por su consideración del trabajo como un hecho temporal, lo cual anula su cohesión y capacidad de concienciación para una acción reivindicativa solidaria: "Pero todo ello es inseparable de una concepción de la sociedad donde el *destino* de la mujer es el matrimonio, que llevará consigo además el abandono del trabajo asalariado para la mayoría de las mujeres", en Rosa Mª Capel et al., *Mujer y sociedad en España,* p.328.

[18] Esta situación de dependencia legal se refleja perfectamente, por ejemplo, en *La mercería de la Dalia Roja,* de Pilar Millán Astray (Madrid, *La Farsa,* nº 250 [25-06-1932]). El disoluto esposo de la protagonista ha terminado con la herencia de ésta y se dispone sin escrúpulo a seguir aprovechándose de sus ingresos, una vez separados. Ella no puede hacer nada más que someterse pasivamente primero e intentar ocultar su identidad después, para poner así a salvo el fruto de su trabajo.

[19] J. Francos Rodríguez, *La mujer y la política españolas*, p.187.

[20] G. Martínez Sierra, *Feminismo, feminidad, españolismo*, Madrid, Saturnino Calleja, 1920, pp.28 y 80.

[21] Margarita Nelken, *La condición social de la mujer en España*, p.170.

[22] María Laffite, *La mujer en España, Cien años de su historia: 1860-1960*, Madrid, Aguilar, 1964, p.193.

[23] Margarita Nelken, *La condición social de la mujer en España*, p.122.

[24] G. Martínez Sierra, *Cartas a las mujeres de España*, p.243. Defiende este autor la necesidad de educar a la mujer en el conocimiento de las "leyes de la vida" para evitar tantos desastres, y añade: "Las madres, que son rigurosísimas con sus hijas en estas cuestiones, son de una indulgencia criminal con sus hijos, y no piensan, sin duda, en que sus hijas serán probablemente víctimas del vicio del hijo de otra madre tan descuidada como ellas" (pp. 249-250).

[25] Estas teorías se reflejan claramente en la obra de Mª Teresa Borragán, *La voz de las sombras*, Madrid, Sociedad de Autores Españoles, 1924.

[26] E. García Méndez, *La actuación de la mujer en las Cortes de la II República*, Madrid, Ministerio de Cultura, 1979, pp. 18-19. El Gobierno provisional declaró elegible a toda mujer mayor de 23 años, nombró a Victoria Kent directora de prisiones y admitió a la mujer en los puestos de notarios y registradores.

[27] El artículo 43 trataba además de otros aspectos relacionados con la familia. Dado su interés para este apartado, lo reproducimos entero: "La familia está bajo la salvaguardia especial del Estado. El matrimonio se funda en la igualdad de derechos para ambos sexos, y podrá disolverse por mutuo disenso o a petición de cualquiera de los cónyuges, con alegación en este caso de justa causa.

Los padres están obligados a alimentar, asistir, educar e instruir a sus hijos. El Estado velará para el cumplimiento de éstos subsidiariamente a su ejecución. Los padres tienen con los hijos habidos fuera del matrimonio los mismos deberes que respecto a los nacidos en él.

Las leyes civiles regularán la investigación de la paternidad. No podrá consignarse declaración alguna sobre la legitimidad o ilegitimidad de los nacimientos ni sobre el estado civil de los padres, en las actas de inscripción, ni en filiación alguna.

El Estado prestará asistencia a los enfermos y ancianos, y protección a la maternidad y a la infancia, haciendo suya la "Declaración de Ginebra o tabla de derechos del niño"; A. Morcillo Gómez, "Feminismo y lucha política durante la II República y la Guerra Civil", en Pilar Folguera (ed.), *El feminismo en España: Dos siglos de historia*, Madrid, Editorial Pablo Iglesias, 1988, p. 67.

[28] Anne Charlon, por ejemplo, en su libro *Condition Féminine et Roman Féminin dans la Catalogne Contemporaine: 1893-1983* (Paris, Université Paris IV, 1987) comenta que el divorcio fue, de todas las leyes votadas por la República, la única que inspiró a las novelistas de los años 30: "Nous l'avons dit, c'est surtout aux problèmes du cople que s'intéressent ces romancières, il n'est donc pas étonnant que cette loi, qui bouleverse les données de la vie conjugale, aparaisse plus que les autres dans leurs ouvres" (p. 207).

[29] En 1903 *Colombine* (Carmen de Burgos) empezó a colaborar en el *Diario Universal*, periódico de orientación socialista. Desde estas páginas llevó a cabo una amplia encuesta sobre el divorcio (primera parte de 1904), que fue publicada posteriormente con el título *El divorcio en España* (Madrid, 1904). Puede encontrarse un análisis detallado de la citada encuesta en Nelly Clémessy, "Une page d'histoire sociale de l'Espagne: Carmen de Brugos et la polemique sur le divorce", *Annales de la Faculté des Lettres et Sciences Humaines de Nice*, XXX (1978), pp. 155-167.

[30] Consúltese al respecto D. Raudé, "El divorci", *La Unión Católica Femenina* (octubre 1931), apud. Mary Nash, *Mujer, familia y trabajo en España*, p. 199: "Que lo piensen bien las mujeres y comprenderán que para ellas el divorcio no tiene más que desgracias en perspectiva…, falta de salud, degradación de la dignidad, incompatibilidad con la enfermedad, con la pérdida de juventud y belleza física, con la venerable ancianidad … ¡Qué piensen en ello!". Similares amenazas pueden encontrarse en el "folletín de actualidad" de María de Madariaga *¿Quieres casarte por lo civil?*, donde se combate el matrimonio civil y el divorcio que ha traído el estado laico republicano (Madrid, Editorial Ibérica, 1931).

[31] Pilar Folguera, *Vida cotidiana en Madrid. El primer tercio de siglo a través de las fuentes orales*, pp. 100-111.

[32] José L. Aranguren, "La mujer, de 1923 a 1963", *Revista de Occidente*, I (1963), 8-9, p. 239.

[33] Geraldine Scanlon, *La polémica feminista en la España contemporánea*, Madrid, Akal, 1986, p.20.

[34] Mª José y Pedro Voltés, *Las mujeres en la historia de España*, Barcelona, Planeta, 1986, pp. 200-201. Más información sobre las reformas educativas referidas a la mujer a partir de la Restauración de 1875 y de los congresos pedagógicos de 1882, 1888 y 1890 puede encontrarse en Mercedes Roig, *La mujer en la historia*, pp. 202-205.

[35] Concha Fagoaga, *La voz y el voto de las mujeres. El sufragismo en España: 1877-1931*, Barcelona, Icaria, 1985, p.55. La autora de este libro facilita valiosa información sobre la Asociación para la Enseñanza de la Mujer, sus principales componentes y las actividades educativas por ella desarrolladas (pp. 61-65). Esta asociación pretendía, siguiendo a Fagoaga, abrir nuevos espacios para la actividad de la mujer al margen del ámbito doméstico, pero no tan amplios como para que la socialización de la mujer se llevará a cabo según la pauta impuesta para el hombre. El libro de Concepción Sáiz, *La Revolución del 68 y la cultura femenina* (Madrid, Victoriano Suárez, 1929), y el artículo de Mª Victoria de Lara, "La cultura femenina en España", *Bulletin of Spanish Studies*, VII (1930), 26, p. 83, pueden utilizarse también como fuente para conocer varias de las instituciones dedicadas a la enseñanza de la mujer a finales del XIX.

[36] Mª José y Pedro Voltés, *Las mujeres en la historia de España*, p. 204. Más información sobre la Residencia de Señoritas de Madrid puede encontrarse en el libro de John Crispin, *Oxford y Cambridge en Madrid. La Residencia de estudiantes y su entorno cultural (1910-1936)*, Santander, La Isla de los ratones, 1981, pp. 59-64: "El grupo de señoritas se inauguró con 30 plazas, pero con sucesivas adiciones a las originales instalaciones de los números 28 y 30 de la calle Fortuny, creció hasta sobrepasar el grupo masculino. En 1924-1926, contaba con 170 alumnas, y el número no dejó de aumentar hasta pasar de 250 en 1934 (…). Provenían de las Facultades Universitarias, Escuela Superior de Magisterio, Escuela Normal, Conservatorio, Academias de Arte y Escuelas Técnicas y de Comercio, e incluían además opositoras e investigadoras" (pp. 59-60).

[37] Antonina Rodrigo, *Mujeres de España. Las silenciadas*, Barcelona, Círculo de Lectores, 1989 (1ª ed. 1979), p. 149.

[38] Adolfo Perinat y Mª Isabel Marrades, *Mujer, prensa y sociedad*, p. 295.

[39] G. Martínez Sierra, *La mujer moderna*, pp. 103-107.

[40] Ya en 1918 y también bajo el patrocinio de la Junta de Ampliación de Estudios, se crea el Instituto-Escuela, nuevo ensayo pedagógico orientado a la Segunda Enseñanza. María Goyri dirigió la Sección Primaria. El Instituto- Escuela implantó la coeducación, motivo por el que fue duramente atacado.

[41] "La Ciencia se ha hecho para ti, el estudio te llama, la verdad encerrada en el corazón del Universo clama con alaridos porque tú la descubras. ¡Estudia, aprende, conoce, sabe! …". Véase G. Martínez Sierra, *Feminismo, feminidad, españolismo*, p. 42.

[42] Antonina Rodrigo, *Mujeres de España*, p. 158.

[43] Rosa Mª Capel, *El trabajo y la educación de la mujer en españa (1900-1930)*, Madrid, Ministerio de Cultura, 1982. La mayor parte de la información que recogemos sobre la cuestión se ha extraído del citado estudio. También sobre el tema de la educación de la mujer puede consultarse: J. Francos Rodríguez, *La mujer y la política españolas*, p. 229 (datos sobre la matriculación en Escuelas Normales durante el curso 1916-1917); Condesa de San Luis, *Educación feminista*, Madrid, Editorial Reus, 1922; Mª del Carmen Simón Palmer, "Libros de religión y moral para la mujer española del siglo XIX", *Primeras Jornadas de Bibliografía*, Madrid, Federación Universitaria Española, 1977, pp. 355-385, y Estrella de Diego "Prototipos y antiprototipos de comportamiento femenino a través de las escritoras españolas del último tercio del siglo XIX", *Literatura y vida cotidiana*, pp. 233-250 (sobre los tratados de educación para señoritas del último tercio del XIX).

[44] G. Martínez Sierra, *Feminismo, feminidad, españolismo*, pp. 78-80.

[45] G. Martínez Sierra, *La mujer moderna*, pp. 159-160.

[46] Margarita Nelken, *La condición social de la mujer en España*, pp. 61-68.

[47] Pilar Folguera, *Vida cotidiana en Madrid*, p. 111. Sobre la irrupción de la mujer en el ámbito universitario puede consultarse también María Laffite, *La mujer en España*, pp. 227-230. Antonina Rodrigo ofrece por su parte las siguientes cifras de presencia femenina en los claustros universitarios españoles, obtenidas a partir de la revista *La Enseñanza* (no cita número concreto): 1900 -2 alumnas; 1918 -135; 1921 -221; 1925 -542 y 1927 -1244. Véase *Mujeres españolas*, p.149.

[48] Mª Victoria de Lara, *La cultura femenina en España*, p. 83.

[49] Joan Gaya, "Què li farem fer, a la nena?", *Catalunya Social*, 13-06-1936, traducido del catalán en Mary Nash, *Mujer, familia y trabajo en España*, pp. 93-96.

[50] Obras como *Mujeres solas* (Valencia, Imprenta de José Olmos, 1934), de Elena Arcediano, o *Las tres Marías*, de Pilar Millán Astray (Madrid, *La Farsa*, nº 451 [9-05-1936]), reflejan este nuevo deseo de algunas jóvenes de tener una profesión que podría evitar un casamiento no deseado.

[51] Rosa Mª Capel, "Mujer y trabajo en la España de Alfonso XIII", en Capel et al., *Mujer y Sociedad en España (1700-1975)*, p. 214.

[52] En *La mujer y la política españolas* (1920), José Francos Rodríguez ofrece interesantes datos numéricos sobre la situación de la mujer en las diferentes ramas de la actividad laboral justo al iniciarse el período que nos ocupa (p. 242).

[53] Rosa Mª Capel, *El trabajo y la educación de la mujer en España*, p. 55

[54] Ibid., p. 42.

[55] Ibid., p. 134: "En suma pues, los aumentos experimentados por la remuneración de base de la trabajadora entre 1914 y 1930 no lograron impedir que, para esta última fecha, sea aún un 53 por ciento inferior a la del trabajador. Si el de éste se mostraba insuficiente para sostener una condiciones mínimas de vida, más aún había de serlo el de la mujer".

[56] Carmen Rojo, "Una mujer anti-feminista", en G. Martínez Sierra, *La mujer moderna*, pp. 160-161.

[57] Este autor añade al respecto: "¿No es indignante leer esos anuncios en que se ofrecen mecanógrafas, decididas a cegar por un real cada cien líneas; tanguistas, resignadas a dejarse alcoholizar por dos duros diarios, o "dependientas", dispuestas a soportar la condición de "maniquíes"? ¿Qué mujer aceptaría tales profesiones y otras parecidas, si esperase hallar apoyo en una mano honrada y cariñosa que la sostuviese?", *La Libertad*, 24-04-1927.

[58] *Andrenio*, "¿Ocupadas u ociosas?", *La Voz*, 5-05-1927.

[59] Adolfo Perinat y Mª Isabel Marrades, *Mujer, prensa y sociedad en España*, p.214.

[60] G. Martínez Sierra, *Feminismo, feminidad, españolismo*, pp. 136 y 151.

[61] *Magda Donato*, "¿Qué profesión elegir?: La mujer ante el trabajo", *El Liberal* (20-06-26; 30-06-26; 10-07-26; 21-07-26; 30-07-26).

[62] *El Liberal*, 20-06-26, p. 2.

[63] *El Liberal*, 30-06-26, p. 3.

[64] J. Francos Rodríguez, *La mujer y la política españolas*, p. 263: "A veces el marido y la mujer, ambos profesionales de una misma carrera, realizan en feliz consorcio labor común -de ello tenemos elocuentes ejemplos-, sin daño para los deberes familiares".

[65] María Laffite, *La mujer en España. Cien años de su historia*, p. 259. Véase también J. Francos Rodríguez, *El teatro en España, 1908*, pp. 122-123.

[66] "Empleadas españolas: mecanógrafas, tenedoras de libros, cajeras, dependientas, todas vosotras; tan humildes en vuestro pobre traje de señoritas venidas a menos, tan anémicas y tan fieles y tan valientes, tan íntegras, sin siquiera el consuelo de los alegres noviazgos modisteriles, demasiado altas y demasiado empequeñecidas, sois la más pura y la más desconsoladora representación de la condición social de la mujer en España" (Margarita Nelken, *La condición social de la mujer en España*, p. 77).

[67] Geraldine Scanlon, *La polémica feminista en la España contemporánea*, p. 64.

[68] Concha Fagoaga estudia los orígenes de los movimientos feministas españoles, que sitúa en torno a 1848, y destaca ciertos factores que pretendieron impulsar la participación política de las mujeres: Emilia Pardo Bazán, con su traducción de la obra clásica de Stuart Mill *The Subjection of Woman* (1892), y la colección "Biblioteca de la Mujer", que publica la obra de Bebel, *La mujer ante el socialismo*, y la de Adolfo Posada, *Feminismo*. Véase Concha Fagoaga, *La voz y el voto de las mujeres. El sufragismo en España (1877-1931)*, p. 78.

[69] Concepción Arenal, *La mujer del provenir* (1870) y *La mujer de su casa* (1883), Barcelona, Orbis, 1989. En *La mujer del porvenir* afirma: "Tampoco quisiéramos para ella derechos políticos ni parte alguna activa en la política; hay ahora mucho, creemos que habrá siempre bastante en ella, de pasiones, de intereses, de intrigas, de luchas de mal género, de ruido desacorde (...) para que queramos ver a la mujer en ese campo de confusión, de mentira, y muchas veces de iniquidad" (p. 61).

[70] Condesa de San Luis, *Política feminista,* Madrid, Editorial Reus, 1923, p. 22.

[71] Margarita Nelken, *La condición social de la mujer en España,* p. 181.

[72] A. Palacio Valdés, *El gobierno de las mujeres,* apud. G. Martínez Sierra, *La mujer moderna,* p.42.

[73] J. Francos Rodríguez, *La mujer y la política españolas,* p. 220. En la prensa de estos años aparecieron también con gran frecuencia artículos y entrevistas en torno al polémico asunto del voto femenino. A modo de ejemplo puede verse "La alianza internacional para el sufragio femenino", *La Voz,* 23-06-1926, p.4; "Congreso Internacional de Mujeres", *La Libertad,* 16-07-1932, p.4; Irene de Falcón, "Mujer y Mujeres", *La Voz,* 13-05-1929, p.1, y "Electoras y canarios: Inglaterra", *La Voz,* 18-06-1929, p.1; Concha Peña, "El voto a la mujer", *El Liberal,* 25-06-1932, p. 4 (entrevista a Isabel de Oyarzábal); "La mujer francesa y el voto femenino", *La Voz,* 27-06-1932, p. 3, y "Las españolas votarán por las izquierdas porque deben a la República todo lo que son política y jurídicamente", *Heraldo de Madrid,* 9-01-1936, p. 3 (declaraciones de Clara Campoamor y Victoria Kent). Especialmente interesante en lo que respecta a la preocupación general por el nuevo colectivo electoral que surge en España una vez reconocido en la nueva constitución de 1931 el derecho a votar de toda mujer mayor de 23 años, resulta el artículo de José Rocamora "Las enemigas de la República", *Heraldo de Madrid,* 23-11-1931, p.1, en el que se indica la necesaria captación por medio de propagandistas femeninas experimentadas de ese gran grupo de mujeres indiferentes en política hasta el momento y, por tanto, "volubles" e "influibles".

[74] Mercedes Roig, *La mujer en la historia,* pp. 257-258.

[75] Concha Fagoaga, *La voz y el voto de las mujeres,* p.120. Durante los años precedentes aparecieron, según esta autora, tres revistas autodefinidas como feministas: *El Pensamiento femenino* (1913-1916), de Benita Asas Manterola; *La Voz de la Mujer* (1917-1931), de Consuelo González Ramos (ambas en Madrid), y *Redención* (1915-más allá de 1922), de Ana Carbia Bernal, en Valencia.

[76] Ibid., p. 137. Sobre la "A.N.M.E." puede verse también el artículo de Teresa González Clabet, "El surgimiento del movimiento feminista: 1900-1930", en Pilar Folguera, *El feminismo en España: Dos siglos de historia,* pp. 54-55: "Si bien se propuso admitir en su seno a mujeres de todas las tendencias, y aunque aseguraba ser algo parecido a un partido de centro al margen de extremismos, sus posturas eran claramente derechistas. (...) [La "A.N.M.E."] Pedía reformas del Código Civil, la represión de la prostitución legalizada, el derecho de la mujer a desempeñar profesiones liberales y algunos cargos oficiales, igualdad salarial, promoción de la educación y subsidio para la publicación de obras literarias escritas por mujeres. En la República pasaron a ser la Asociación Política Femenina Independiente".

[77] Ibid., pp. 139-140. Cuando María de la O Lejárraga es nombrada diputada por el partido socialista, posterga sus actividades en la asociación, que a fines de 1934 pasa a ser dirigida por Julia Peguero -líder al mismo tiempo de la "A.N.M.E."-.

[78] Gloria Franco Rubio, "La contribución de la mujer española a la política contemporánea de la Restauración a la Guerra Civil (1876-1939)", en Rosa Mª Capel et al., *Mujer y Sociedad en España (1700-1975),* pp. 245-246. A estas asociaciones hay que añadir las que cita Mercedes Roig en *La mujer en la historia:* "Asociación de Educación Cívica", "Unión Republicana Femenina", "Patronato de la Mujer", el "Comité Internacional de Mujeres contra la Guerra y el Fascismo" (1933), etc. Aparte de asociaciones de carácter exclusivamente feminista ("Lyceum", "Cruzada de Mujeres Españolas", la "A.N.M.E.", la "Federación Internacional de Mujeres Universitarias"), existían otras en el ámbito ideológico de la derecha: "Juventud Católica Femenina", la rama femenina del Partido de Acción Popular (1931), la de Renovación Española (1933), la "Asociación Femenina Tradicionalista" y, por último, en 1934, la "Sección Femenina de Falange" (pp. 292-293). Véase también el artículo de Aurora Morcillo, "Feminismo y lucha política durante la II República y la Guerra Civil", en Pilar Folguera, *El feminismo en España: Dos siglos de historia,* p. 64.

[79] Las fechas entre paréntesis aluden a la localización de las representaciones llevadas a cabo por estos grupos entre 1918 y 1936.

[80] Concha Fagoaga, *La voz y el voto de las mujeres*, p. 158. Véase también Rosa Mª Capel, *El trabajo y la educación de la mujer en España*, pp. 234 y 245. Sitúa esta autora el arranque del asociacionismo femenino español entre 1910 y 1920. Se produjo entonces un gran incremento de asociaciones y número de asociadas, coincidiendo, por otra parte, con los dos momentos álgidos del asociacionismo obrero general (1910-1914 y 1918-20).

[81] Concha Fagoaga, *La voz y el voto de las mujeres*, p. 182.

[82] Merece la pena reproducir a este respecto un fragmento del libro de Mª Teresa León, *Memoria de la melancolía* (Barcelona, Círculo de Lectores, 1987, 2ª ed.), que alude a la significación del Lyceum como catalizador de toda una serie de importantes personalidades femeninas dispersas hasta el momento de su creación: "Dentro de mi juventud se han quedado algunos nombres de mujer: María de Maeztu, María Goyri, María Martínez Sierra, María Baeza, Zenobia Camprubí (...). Creo que se movían por Madrid sin mucha conexión (...). Ya había nacido la Residencia de Señoritas, dirigida por María de Maeztu e inaugurado el Instituto Escuela sus clases mixtas (...). Pero las mujeres no encontraron un centro de unión hasta que apareció el Lyceum Club" (p. 267).

[83] Perinat y Marrades, *Mujer, prensa y sociedad en España*, p. 49.

[84] La integración en el movimiento feminista de algunas de las escritoras de este corpus - entre ellas, destacadamente de *Halma Angélico*- aparece reflejada en la siguiente noticia de prensa, relativa a la organización de un homenaje en su honor: "El triunfo claro y sólido de Halma Angélico con su comedia *Entre la cruz y el diablo* afirma esta personalidad nueva que en la novela y en el cuento había destacado ya nobles alientos literarios, y las Asociaciones de 'España Femenina' y 'Mujeres Españolas', que tienen el orgullo de contar entre sus afiliadas a la ilustre escritora, en unión de un grupo de nuestras glorias literarias, están organizando un homenaje que ha de celebrarse próximamente en el jardín de un hotel aristocrático. (...) Tan pronto como se han enterado del homenaje que se organiza se han apresurado a enviar sus adhesiones las escritoras María Valero de Mazas, Pilar Valderrama, Isabel O. [yarzábal] de Palencia, Sofía Blasco y Matilde Ras" ("Homenaje a Halma Angélico", *El Sol*, 25-06-1932, p. 2).

[85] G. Martínez Sierra, *Feminismo, feminidad, españolismo*, p. 96.

[86] María Lafitte, *La mujer en España, Cien años de su historia*, p. 199.

[87] G. Martínez Sierra, *Feminismo, feminidad, españolismo*, p.29.

[88] G. Martínez Sierra, *Cartas a las mujeres de España*, pp. 44-5. Por su parte, Carmen de Burgos, en *La mujer en España* (Valencia- Madrid, F. Sempere y Cía., 1906), se había hecho ya eco de este feminismo sensato o de "buen sentido", según sus propias palabras: "La mujer española desea reivindicar sus derechos jurídicos como hija, esposa y madre; desea que las leyes autoricen la libre disposición del producto de su trabajo, y en el orden social aspira al libre acceso de universidades, oficios y empleos (...); pero tened por seguro que un resto de buen sentido las sostienen (...), que sabrán mantenerse en un justo límite y que hasta las que se dediquen a las altas matemáticas no olvidarán por eso los cuidados del hogar" (p. 47).

[89] Marta Bizcarrondo, "Notas sobre la mujer y el socialismo en España", *Bulletin du departement de recherches hispaniques pyrenaica*, XXIX (juin 1984), p. 65.

[90] Esta es la definición de ambos que nos ofrece Margarita Nelken, identificando nítidamente el primero con la ideología socialista y acusando al segundo de ser una fuerza regresiva y contraria al progreso de la mujer: "Por feminismo socialista debe entenderse toda manifestación del espíritu femenino de ideas progresivas, y por feminismo católico toda manifestación del espíritu femenino que, so color de defender unos ideales religiosos que nadie ataca, pretende guardar a la mujer española dentro de un círculo trazado por determinadas conveniencias. Nada más ingenuo, dentro de su mala voluntad, que este último feminismo"; Margarita Nelken, *La condición social de la mujer en España*, p. 186.

[91] Acerca de las ideas y actividades de las Mujeres de Acción Católica, puede verse María de Echarri, *Conferencia sobre el trabajo a domicilio de la mujer en Madrid*, Sevilla, 1904, y el folleto *Diario de una obrera*, Sevilla, 1912.

[92] Concha Fagoaga, *La voz y el voto de las mujeres*, p. 176.

[93] Geraldine Scanlon, *La polémica feminista en la España contemporánea*, p. 222.

[94] Los anteriores datos referidos al debate constitucional sobre el voto femenino proceden del libro de Clara Campoamor, *El voto y yo. (Mi pecado mortal)*, Barcelona, La Sal, 1981 (2ª ed.). La diputada radical pagó muy cara su decidida defensa del sufragio femenino, siendo después duramente atacada por políticos, periodistas y, en general, por todos aquéllos que veían con temor los cambios que la consecución del voto por parte de la mujer podía suponer en los roles sociales y en la elaboración de la ley. Perseguida y denostada tras la victoria de la derecha en el 33, de la que se hizo responsable al voto de la mujer, abandonó el partido radical en 1935 por desacuerdo con la política de coalición que éste llevaba a cabo en conjunción con la CEDA. Quedó relegada al ostracismo político más completo al negársele el ingreso en Izquierda Republicana, de modo que se le imposibilitó cualquier nuevo intento de incorporación a la vida política nacional. Sobre Clara Campoamor y su papel en el debate sufragista español, véase Concha Fagoaga y Paloma Saavedra, *Clara Campoamor. La sufragista española*, Madrid, Ministerio de Cultura-Instituto de la Mujer, 1986.

[95] E. García Méndez, *La actuación de la mujer en las Cortes de la II República*, p. 66.

[96] Ferrán de Sagarra, "La mujer y la política" (1932), apud. Mary Nash, *Mujer, familia y trabajo en España*, p. 118.

[97] Mary Nash, *Mujer y movimiento obrero en España: 1931-1939*, Barcelona, Fontamara, 1981. Nash recoge en este sentido un interesante juicio de la que sería diputada socialista Matilde Huici denunciando la general instrumentalización que todos los partidos políticos hacen de la mujer y su falta de interés real en la resolución de sus problemas: "Así, por ejemplo, Matilde Huici mantiene que la mujer es siempre víctima de las tácticas políticas tanto de la izquierda como de la derecha. Las derechas españolas temían la concesión del voto a la mujer por las futuras consecuencias que podría implicar en el mantenimiento de la institución familiar. Las izquierdas tampoco asumían realmente la defensa del sufragio femenino porque temían que las mujeres apoyasen posteriormente a la derecha" (p. 156).

[98] E. García Méndez, *La actuación de la mujer en las Cortes de la II República*, p. 33.

[99] Geraldine Scanlon, *La polémica feminista en la España contemporánea*, p. 11.

CAPÍTULO SEGUNDO

PREOCUPACIONES SOCIALES Y TEMAS RECURRENTES EN LAS OBRAS TEATRALES ESCRITAS POR LAS AUTORAS

2.1. MUJER, FAMILIA Y CLASE SOCIAL

En una situación socio-histórica como la que se describe en el anterior capítulo, resultaría sorprendente que las mujeres con vocación literaria e intelectual no se hubieran hecho eco de la palpitante actualidad de que gozaba el debate sobre la condición femenina durante estos años. Sus textos no sólo sirven de incomparable testimonio de hábitos, mentalidades y actitudes sociales con respecto a la mujer en la época, sino que van más allá del mero reflejo especular para cuestionar en muchas ocasiones el conjunto de roles atribuido a cada uno de los sexos, sobre todo en lo que se refiere a la esfera de la vida privada.

El papel que las mujeres desempeñaban en el hogar dependía, como ya comentamos anteriormente, de la clase social a la que pertenecía la unidad familiar. A la activa participación de la mujer humilde en la frágil economía doméstica, mediante su trabajo dentro y fuera del hogar, se contrapone la regalada existencia de ocio y compromisos sociales que llevan las mujeres de la clase alta. Varias autoras coinciden, como veremos en seguida, al presentarnos a estas últimas con negativo rostro, ofreciendo una visión crítica de la insustancialidad de sus frívolas ocupaciones. Por otro lado, es también frecuente la asociación de la relajada moralidad que abunda entre las féminas adineradas con el concepto cada vez más popular de "mujer moderna", de modo que se atacan así de un solo golpe la inconsciencia antisocial de este grupo de mujeres y las teorías igualitaristas que se asocian a la imagen de la nueva mujer. Frente a la inanidad

de la vida de estas protagonistas de alcurnia, se propone intencionadamente el tipo positivo de la mujer tradicional, con lo que frivolidad
y ligereza moral quedan indisolublemente asociadas a las mujeres de
innovadoras costumbres. El valor de la innegable perspectiva crítica
con que se aborda a menudo la vida carente de valores "auténticos"
de las clases privilegiadas remite, en cierto modo, al cuestionamiento
constante de la realidad social de gran parte de la literatura de la
Generación del Nuevo Romanticismo durante estos años[1]. Pero dicha
crítica queda desvirtuada al utilizarse como arma arrojadiza contra las
nuevas ideas profeministas que conscientemente se asocian a todos
los defectos y vicios censurados en estas mujeres.

Destaca asimismo la escasa atención que se presta en la mayoría
de las obras estudiadas a la mujer de la clase media. Probablemente
su modesto pasar, su indefinición incluso como grupo social cohesio-
nado, inspiraron poco a unas escritoras que conocían mucho mejor
los ambientes más refinados de la alta burguesía o de la aristocracia
y que, por otro lado, "inventaban" a su gusto el "exótico" mundo de
las mujeres del pueblo, idealizando su medio vital y sus virtudes
desde una perspectiva paternalista y generalmente conservadora.

La mujer de clase alta aparece a menudo retratada en medio de
lujos y comodidades, repartiendo su tiempo entre constantes compras e ineludibles obligaciones sociales. Cumplir diariamente con sus
devociones religiosas, recibir y pagar visitas, asistir a tés, lecturas,
funciones de teatro y demás actos de ocio y recreo son las actividades en que las autoras las sitúan normalmente[2].

Especial interés en relación con el prototipo de mujer más arriba
descrito presentan las comedias de Adelina Aparicio y Ossorio (Adebel), cuyas protagonistas son refinadas aristócratas o mujeres de la
burguesía acomodada. En La díscola, por ejemplo, se describe la
vida de tres hermanas de buena familia cuyos caracteres responden a
las diferentes fases "económicas" de la historia familiar. Berta, la
mayor, educada en un medio rural cuando su familia carecía aún de
una posición social relevante, representa a la mujer tradicional, sumisa, humilde y hacendosa. Sus gustos se inclinan por la cocina y la
costura, aficiones que no se corresponden con la actual posición de
la familia, como todos le reprochan. En el extremo contrario, Ventura, la hermana pequeña, criada sin el amor materno en una época de
esplendor económico y social para sus padres, tiene un carácter fuerte e independiente que la impulsa a rebelarse contra la arbitrariedad
de su madre. Mujer de su tiempo, decide casarse por amor olvidán-
dose de los poderosos intereses familiares que regían a menudo los
enlaces entre miembros de las clases acomodadas.

La mujer "elegante", en la revista *Crónica* (1934).

Aunque se encuentran algunos ejemplos aislados de mujeres adineradas caracterizadas por sus virtudes morales y domésticas, el tipo más frecuentemente descrito es el de la mujer ociosa y despreocupada que padece el incurable mal del aburrimiento. Mª Teresa Borragán retrata en el tercer acto de *A la luz de la luna* la vida de una mujer de elevada posición, Aurora, que, inactiva y sola, se dedica a coquetear con cualquier hombre que se le acerca a espaldas de su marido. Contra el aburrimiento, su padre le receta una nueva y santa ocupación, la beneficencia: "Y, ¿cuándo no te aburres? Aurora, las mujeres que poseen una fortuna como la tuya, no deben aburrirse nunca; habiendo tantos desgraciados en la vida" (p.38). Una ocupación muy recomendada -y extendida- entre las señoras de cierta posición, pero que como denuncian algunas escritoras del momento, abrigaba a menudo intenciones poco afines con la caridad auténtica. Esta certera crítica a la conducta hipócritamente cristiana de bastantes mujeres de alcurnia se encuentra, por citar un único ejemplo, en *Sin gloria y sin amor,* de Pilar Algora, cuya protagonista es una escritora de mentalidad abierta que se escandaliza de la utilización que algunas mujeres de su clase hacen de la beneficencia en su propio interés.

Las escritoras inciden a menudo en una visión igualmente crítica acerca de la conducta frívola y caprichosa de las mujeres de posición, a las que parece no gustarles en absoluto la vida familiar, tranquila y monótona, ni los sacrificios de la maternidad. Añoran por el contrario una existencia excitante, repleta de apasionantes "flirts", de rostros y escenarios nuevos que sean capaces de llenar el vacío insoportable de su existencia. Pertenecientes en su inmensa mayoría a la clase alta o media-alta, las autoras conocían muy bien los sentimientos de frustración y hastío que caracterizaban a las adineradas protagonistas de sus obras, puesto que vivían en medio de mujeres que padecían en su mayoría el mismo mal.

Profundizando en el sentido de este tipo de ataques a la inconsistencia y banalidad de las mujeres situadas en lo alto de la escala social, se observa con frecuencia que el aparente sentido progresista de tales manifestaciones dista mucho de ser tal. Más bien se trata de atacar bajo supuestos pretendidamente reformistas y moralizadores la expansión de un nuevo tipo de mujer, moderna en su apariencia y en sus hábitos de conducta social, que socaba el modelo tradicional femenino que este grupo de autoras defiende. En la comedia más significativa de Elena Miniet, *El eterno modernismo*, se encarnan conductas objetivamente reprobables (mimetismo vacuo, clasismo, insolidaridad frente al necesitado y el débil...) en las personas de dos jóvenes "modernas", en cuya caracterización destaca la insistencia en el aspecto superficial del cambio (apariencia física más libre y atrevida, comportamientos públicos antes impensables para la mujer) y se dejan a un lado, sin embargo, las ideas que sustentan las verdaderas "mujeres modernas". Al asociar la ligereza de conducta de la mujer de clase alta con la imagen más extendida de la mujer moderna, se pretende en el fondo desprestigiar las nuevas doctrinas igualitaristas que empiezan a ser populares en ciertos ambientes.

El irónico título elegido por Elena Miniet para dar título a su comedia refleja bien el rechazo de la autora con respecto al tipo de mujer moderna que se extiende entre la capa social que abordamos. En la obra, tanto la protagonista, Isabel, como la mayor parte de sus amigas son coquetas, beben, fuman, llevan las faldas y el pelo inusualmente cortos y alternan con los muchachos de tú a tú. D. Alvaro, un viejo amigo de la familia, se escandaliza ante esta conducta y reconviene a Isabel: "Ahora no hay mujeres, no hay más que frágiles muñecas, bonitas para adornar un salón, que saben reír, que saben sport, fuman y beben como sus maridos, pero que la mayoría de las veces no saben estar ante la cuna de su hijo" (p.11). Un tipo de comentario bastante frecuente en otras obras del período, en las que se culpa a las jóvenes de la cada vez más palpable renuncia masculina al matrimonio. Miniet se suma así a la escandalizada reacción de muchos de los autores teatrales de éxito en estos años ante el nuevo tipo de mujer moderna que empieza a introducirse en nuestro país precisamente a través de la clase alta. El éxito arrollador alcanzado por José Fernández del Villar con la comedia *Alfonso XII, 13,* cuyo asunto central gira precisamente en torno a la caprichosa y absurda conducta de las jóvenes de posición, que asustaba a los burgueses solteros alejándoles del matrimonio, confirma la actualidad de la cuestión y el rechazo de los nuevos comportamientos femeninos por parte de los sectores de opinión más conservadores[3].

En relación con esta misma clase social, varias de las obras de autora localizadas abordan de algún modo el declive económico de familias bien situadas, muchas veces causado o acelerado por los inconscientes dispendios de las mujeres. En *Mujeres solas,* de Elena Arcediano, la despreocupación en el gasto de los hijos de Dª Angeles, junto con la fraudulenta gestión del administrador de sus tierras, han conducido a la viuda y su familia a la ruina. Con todo, la madre intenta dilatar lo más posible la noticia a sus hijos para evitarles el sufrimiento de tener que moderar su tren de vida. Tere, la hija menor de Dª Angeles, es un ejemplo de la obsesión por las compras y la "toilette" de las jóvenes de posición:

Tere -¡El delirio! Primero, los sombreros; el modista, después. ¡Vaya modelos! Un sueño, Eugenio, un sueño. Me he quedado tres trajes: uno de noche, azul, que es una maravilla; otro, alegre, de playa, delicioso de línea. Y un trotón con un "chic" inimitable. Desde allí, al Ideal, a recoger a Alvaro, para nuestro diario paseíto. Luego a tiendas. En cada escaparate hay una tentación... (p.19).

La situación de crisis económica que viven muchas de estas familias al mantener una fachada de opulencia que no se correspondía con sus posibilidades reales guarda relación con la progresiva decadencia de la clase aristocrática en favor de la ascendente conquista del capital por parte de la burguesía de los negocios. Fue ésta una preocupación importante en varias de las obras de las autoras, testigos del progresivo derrumbamiento del "viejo mundo" en que muchas de ellas crecieron y se educaron. De ahí que se aluda constantemente a las presiones familiares de todo tipo que intentan conducir a las jóvenes solteras del "clan" a contraer matrimonios de conveniencia que pudieran contribuir a sanear la maltrecha situación financiera de la familia. Teniendo en cuenta que se trataba de uno de los problemas "privados" más acuciantes de las jóvenes de alta cuna, parece lógico que haya dado origen a una gran parte de los conflictos centrales en las obras.

En otras ocasiones, algunas de estas jóvenes, con una valentía y un coraje verdaderamente insólitos en su medio social, se deciden a emprender la lucha para salvar a su familia, que muy frecuentemente acaba de perder al padre y que, por tanto, se ha quedado sin el sostén económico básico. Emprenden para ello tareas laborales que, como más tarde comprobaremos, tienen como primera consecuencia la inmediata condena social y el desclasamiento más radical. Es el caso de la familia del general Alfáñez en *A la luz de la luna,* de Mª Teresa Borragán, cuya ya de por sí difícil situación económica se agrava hasta el límite con la muerte del militar. La desordenada vida social que llevaban su mujer y sus hijas (sobre todo Anita, la mediana) ha sobrepasado con mucho sus posibilidades económicas reales, hasta llevar a la muerte al preocupado general: "Margarita -¡Pobre madre! Víctima de las conveniencias sociales y del capricho de una niña. Vosotras locas por unos trapos miserables, y mi padre enfermo porque no puede soportar vuestras locuras" (p.15). Margarita será, efectivamente la que reaccione a tiempo y se decida a trabajar para sacar adelante a su familia, lo mismo que se planteará Asunción en *Siguiendo su destino,* otra de las obras teatrales de Elena Miniet. En el caso de Asunción, la posibilidad de contraer matrimonio con un rico indiano, el principal acreedor de su arruinada familia, complicará todavía más la situación dramática.

Las familias más humildes, ya sean de clase baja o media-baja, viven una realidad distinta, que configura asimismo una situación en buena medida diferente de la mujer en el entorno doméstico. Probablemente la más dependiente sea la mujer de clase media, que no puede sobrevivir sin un marido. Su falta de opciones profesionales y la vergüenza que el ejercicio del trabajo supone para ellas las sitúa en la más indefensa de las posiciones. Lo mismo le ocurre a la huérfana de una familia de ésas que se sostienen a duras penas en una decente medianía. La caridad ajena es su única solución. En *Al margen de la ciudad* y *La nieta de Fedra,* dos de las obras de "teatro irrepresentable", de *Halma Angélico* (seudónimo de Mª Francisca Clar Margarit), dos mujeres de la citada clase media-baja tienen que contraer matrimonio para sobrevivir a la orfandad en el primer caso y a la viudedad en el segundo.

En el caso de las mujeres del pueblo, preparadas desde la cuna para la lucha por la vida, no dudan en realizar cualquier clase de honesto trabajo para completar los ingresos familiares, compatibilizando comúnmente las tareas del hogar con trabajos extra-domésticos diversos, que analizaré brevemente al abordar la visión de la presencia femenina en el mundo laboral que ofrecen estas obras. Abunda también el prototipo de la viuda de mediana edad, madre de familia, que mantiene con su pequeño negocio a su prole, siendo a un tiempo soporte espiritual y económico del núcleo familiar. En cuanto a las huérfanas pobres, la solución no será nunca la caridad de unos parientes mejor situados, como entre las clases medias, sino la redención por el trabajo. Tal es el caso de la protagonista de *La caja dotal,* de Mª Pilar Contreras, cuya humilde protagonista sufre en solitario el dolor de su reciente orfandad mientras trabaja cosiendo en su propio domicilio. En este caso, las instituciones para el apoyo de las obreras creadas por la Iglesia (Escuelas dominicales, Congregaciones de Hijas de María, etc.) se presentan como el único consuelo externo a sus penalidades.

Por término general, se describe a la mujer del pueblo como representante máximo de virtudes morales y domésticas de las que carecen muchas de las protagonistas de niveles superiores. En cuanto a las jóvenes solteras, si bien son más libres que las ricas para elegir a su futuro compañero, padecen otras lacras, destacando entre ellas el continuo acoso al que se ven sometidas por parte del "señorito" sin conciencia cuando son jóvenes y bonitas. La propia familia intenta en muchos casos aprovecharse del atractivo de las jóvenes que de ella dependen. Este es el caso de la protagonista de *Los amores de la Nati*, de Pilar Millán Astray, cuya tía persigue suculentos beneficios a costa de las tercerías que realiza en favor de un viejo rico que pretende a la muchacha.

En general, las obras de la comediógrafa y sainetera Pilar Millán Astray son un filón inagotable de información acerca de la vida de la mujer de clase popular que habitaba a principios de siglo el Madrid Castizo (Cabecera del Rastro, Embajadores, Chamberí...), si bien es necesario tener en cuenta la perspectiva idealizadora y moralista que predomina en su visión de la realidad popular. Desde una perspectiva marcadamente conservadora, las virtudes domésticas de sus protagonistas son reiteradamente comentadas en las obras, destacando la propia caracterización del espacio escénico, que se describe reiteradamente como "limpio y aseado", aludiendo así implícitamente a sus hacendosas inquilinas. A diferencia de las mujeres de clase elevada, sus protagonistas gustan de la vida tranquila del hogar y hacen del cuidado y exhibición de la casa su máximo orgullo. En un ambiente caracterizado por su autora como "modesto" y "honrado" a un mismo tiempo, se desarrollan sus obras *Las ilusiones de la Patro, Pancho Robles, La Galana, El juramento de la Primorosa, La tonta del bote, Los amores de la Nati, Mademoiselle Naná*, etc. Las aspiraciones de mejora social de las protagonistas en algunas de las citadas obras sólo pueden verse realizadas a través del matrimonio con un hombre de otra clase, posibilidad bastante remota, como veremos más adelante, o dedicándose al espectáculo, sueño de tantas jóvenes sin recursos. En varias de estas obras el frecuente acoso del señorito, a la caza de indefensas hijas del pueblo, preocupa obsesivamente a sus familias, que ven en su posible engaño y seducción el peligro más grave que las acecha *(El juramento de la Primorosa, Mademoiselle Naná)*. La honra se presenta como el principal activo de estas jóvenes sin fortuna, que deben tomar toda clase de precauciones contra falsas promesas que intentan promover sus íntimas ambiciones de mejora social. En los casos más extremos, las acosadas muchachas del pueblo acaban siendo seducidas, cayendo después en la prostitución *(Una romántica)* o siendo víctimas incluso de una trágica muerte *(Magda la Tirana)*.

En el medio rural, la campesina sufre o se aprovecha, según el ánimo más o menos crítico que aliente a la autora, de parecidas solicitaciones por parte de los ricos. Las criadas que trabajan sucesivamente para los señores de Mourelo en *El pazo de las hortensias*, de Pilar Millán Astray, por citar un ejemplo, van completando su dote

con los regalos que les hace el amo de la casa a cambio de pequeños "favores" de índole amorosa. Matilde Ras retrata una realidad
menos amable en *El amo,* que como su título significativamente indica, intenta describir el despotismo brutal con que un pequeño propietario de un molino trata a sus dos criados, Lorenzo e Isabel. Al
primero no le paga ni siquiera un salario, puesto que es hermano de
su mujer, tratándole con toda la dureza que dedicaría a un extraño.
Isabel sufre de otro modo las consecuencias de la sumisión. El ama
la explota sin piedad, azuzada además por los celos. Por su parte, el
amo intenta comprar su amor ofreciéndose a cuidar de su anciano y
abandonado padre y de su pequeño hermanito.

Es posible afirmar, en suma, que el centenar aproximado de textos de autoría femenina analizados giran en su mayor parte en torno
a la familia, el amor, el matrimonio y la maternidad, constelaciones
temáticas que, como a continuación tendremos ocasión de comprobar, se desarrollan en diversas direcciones y bajo distintas perspecti-
vas ideológicas y morales. No debe sorprendernos semejante predominio, dado que fueron éstos los ejes que articularon la mentalidad
social acerca de la "esencialidad" femenina y puesto que, además, la
mujer había estado relegada durante siglos al mundo afectivo, igno-
rándolo todo o casi todo acerca de la vida pública (laboral, política,
etc.). Es en el ámbito de los sentimientos, pues, donde las autoras se
sienten más cómodas, destacando su interés por la psicología femenina y dejando a un lado la caracterización íntima de los personajes
varones.

2.2. AMOR, MATRIMONIO Y MATERNIDAD

Puesto que el mundo del sentimiento y la privacidad es el elegido
por casi todas las autoras para enmarcar sus obras, el tema amoroso
no puede menos que ser central en los desarrollos argumentales de
las piezas y en la caracterización psicológica y moral de sus protagonistas. Las variantes en torno a este asunto son múltiples. Las presiones familiares, la rivalidad amorosa, los celos, el amor dentro y fuera
del matrimonio, el amor puro frente a la turbia pasión destructora,
las diferencias sociales que impiden el amor, la mujer apasionada
que cede a las pretensiones masculinas protagonizando fugas o
sufriendo las consecuencias de la maternidad fuera del matrimonio,
etc. Sin embargo, las dos cuestiones que más frecuentemente se
abordan en relación con este tema son el problema de la distancia
social que separa a los amantes en múltiples ocasiones y la tajante

diferenciación que las autoras se esfuerzan en mostrar entre los diversos tipos de amor.

Por lo que se refiere a la primera cuestión, son muchas las mujeres que tienen que renunciar al hombre que aman porque éste se sitúa más arriba o más abajo en la escala social. Soltera y con los ojos puestos en el emigrante americano (como la Dª Rosita lorquiana o como Genoveva, en *La casa de los siete balcones,* de Alejandro Casona)[4], Flora, la protagonista de *El pazo de las hortensias,* comedia de ambiente gallego de Pilar Millán Astray, pasa muchos años esperando pacientemente el regreso de su único amor, Benito, que marchó a la Argentina para hacerse una posición social que le acercase a la señorita del pazo, cuya familia había rechazado, por supuesto, las tímidas tentativas de este hombre de modesta fortuna. Un problema similar es el que afecta a Jesús, el protagonista de otra comedia de la misma escritora, *Al rugir el león.* Su amor por Magda, la hija de los marqueses de Lairedo, resulta ofensivo para la noble familia, puesto que el enamorado no es más que el hijo ilegítimo de una pobre campesina gallega. Aunque Magda se esfuerza en mantener vivo el amor del joven, el orgullo herido de este muchacho, que finalmente resulta ser heredero de otra familia de la aristocracia madrileña, les separará para siempre[5].

A esta denuncia más o menos tópica de los viejos prejuicios de clase que rigen todavía los comportamientos citados hay que sumar, en una línea de mayor innovación, la crítica que formula Elena Arcediano en su obra *Mujeres solas* con respecto al excesivo sentimiento de dignidad personal de muchos varones. Rafael se retira discretamente de la casa de Luci porque siente que una diferencia de clase les separa, diferencia que su orgullo no es capaz de aceptar. Luci le reprochará reiteradamente esta decisión inicial cuando más adelante, una vez conseguido el éxito profesional que él consideraba previo a cualquier proyecto amoroso serio, intente de nuevo acercarse a ella[6].

Si los problemas del amor interclasista son cuantitativa y cualitativamente importantes, similar insistencia se observa en la exposición de las diferentes calidades y tipos de amor, casi siempre en relación con la ya vista oposición entre la tradición y la modernidad o con un convencional rechazo de la pasión irracional que salta por encima de la norma social. Autoras como Mª Luisa Madrona, Pilar Millán Astray o Elena Miniet siguen alentando el amor "total", ese amor único que marca la vida de la mujer para siempre, mientras se rechaza la frivolidad aparente de las relaciones amorosas "a la moderna", a menudo consideradas frívolas, interesadas y puramente hedonistas. Así, en obras como *Dios los cría,* de Mª Luisa Madrona, el ideal amoroso de la joven tradicional es un amor "puro", "total", "definitivo", utopía amorosa que Nati, la protagonista de la obra de Pilar Millán Astray que lleva su nombre, expresa perfectamente en la siguiente intervención: "A mí me gustaría que se enamoraran de una manera que siento y que no sé explicarla. Quisiera que no vieran más que por mis ojos, que fueran iguales nuestros pensamientos y nuestros deseos... ¡Vamos, que fuéramos dos cuerpos con una sola alma! (p.21). *El eterno modernismo,* de Elena Miniet, desarrolla también la radical diferenciación existente entre el amor "de hoy", que la modernísima Alicia define como "un capricho, un deseo de momento, cálculo de conveniencia y ... boda. Luego inteligencia suficiente para soportarse y amistad" (p.22), y el amor que siente una mujer "de las de siempre", un sentimiento ideal, romántico, mezcla de entrega espiritual, desinterés completo y eternidad indestructible:

> Margarita - Yo creo que el amor ha de ser un sentimiento tan grande, una creencia tan ciega hacia la persona que queremos, que no veamos en ella más que perfecciones. Ha de ser algo como un imán que a pesar de todo ha de atraernos. Ha de ser un deseo ardiente y al mismo tiempo tranquilo; ha de ser abnegación y sacrificio, renunciamiento propio; ha de ser como la llama que ilumina un tabernáculo que puede oscilar y temblar, pero que no se apaga jamás (p.22).

La consideración del amor "puro" entre un hombre y una mujer como motor ideal de nobles sentimientos, de superación personal e, incluso, de redención moral, se percibe en otras muchas autoras. Laura Cortinas, por ejemplo, titula una de sus obras teatrales *Los tres amores,* y su título refleja perfectamente el interés central de la obra, mostrar mediante tres historias distintas las diferencias y grandezas de los tres tipos de amor: el amor de pareja (acicate perfecto para la superación personal), el amor a Dios (que otorga la más plena felicidad al que lo sigue fielmente) y el amor maternal, considerado sin duda en la obra como el más noble de todos. La acción benéfica del primero de los tres amores se desarrolla más extensamente en otra de sus obras, *El buen amor,* en la cual el cariño puro y sincero de Rosario acaba por reformar a Roberto, su marido, de una irreflexiva conducta de conquistador impenitente, idea de regeneración amorosa que reaparece en el estreno de *La domadora,* de Sara y Alberto Insúa.

Incidiendo en la tópica oposición entre el amor honesto frente a la simple sensualidad destructora, Pilar Millán Astray recrea en *Magda la Tirana* el trágico sino de la *femme fatale.* En la obra,

Andrés se debate entre dos hermanas. Magda, la mayor, trabaja como artista en los tablaos y arrastra una tormentosa existencia. Por el contrario, su hermana Margarita ha sido mantenida en el seguro refugio de un convento, del que apenas ha salido para enamorarse de Andrés:

> Magda -Entonces es que ya no quieres a Margarita.
> Andrés -¡Quién puede no quererla! Ella es la mujer buena y hacendosa, la esposa que hace falta al obrero, la que cuida del hogar y los hijos.
> Magda -(Irónica) Pues... no entiendo.
> Andrés -(Con pasión) Pero tú eres la pasión, el amor que lo avasalla todo y por el que se olvida todo... Tú me atraes con la fuerza del vértigo. Sé que al ir hacia ti voy derecho al precipicio, porque te quiero para mí solo, y eso con una mujer de tu clase es soñar en un imposible; y a pesar de saberlo, estoy tan ciego, que me dices mata, y mato; abandona, y abandono... Pruébalo, anda, pruébalo (p.45).

Aunque Andrés decide, finalmente, casarse con ella y apartarla del peligroso mundo en el que vive, rehabilitándola ante la sociedad de su tempestuoso pasado, Magda no logra escapar a su trágico destino y muere en una reyerta ocasionada por los celos de uno de sus más obsesivos admiradores, cuando éste intentaba apuñalar a Andrés durante un sarao flamenco. La autora pretende así demostrar que el camino de la promiscuidad y la bohemia conduce a la mujer irremediablemente hacia la catástrofe, como una senda sin posible retorno[7].

No hay que olvidar, en este sentido, que en la mayor parte de las obras analizadas predomina una concepción del hombre que le identifica básicamente con la incontenible fuerza del deseo y le considera incapaz de ser dueño racional de sus instintos. Las obras de Millán Astray inciden a menudo en esta tópica visión del impulso sensual masculino. En *Ruth la Israelita,* por citar un caso, el funesto deseo que siente Samuel por Ruth no para ante nada, ni siquiera ante el desprecio frontal de la muchacha, su miedo y su odio. Otra obra de la misma autora, *Los amores de la Nati,* propone como única barrera al poderosísimo instinto masculino la honradez sin mácula de la mujer:

> Nati - A mí me pasa siempre una cosa muy rara con los hombres que me tratan. Vienen con mucho fuego o con muy feas intenciones a decirme algo malo, y al tenerme delante se quedan callaos como muertos o se salen por peteneras, hablando de todo menos del amor...
> Licurgo - Es que tu misma pureza te protege (p.20).

La visión del hombre como ser dominado totalmente por sus pasiones, tan común en estas obras, contrasta con la preocupación de algunas autoras por abordar la generalmente oculta presencia de la fuerza del deseo actuando en la mujer. Una fuerza que, como ocurre en un interesante drama de la escritora feminista *Halma Angélico* titulado *La nieta de Fedra,* puede manifestarse de forma igualmente avasalladora. En la obra, Berta condena con crueldad a su madre agonizante cuando se entera de que su nacimiento fue fruto de ilegítimos amores. Al cabo de los años, será ella misma la que acabe sucumbiendo a la incestuosa pasión que siente por el hijo de su segundo marido. La valentía con la que esta autora pone en boca de su protagonista la expresión de una pasión que estalla después de haber estado largo tiempo contenida, se pone de relieve mediante la escandalizada reacción de los personajes masculinos ante ella.

Al margen de la ciudad, comedia de la misma autora, plantea también lo que Cristóbal de Castro, en el prólogo al volumen *Teatro de mujeres* en el que la pieza fue publicada, llama la "tragedia biológica de la mujer"[8], centrada en esta ocasión en la lucha íntima de la protagonista, Elena, por superar la irresistible atracción que siente por Leoncio, su cuñado, agravada por el abandono de que su marido le hace víctima. Aunque en otras obras se aborda la posibilidad del adulterio por parte de la mujer infelizmente casada, y en algunos casos se llega a su consumación, en pocas como en ésta se plasma la enorme e insospechada potencia del deseo femenino. Con todo, la autora no permite que Elena sea capaz de liberarse de sus ataduras sociales y morales. El adulterio que Elena hubiera deseado cometer se "delega" en otra mujer y no se transgreden, pues, materialmente las convenciones morales, pese a lo cual la pieza denuncia abiertamente su falsedad e hipocresía radical.

Por su parte Alidra, la deuteragonista, simboliza en la obra a la mujer libre, regida por una ética natural que se guía únicamente por el principio básico de libertad e íntimo deseo. Acogida en su casa por Elena para que con su llamativa belleza distraiga a los hombres que con ella conviven de la atención a su propia persona, acusa a su benefactora de vivir en la inmoralidad al permanecer con un hombre al que ya no ama. Ella, la titiritera, símbolo de la "Eva" natural, sin domesticar, se convierte así en la portavoz de las ideas probablemente más progresistas que sobre el amor y la pareja se han plasmado en estas obras. De hecho, tanto *La nieta de Fedra* como *Al margen de la ciudad* plantean una moral francamente avanzada para su época en relación con el tema amoroso, hecho que explica en parte su exclusión del ámbito del teatro representado.

No es extraño, pues, encontrar en varias de estas obras, junto con la citada defensa del derecho de la mujer a vivir su pasión, un expreso rechazo de la esperada pasividad femenina en el amor. La rebelde Alidra de *Al margen de la ciudad* pone de manifiesto, mediante su dura oposición, las generalizadas expectativas masculinas de sumisión de la mujer en la relación de pareja[9]. Por el contrario, cree que esta actitud ha sido tradicionalmente fomentada por el hombre para mantener los privilegios de elección de que ahora disfruta:

> Elena - Es que les atrae tu belleza aun sin proponértelo; te miran, porque les gusta tu cara...
> Alidra - (Espontánea) ¡También a mí la de muchos, y no les digo nada de repente, como ellos hacen conmigo muchas veces; (...)
> Elena - Mujer, en nosotras es diferente...
> Alidra - No lo veo. Será porque ellos lo quieren y lo han dispuesto así... (p.54).

La rebelde heroína que protagoniza el drama de *Angélica del Diablo Una romántica* no admite tampoco la expectativa social de aceptación pasiva por parte de la mujer de las iniciativas amorosas masculinas, las cuales debe además agradecer. Ella no piensa dar el sí al primer hombre que la solicite de amores, y así se lo hace saber a un compañero de fábrica, Lorenzo:

> María - ¿Es decir que tengo que quererles a ustedes a la fuerza? Vamos, eso es la ley del embudo... ¿Les gustaría a ustedes que les obligaran a querer a quien no les gustase?
> Lorenzo - No, eso no; eso es diferente. Porque las mujeres no pueden escoger ni obligar a nadie a que las quieran. Somos nosotros los que escogemos y mandamos (p.30).

La doble moral que rige la conducta masculina y femenina en asuntos de amores se refleja así mismo en la valoración social de las múltiples experiencias amorosas del hombre, de sus "aventurillas" de soltero, cuando en el caso de las mujeres sólo se admite un pasado intachable y una ignorancia total en todo lo que se refiere a la faceta biológica del amor. Expresión contundente del doble rasero con que se juzga al hombre y a la mujer en estos temas se encuentra en boca de uno de los aldeanos que *Halma Angélico* presenta en su drama citado, *La nieta de Fedra,* cuando se defiende de las acusaciones de una mujer que le declara padre del hijo que espera:

> Cosme - (...) **pa** mí bien **probao** está que la única culpable ha sío ella; ¡no **habese dejao**! ¡**mos** ha **amolao** ahora con las

Halma Angélico

TEATRO IRREPRESENTABLE

La Nieta de Fedra

POR

Halma Angélico

PRÓLOGO DE

Alejandro Bher

[firma manuscrita]

MADRID
Talleres Tipográficos VELASCO
Meléndez Valdés, 52
1929
PRIMERA EDICIÓN

Primera edición de
La nieta de Fedra

mujeres!; primero, mucho remilgo, y **pa** terminar siempre consintiendo, y luego que se ven con el daño, mucho culparnos a nosotros; ¡como si ellas no **hubiean consentío tamién**! ¡que no se dejaran! (p.76).

La mujer, interiorizando estos mismos códigos, se sentía lógicamente condenada a la soledad y el desprecio ajeno cuando no poseía ese don de pureza que el hombre elegido esperaba en ella. Así lo expresa perfectamente Asunción, una de las muchachas acogidas en el convento donde se desarrolla la única comedia de *Halma Angélico* estrenada durante el período que nos ocupa, *Entre la cruz y el diablo,* quien rechaza reiteradamente al hombre que la quiere porque se siente impura, manchada por una triste historia que vivió muchos años atrás:

> Asunción -(...) Pienso que para el amor soy egoísta y soberbia. Yo querría (si llegara a querer) con ansia de que el hombre fuera mío de siempre, ¿entiendes?... Y como a ti también te concedo el mismo deseo..., al pensar que no lo puedo ser sufro y mi orgullo se rebela desesperado de su impotencia por no poder remediar lo que ya no tiene remedio... (Llora nerviosamente) (p.30).

El sentimiento de inferioridad que experimentaban muchas mujeres por esta causa se ve palmariamente reflejado en varias de las creaciones de Pilar Millán Astray para el teatro. De acuerdo con la visión tradicional del problema de la honra femenina, la virginidad de la mujer se muestra en ellas como el único camino posible hacia el anhelado matrimonio. La muchacha humilde sólo le lleva al esposo esa dote: "Ella es la que tié que mirar por el único dote que llevamos las pobres. ¡Qué sabe una lo que hacen cuando salen de casa!" (*La tonta del bote,* p.11). De ahí el horror de las familias cuando la joven soltera, para vencer la oposición de sus padres, huye del hogar siguiendo al hombre que la enamoró.

La referencia constante a la indisoluble alianza amor-honra-matrimonio, es realzada a menudo con la presentación de planes de fuga, considerados como "deshonestos", que se corresponden con un tipo de sentimiento socialmente dañino, a juicio de algunas autoras, por cuanto que ignora el código moral vigente. En *El pazo de las hortensias,* comedia de ambiente gallego de Pilar Millán Astray, Inés se fuga con un pintor madrileño, hijo disoluto de una buena familia que, habiendo gastado hasta el último céntimo de su herencia, decide buscar una rica pueblerina a cuya costa poder vivir sin trabajar. Cuando Santiago, su padre, y su tía Flora se enteran, salen rápidamente en su busca hacia Madrid, y allí obligan a la pareja a contraer matrimonio inmediatamente, aun desconfiando de la sinceridad de los sentimientos del muchacho, pues es ésta la única forma en que se podrá reparar el maltrecho honor de Inés y, por extensión, el de toda la familia. El disgusto queda así en nada, pues al "pecado" ha seguido la inmediata reparación. Muy significativa de la doble moral que la propia mujer ha hecho suya resulta la angustiada interpelación que Inés hace a su novio antes de la fuga, queriéndose asegurar primero de que él no la despreciará después por su conducta. Se comprueba así que la mujer es la principal responsable ante la sociedad de este tipo de hechos y la que resulta por ello especialmente marcada:

> Inés - Julio, me pides más que la vida; pongo mi honor y el de los míos en tus manos.
> Julio - Por él te doy mi amor y mi apellido.
> Inés - ¿No me lo echarás nunca en cara, Juliño querido?
> Julio - Si tan mal me juzgas no vengas (p.42).

En *La Galana*, comedia de la misma autora, Celia, una de las dos hijas de Dolores, la protagonista, se niega a fugarse con un hombre que más tarde demuestra ser un cazadotes sin escrúpulos: "Pensao está. Yo no me voy a vivir malamente con un hombre, pudiendo irme con la ley de Dios" (p.28). También Paloma, la hija de Primorosa, está a punto de fugarse con Cayetano, ante la prohibición de su madre de que continúe sus relaciones con él *(El juramento de la Primorosa)*. Finalmente todo se solucionará sin llegar a semejantes extremos. Resulta evidente que la gravedad con que se alude a este tipo de hechos está íntimamente ligada a la importancia que se otorga en la sociedad de la época a la virginidad femenina. Cualquier error en terreno de amores por parte de la mujer tiene solución si, en el juego, no ha perdido la pureza que se le exige conserve intacta[10].

No faltan autoras, sin embargo, que aportan un punto de vista innovador al proponer causas y apuntar posibles soluciones en relación a la manifiesta situación de inferioridad en el amor que la mujer viene protagonizando en los casos anteriormente descritos. Mª Teresa Borragán insiste en su drama *La voz de las sombras* acerca de las negativas consecuencias que acarrea para la mujer la ignorancia en que se la ha mantenido tradicionalmente en lo referente a cuesiones básicas ligadas con el amor. Dejando a un lado el tabú que rodea a la vida sexual en la mayor parte de las obras teatrales analizadas, Borragán no duda en presentar los peligros que entraña para la salud de las mujeres la casta ignorancia en que se las mantiene antes del matrimonio y su tolerante permisividad con respecto a las "aventuri-llas" sentimentales del que será su marido. Margarita, la protagonista femenina de *La voz de las sombras,* sufre las consecuencias de la promiscua conducta sexual que su marido llevaba anteriormente a la boda, pues él le contagia una enfermedad venérea que arrastra desde hace tiempo y que no le permitirá tener hijos. La tesis central que la citada autora defiende en su obra es precisamente la necesi-dad ineludible de educar sexualmente a la mujer joven para que sepa exigir de su futuro cónyuge la salud física y moral que será imprescindible si quiere tener una progenie fuerte y sana. De este modo se hace eco de las corrientes eugenistas que empiezan a ponerse de actualidad en ciertos círculos médicos e intelectuales durante estos años, como comenté brevemente en el primer capítulo de este trabajo. La cuestión queda planteada nada más iniciarse la obra. Ramón, el hermano de Margarita, manifiesta su desacuerdo ante el matrimonio que ella está a punto de celebrar al considerar que su futuro cuñado arrastra lacras morales y tal vez físicas que no podrán ocasionar más que desgracias a su querida hermana:

> Ramón -A las mujeres os seducen los hombres apasionados, hombres que se perfuman, beben, que disputan (...). Os cauti-van los hombres de historia porque halagan vuestra vanidad. Los viciosos y corridos que saben con sus procaces insinuacio-nes despertar vuestra malsana curiosidad de mujer. Y como la rutina social os veda satisfacerla de otro modo, os casáis con un muñeco de esos que en vez de hijos sanos os da harapos de humanidad que llevan dentro el germen de todas las dege-neraciones (p.16)[11].

Sin duda, una de las autoras que más se preocupa por denunciar en sus obras la doble moral amorosa imperante que convierte a la mujer, sobre todo si pertenece a los estratos más desfavorecidos de la sociedad, en víctima de engaños y posterior abandono, fue la popular Pilar Millán Astray. Su conservadurismo esencial en todo lo relativo a la honra femenina no impide que reiteradamente rompa lanzas en favor de la mujer traicionada, sobre todo si hay hijos de por medio. Este es el tema que se desarrolla con mayor extensión en una de sus obras de más éxito en la época, *El juramento de la Pri-morosa,* sainete que tiene por lo tanto una enorme significación en cuanto se refiere a la mentalidad social imperante.

En esta obra, la protagonista defiende a Sole, una madre soltera y abandonada, aunque sabe que va en contra de la felicidad de su pro-pia hija, enamorada del hombre que cometió la falta. La alegre inconsciencia con que usualmente se trivializan las experiencias amorosas masculinas fuera de todo vínculo legal es duramente atacada por la autora, que rechaza la común calificación de "pecadillos de juventud" para las taimadas seducciones y engaños de que resultan víctimas las crédulas mujeres enamoradas:

> PEPE -¡Amos, no sea usté tan cruel, señora Lola! El barrio entero está removío. Los hombres dicen que es demasiá exageración; las madres quieren ponerla en un altar...
> PRIMOROSA- ¡Sólo ellas puén comprenderme!
> PEPE -Todo lo que usté quiera, pero no hay que llevar las cosas al extremo.
> PRIMOROSA -El que la haga, que la pague; con unos cuantos casos de escarmientos, ya tendréis buen tino pa no meteros en vedao.
> PEPE -Desde que el mundo es mundo, hay hombres que engañan a mujeres.
> PRIMOROSA -¡Alguna vez se ha de empezar a ver que tenemos derecho a no ser engañás! La Primorosa puso ayer la primera piedra (p.43).

Centrando su existencia en el amor y el matrimonio, el clásico mal de amores, los celos, no podía dejar de causar estragos entre las protagonistas de muchas de estas obras. Una escritora consagrada, Concha Espina, trae el tema de la novela al teatro en su conocido drama *El Jayón,* cuya protagonista es una esposa amargada por el oscuro temor al resurgimiento del amor de su marido por una antigua novia con la que ha tenido un hijo después de estar casado. Las dos mujeres se contemplan con recelo y a distancia, consumidas ambas por el amor del mismo hombre. Totalmente alejada del trágico ambiente que se respira en el drama de Concha Espina, el intrascendente monólogo de la famosa actriz Irene López Heredia, *Así son todas,* incide en el lado cómico de la cuestión, adoptando un punto de vista típicamente masculino. López Heredia retrata a la mujer monologante como una esposa irracional e histérica que ataca sin razón a su pareja, afectada por unos celos terribles. Su marido ha salido solo con los amigos. Cuando regresa, ella le espera como un guardián estricto para pedirle cuenta de sus acciones. La ridícula forma en que le acusa a cada minuto de haber llegado una hora más tarde que el momento anterior, sirve para acentuar la nota cómica de la banal piececilla, que termina con una lapidaria intervención del hasta entonces paciente y silencioso marido: "Así son todas", es decir, irracionales, celosas, posesivas...

Junto a la visión de corte realista acerca de los pequeños y grandes problemas vinculados al tema amoroso que hasta el momento se ha descrito, existe un grupo de obras más reducido, pero no por ello menos interesante, que aborda el asunto desde una perspectiva profundizada y, de algún modo, existencial. Tal es es el caso, por ejemplo, del conjunto de piezas cortas de Isabel Oyarzábal de Palencia (que firma a menudo como *Beatriz Galindo*) *Diálogos con el dolor*[12]. Su "leit-motiv" común, la vinculación indisoluble entre amor y dolor. Amor y sufrimiento se presentan aquí como el haz y el envés de la misma moneda. El dolor puede ser causado por la pérdida, por el temor de que ésta se produzca, por un amor nunca correspondido... En cualquier caso, se trata de un sentimiento enriquecedor que ayuda al crecimiento espiritual del que lo experimenta.

En la misma línea de indagación "esencial" acerca de la naturaleza del amor y su acción sobre el ser humano -principalmente sobre la mujer- se inscribe la obra de Concha Méndez *El personaje presentido,* espectáculo en dieciséis momentos en el que la búsqueda del ser complementario se presenta como eje y razón de ser de la existencia de la protagonista y, por extensión, de la mujer en general. Sonia es una joven que habita un mundo de comodidades y selectos placeres (ópera, deportes, escogidas amistades...). Se encuentra, sin embargo, insatisfecha e impaciente por encontrar al hombre de sus sueños, al "personaje presentido" que cree hallar muchas veces equivocadamente. El continuo fracaso amoroso de Sonia simboliza la suerte de todos los hombres que, buscando el amor perfecto, puro de intereses, definitivo y total, pierden los mejores años de su vida para acabar reconociendo al fin que se enfrentan a un imposible. Sólo existen caminos paralelos y eternos desencuentros. El amor es extremadamente difícil de hallar y, aun cuando creemos tocarlo, huye de nuestras manos, ya que no coinciden nunca los respectivos "personajes presentidos" en la pareja.

De nuevo es el amor fuente de intenso sufrimiento en *El taller de Pierrot,* farsa en un acto de Matilde Ras. Pierrot, notable escultor, se enamora con pasión de una de sus creaciones, Colombina, una bellísima estatua que ha hecho por encargo del rico Arlequín. Sufre sin límites porque su enamorada no tiene vida, mientras ignora a la pobre Margot, muchacha de carne y hueso que le ama devotamente desde hace tiempo. La hermosa recreación del mito de Pigmalión enamorado de su bella creación escultórica, aludido explícitamente al comienzo de la farsa, sirve como motivo en torno al cual desarrollar esta historia de loco amor e infame traición[13]. Si el amor de Pierrot fue capaz de dar vida a la estatua, el amor de Margot le salvará a él de una segura muerte tras la estocada que le asesta Arlequín en su duelo por Colombina.

El amor presentado de nuevo como fuerza vivificadora de insospechado poder reaparece en la segunda pieza en un acto de Matilde Ras, *El amo,* obra en la que el siervo sometido se libera de su explotador, impulsado por la fuerza del amor. En esta obra, el desgraciado matrimonio formado por los dueños del molino sirve de punto de comparación con el puro sentimiento que une a los dos criados, Leandro e Isabel. Frente al egoísmo mutuo de los amos, que les aísla férreamente entre sí, se presenta la generosidad en el carácter de Isabel -dispuesta a todo por evitar que su hermanito sea enviado al asilo- y de Leandro, que abandona el molino cuando Isabel, acosada por el amo, decide marcharse. De este modo, el amor a la muchacha consigue avivar su orgullo dormido y vencer su pereza y su resignación.

Pilar de Valderrama, la Guiomar machadiana, es la tercera componente (junto con *Halma Angélico* y Matilde Ras) de ese "tríptico escénico de buena estirpe literaria y de nueva investigación dramatúrgica" que recoge Cristóbal de Castro en su volumen *Teatro de mujeres.* También ella, en su obra allí publicada, *El tercer mundo,* aborda el tema amoroso desde una perspectiva que intenta ser innovadora, reflexiva, profunda[14]. La protagonista, Marta, mujer casada con un afamado autor teatral, sufre un matrimonio infeliz, preterida y sola. Se enamora entonces de otro hombre, Héctor, y ambos proyectan una fuga. Cuando comienza el "poema dramático", la huida está a punto de llevarse a cabo, pero un fatídico accidente lo impide. Vigilados continuamente por el marido de Marta que, obsesionado por su arte, ha decidido aprovechar la apasionante historia como estímulo dramático, los dos amantes se sienten incapaces de retomar los planes frustrados y acaban por refugiarse en "el tercer mundo" que siempre había predicado Héctor, un espacio a caballo entre el sueño y la realidad, donde reina el propio deseo, donde todo el universo se somete a la humana voluntad. Es el ámbito de la creación artística, del ideal, de la mágica elaboración mental de la propia existencia:

> Héctor - (...) El tercero es ya totalmente nuestro, por eso es el
> mejor y -en cierto sentido- el más real de los tres [mundos].
> Lo vivido y soñado son allí materia blanda, dócil a nuestra
> voluntad creadora. En ese tercer mundo no somos ya ni
> espectadores ni farsantes, sino plenamente "autores". En ese
> tercer mundo somos, sencillamente, lo que "queremos ser"
> (pp.108-109).

La interesante teoría de Héctor sobre "el tercer mundo" es algo más que una hipótesis sobre los mecanismos que rigen la ensoñación creadora, la capacidad artística del ser humano. Es también un refugio en el que el hombre y la mujer, libres de la sociedad y de sus leyes, pueden vivir en un mundo ideal construido por ellos mismos. La unión de Marta y Héctor en ese tercer mundo, plasmada en el último acto (en verso) del poema dramático, es una unión platónica, ideal, donde un amor no puede ser denominado adúltero, ni nadie puede oponerse o criticar a los amantes[15]:

> Héctor - Adiós, Marta; dame un beso
> de despedida (...)
> Marta - (...) Si tus labios acercaras a los míos,
> ¡se abrasaran en mi fuego!...
> Para que el beso perdure
> en el Espacio, en el Tiempo,
> no me beses en los labios;
> ¡bésame en el pensamiento! (pp.135-36)[16].

Como seguidamente tendremos ocasión de comprobar, el matrimonio representa la única conclusión feliz para una pareja que se ama, y este matrimonio, que debe ser realizado con el pleno consenso del medio familiar y social, se sitúa por encima de cualquier otra consideración. Aunque en términos generales, las obras de las escritoras teatrales comentadas se adscriben a un tipo de teatro que acepta por lo general el *statu quo* de la función femenina en la familia, se define, incluso desde las posturas más conservadoras, la necesidad de una reforma de las pautas que rigen las relaciones entre los dos sexos. Existe, como hemos visto, un tipo distinto de teatro que denuncia la injusta discriminación que la mujer sufre en el terreno afectivo, si bien no se llega en casi ningún caso a la ruptura o al enfrentamiento frontal con el orden establecido. Obras como *La voz de las sombras, Diálogos en el dolor, Al margen de la ciudad, La nieta de Fedra, El tercer mundo* o *El personaje presentido* dan prueba, sin embargo, de que empezaba a cundir una nueva conciencia entre ciertos sectores de mujeres, disconforme con la realidad y consciente de la urgencia de cambiar los códigos sociales y morales que subyugaban a la mujer en el amor y en la pareja.

Las constantes referencias a matrimonios que se proyectan, que se prohiben, que fracasan, que son infieles... permite asegurar que el tema matrimonial es otra de las preocupaciones básicas (junto con el amor y la maternidad) del corpus analizado. Los casamientos por interés frente a las bodas basadas exclusivamente en la propia atracción, la desigualdad social que impide ciertos enlaces, el matrimonio como único modo de reparar el honor maltrecho, la indisolubilidad del vínculo, la discriminación de la mujer en el matrimonio o la diferente idea que de la institución tienen los distintos sectores sociales son algunos de los sub-temas que las autoras abordan en relación con este asunto.

Después de haber analizado brevemente la situación social de las españolas de los años 20 y 30, no sorprende que el matrimonio debido a razones de tipo económico, acordado por la familia y generalmente contrario a la voluntad de las jóvenes protagonistas, constituya una constante preocupación -mejor decir obsesión- de las autoras del período. Este problema afecta principalmente a las muchachas de cierta posición, pues son las clases acomodadas las más proclives a la ventajosa alianza económica entre familias que implican ciertos compromisos matrimoniales[17]. En el caso de las familias nobles, muchos enlaces son fruto del mutuo acuerdo entre un burgués enriquecido, que pretende ingresar en las filas de la aristocracia, y una familia de abolengo que no duda en sacrificar a su hija para abastecer de nuevo las vacías arcas que se ocultan tras los ilustres pergaminos heredados[18].

La diferente actitud que la burguesía y el pueblo llano mantienen ante los enlaces de sus vástagos es otro foco de interés para las autoras que abordan el tema. Se plantea esta cuestión, por ejemplo, en *La voz de las sombras,* de Mª Teresa Borragán, pieza en la que la hija de unos ricos propietarios rurales es conducida al matrimonio por sus padres, que intentan así afianzar lazos con una familia madrileña de conocidas influencias políticas. Nada más empezar la obra, Ramón se enfrenta con su madre, al no estar de acuerdo con la boda que ésta planea para su hermana:

> Dª Dolores - ¡Cómo eres! Nunca hemos de hacer una cosa a gusto suyo. Pues mira: ni tu padre ni yo podíamos soñar marido de más conveniencia para tu hermana.
> Ramón - ¡¡Conveniencia!! (…) Pero vosotros qué vais buscando ¿la felicidad de mi hermana o una senaduría vitalicia para que mi padre siga siendo cacique de este pueblo que le debe su envilecimiento? (p. 8).

Frente al cálculo interesado en el que la joven soltera no es más que artículo de transacción en las maniobras por alcanzar mejor posición o mayor fortuna por parte de su familia, dos chicos del pueblo (Panduro y la Chilina) no tienen esas trabas y se unen de forma espontánea y sin ningún intervencionismo familiar.

La mujer del pueblo no está libre, con todo, del cálculo económico al que le obligan familiares y amigos en razón de su dependencia manifiesta. Sole, la protagonista de *Pancho Robles,* de Pilar Millán Astray, se tuvo que casar con un hombre diecisiete años mayor que ella, un indiano rico que pagó las deudas de su padre, viudo chulesco y despilfarrador, aspirante ahora, gracias a su yerno, a ser nombrado concejal. Sole es profundamente infeliz en este matrimonio, como así se lo manifiesta a su prima Robustiana:

> Sole - ¡Si me pusieron entre tós completamente mareá, loca! …
> No oía más que: "es riquísimo", "es tu felicidá", "la vejez tran-
> quila de tu abuela y de tu padre …" Atontoliná fui a la Iglesia,
> dije que sí delante de Dios, pa después ver al poco tiempo que
> me habían echao una losa que me aplastaba pa toa la vida,
> porque yo no quería a ese hombre (p. 15).

Adelina Aparicio y Ossorio, interesada principalmente por la mujer perteneciente a las capas sociales elevadas, trata a su vez el tema en *La díscola.* Obra fundamental para el análisis de la cuestión que aquí nos ocupa, la autora pretende demostrar con ella que es legítimo, e incluso necesario, que la mujer sepa imponerse a la decisión familiar y no permita que le escojan, en razón del puro interés económico, al que ha de ser su compañero de por vida. Los padres de Paquita la quieren casar con una "buena proporción", como se decía en la época, a lo que ella no se opone, ya que sigue fielmente todo lo que su madre le indica. Ventura, una de sus dos hermanas, desconfía de este enlace y critica la interesada actitud de su madre. Berta, la hermana más sumisa y comprensiva, le replica: "No hables así, Ventura. (…) Mamá hace lo que todas las madres, no dejar perder un partido como el de Pepito Curtado. Se dice que el señor Curtado tiene millones… Y Pepito es hijo único" (p. 8)[19]. Ventura, la hija "díscola", piensa por el contrario que el matrimonio ha de ser fruto únicamente de la afinidad de inclinaciones[20] y ésta parece ser también la postura defendida por la propia autora, ya que al final de la comedia se descubrirá que los Curtado son unos estafadores y la familia se verá salvada de la ruina gracias a la intervención de la oveja negra, la rebelde Ventura.

También desde una prespectiva crítica, la obra *Dios los cría,* de Mª Luisa Madrona, contrapone la interesada relación entre Teresina y el hijo de un duque, con el que la quieren casar sus padres, y el amor libre de todo cálculo de María Rosa y Rogelio, un músico. Teresina es una frívola chica "a la moderna" que no le otorga al matrimonio más importancia que la oportunidad de ostentación que propicia y la posibilidad de independencia con respecto a la familia que, si hay suerte y enviuda, podrá disfrutar algún día:

> Teresina - Esto va en serio: me caso ... Mi tío cree que es algo que le queda en la vida que hacer por mí. En cuanto una chica cumple los veinte años entra en las quintas del matrimonio... No es que me pese, al contrario; es un buen partido, educado a la moderna, no creo que al ponerme la pulsera de pedida piense que me coloca la argolla de esclava; y si lo pretende, peor para él... ¡Qué envidia me tienen las amigas! Yo también la tuve, pasajera, cuando asistí a la boda de la de Sierra; pero la envidié más cuando enviudó. ¡Oh, qué libertad la de la viuda! No se depende de nadie (p. 14).

Nada más conocer a su prometido, el conde de Lanci, Teresina y él sintonizan perfectamente. Mientras se cuentan sus respectivas aventuras sentimentales, realizan un pacto implícito de permisividad y mutua tolerancia con la vida del otro. Mª Luisa Madrona critica así a la nueva generación, que desprecia la vida tradicional para sumarse a costumbres y gustos importados, aunque, desde una perspectiva más progresista, ataque al mismo tiempo las "ventas" matrimoniales que habitualmente se practican entre las familias de buena posición.

También los padres de Victoria, miembros de la nobleza, intentan en *Octavio... ¿su criado?*, de Concha Ramonell, casar a la joven con Manolo Hinojares por motivos similares a los anteriormente expuestos. Ella no quiere aceptar al hombre que ha de ser su esposo por el dinero que posea, sino por su sensible corazón, pero acata en silencio la voluntad familiar y mantiene sus frías relaciones con él. El desenlace de la obra, que pasa por el descubrimiento de la falsa personalidad del pretendiente, confirma la tesis sostenida por varias de estas autoras: el candidato que la familia puede considerar perfecto para una joven no ha de ser necesariamente la mejor opción para ella. El que varios de estos jóvenes de buena posición resulten ser unos farsantes con intenciones fraudulentas, logra hacer más efectiva la demostración del perjuicio que de un exagerado intervencionismo familiar puede derivarse.

El matrimonio por interés económico era también un problema que afectaba al hombre, desde luego, pero en este último caso, las autoras, reflejando de nuevo la realidad social imperante, describen situaciones en que los hombres no se ven afectados por la imposición familiar, sino que se trata más bien de individuos que carecen de dignidad personal y prefieren una buena boda, que les permita vivir sin trabajar, a toda una vida de esfuerzos y trabajo. Ejemplos de este tipo de conductas, que las autoras consideran execrables, pueden hallarse en obras como *El pazo de las hortensias* (donde Julio se quiere casar con la hija de un propietario gallego para vivir de su dinero) o *La Galana*. En esta última obra, el tema cobra especial relevancia por cuanto que los novios de las dos hijas de la protagonista, propietaria de una boyante jamonería, se han decidido a cortejarlas por la buena posición de la madre. Los hombres de su propia familia no demuestran ser mucho mejores, puesto que tanto su hijo Rafael como su cuñado Eusebio planean a su vez sendos enlaces encaminados a poder "vivir del cuento"[21].

Ligado al problema del matrimonio de conveniencia se presenta otro tema de interés: el rechazo familiar a la celebración del matrimonio a causa de una posición social o económica desigual. Ya comenté en parte este asunto al tratar, en el apartado anterior, de los amores contrariados de Jesús y Magda en *Al rugir el león*. En *Las tres Marías,* también fruto de la pluma de Pilar Millán Astray, la joven protagonista, Rosalinda, coincide con Jesús en su secreto origen aristocrático y como él tiene dificultades por haber elegido una pareja desigual. El interés principal de esta obra estriba, sin embargo, en abordar otra cuestión común en varias de las obras que nos ocupan: el matrimonio como necesidad imperiosa para la supervivencia económica de la mujer. Claro que, bien entrados los años 30, se plasma ya el incipiente cambio en la actitud de las españolas en relación con el matrimonio, al que no quieren recurrir por pura necesidad de subsistencia, sin posibilidad casi de elegir pareja. Desean, por el contrario, ser capaces de ganarse la vida por sus propios medios y poder casarse por amor. Rosalinda así lo manifiesta en la anterior comedia, fechada en 1936:

> María de la O - ¡Rosalinda, tú caminas muy desorientada, y eso me disgusta mucho!
> Rosalinda - ¿Pero, qué hago yo?
> María de la O - Tontear con ese musiquillo de la casa de huéspedes, que no tiene donde caerse muerto.
> Rosalinda - ¡Es un gran artista!
> María de la O - Déjate de ilusiones, hija mía. Con fantasías en estos tiempos no se come.
> Rosalinda - Ya voy a estudiar yo una carrera, porque me quiero casar por amor y no por conveniencia.
> María de la O - ¡Casarte para trabajar! Tú mereces mucho más que eso (p. 14).

No queda nada claro, sin embargo, que la autora compartiera las modernas ideas de Rosalinda, puesto que la joven protagonista acaba por aceptar la decisión de su familia y abandona sus proyectos de estudiar Medicina en cuanto que su novio alcanza el primer éxito profesional.

Más decidida sin duda en su avance de novedosas concepciones en torno al matrimonio resulta la comedia feminista de Elena Arcediano *Mujeres solas* (1934), obra en la que la protagonista es una joven doctora que saca adelante a los suyos con su sanatorio y se puede permitir por ello responder con una orgullosa negativa al hombre que vuelve a ella después de haberla abandonado un día. La reconciliación final de los enamorados supone una postura que, dentro de una línea de compromiso con la mejora de la situación social de la mujer, se aleja de todo radicalismo.

El objetivo descenso en los índices de nupcialidad junto con el crecimiento demográfico y la mayor longevidad estadística de la mujer son los factores que, como ya vimos, definieron la progresiva preocupación social sobre la soltería femenina y la paulatina incorporación al mundo laboral de las mujeres de la clase media. En franco contraste con la elaborada visión poética del drama de la soltería que ofrecen autores como García Lorca o, posteriormente, Alejandro Casona, y lejos de la reflexión sobre la ridiculez que impregna la tragedia burguesa de la soltera madura engañada y escarnecida (*La señorita de Trevélez,* de Carlos Arniches), resulta paradójica la pragmática y conservadora explicación que algunas autoras dan al problema, casi pesadilla para muchas mujeres, de la soltería, recogiendo una idea que debió ser tópico común en la época. Un ejemplo lo encontramos en *El eterno modernismo,* de Elena Miniet, donde un hombre maduro, que se mueve entre las clases elevadas, atribuye la renuencia de muchos jóvenes a contraer matrimonio a los desaforados gastos y lujosos caprichos de las muchachas del día: "D. Alvaro - No desatines, lo que pasa es que hoy día para sostener vuestras extravagancias y vuestros lujos se necesita mucho dinero. ¡Ay!, si fuera de otra manera ya estaríais casadas" (p. 19).

La mujer que no se había casado a una cierta edad padecía una situación de discriminación y aislamiento social así como de lamentable dependencia económica con respecto a su familia -hermanos casados, sobre todo-, cercana a la vergonzante caridad. Estefanía, la protagonista de *La hermanastra,* de Adela Carbone y Joaquín F. Roa, encarna el caso más representativo de "solterona" sacrificada y desgraciada. En el prólogo, Estefanía se dirige al público con estas palabras, símbolo del desprecio y la marginación que el sólo nombre de "solterona" implicaba en aquellos años: "Soy la hermanastra solterona que está aislada, que está triste y que no vivió la vida sentimental y

apasionada. En muchos hogares crece esta rama parásita y desdeña-
da" (p. 7). Entregada totalmente al cuidado de su hermano desde
que quedaron sin padres, renunció a su propia vida para acabar sola
en su casona provinciana. Sabiéndola en una deplorable situación
afectiva y dada la nula estimación social otorgada a la mujer madura
que no ha formado su propia familia, un antiguo amigo de la casa le
propone matrimonio sin molestarse siquiera en disimular sus egoís-
tas intenciones. La visión que este hombre viudo tiene de la mujer y
del matrimonio resulta de lo más interesante desde el punto de vista
que se comenta en este apartado:

> Indalecio - Le cuento que yo he leído a Schopenhauer, sí seño-
> ra. No soy tan bruto ¿eh? Bueno; pues ya me he enterado de
> que la mujer es un animalucho -y usted perdone- un animalu-
> cho de ideas largas y cabellos cortos.
> Estefanía - ¡Por Dios, qué cosas dice usted!
> Indalecio - No, no se asuste usted. Que voy a parar a otra
> parte. Yo he sacado la consecuencia de que Schopenhauer, el
> famoso químico alemán, no usaba calcetines.
> Estefanía - ¿Cómo?
> Indalecio - Por que a él no le haría falta la mujer ... Pero yo,
> solo y viviendo en las afueras, tengo que llevarle la contra-
> ria ... Si uno no apechuga con la señora ¿quién le zurce a uno
> los calcetines? (p. 49).

Es evidente que el matrimonio no garantizaba, ni muchísimo
menos, la felicidad sentimental que toda mujer ansiaba. De hecho, la
desdicha matrimonial es una constante en gran parte de las obras
estudiadas. La posición de hombre y mujer en el matrimonio era
muy diferente. El hombre disfrutaba de una libertad de movimientos
inexistente para la mujer[22]. Además, la entrega de gran parte de su
tiempo a la actividad profesional alejaba al hombre del hogar física y
mentalmente en muchos casos. La situación de abandono y falta de
comunicación con la pareja era especialmente sentida por aquellas
mujeres de mayor sensibilidad y cultura, por las mujeres de fino espíritu que veían cómo sus sueños juveniles se desmoronaban al poco
tiempo de la boda ante la realidad trivial y profundamente convencional en que discurría su limitada existencia. *Halma Angélico*, que
presenta en éste como en otros temas una visión reflexiva y crítica
del asunto, nos describe en la anteriormente citada comedia *Al margen de la ciudad* la soledad física y espiritual que padece la protagonista, aislada en una fábrica al borde del camino propiedad de su
marido, un ingeniero preocupado tan sólo por el negocio y total-

mente distinto a ella en inquietudes e intereses. A él solo le importa
hacer dinero, producir. Su mujer le interesa únicamente en cuanto
sepa o no mantener la honradez de conducta que se exige, según
sus propias palabras, de "la mujer del César". Ella, que se casó forzada por su orfandad desvalida y por la marcha del hombre al que
amaba desde niña, sufre especialmente porque no tiene hijos, el
único consuelo que esperaba hallar en su matrimonio, que queda
reducido así a la triste condición de férrea cadena que la ata a un
hombre que no ama y que es a su vez incapaz de amar.

La mujer casada, ignorada por su marido y recluida en el espacio
doméstico, tiene que soportar a veces un dolor todavía mayor: la
infidelidad del esposo. Tema recurrente en el teatro de preguerra, el
drama de la mujer casada que conoce las aventuras sentimentales del
esposo y simula ignorarlas resignándose o, incluso, experimentando
un patético orgullo en la posesión legítima del hombre que otras se
disputan (son paradigmáticos los títulos de Jacinto Benavente *Rosas
de otoño* y, en un contexto rural, *Señora ama),* se reproduce en
varias de las obras de las autoras estudiadas alternando la convencional aceptación del hecho con la denuncia abierta de la injusta tolerancia social frente a este tipo de conductas masculinas adúlteras. El
convencional perdón que la mujer engañada acaba otorgando al
esposo que desea "volver al buen camino" concluye la comedia de
Adelina Aparicio *Marquesa de Cairsan*. En la obra, la esposa, que ha
sufrido en silencio las continuas infidelidades del marqués durante
los cuatro años que dura su matrimonio, acoge pacientemente al
hombre que vuelve de su última aventura y se encuentra con el hijo
que tanto anheló. De hecho, la protagonista había aceptado el constante reproche de su marido por su esterilidad y la justificación que
en ésta había hallado para seguir disfrutando de la libertad amorosa
que tenía de soltero[23].

Sin embargo, no todos los desenlaces ofrecen la misma apertura a
la esperanza. Pilar Algora desarrolla una situación menos convencional en *Sin gloria y sin amor.* Después de su matrimonio con el autor
teatral Agustín May, Julia, escritora de estimada pluma, renuncia a su
carrera literaria para dedicarse por entero a su marido y al hijo que
éste tuvo de su primer matrimonio, evitando así toda posible rivalidad profesional entre los dos. Los reiterados fracasos de los estrenos
de May le deciden a utilizar en secreto las dotes de su esposa, que
colabora con él en la escritura de una nueva obra. El triunfo que
alcanza la pieza hace correr rumores acerca de su autoría. El mismo
May se encuentra profundamente alterado, pues su orgullo no
puede aceptar este éxito que en su fuero interno reconoce debido

exclusivamente al estro creativo de su mujer. Profundamente humilla-
do, su sentimiento de inferioridad frente a Julia le impulsa a abandonar el hogar, fugándose con la primera actriz de su compañía. Esta
mujer de talento y generosidad excepcionales sufre así la traición del
hombre al que lo sacrificó todo, quedando "sin gloria y sin amor"[24].
Se rechaza, pues, la renuncia absoluta al propio desarrollo personal
que iba indisolublemente asociada para la mujer de entonces al compromiso matrimonial.

El argumento hasta aquí brevemente expuesto no puede menos
que recordar el peculiar "caso" protagonizado por los esposos Martínez Sierra -Gregorio y María de la O Lejárraga-, que fueron colaboradores en la producción dramática firmada por Gregorio exclusivamente. Después de varios años de vida y trabajo en común, cuando
la fama sonreía a Gregorio Martínez Sierra en sus diversas facetas
profesionales (autor y empresario teatral, traductor, editor ...), abandonó a su esposa para casarse con Catalina Bárcena, primera actriz
de su compañía en el teatro Eslava, con la que tenía ya una hija.
María de la O Lejárraga, maestra, escritora y política activa en el
campo del socialismo y del feminismo militantes, había renunciado a
la fama al ocultar su identidad creativa bajo el nombre de su esposo
en múltiples ocasiones: "Lo que para mí vale la pena recordar es la
alegría que nos causara ver por primera vez nuestro nombre, 'Gregorio Martínez Sierra', adoptado voluntariamente como cifra de nuestra
común ilusión juvenil"[25]. Varios años mayor que él, vio cómo su relación sentimental era destruida por una nueva pasión, pese a lo cual
no perdió la amistad ni la confianza de Gregorio, con el que se veía
continuamente y al que seguía entregando sus creaciones. Una vez
que Gregorio y Catalina marcharon de gira a América, el contacto
epistolar y los envíos de material escrito fueron igualmente asiduos.
María consiguió mantener una asombrosa camaradería espiritual y
profesional con el hombre que amaba una vez terminada la relación
sentimental. Tan sólo después de muerto Gregorio, se decidió a presentar sus escritos bajo su propio nombre aunque siempre con su
apellido de casada (María Martínez Sierra).

En el caso de las mujeres, el adulterio no pasa de ser en los textos
analizados más que una posibilidad que en algún momento tienta a
las protagonistas, pero a la que ellas saben sobreponerse valiéndose
de lo que varias autoras consideran "firmes ideas sobre la religión y
la moral". Si por debilidad o ligereza, alguna "cae" en tal situación, la
condena de su actitud por parte de las escritoras es prácticamente
unánime. Tanto Sole en *Pancho Robles* como Dolores en *El juramento de la Primorosa,* obras ambas de Millán Astray, sufren o han sufri-

do la tentación de entregarse a amores extra-conyugales, pero ambas
se vencen a sí mismas y logran salvar su "honra". En ninguna de las
dos obras citadas se cuestiona la presión coercitiva que el compromiso matrimonial ejerce sobre estas mujeres, ninguna de las cuales ama
a su marido, puesto que ambas se casaron por la fuerza de las circunstancias[26].

La protagonista de *Al margen de la ciudad,* Elena, se debate larga
y débilmente entre la atracción irresistible que la empuja hacia Leandro, como ya comenté en otra ocasión, y el deber de fidelidad conyugal. Aunque el adulterio no se consuma aquí físicamente, sí existe una
cierta rebelión contra la supuesta sacralidad de un vínculo basado a
menudo en la necesidad o en la hipocresía social. Elena, que estuvo a
punto de entregarse a Leandro en un arrebato de pasión, fue salvada
por Alidra, quien acudió en su ayuda y le condujo hacia las habitaciones interiores, ebrio de deseo, ante la celosa mirada de Elena. Cuando
Alidra abandona la casa, Elena exige a Leandro que acuda en su
busca, puesto que sabe que está esperando un hijo de él, el hijo que
ella hubiera querido concebir en aquella ocasión: "Elena - (...) Es el
hijo de mi espíritu consciente, despierto, tremante de celos y de doloroso placer, mientras su concepción forzada se laboraba" (p. 84). Esta
"salvación" de acuerdo con los criterios de la moral social representa
su condena definitiva a una vida infeliz y solitaria, aunque tal vez
encuentre en ese hijo que nunca tuvo el único consuelo posible para
ella, que se siente a su pesar incapaz de ir contra la educación que
recibió y que reconoce, en cambio, como falsa.

Otra solución original, que es y no es adulterio a un tiempo, es la
que se ofrece en el tercer acto de *El tercer mundo,* de Pilar de Valderrama. Con veintiocho años, Marta se siente sola, olvidada por su
marido, y ha ido cayendo en una peligrosa dependencia de tranquili-
zantes y barbitúricos que están acabando con su equilibrio psíquico.
Lucía, la vieja criada de la familia, le expone al doctor la situación
que esta joven esposa lleva padeciendo durante largo tiempo:

> Lucía - (...) La pobre señora, que se pasa días y noches sola,
> siempre sola, porque el señor está escribiendo o está en el tea-
> tro, o con los amigos, los empresarios, los actores, y mientras
> ella sola, cavilando, con muchos éxitos del marido, pero sin
> ninguna compañía, con mucha fama del marido, pero sin nin-
> gún cariño cerca; y si alguna vez se queja, él dice siempre lo
> mismo: mi arte, el estreno, el ensayo, el banquete, los críticos;
> no voy a comprometer el éxito y el nombre por estar diciéndo-
> te ternezas después de seis años de matrimonio; y se va, y ella
> sola, y sola... ¿Es esto ser feliz? (p. 114).

Como única excepción al general rechazo del adulterio femenino que las obras de las autoras estudiadas reflejan, cabe citar la ya comentada tragedia *La voz de las sombras,* de Mª Teresa Borragán. Adoptando una actitud francamente insólita, Ramón, el protagonista masculino de la pieza, bendice los planes de fuga de su hermana y su amigo Jaime, y la anima sin dudar a que abandone a su inmoral esposo. Margarita, agradecida y suplicante le interroga: "Margarita - (…) ¡Ramón! … tú me perdonas… (Ramón, sin poder contestar, hace con la cabeza un signo afirmativo). ¿Y Dios? /Ramón - El nuestro, sí…" (p. 59). El espíritu de abierta rebeldía que tales palabras venían a representar en la época supone una prueba irrefutable de una nueva actitud que empieza a abrirse paso entre una elite de mujeres, defensoras de una convivencia regida por unos códigos morales más justos. El progresismo ideológico que traslucen deja atrás, sin duda, al comentado en relación con las piezas de *Angélico* y Valderrama, pues en este caso la mujer se decide al fin a hacerse dueña de su propio destino y huir en busca del amor.

En contraste con esta actitud progresista y por las mismas fechas, Pilar Millán Astray escribe una obra que, coetánea a la polémica desatada en torno al divorcio, supone un verdadero alegato contra la ley recién aprobada que lo regula. *La mercería de la Dalia Roja* (1932), prototipo de obra de tesis, presenta la historia de la marquesa de San Clodio, arruinada y engañada por un marido amoral que ha terminado con toda su fortuna. La marquesa se separa de él y del medio social al que pertenece, cambiando incluso su identidad para que su esposo legal no pueda seguir explotándola ("Ramón - Ahora lo que tiene que procurar es que su marido no sepa dónde está, porque si la encuentra le come el comercio de sedas, como le comió todas sus fincas y su dote" [p. 20]). Enamorada de nuevo de un médico que le propone matrimonio, renuncia a él sin dudar siquiera, pues sus creencias religiosas no le permitirían casarse de nuevo con otro hombre estando vivo su primer esposo[27].

En definitiva, se ofrece en el conjunto de las obras comentadas una visión económica y pragmática del enlace matrimonial que no hacía más que reflejar la real dependencia que la mujer guardaba con respecto a la familia primero y al esposo después, por lo que los pretendientes eran generalmente evaluados en razón de su solvencia financiera y su posición social. Sin embargo, la anhelada condición de esposa no resultaba, de acuerdo con las autoras, tan idílica como las jovencitas casaderas imaginaban. Las reiteradas quejas de las protagonistas con respecto a su vida conyugal revelan, pues, otra de las lacras que la mujer padecía en el momento con mayor frecuencia.

Esta situación se veía agravada por la comúnmente aceptada promiscuidad masculina y por la ausencia total de alternativas vitales para la mujer, incapaz en la mayoría de los casos de ir contra los valores morales aprendidos desde la infancia e igualmente temerosa de emprender una nueva vida en solitario que le permitiese ser independiente. Como tendremos ocasión de comprobar, su falta de cualificación educativa y profesional fue un factor determinante para la perpetuación de las situaciones de humillación y abandono más arriba descritas.

De acuerdo con la general consideración de la maternidad como rasgo definitorio de la "esencia" femenina, los autores teatrales de estos años inciden una y otra vez en una visión idealizadora de la condición maternal, a la que se atribuyen los mayores beneficios para la mujer y, en general, para la sociedad[28]. Los sectores de opinión más diversos coincidían, como ya vimos, al considerar el instinto maternal con rasgo definitorio del "ser" femenino. De ahí que el deseo de maternidad, la esterilidad o la maternidad "derivada", vengan a ser motivos constantes en la articulación del psiquismo femenino en las obras que aquí se analizan. La mujer es absorbida por su función de madre y a ella lo sacrifica todo, incluido el propio amor de pareja. Cuando su vida carece de sentido, es la maternidad su salvación, su justificación última. La crítica del momento valoró por su parte esta especial incidencia del teatro de autora en el tema maternal como uno de los rasgos más importantes de su especificidad y como una aportación fundamental al mundo de la creación dramática. En una de las críticas posteriores al estreno de *El Jayón,* por citar tan sólo un ejemplo, se destaca este rasgo inequívoco de la perspectiva femenina en el enfoque:

> Concha Espina ha tenido el acierto, además, de mostrarse como dramaturgo femenino de sutiles y vibrantes percepciones estéticas y humanas.
>
> Su primera obra escénica es, como la obra de una madre, la exaltación del más puro sentimiento de la maternidad, y esta postura sentimental tan simpática y tan excepcional en este ciclo literario en que la mujer propende a sentir como el hombre, fue acogida con visible complacencia por el público[29].

La protagonista, Marcela, vivió durante los tres primeros años de su matrimonio angustiada por no tener hijos, haciendo todo tipo de promesas y peregrinaciones. Después de semejante tortura, quedó embarazada y tuvo un hijo, que vino a nacer al mismo tiempo que un niño abandonado que fue depositado una noche a la puerta de su casa. Corren rumores de que este niño es el hijo de su marido con una antigua novia, a la que dejó para casarse con Marcela, pero a la que al parecer sigue queriendo aún. Poco tiempo después de haber acogido al "jayón" en su casa (presumiendo con fundamento que es el hijo bastardo de su marido), Marcela se da cuenta de la deformidad de su bebé y decide engañarles a todos y presentar al niño contrahecho como el adoptado. Así, al dolor de comprobar día a día el silencioso amor de su marido por la otra mujer, tiene que añadir la angustia de oír cómo a su niño le llaman "jayón" y cómo su propio padre se muestra distante con él porque cree que así evita los celos de Marcela[30]. Su orgullo de mujer la impulsó a cometer semejante acción, pues intuía que no hubiera retenido al hombre si él hubiera sabido que el hijo de ambos era el niño enfermo ("Marcela - [Con lógica brutal] ¡La que se lleva al hijo se lleva al hombre!" [p. 113]). La maternidad concede, pues, todos los derechos a la mujer. Sin ella, ésta no es nada.

La abundante producción dramática de Pilar Millán Astray ofrece numerosos ejemplos de madres modélicas y una continua exaltación de la maternidad como algo esencialmente noble y sagrado. Pero la obra que simboliza de un modo más pleno la imagen de la madre que aparece con mayor o menor relieve en la práctica totalidad de sus comedias y sainetes es, sin duda, *La Galana,* comedia en tres actos que obtuvo también un resonante éxito y se repuso una y otra vez en los escenarios madrileños. La "épica" de la maternidad es su tema. Dolores, la Galana, es una madre viuda de mediana edad, que ha tenido que sacar adelante con sus solas fuerzas un negocio familiar que su marido dejó en la ruina y tres hijos con pocas aptitudes para el trabajo. Encarna a la perfección la figura de la mujer valiente, decidida, de carácter y, sobre todo, a la madre que lucha por llevar a sus hijos por la senda del bien. Sus problemas domésticos habían de ser comprendidos y, sin duda, compartidos por muchas mujeres de la época.

En cualquier caso, rara es la obra en que no se encuentra algún tipo de comentario exaltando la maternidad como eje y fuerza del sexo femenino. En la tercera de las historias que componen *Los tres amores,* de Laura Cortinas, por ejemplo, se contrapone la frivolidad de las jóvenes coquetas que rondan por el balneario con la grandeza de que es capaz una madre, dispuesta a sacrificarlo todo por salvar a su hijo de la locura. Uno de los personajes llega a afirmar en un cierto momento: "Una madre no es una mujer, es todo su sexo" (p.67). Una visión idealizadora de la maternidad que encontramos de nuevo en *La vorágine,* de *Alicia Davins,* obra que comienza con una escena en que las madres trabajadoras depositan con todo cariño a sus hijos en la guardería de la fábrica[31].

Con todo, semejante idealización de la maternidad, acompañada de la máxima consideración social para con la mujer madre, presentaba sin duda una negativa contrapartida. Varias de las obras analizadas reflejan el peso terrible que la sombra de una posible esterilidad arroja sobre la mujer de la época. La tragedia de la mujer infecunda fue, por otra parte, motivo dramático de primer orden en el teatro de estos mismos años. De nuevo tuvo que ser Lorca quien sintetizara poéticamente la tensión entre el ansia femenina de fecundidad y su negación absoluta en una obra arquetípica, el "poema trágico en tres actos" *Yerma* [32]. Sin hijos se creía imposible la felicidad matrimonial y la plena realización de la mujer, cuya vida carecía entonces de sentido. Como se vio en el capítulo anterior, la mujer no tenía apenas otras vías de realización personal. De ahí que volcase en su futura maternidad tantas ilusiones, a veces infundadas.

Ejemplo sumario de la situación de franca inferioridad en que se encuentra la mujer sin hijos nos facilita la comedia de *Adebel Marquesa de Cairsan*, cuya protagonista soporta resignada la infidelidad de su marido al juzgarse culpable de no haberle dado hijos en los cuatro años que ya dura su matrimonio. De acuerdo con la opinión general, que achacaba siempre a la mujer la posible esterilidad de la pareja, uno de los criados de la casa explica las razones de las desavenencias conyugales de los marqueses:

> Santiago - (...) El señor se casó por tener un heredero que perpetuara su nombre, y creyó que la marquesa era más hembra para el caso... que todas las demás... y se casó con ella. No ha venido el hijo tan esperado, y el marqués que es un poseído de su estampa... y que no se achaca a sí el defecto de no crear... Pues... ahora se divierte con las que antes desdeñó (pp.11-12).

De modo semejante, Elena se revuelve de dolor cuando Leoncio le recuerda el fracaso de sus anhelos de maternidad, en la obra de *Halma Angélico Al margen de la ciudad*:

> Leoncio - ¡No, no! Quiero que escuches... Tú has soñado siempre con 'algo que no tienes' y que fue razón impulsiva e inconsciente de que te unieras a un hombre sin amarlo demasiado...
> Elena - No, no es verdad...
> Leoncio - ¡Sí lo es! Siempre soñaste con llegar a ser madre. Me acuerdo. De niña, tus juegos eran eso: mecer a tus muñecas...
> Elena - ¡Ah, calla, calla, no sigas arañando en mi dolor y fracaso!... ¡No seas tan infame!... (p.52).

Tal y como se deduce de la anterior cita, el condicionamiento educativo al que se sometía desde la infancia a la mujer, canalizando todas sus aspiraciones en dirección a la formación de una familia, resulta clave en su vida posterior. Se entiende, pues, que, de no lograrlo, no pudiera ser mayor la sensación de frustración y fracaso que experimentaba la mujer. De ahí que este problema sea un asunto dramático de primera magnitud. Cualquier mujer del momento se sentiría al instante identificada con la tragedia de estas mujeres que percibían sus vidas como algo inútil y vacío.

Fruto de la desesperación que sienten las casadas sin hijos son las fórmulas de maternidad "alternativa" (adopción, generalmente) a las que apelan varias de las protagonistas citadas[33], buscando formas sustitutivas de encauzar sus sentimientos maternales, sus desperdiciados afectos. Millán Astray desarrolla en *Las ilusiones de la Patro* esta cuestión. Patro vive desesperada por no haber tenido hijos en su matrimonio ("Patro - (...) ¿Por qué Dios no me los da? ¿Por qué unas tanto y a otras ninguno? ¡Me muero de envidia a cada mujer que veo con su pequeño en brazos!" [p.11]). Lejos de hundirse en su problema, Patro toma una actitud resuelta y decide adoptar una criatura. El primer acto se cierra con una simbólica imagen de Patro, que trae en brazos a una pequeña niña, débil y enfermiza, a la que se propone salvar como sea de las garras de la muerte ("Patro - ¿Ves lo pequeña que soy? Pues me parece que he crecío, que me he guelto una giganta que pué desafiar al mundo entero. ¡Con un niño en brazos tié la mujer más valor que el Cid!" [p.25]).

También la mujer que llegada una cierta edad permanece soltera siente la angustia de su maternidad no realizada. La cuestión se aborda con especial énfasis en *La mujer que no conoció el amor,* uno de los *Diálogos con el dolor,* de Isabel Oyarzábal, donde se describe el drama de la mujer soltera, enjuta, triste, cuya estéril existencia no es más que una acumulación de amor maternal desperdiciado e inútil. Mientras que "La madre" y "La niña" son capaces de presentir la desgracia, de anticiparse al dolor por el mal que pueden sufrir sus seres queridos, las entrañas "atrofiadas" de "La soltera" no le permiten compartir el sufrimiento, pues no ama:

La soltera - (...) ¿Por qué oyen ellas lo que yo no distingo? ¿Campanas que anuncian dolor? ¿Campanas que avisan males? ¿Por qué a mí nada me dicen...? Será que se me han atrofiado los sentidos, como atrofiadas tengo las entrañas porque no se me ofreció, con el amor... la ocasión de ser madre (p.21).

Desesperada por la inutilidad de una vida que no se prolongará en los otros, clama a solas pidiéndole a la Tierra que la acoja en su seno. La Tierra le contesta alentando su desánimo e intentando encontrar para ella una nueva razón para vivir, ayudar a los que la necesitan:

> Tú no oíste las campanas; porque, éstas, suenan en el corazón antes de llegar a los sentidos. Las agita el temor y éste nace del amor de un ser para otro. Hay muchas maneras de ser madre y tú podrás serlo si en lugar de escucharte a tí misma, pones tus manos sobre el corazón del mundo para sentir sus latidos (p.22).

Si a la mujer soltera que sufre por sus frustrados instintos maternales podía recomendársele este otro tipo de maternidad derivada o alternativa, basada en la generosa entrega a los demás, no hubiera sido siquiera imaginable una propuesta de maternidad "real". De hecho, algunas de las autoras más avanzadas y comprometidas con la causa de la emancipación femenina se preocupan por denunciar el continuo acoso y marginación que padecía la madre soltera en estos años. Probablemente la obra más interesante en torno a este asunto sea *La nieta de Fedra,* de *Halma Angélico.* Mónica, la madre de la protagonista, ha vivido siempre sola dándolo todo por la felicidad de esa hija que concibió estando soltera:

> Mónica - [al pretendiente de su hija, César] Como usted ya sabe, el padre de mi hija no vive... Ella aún todo lo ignora; ¡que el deseo de retrasarle penas en la vida! (sic), me adiestró hasta lo imposible para ocultárselas... Abandonada de él, cuando más tarde, arrepentido de su villana acción, vino a que le otorgara el perdón, confieso que fui egoísta y que pensé sólo en mí al negárselo, olvidándome de mi hija... (p.61).

La valiente negativa de Mónica a someterse a la ley social, que la obligaba a reparar su honor con el matrimonio, ha tenido para ella graves consecuencias. No se casó porque la decepción había sido demasiado fuerte y dolorosa. Ya no podía amar al hombre que la dejó sola en los peores momentos. Pero se engañó al pensar que lo malo había pasado. El rechazo social se fue haciendo cada vez más difícil de soportar. El calvario que tuvo que padecer mientras simulaba ignorar los continuos desprecios, los insultos velados, las humillaciones, le acompañará hasta la muerte[34]. Incluso su propia hija, víctima de una severa educación moral, se muestra inflexible con ella cuando se entera de la verdad, y entiende por fin la marginación en que ha vivido hasta el momento (Berta - [Dentro aún] ¡Ah! ¡Mentira;

toda tú eres mentira! [Saliendo] ¡Qué vergüenza, y cómo he de poder soportarla! [...] ¡Oh! Ahora comprendo algunas miradas y sonrisas que distinguía a mi paso, sin sospechar su ironía...! [p.68]).

Muerta su madre, Berta se casa y tiene una hija, Angela, en todo parecida a su bondadosa abuela, que manifiesta un increíble progresismo ideológico al defender explícitamente a las madres solteras, que a veces llegan incluso a matar a sus bebés para ocultar su desgracia. Angela las considera víctimas de una insoportable presión social:

> Angela - (...) la culpa es de los que tienen una idea falsa de la
> virtud y juzgan como les conviene; por eso, cuando oí decir
> que alguna moza del pueblo, por encubrir su vergüenza, mató
> un hijo al nacer, no he comprendido nunca por qué la conde-
> nan a ella como más culpable: ¿acaso desde niña la enseñaron
> otra cosa? ¿No la dijeron, como a todos nos han dicho, que
> aquella era su mayor deshonra? (...) Y de ese crimen, ¿por qué
> culpan a la que lo hace, si todos tienen parte? (p.172)[35].

Después de lo hasta aquí expresado en relación con la concepción social de la maternidad, no puede extrañarnos que una de las cuestiones candentes en el marco del movimiento feminista posterior, el aborto, sea tema tabú en las obras localizadas, encontrándose un único ejemplo de velada alusión al mismo en *Mujeres solas,* de Elena Arcediano. Con todo, la actitud de la autora se manifiesta firmemente resuelta en contra del aborto en cualquier circunstancia.

Es posible concluir, pues, que la idea de maternidad se vincula en las obras analizadas con lo más puro y representativo de la feminidad. Aquellos personajes femeninos asociados a los valores positivos que cada una de las autoras defiende, destacan siempre por su irreprimible instinto maternal, que viene a manifestarse de las más diversas formas. Puesto que la maternidad se entiende como la principal misión en la vida de la mujer, hay que extender el concepto de madre para que abarque más que el puro hecho fisiológico y pueda así alcanzar a aquellas mujeres que tienen la desgracia de no haber concebido. Al sufrimiento de la estéril se opone la positiva reacción de la mujer que adopta una criatura ajena y la hace suya a fuerza de entrega y sacrificios -las dos claves de la verdadera maternidad- o la generosidad sin límites de aquellas mujeres a las que las circunstancias de la vida ponen en sus brazos pobres niños abandonados a los que crían como propios -generalmente criadas de señoritas de alcurnia que tuvieron la desgracia de ser madres solteras-. La mujer célibe padece en ocasiones la angustia de una vida incompleta e intenta volcar sus instintos maternales en los familiares más próximos o en la gente necesitada en general. Por otro lado, cuando una mujer soltera queda embarazada, paga con su vida el "pecado" cometido -generalmente muere en el parto- o sufre la marginación y el desprecio de los que la rodean. En cualquier caso, ninguna verdad fue más unánimemente aceptada que la idea de que la mujer estaba principalmente destinada a la maternidad y que ninguna realidad nueva ni ninguna nueva teoría podría cambiar nunca este hecho.

2.3. EDUCACIÓN Y TRABAJO

No deja de resultar significativa la menor atención que las autoras prestaron a la importante incorporación de la mujer al mundo de la educación y el trabajo durante estos años, sobre todo en relación con la mayoritaria presencia de los temas anteriormente tratados. Eran estos, sin embargo, dos temas de gran actualidad que promovían una polémica controversia entre los que rechazaban los cambios que la incorporación de la mujer a las profesiones liberales podía acarrear y los que defendían su urgente necesidad. El éxito de comedias como *Mi mujer es un gran hombre* (1927) y *Las doctoras* (1931), que ridiculizaban la figura de mujeres profesionales que desatendían sus deberes familiares por ocuparse de su trabajo, da cuenta de la preocupación social que despertaba el nuevo acceso de la mujer a la Universidad y, en consecuencia, a las profesiones liberales[36]. En las obras teatrales de las autoras, sin embargo, rara vez se profundiza en los problemas que la mujer encuentra en dichos ámbitos. Se repiten, eso sí, frecuentes comentarios y pasajes que reflejan de forma un tanto involuntaria la realidad que las rodea. Veremos que existen, con todo, algunas autoras excepcionalmente interesadas en la cuestión.

En lo que respecta a los niveles de cultura y educación de las mujeres, se encuentran alusiones frecuentes a la indefensión de las mismas en su vida social debido a un lamentable, pero predominante, analfabetismo real o funcional. De hecho, muchos de los personajes femeninos que aparecen en varias de las obras de Pilar Millán Astray, autora interesada especialmente en los ambientes populares, manifiestan su bajo nivel cultural a través de un lenguaje plagado de solecismos, términos léxicos utilizados incorrectamente o deformaciones fonéticas. Igualmente reveladora resultan sus supersticiosas creencias. Las campesinas gallegas de *El pazo de las hortensias,* por ejemplo, creen a pie juntillas en las viejas leyendas locales: la aparición nocturna de la Santa Compaña, la acción poderosa y a veces maléfica de las meigas, etc. Las mujeres del pueblo madrileño manifiestan similar dependencia de la superstición, la magia y la superchería. Frecuentemente recurren a la echadora de cartas para que les ayude a leer su futuro (*El juramento de la Primorosa, Magda la Tirana...*). Destaca la importancia que cobra el tema en *La casa de la bruja,* "comedia popular melodramática" donde la citada autora describe con cierta extensión los fraudes de adivinadoras, echadoras de cartas y demás explotadoras de la ignorancia femenina.

Varias de las protagonistas populares de Millán Astray son de hecho mujeres analfabetas. En *La casa de la bruja,* sin ir más lejos, Simona tiene que colaborar en el engaño de la bruja porque está sola en el mundo, vive en la miseria y no sabe siquiera leer. La protagonista de *La mercería de la Dalia Roja,* por su parte, enseña a leer a algunas de sus vecinas de las Peñuelas: "María - Hoy día no puede la mujer carecer de la instrucción necesaria para hacer frente a la vida. (...) ¡Qué alegría más grande cuando os pueda decir: ya sabéis escribir!" (p.58). La necesidad patente que expresa la anterior cita no impide que el modelo de educación propuesto en este caso se vincule a una postura sustancialmente paternalista, emparentada con la idea tradicional de caridad cristiana, que incluye, por supuesto, la formación de la mujer del pueblo en sus ademanes y valores morales[37].

Con todo, la obra de Millán Astray que ofrece mayor interés en lo que respecta a la progresiva incorporación de la mujer al mundo de la educación y la cultura es, sin duda, *Las tres Marías.* La joven Rosalinda, criada por tres hermanas que la acogieron nada más nacer, cursa sus estudios con la ilusión de ser independiente y poder cuidar en un futuro de sus tres "mamás", que ahora tienen que pasar por bastantes sacrificios para pagar libros, academias y demás gastos aparejados al estudio. Enamorada de un músico de incierto porvenir, Rosalinda declara con orgullo ante una de las hermanas: "Ya voy a estudiar yo una carrera, porque me quiero casar por amor y no por conveniencia" (p.14). Sin embargo, la actitud general frente a la mujer que estudia no era en la época nada alentadora, como así lo demuestran las opiniones manifestadas por ciertos personajes de la comedia, entre ellos su abuelo el duque, firmemente opuesto a que conviertan a la chica en "insoportable bachillera"[38]. Finalmente, Rosalinda abandonará sus estudios para casarse ("Josefa - Como dijo el señor duque que las mujeres que estudian son antipáticas y odiosas, y en eso piensa usted como yo, he decidido que mande a la porra los librotes. ¡Al fin de al cabo tiene novio, y después que se casen que la mantenga él" [p.85])[39].

Los ataques que las tías de María le dirigen por su afición a los libros, en la obra de *Angélica del Diablo Una romántica,* son aún más duros (Lola - [...] ¡Qué asco da una mujer leída, y mucho más una mocosa como esta! Cada vez que la veo sentada ahí, leyendo tan grave y comentando párrafos con mamá, que no entiende, me atacan los nervios y me entran unos deseos de cogerla por una oreja y llevarla a la cocina a que aprenda a lavar platos... [pp.5-6]). La obra, de una dureza inusitada dentro del corpus que nos ocupa, lleva a cabo una crítica acerva de la situación de indefensión y explotación a que se ve sometida la mujer, sobre todo si no goza de la protección de una familia solvente desde el punto de vista financiero. La cultura de la mujer, mal vista, criticada e incluso perseguida, sólo sirve para hacerla sentir con mayor claridad su impotencia ante la desgracia. La final caída de la protagonista en la prostitución sirve para denunciar esta lacra social, exculpando a la mujer que es víctima de la explotación carnal[40]. Es lástima que semejante postura ante la condición femenina en la época, interesante por ser muestra insólita de un feminismo radical, venga acompañada de una pobrísima envoltura literaria, de una exageración inverosímil y de un maniqueísmo flagrante.

Una versión mucho más optimista se presenta en *Mujeres solas,* de Elena Arcediano, puesto que en este caso la educación actúa como el más eficaz instrumento de liberación e independencia para la mujer. En la obra, otra mujer interesada por la Medicina consigue salir adelante mediante su trabajo en el sanatorio que monta para niñas subnormales. Orgullosa de su profesión, manifiesta su satisfacción por haber sido capaz de superar las dificultades que como "mujeres solas" habían padecido las protagonistas de la comedia. Su título académico es para ella el arma con que podrá superar la situación de abandono en que se encuentra su madre viuda y sus hermanos[41]. Esta mujer, que ha recibido una educación superior, que ha viajado por el extranjero, que se ha formado, en suma, en un ambiente de inusitada liberalidad, sabe mantener su dignidad sin por ello renunciar al amor. La autora viene así a demostrar que educación, profesión y vida sentimental satisfactoria no tienen por qué ser incompatibles para la mujer.

Pero el tema educativo no ha de contemplarse tan sólo desde la perspectiva puramente "escolar", de adquisición de conocimientos y diplomas. Existe otro aspecto, el formativo, que acaba siendo en muchas obras esencial al predominar en ellas un indiscutible propósito didáctico dirigido sobre todo a la mujer. Teniendo esto en cuenta, el análisis de los códigos ideológicos y morales que estas piezas trasmiten tiene un indiscutible interés para conocer el sistema de valores en que se pretendía educar a la mujer en estos años, pues resulta evidente que a ella iban dirigidos muchos de sus mensajes. Igualmente revelador podrá ser el examen de las obras de teatro infantil, orientadas a las niñas, donde los mensajes que se pretende transmitir son de una claridad y simplicidad expositiva meridianas.

La mayor parte de las obras analizadas proponen un modelo de mujer tradicional, caracterizado por virtudes típicamente femeninas como la honestidad, la comprensión, la paciencia, la capacidad de sacrificio, la firme fe cristiana, la obediencia, la caridad, etc. A menudo el tipo descrito se identifica con la mujer del pueblo llano, símbolo y encarnación de los "valores" esenciales de la nación, todavía puros y alejados de modas extranjeras. Frente a estas mujeres modélicas, se presenta una clara condena de la mujer "moderna" (coqueta, frívola, insensible y egoísta), generalmente perteneciente a las clases altas, las más permeables a las nuevas tendencias importadas que se consideran pervertidoras del secular carácter de la mujer hispana. Este tipo de oposición entre tradición y "modernismo" -modernidad- se encuentra en obras como *Dios los cría, Las tres Marías, Octavio... ¿su criado?* o *El eterno modernismo,* las cuales defienden sin ambages el modelo femenino conservador y las anteriormente citadas "virtudes" femeninas.

En otras obras, la alternativa "modernista" no se presenta siquiera, pero existe una preocupación latente por la misma, ya que se argumenta una y otra vez en la dirección tradicional, para reforzar el modelo de mujer convencionalmente aceptado. Así por ejemplo, en *Pancho Robles,* de Pilar Millán Astray, una mujer presentada como modélica defiende a ultranza la fidelidad conyugal y la indisolubilidad del matrimonio. En otra obra de esta escritora, *La mercería de la Dalia Roja,* se pretende mostrar a las mujeres cuáles deben ser las virtudes cristianas que han de caracterizarlas: paciencia, abnegación, honestidad, elevado sentido del deber... Para advertir a las mujeres de la necesidad imperiosa de estar alerta acerca del donjuanismo del señorito y defender la pureza femenina por encima de todo se escriben obras como *Málaga tiene la fama* (de Dolores Ramos), *Mademoiselle Naná* o *El juramento de la Primorosa* (las dos últimas también de Pilar Millán). La resignación cristiana, la comprensión y el perdón son las virtudes que adornan a Guillermina en *Marquesa de Cairsan* (de *Adebel)* y que deberían imitar, según la autora, todas las mujeres. Se trata, en suma, de mostrar conductas modélicas cuya "positiva" influencia en el público femenino reforzase los modelos femeninos tradicionales. La insistencia en la idea central, que llega hasta la reiteración en algunas de las piezas citadas, patentiza precisamente este propósito didáctico que impregna toda la intriga dramática.

Existe un grupo de obras de teatro catequético, orientado a las niñas y a las jóvenes e inspirado en el modelo educativo católico, cuyo análisis resulta muy revelador de las pautas "formativas" que cierta clase de teatro destinado a la mujer mantenía. Publicada en una colección de teatro infantil, la obra de Elisa Kenelesky *La catequista modelo* describe las angustias de Amelia, una empleada del taller de modas de Mme. Florit, que en contra de su voluntad tiene que trabajar a menudo como modelo. La propietaria del taller explica los escrúpulos de Amelia por su vocación de catequista. La joven sufre horriblemente al tener que llevar ropas que le parecen indecorosas. Además de difundir las virtudes de honestidad y modestia que a juicio de la autora deben adornar a toda joven cristiana, se intenta convencer a la mujer trabajadora de la necesidad de conformarse con el propio destino sin pretender ascender socialmente[42]. *La caja dotal,* de María del Pilar Contreras de Rodríguez, es otro apropósito destinado también al adoctrinamiento moral de la joven de humilde posición. El objetivo de la obra es doble. Por un lado, divulgar la acción benéfica de la caja dotal y de otras instituciones católicas que se ocupan de la mujer obrera y, por otro, animar a las jóvenes trabajadoras a imitar a María en sus virtudes cristianas, fomentando entre ellas la devoción a la Virgen y "los sentimientos de amor y caridad encarnados en su protagonista" (p.5)[43].

La comedia de Matilde Ribot *Por las misiones,* "propia para ser representada por niños y muy recomendable para Colegios y Catequesis" (p.1), describe el primer contacto que unas niñas de buena familia tienen con la realidad misionera a través de una exposición a la que asisten con sus mamás. El argumento, bastante injustificado dramáticamente, no es más que un pretexto para describir la labor de las misioneras y alabar su santa dedicación. Se cumple así la intencionalidad propagandística de la pieza, pensada para ser representada por niñas en colegios y demás funciones benéficas encaminadas a recabar fondos para las misiones.

Algunas de las obras de teatro infantil de Micaela de Peñaranda, recogidas en un volumen antológico del año 1926, resultan de gran interés para el análisis de la transmisión de códigos ideológicos y morales que las obras de las autoras proponen. Sus "comedias para muchachas", como así las denomina, incluyen siempre una moraleja, una lección moral sencilla y clara que se presenta como mensaje central ejemplificado por cada una de ellas. En *"Métome en todo"* y

"¿A mí qué me importa?" aparecen dos hijas de una familia de labradores acomodados que encarnan las dos actitudes recogidas en el título. La una es demasiado entrometida; la otra no se preocupa por nada ni nadie. La autora pretende poner de relieve los defectos de las dos muchachas siguiendo el clásico precepto horaciano *castigat ridendo mores*. Caridad, compasión, modestia y generosidad son las virtudes que se intenta inculcar en las niñas. Con *El anónimo,* la autora pretende advertir de los peligros de la calumnia. En *Nunca apartarse de Dios,* una madre está a punto de hacer caso a una mujer protestante que le ofrece ayuda económica para paliar el hambre que ella y sus hijas están pasando. Sin embargo, es su hija María, asidua asistente a las Escuelas Dominicales, la que le recuerda las enseñanzas de la Iglesia y consigue que vuelva al camino de la fe "verdadera". Como la anterior, la comedia *¿Dónde se encuentra la dicha?* defiende la doctrina de la resignación con la propia suerte: "No envidie el pobre al más rico/ ni el vasallo a su señor,/ que puede que en su pobreza/ su dicha sea mayor" (p.85), cuestión que vuelve a plantearse en su comedia *¡¡Quién fuera rica!!*. La acción educadora de los sectores próximos a la Iglesia sobre las niñas y las jóvenes insiste a menudo en la necesidad de conformarse, de ser pacientes, de confiar en que ocurra el milagro *(La carta a Dios)*. Tal vez la pieza más interesante del volumen, el "paso cómico representable" *El agua milagrosa* presenta a una mujer casada, en continua disputa con su marido, que descubre finalmente el secreto de la armonía doméstica. La madre del cura, la prudente Dolores, le receta un "agua milagrosa" que mientras se tiene en la boca "¡no hay miedo de que ningún marido pegue!" (p.130). Efectivamente, mientras la mujer está ocupada en mantener la boca llena, no le replica a su marido, con lo cual logra la paz deseada. Nunca se habrá expresado de modo más amable y "claro" la doctrina de la sumisión de la mujer en el matrimonio.

Mª del Pilar Contreras y Carolina de Soto y Corro escribieron conjuntamente seis volúmenes de *Teatro para niños* pensados también para escuelas y salones[44]. Dentro del período que nos ocupa, se inserta la antología de 1918 que incluye diálogos, monólogos, comedias, apropósitos, zarzuelas, "parábolas", pastorelas, sainetes, revistas y "cumplimientos". Entre las obras de Pilar Contreras destacan por su interés sociológico y su énfasis en el adoctrinamiento moral de las jovencitas tres piezas. En *Las tres Marías* unas niñas se reunen con la intención de imitar a sus mamás, pertenecientes a la Institución de las Marías que pretende honrar el Santo Sagrario. *El mejor empleo* trata de mostrar a las niñas la virtud de la caridad cristiana. La protagonista de *La entrada en el gran mundo* es una joven tímida y juicio-

Pinocho en el país de los juguetes, de *Magda Donato* y S. Bartolozzi

Función benéfica en el Salón María Cristina.
Para casar bien o mal, de Matilde Ribot.

sa que vive con una cierta preocupación los momentos previos a la fiesta de su presentación en sociedad. Las virtudes que adornan a esta joven modélica son la modestia, el recato y el rechazo de lujos y joyas. Las fábulas de Carolina de Soto y Corro *La lechera, Las hormigas* y *Abejas y zánganos* intentan fomentar a su vez las virtudes de modestia, ahorro, cumplimiento del deber y amor al trabajo.

En definitiva, se trata de un modelo educativo que propone el hogar como actividad y ámbito propio de la mujer y el ejercicio de la caridad como única incursión legítima en el territorio extradoméstico. La misión de la mujer estriba consecuentemente en cuidar de la casa y educar a los hijos. La mayor parte de estas obras describen, como ya se ha visto, algún vicio de carácter o conducta extraviada en las jóvenes y proponen su necesaria reforma a partir de la moraleja final, resumen y objeto de la pieza. Los valores que se pretende inculcar en las jóvenes son, básicamente, la discreción, la modestia, la comprensión, la caridad y la disposición continua a la entrega generosa a los demás. La fe católica se defiende de forma contundente, al mismo tiempo que se educa a la niña en la aceptación resignada del propio destino, entendido principalmente como posición social y situación económica.

Un análisis interesado en profundizar en la información sociológica que las obras procuran no puede olvidar la importancia que la actividad laboral tiene en la vida del ser humano en general y, cómo no, también en la de la mujer. Ya se abordó aquí la diferente situación de ésta ante el trabajo en relación con su procedencia social. Mientras que la mujer de alta posición se dedica en principio a vigilar el desarrollo de las tareas del hogar, realizadas por personal contratado, y a actividades extra-domésticas relacionadas casi siempre con la beneficencia y el ocio, la mujer de la clase media, que tiene a la clase alta como espejo ideal, tiene que enfrentarse por estos años con una nueva situación económica y demográfica que, como vimos, la aboca en muchos casos hacia el trabajo, asumido entonces por la mujer y su entorno familiar como una necesidad vergonzante. De este modo, los textos examinados suelen asociar la incorporación de la mujer al mundo laboral con situaciones de declive familiar o con la desgraciada perdida (muerte o abandono) del padre o esposo que se encargaba de aportar los ingresos necesarios.

Los ejemplos son múltiples y algunos ya han sido citados. Alicia ("Mari Carmen"), la marquesa arruinada que protagoniza *La mercería de la Dalia Roja,* tiene que enfrentarse a la necesidad de realizar un trabajo remunerado después de haber perdido toda su fortuna por culpa de un marido vicioso y dilapidador. Antes de emprender su vida de comerciante, es plenamente consciente de que este hecho implica su definitivo desclasamiento: "¡La noble marquesa de San Clodio murió para la aristocracia!" (p.20).

Por su parte Margarita, la joven protagonista de *A la luz de la luna,* de Mª Teresa Borragán, se da cuenta nada más morir su padre, un general al que las preocupaciones económicas han llevado a la tumba, de que la única solución es abandonar las lamentaciones y ponerse a trabajar como institutriz. Ella cree que las mujeres deben ser útiles en cualquier caso y no vivir siempre a costa de los hombres. Por el contrario, su madre, una señora "a la antigua" se avergüenza sólo de pensar que sus hijas van a tener que ganarse la vida y, de hecho, muere angustiada al no poder hacer frente a la nueva situación[45]. La falta de preparación profesional es la primera dificultad que las jóvenes huérfanas encuentran en su camino. Al desaliento inicial de sus hermanas, la animosa Margarita responde con una expresiva declaración en favor del trabajo de la mujer:

> Anita - Pues qué ¿somos tan pobres?
> Margarita - Mucho: como que no tenemos más que deudas.
> Luisa - ¿Y qué vamos a hacer?
> Margarita - Cada una lo que pueda; buena voluntad es lo que hace falta.
> Anita - Yo no sé hacer nada.
> Margarita - Ya aprenderás: querer es poder.
> Luisa - ¡Qué desgracia más grande!
> Margarita - No tan grande como tú te figuras; no parece sino que las mujeres hemos nacido tan sólo para vivir a costa de los hombres. Y luego nos quejamos de que nos llamen inútiles (pp.19-20).

En el caso de la mujer procedente de las capas populares el trabajo se asume con toda naturalidad y se menciona en ocasiones tan sólo para completar el dibujo del personaje o el trazado de ambiente. De nuevo destaca la valiosa aportación de Pilar Millán Astray, interesada principalmente por la mujer de las clases medias del comercio y por las trabajadoras asalariadas de más modesta condición. En una entrevista concedida durante uno de sus viajes a París a la revista teatral francesa *Comoedia,* declaraba la autora: "Je me suis attachée à la peinture des milieux moyens.(...) Mais surtout les petits commerçants. Les boutiquiers qui ont une modeste aisance"[46].

Efectivamente, entre sus protagonistas encontramos operarias, modelos, criadas, empleadas del comercio, etc. Criadas son Susana y Simona, las protagonistas de *La tonta del bote* y *La casa de la bruja,* respectivamente. Como dependientas trabajan Dora, la cajera de *La*

Galana, Nati (ocasional vendedora en una zapatería, en *Los amores de la Nati*), Patro, vendedora de fruta en el mercado de la Cebada *(Las ilusiones de la Patro)* y Mª Cabeza, la hermana florista de *Las tres Marías.* Operaria industrial de una fábrica de tabacos es Mª Josefa en *Las tres Marías,* obra de gran interés en cuanto se refiere a la vinculación de la mujer con el tema educativo y laboral[47]. Dos jóvenes del pueblo son empleadas por su belleza como ocasionales modelos. Nati, en *Los amores de la Nati,* posa para pintores hasta que encuentra trabajo como dependienta en una zapatería, si bien lamenta que su falta de preparación le impida desempeñar otros puestos mejor retribuidos en la tienda, como sería el de cajera[48]. Nazaria, la protagonista de *Mademoiselle Naná,* se convierte en "Naná" y es contratada por una casa de alta costura como modelo.

Junto con la figura de la asalariada aparece en varias de las obras de esta autora la de la propietaria de un pequeño negocio, generalmente de tipo familiar, que regenta con firmeza y saca adelante con éxito. En *El millonario y la bailarina* la acción se desarrolla en la academia de baile propiedad de Rocío Santelmo, academia que marcha a las mil maravillas y que en el trascurso de la obra se verá incluso ampliada. Otras pequeñas "empresarias" son Alicia, la marquesa de *La mercería de la Dalia Roja,* que pone un negocio de sedas en el que ella misma despacha; Dolores, que regenta una jamonería en la que trabajan varios empleados *(La Galana)*; Primorosa, cuya peluquería es frecuentada por casi todas las vecinas del barrio *(El juramento de la Primorosa)*; Cayetana, dueña de una guarnicionería con varios operarios, en *La Talabartera;* Engracia, que vive del comercio de ropa usada que desarrolla en su propio domicilio *(La tonta del bote)* y la tía de Nati, propietaria de una casa de huéspedes, llamada "la Madrileña" *(Los amores de la Nati).* Se trata de negocios de modesto alcance que suelen estar instalados en dependencias anejas a la propia vivienda, de modo que las protagonistas pueden ser contempladas en su doble faceta, familiar y profesional, de modo simultáneo.

Las obras de Mª Teresa León *(Huelga en el puerto)* y *Alicia Davins (La vorágine)* se ambientan en el mundo del proletariado. Mientras que la primera autora soslaya casi por completo la especificidad del problema de la mujer en lo relativo al trabajo, Davins introduce la figura femenina de una forma peculiar, pues, si bien no le interesa como obrera (en la primera escena despacha el asunto sin profundizar en absoluto en la realidad social de las operarias fabriles), sí le interesa como madre del trabajador, es decir, por su potencial influencia en la formación y conducta de éste.

Huelga en el puerto describe el desarrollo de una huelga en los muelles del Guadalquivir sevillano y los métodos que el capital intenta utilizar para sofocarla. Muy por el contrario, el resultado final será la extensión del conflicto, que pasa a convertirse en una huelga general de todo el país. Tan sólo se incluye una nota en relación con las trabajadoras de las fábricas de envasado de aceituna, puesto que, de acuerdo con la perspectiva común a los partidos e ideologías de izquierda que mencioné en el primer capítulo, se considera que la mujer debe ocupar un papel secundario y de apoyo en el conflicto obrero:

> Mujer cinco - Cállate. No habléis así a los hombres.
> Mujer seis - ¿No debemos hablarles? Ellos están en sus cosas, lejos, ni saben lo que ocurre entre las cuatro paredes de su casa. Siempre solas, pensando que nuestros hijos también se irán. (...)
> Mujer siete - Pero yo te digo que no tienes razón. Escúchame. Yo soy obrera. Hay que saber ser la mujer del obrero, la madre del obrero. Los hombres luchan, pero no para guardar lo que consigan, eso será para vosotras. (...) Tenéis que ayudar a los hombres (p.24).

La vorágine está escrita desde una posición ideológica absolutamente contraria. En la obra se describe la turbia manipulación que domina en los conflictos laborales, puesto que, según la autora, los líderes sindicales son obreros sin escrúpulos que no dudan en aprovecharse de sus compañeros para enriquecerse y ascender a una posición social superior. *Davins*, que opone constantemente religión y lucha sindical, advierte a las madres obreras de la necesidad no sólo de educar cristianamente a sus hijos, sino de vigilar las compañías que frecuentan. La escritora ve a las madres como factor potencial de conservadurismo y control de las masas obreras, testimoniando así la veracidad de las críticas de algunas mujeres de izquierda, como Margarita Nelken, que denunciaban el lastre que la mujer, dominada por la Iglesia y la reacción, podía suponer en relación con la posible actividad transformadora de los hombres de su familia[49].

Caso aparte es el que se plantea en *Sin gloria y sin amor,* donde se toca el mencionado tema de la "pareja de profesionales". Julia, la protagonista, es una conocida escritora que abandona su dedicación profesional después de casarse con Agustín May, un autor teatral que lucha por alcanzar la fama. Los dos colaboran en la escritura del primer éxito indiscutible de May. Para tranquilizar los temores del escritor, que reconoce íntimamente que el logro a él atribuido se debe sólo a su esposa, ella le asegura: "Julia - (...) Orgullo tengo de haber colaborado contigo, por qué negarlo, si realicé al fin el sueño mayor de mi vida: trabajar con el hombre inteligente y quererle con la seguridad y vehemencia que te quiero (sic)" (p.10).

Aunque el "sueño" de esta mujer singular pueda parecer hoy modesto, en aquel momento, el mero hecho de poder continuar con su actividad creativa -aunque bajo la firma del marido y cediéndole a él fama y prestigio- era suficientemente gratificante para la mujer culta y emprendedora, sobre todo si se comparaba con lo que hubiera representado una vida que, de otro modo, tendría que resignarse a la soledad afectiva o la inactividad profesional. Pero esta fórmula que algunas mujeres de la minoría intelectual y culta podrían presumir "perfecta" distaba mucho de ser tal. Como la obra demuestra, Julia realizará un sacrificio profesional inútil, puesto que será abandonada por su marido, un hombre egocéntrico y sensual que no duda en traicionarla ni un momento. Se equivocó al elegir. Renunció a la gloria por el amor, y se quedó sin lo uno y sin lo otro[50].

En términos globales se puede afirmar que falta en muchas autoras una conciencia clara de la necesidad urgente de mejorar el nivel educativo y profesional de las españolas. Se reconoce el lamentable estado de analfabetismo en que vive la mujer del pueblo, se plasma especularmente la pseudo-cultura de la mujer de superior fortuna, pero no se deduce de aquí en la mayor parte de los casos un serio intento de crítica o denuncia. El análisis del teatro más puramente didáctico del corpus, patrocinado en general por sectores afines a la Iglesia, pone de manifiesto la pervivencia del modelo tradicional de la mujer "ángel del hogar", esposa y madre antes que todo. Desde esta perspectiva, la adquisición de conocimientos y la capacitación profesional resultan totalmente innecesarias. Tan sólo cuando la desgracia se ceba en una familia y la mujer queda desamparada económicamente se entiende su incorporación al mundo del trabajo, y es entonces cuando muchas de las mujeres retratadas echan de menos una formación práctica que les permitiría desempeñar empleos más cualificados. Estando así las cosas, el matrimonio se sigue contemplando como alternativa no sólo sentimental sino de pura supervivencia y la dependencia económica de la mujer como algo inevitable y natural. Sin embargo, por estos años empieza a cundir entre las jóvenes un cierto rechazo hacia el matrimonio por razones de necesidad económica y hasta las autoras más conservadoras se hacen eco en varias ocasiones del deseo de las muchachas de tener una profesión y poder así elegir libremente a su pareja. Con todo, muy pocas chicas logran vencer la fuerte oposición social que despreciaba y condenaba a la mujer culta, con deseos de realizarse en su vida profesional tanto como en la privada. Al describir este rechazo, las escritoras daban cuenta de la·sensación de incomprensión y soledad que muchas de ellas debieron sufrir en su propia carne. Autoras como *Halma Angélico (Al margen de la ciudad)*, Pilar Algora *(Sin gloria y sin amor)*, Angélica del Diablo *(Una romántica)*, Elena Arcediano *(Mujeres solas)* y Mª Teresa Borragán *(A la luz de la luna)* se singularizan por su denuncia más o menos explícita de la dependencia e indefensión de la mujer así como de la educación tradicional que la mujer ha recibido y que le impide sentirse libre y valerse por sí misma. Fueron ellas también las más sensibilizadas con respecto al significativo desprecio de la sociedad hacia la mujer culta e inteligente que deseaba salirse de las pautas establecidas al no sentirse a gusto en el sistema.

2.4. IDEOLOGÍA, POLÍTICA Y MORAL

Como resulta esperable cuando se aborda un conjunto de obras suficientemente extenso, las posturas ideológicas, políticas y morales en ellos defendidas abarcan un variado espectro que incluye desde la línea conservadora hasta la más reformista. Con todo, no es posible negar que el balance general ofrecido por las obras teatrales de autoras entre 1918 y 1936 se inclina indiscutiblemente hacia el lado del conservadurismo y la tradición. Este hecho no resta en absoluto importancia a las significativas "voces de la disonancia", testimonios igualmente representativos por cuanto que dan cuenta de las nuevas corrientes femeninas que luchaban por abrirse paso en estos años. Por otro lado, es necesario tener presente que en pocos casos la definición político-ideológica de una autora resulta unívoca, sin fisuras. Todo lo contrario. De acuerdo con un tiempo histórico "de orígenes" en lo que se refiere al proceso de integración de la mujer en la vida social, las vacilaciones y aparentes contradicciones entre las tesis sostenidas por las diferentes obras de una autora o, incluso, dentro de un mismo texto, son moneda común en las obras analizadas.

Teniendo en cuenta la minoritaria participación de la mujer en la vida pública española de la preguerra, no resulta extraño que sea difícil encontrar manifestaciones concretas en lo que respecta a las cuestiones candentes de la realidad política nacional. El sufragismo, por ejemplo, es un tema prácticamente ignorado, con la excepción de algún irónico comentario de Pilar Millán acerca de las mujeres que "ahora" votan y de la creciente participación de las españolas en política ("en estos endiablados tiempos las mujeres hacen más política que los hombres", *La Talabartera,* p.21). En cuanto al pacifismo, concepto político asociado frecuentemente al movimiento feminista (debido a que se consideraba que la mujer era contraria a la guerra y que su intervención en política evitaría los conflictos armados), tan sólo una obra se interesa por la cuestión: *Las damas de la Cruz Roja,* de Eudosia Villalvilla. Ambientada en la coetánea guerra de Marruecos, la obra constituye un verdadero alegato contra la violencia y la muerte asociadas a toda guerra[51].

El creciente asociacionismo femenino que se describe al comienzo de este trabajo se reduce en las obras examinadas a una de sus facetas: los movimientos católicos de la mujer. La difusión de las actividades de las asociaciones e instituciones femeninas dependientes de la Iglesia se realiza a través de obras como *La caja dotal* o *Las tres Marías,* ambas de Mª Pilar Contreras. En el primer caso se trata de una organización orientada a la mujer trabajadora, mientras que la segunda obra presenta otra dedicada a la pura devoción religiosa.

Con respecto al feminismo como concepto global, existen básicamente dos posturas enfrentadas. Por un lado, hay un grupo de autoras que no dudan en incluir ideas francamente feministas en sus obras. El significativo título de Elena Arcediano *Mujeres solas* no es en este sentido de las menos productivas. En esta obra, en la que se bromea tanto sobre la conciencia política de Salomón, un huertano "sindicao" al que le gusta ser llamado "camarada", contrasta una preocupación social tan sólo moderada con el franco compromiso de la autora en lo que se refiere al proceso de emancipación femenina. Luci, la figura central de la obra, se afirma reiteradamente en sus creencias emancipistas:

> Luci - (...) Ponte en pie, madre mía. No tengas miedo a nada; yo te ayudo. Haremos frente a todo (...) ¡Verás como vencemos! ¿Mujeres solas? Sí; mujeres solas. Sin fuerza, sin auxilio, sin amparo... No lo mendigaré de ningún hombre. Vamos a demostrar en adelante cómo pueden vencer "mujeres solas", si, contra la maldad y la injusticia, se enfrentan con la vida cara a cara (p.33).

El idealismo un tanto ensoñador con el que la autora enfoca el asunto parece olvidar que la realidad no era siempre tan amable y que el ejercicio profesional de una mujer médico continuaba siendo un hecho insólito que todavía encontraba fuertes resistencias y oposiciones. En cualquier caso, la concepción de la educación y el trabajo como armas de liberación de la mujer que se presenta en la obra

Año XIV - Núm 92 - Mayo 1933
25 céntimos

Directora: Plaza de la República, núm. 2
Teléf. 15990

Mun~do Feme~nino

PAZ UNIVERSAL

DERECHOS Y DEBERES - JUSTICIA

La mujer y la política

La intervención de la mujer en la cosa pública ha de enriquecer la vida política inyectándole una fuerza capaz de purificarla y renovarla si a ella van quienes aun conservan la innata generosidad femenina, ese saber dirigir a los suyos que se escondía tras la jefatura paterna: ese sentido de lo justo obscurecido por el prejuicio, pero que brota expontáneo en la mujer de pensamiento cuando la oportunidad lo exije; esa intuición, en fin, que no pocas veces hace de ella una inspirada, por no decir un elemento dotado de una desconocida fuerza superior.

En España, la mujer todavía es sólo una esperanza; pero esperanza tan sagrada por su trascendencia ulterior, que ha de cuidar mucho el momento de la realidad, evitando una precipitación funesta para el mundo, que justificadamente ha puesto en ella sus ojos; ya que se perdería al malograrse ella, el último recurso.

De una condición difícil precisa, sin embargo, disponer: la de saber aislarse, adentrarse en sí misma para enfrentarse después con los problemas y cuestiones, como si surgiera de improviso a la vida con elementos nuevos; iluminando personas y cosas con su luz propia; con ese espíritu depurado por una recta intención. Algo como un examen sereno de la vida, para limpiarse del lastre que obliga al hombre a caminar a ras de tierra, tan bajo, que su trayectoria visual, por el hábito, se hace a la vista de las inmundicias humanas y no busca la altura, desde la cual podría mirar el mundo con una conciencia clara indispensable a la serenidad de juicio. ¡Qué hermoso sería entonces vivir!

Supone esto que la mujer capaz de salir a la política estudie los problemas múltiples

que ofrece el gobierno de los pueblos y, sacudiendo personalismos y prejuicios con altura de miras, los resuelva *in menti* como preparación de juicio que vaya formando su cultura política para ser útil llegada la oportunidad, ya que la improvisación no suele dar buenos frutos.

Problema económico, cuestiones morales, sentimientos religiosos, política y partidos: nada de esto puede pasar inadvertido a la

mujer, que tenga ansia de colaborar en la obra del país por conocerse capacitada a ello. Todo eso ha de ser antes de su llegada a la cosa pública, materia de su pensamiento; objeto detenido y desapasionado de su estudio so pena de un fracaso que, por ser las primeras, a todas nos alcanzaría; por cuya razón el prestigio de sexo está ligado en este sentido a la actuación de la mujer política española que obliga a velar por una escrupulosa selección de la personalidad, independientemente de las ideas de partido, pues las mejores serán peores, si quien las ostenta las deshonra.

Hay que hallarse libre de ambiciones personales y no equivocarse de mejor o peor buena fe buscando al servicio propio a la vez que, por un concepto acomodaticio, quiere engañarse a sí mismo, pensando que sirve a los demás.

Se exige, lo mismo en la mujer que en el hombre, cuando hayan de elegir, una designación bien intencionada. Un retorno a aquellos tiempos de las célebres cortes Aragonesas y Castellanas, a las que se llevaban valores positivos que si claudicaban por conveniencia particular o debilidad de temperamento, olvidando los intereses generales, tenían por castigo el repudio público que los anulaba y aun la muerte a veces por linchamiento popular.

Interesa evitar, por todos los medios legales, que el egoísmo humano, olvidando que los deberes de ciudadanía obligan al desinterés particular por el bien común, prefiera distinguir y elevar al amigo inepto que puede devolverle en favores el encumbramiento a que contribuyó con su ayuda, en vez de guiarse de la justicia apoyando al mérito y

---

SUMARIO

encaja en la más pura línea del feminismo reformista español de estos años.

Aunque sin aludir directamente al ideario feminista, las obras de *Halma Angélico* se encuentran ideológicamente próximas a las teorías favorables a la igualdad entre hombres y mujeres. La censura de las conductas discriminatorias seguidas contra las madres solteras que comenté en relación con *La nieta de Fedra* y, sobre todo, el ejemplo de solidaridad entre mujeres ofrecido en *Al margen de la ciudad*[52], apuntan en esa misma dirección. Otra de sus obras, *Entre la cruz y el diablo,* aunque mucho más conservadora en fondo y forma, se emparenta con la anterior al desarrollar en el marco de un convento una historia similar de solidaridad y apoyo mutuo entre mujeres, si bien el motor ahora no es otro que la fe religiosa, el deber de la caridad y el amor al prójimo.

También demuestra una cierta sensibilización hacia la "causa" de la mujer, como ella misma la llama, Mª Teresa Borragán, autora de *A la luz de la luna.* En este caso, el portavoz de las tesis igualitaristas que defiende la autora es un hombre, Jesús, quien alude a un argumento tópico en la época, la supuesta superioridad moral de la mujer.[53] Por otro lado, el mensaje funcionalmente central en la obra y el de mayor carga feminista -la necesidad de dotar a la mujer de una preparación que le permita ser independiente económicamente- no se expone literalmente, sino que se deduce del propio desarrollo argumental[54].

Aunque ya se ha comentado en alguna otra ocasión, conviene recordar aquí la obra de M.P.M. *(Angélica del Diablo),* adscrita a un radicalismo pro-feminista que la separa del resto de las obras citadas. No hay en ella ningún tipo de concesiones, de intenciones más o menos conciliadoras. Su protagonista ejemplifica perfectamente el concepto de "mujer-víctima" que han propuesto algunos críticos en relación con los personajes femeninos del teatro español del período[55]. Las ideas pro-feministas de la autora se expresan en relación con temas tan diversos como la educación de la mujer y el rechazo social hacia las féminas cultivadas, la indefensión absoluta de la mujer ante la pobreza, el acoso sexual y la prostitución, forma de esclavitud actual para la mujer. El tremendismo de M.P.M. no permite adivinar posibles soluciones a los problemas denunciados. La destructiva crítica social que se lleva a cabo conduce así hacia el nihilismo más desesperanzado.

Existe, por otra parte, un grupo de autoras militantemente contrarias a las nuevas ideas emancipistas. En varias de sus obras se recurre a la alusión cómica, o incluso irónica, al nuevo concepto de "feminismo". Por lo general, los ataques antifeministas de estas escritoras no se dirigen, sin embargo, al movimiento en sí mismo, sino al modelo de mujer "moderna" que ellas asocian directamente a éste. Dicha asociación no es en absoluto ingenua. La mujer de clase alta, frívola, descocada, egoísta y superficial se identifica en las obras de esta tendencia con las ideas modernas acerca de la mujer y su nuevo papel social. Al denunciar conductas que serían consideradas objetivamente criticables por la inmensa mayoría, arramblan de paso con un sistema ideológico intencionadamente identificado con ellas.

Quiza el modelo más perfecto de esta clase de interesada argumentación "anti-modernista" se encuentra en *El eterno modernismo*, de Elena Miniet, autora preocupada sobremanera por combatir el emergente tipo de la "mujer moderna" y su nueva moralidad[56]. Realmente el "modernismo" de las "muchachas bien" que rodean al escandalizado don Alvaro se reduce a fumar, acompañar a los hombres cuando beben y llevar el pelo y la falda inusualmente cortos[57]. Pese a los continuos ataques y críticas a la mujer moderna, el fracaso sentimental de la protagonista, una muchachita vanal e irreflexiva que adopta las nuevas modas un tanto miméticamente, es el argumento de más peso que la autora esgrime contra la nueva moralidad femenina.

Al hacer portavoces de unas ideas seudo-feministas a dos jóvenes superficiales y un tanto frívolas (Isabel y Alicia), la autora puede desmontar con facilidad los postulados "modernistas" y defender cómodamente el modelo femenino tradicional, perfectamente representado en la figura de Margarita, quien declara: "Bien está que la mujer se eduque, se le dé libertad y se le enseñe para saber ganarse la vida. Que las pobres que como yo no tienen fortuna sean algo para que no tengan que esperarlo todo del matrimonio; esto es justo. El estudio y el trabajo no se nos deben negar jamás, ahora, nosotras, al darnos esta libertad no deberíamos descentrarnos nunca" (p.19).

Sus palabras explican en buena medida el motivo de la hostilidad que el feminismo despertaba en algunas de las escritoras que estudiamos. Por una parte, no se comprende bien el verdadero alcance del movimiento, que se reduce en muchos casos a una mera cuestión de hábitos en el vestir o en la relación social. Algunas de estas autoras, pertenecientes a un sector profundamente conservador y amante de las tradiciones no se pueden oponer a lo que debe ser aspiración de toda mujer inquieta e inteligente, como sin duda lo eran estas mujeres excepcionales por su vocación literaria. El derecho a la cultura y al trabajo tiene que ser admitido, pero no pueden

aceptar el menor cuestionamiento de la moralidad y los hábitos tradicionales. La enorme valoración del recato en la mujer, apoyada con
decisión desde sectores eclesiásticos, les impide admitir que la mujer
se mueva con libertad o que salga del mundo protector del hogar,
refugio seguro donde no peligra su honra. Bien está que la mujer
estudie algo más, parecen decirnos, pero no se puede pensar en
igualarse al hombre en ocupaciones, comportamientos y aspiraciones.

Aunque anteriormente se haya aludido al por lo general escaso
pronunciamiento político de las escritoras teatrales de estos años, no
quiere esto decir que se desinteresaran totalmente de la marcha de
los asuntos colectivos o que centrasen en la cuestión femenina una
atención exclusiva. Si bien es cierto que no son mayoría las que
manifestaron sus posturas frente a algunas de las cuestiones candentes de la realidad nacional, no es difícil distinguir en las obras una
tonalidad ideológica de fondo que predomina sobre el tratamiento
de problemas políticos concretos.

Las autoras decididamente conservadoras se caracterizan por una
serie de notas comunes entre las cuales destaca el elogio casticista a
la patria -chica o grande-, la exaltación de las virtudes nacionales, el
planteamiento de la cuestión social a partir de un ideal de armónica
convivencia teñido de un cierto populismo, la defensa de la caridad
como solución óptima a la polémica "cuestión social", una cierta
añoranza por el modelo patriarcal arcaico y una visión a menudo
muy negativa del progreso acompañada de un continuo elogio a los
valores religiosos tradicionales.

Por lo que respecta a la primera cuestión apuntada, el elogio de
las virtudes patrias, encarnadas frecuentemente en la mujer del pueblo, es motivo reiterado en algunas obras de fuerte sabor local de
autoras como Adelina Aparicio y Ossorio (La voz de la sangre), Margarita Astray Reguera (Santiña), Pilar Millán Astray (El juramento de
la Primorosa, Las tres Marías, La Talabartera...), Dolores Ramos
(Málaga tiene la fama), Julia Reyes (Al pie de la reja) o Conchita
Ruiz (Alma valenciana).

La llamada "cuestión social" tiene también alguna acogida en
determinados textos, aunque interese principalmente, como vimos,
en relación con el emparejamiento amoroso, y se lleve a cabo en
menor medida un análisis de la realidad sociológica profunda que
determina los problemas de pobreza e injusticia que se presentan en
las obras. Una postura extrema es la representada por Adelina Aparicio y Ossorio, quien, defendiendo una sociedad de "castas", retrata a
la clase aristocrática como un grupo herméticamente cerrado, de

superior calidad en todos los órdenes, en el que resulta lógico no se admita a cualquier "advenedizo" *(El secreto de Julia* y *Guillermina* o *Marquesa de Cairsan)*.

Por su parte, Pilar Millán, cultivadora del género popular por excelencia, el sainete, retrata a menudo la lamentable situación de las capas de población asentadas en los barrios castizos de Madrid (Embajadores, Cabecera del Rastro, Peñuelas, Chamberí), pero de una forma amable, inconsciente, tiñendo la miseria de alegría y gracejo "cañí". Paliar las situaciones de injusticia depende, tal y como se deduce de su teatro, del sentido de la responsabilidad social de las clases privilegiadas. Las mujeres de la aristocracia, sobre todo, deberían sentirse obligadas a aliviar con obras benéficas la desgracia del pobre. No se alude jamás al término justicia. La limosna y la beneficencia se presentan como solución eficaz a los problemas sociales. Pese a las esporádicas notas de preocupación social que reaparecen en alguna que otra pieza de la autora gallega *(Al rugir el león, El pazo de las hortensias),* lo cierto es que el planteamiento general que hace de la cuestión está ligado a la armónica coexistencia entre las gentes de toda condición, que deben conformarse con su estado, pues, como vimos en relación con ciertas obras de teatro catequético, en todas las situaciones de riqueza y posición hay problemas y desventajas. La recomendación de resignado conformismo con el propio "destino" se completa además con una visión paternalista de los problemas del pueblo.

Políticamente circunstanciada en la España de la Segunda República y en el debate relacionado con la reforma de la anticuada institución familiar y de la posición de la mujer en la misma, *La mercería de la Dalia Roja* (1932) resulta fundamental para profundizar en el sustrato ideológico de la producción teatral de Pilar Millán. Su tesis militantemente anti-divorcista junto con la alusión a la persecución que sufren los "verdaderos" católicos, a los que se pretende arrancar la cruz del pecho (p.63), la sitúan sin lugar a posibles dudas en el marco de las facciones políticas enfrentadas en las que se dividió trágicamente el país. Igualmente reveladora en este sentido se muestra su comedia asainetada *Las tres Marías* (1936), donde se rechazan las reivindicaciones sindicales de las operarias empleadas en la fábrica del tabaco y las nuevas leyes sobre el trabajo que está introduciendo la República. Una de sus obras menos conocidas, *La Talabartera,* es, sin embargo, tremendamente productiva para el análisis de su opinión política. La obra, ambientada en el siglo pasado, tiene como telón de fondo la persecución que el gobierno de Isabel II está dirigiendo contra los liberales. Cayetana, la protagonista, no es monárquica, sino isabelina, por la amistad y el cariño que siente hacia la persona de la reina (como lo fue la propia Pilar Millán). Su credo social se resume en la clásica idea de "para el pobre, pan y trabajo"[58]. Este pretendido apoliticismo esconde una intención política evidente, la misma que lleva a la autora a buscar la identificación del conflicto entre liberales e isabelinos con el más actual de izquierdas frente a derechas. Por encima de cualquier ideología política, Cayetana, en todo identificada con la propia Millán Astray, defiende su catolicismo militante.

Lola Ramos, autora en colaboración con Manrique Gil del drama popular *Málaga tiene la fama,* presenta en su obra un pueblo mísero, pero feliz, que no sabe lo que es la rabia o el odio[59]. Los humildes pescadores de la playa de El Palo viven conformes y tranquilos hasta que se desata la tragedia. El señorito, el dueño de las barcas, intenta comprar primero y conseguir por la fuerza después a Carmen, una joven vendedora enamorada de otro hombre de su misma condición. Afortunadamente les sorprende Rafael, el novio de Carmen, y el seductor acaba pagando con su vida los delitos de honor que lleva hasta entonces cometidos. A pesar de que el contexto en que se desarrolla la obra y su mismo argumento podrían dar lugar a una fuerte crítica social, lo cierto es que el propósito de la obra no sobrepasa el puro elogio de la belleza de la tierra y de las gentes de Málaga. La nota local se ve simplemente "aderezada" por un suceso que se entiende tan sólo desde la perspectiva pasional. Si la gente humilde se revela no es ante la injusticia, sino "cuando el amor o la honra son escarnecidos y burlados" (p.5).

Firme defensora de los valores conservadores (familia, religión y capital) se muestra la autora de *La vorágine, Alicia Davins,* obra que se califica de "drama social". El argumento del drama tiende a la más absoluta descalificación de los líderes sindicales obreros, a los que se tacha continuamente de corruptos e inmorales. Su propósito central estriba en descalificar el movimiento y advertir a los trabajadores de las funestas consecuencias que se derivan de "la vorágine", es decir, de la huelga y el conflicto laboral. Obreros y patronos son engullidos por el caos social que la huelga desata. Ahora bien, en semejante alteración del orden es siempre el trabajador el que tiene más que perder, pues las fuerzas de seguridad reprimirán el movimiento y los obreros pagarán su rebelión con la cárcel o incluso con la vida. Esta obra, escrita en 1935, refleja perfectamente la radicalización del ambiente político y social español[60].

Varias de las autoras citadas ofrecen, por otra parte, una negativa visión del progreso al identificarlo con una fuerza destructora de los auténticos valores tradicionales. Mª Josefa, la anciana cigarrera que gobierna con firme mano su familia en *Las tres Marías,* se enfrenta con Marta, la amiga y compañera de estudios de Rosalinda, por su defensa de las ideas nuevas y del "alegre" progreso que, a su juicio, van a acabar con el amor familiar[61]. La nostalgia por un pasado mejor se asocia con la tradición hispana auténtica, hoy corrompida por modas foráneas que debilitan el auténtico ser nacional:

> Josefa - (...) ¡Hijo, en aquella época las gastábamos así! Por amor se mataban los hombres y por mentarles a la madre se sacaban las tripas. Ahora te llaman ladrón en tus propias narices y te dicen que tu mamá y tu esposa son dos vampirescas, y los convidas a tomar un güisquis y después les regalas un puro (p.27).

En las obras de gran parte de las autoras más conservadoras la religión se presenta como incontestable argumento para rebatir innovaciones legales o de conducta que atentan contra las normas tradicionales. Tal es el caso de la citada comedia de Pilar Millán *La mercería de la Dalia Roja,* donde la protagonista se muestra firmemente contraria a la nueva ley de divorcio basándose en argumentos puramente religiosos. Puesto que se apoya en una verdad que ella considera irrebatible, no necesita razonar en términos políticos su postura, aunque de hecho ésta sea militantemente política.

Otra de sus obras, la comedia *Ruth la Israelita,* tiene como motivo central el tema religioso. Juan es un joven que se prepara para sacerdote. El amor le sale al encuentro y está a punto de apartarle de su vocación, pero la religión de su amada, la judía Ruth, imposibilitará todo acercamiento entre ellos, puesto que la joven no quiere abandonar la fe de sus padres. La autora parece considerar natural la barrera religiosa y no duda en presentar la fe católica como la única verdadera. Gran similitud con esta obra presenta la tragedia lírica de la catalana Josefa Rosich Cotulí titulada *Sara Leví,* que desarrolla también los amores de una judía con un cristiano, esta vez ambientados en pleno siglo XV. A diferencia de Ruth, Sara se convierte al cristianismo por amor y reniega de los suyos. De nuevo el maniqueísmo y la intransigencia religiosa se alían al tema antisemita, típicamente hispano.

Las ya citadas piezas de teatro infantil y catequético, pensadas en muchas ocasiones para ser representadas en colegios e instituciones religiosas, suponen a su vez la reafirmación de los valores tradicionales (virtudes femeninas, fundamentalmente) que se pretende deducir directamente de la doctrina católica. Algunos de los ejemplos mencionados *(La caja dotal, Por las misiones...)* constituyen obras de adoctrinamiento que propagan ideas profundamente conservadoras. A la mujer se la intenta educar en ellas para la sumisión, la resignación y la paciencia, ofreciéndoles la religión como bálsamo para soportar mejor la desgracia. Ninguna reforma o exigencia nueva se deriva, pues, de esta visión tradicional de la fe religiosa.

Curiosamente varias de las autoras que he calificado hasta el momento de "progresistas" manifiestan una apertura en relación con su visión de la condición femenina en la época que no se corresponde con una postura política similar. Entrando en el terreno de las contradicciones internas que mencioné anteriormente, produce cierta extrañeza inicial la positiva imagen que ofrece *Halma Angélico,* en su obra *La nieta de Fedra,* del patriarcalismo agrario vigente en el pueblo donde se desarrollan los dos últimos actos de la pieza[62]. La idílica convivencia que parece reinar en este apartado lugar refuerza la positiva visión que de este tipo de gobierno patriarcal parece tener la autora. El problema social se soluciona de nuevo a partir de la beneficencia y el paternalismo: " Misericordia - (...) Y que lo pasen ustedes bien, don Martín, y que Dios le premie sus obras; siempre defendiendo al pobre y amparando al desgraciado./ Martín - Es deber de rico" (p.135). Poco concuerda esta actitud con la imagen que se puede deducir de una escritora que en 1934 propone que una de sus protagonistas salga a escena desnuda *(Al margen de la ciudad).* Su defensa reiterada de la igualdad absoluta entre hombre y mujer y su ya mencionado cuestionamiento de la moral vigente (proclamando el necesario triunfo de la ética natural sobre la convención y el prejuicio) la sitúan en este aspecto en una posición ciertamente mucho más avanzada de la que su confusa visión política permite adivinar[63].

Elena Arcediano, autora de uno de los textos más claramente feministas del período *(Mujeres solas),* ofrece también una dicotomía similar entre su avanzada defensa de los derechos de la mujer y su confusa definición con respecto a la cuestión social. Aunque se recogen las amargas quejas de Salomón, habitante de la huerta valenciana que sufre una mala administración y el olvido en que la propietaria tiene a sus colonos, el tratamiento que más tarde se ofrece del citado personaje refleja una cierta indiferencia por parte de la autora en lo que se refiere a la injusticia social.

Por su parte, Pilar de Valderrama que en *El tercer mundo* presenta a una mujer víctima de un marido egoísta que la tiene abandonada y que la está conduciendo con su inconsciencia hacia la locura, fue en su vida privada una mujer con similares problemas matrimoniales que no supo librarse de sus fuertes condicionamientos ideológicos y religiosos y aceptó con resignada paciencia una larga crisis matrimonial mientras se consolaba con la platónica amistad amorosa de Antonio Machado[64]. Si bien la unión platónica con el amante que presenta en esta obra supone ya un cierto avance en relación con el puritanismo de otras autoras, lo cierto es que ante la contemplación y denuncia del mal, Valderrama no extrae las consecuencias últimas que llevarían a su remedio.

El sector reformista mantiene, por otra parte, una positiva visión del progreso. La esperanza en un mundo mejor y más justo se expresa en las obras de Mª Teresa Borragán o de Isabel Oyarzábal, por ejemplo. Esta última afirma explícitamente en el prólogo a su obra *Diálogos con el dolor:* "El progreso no puede significar esterilidad. Como fuerza y fuerza joven tenderá siempre hacia la realización de una expresión cada vez más vital de la existencia humana" (p.12). Su diálogo *La que más amó,* de una sorprendente modernidad, presenta a un hombre que se debate ante la muerte. A su lado, el sacerdote y el médico, ambos parciales, ambos incompletos, carecen de la necesaria comprensión por el dolor ajeno. Para el sacerdote, no importa el hombre, sino la voluntad de Dios. El doctor sólo desea prolongar su vida, ejercitar toda su sabiduría y aprender de paso nuevas cosas. Sólo el amor es lúcido y comprensivo. Por ello, "La que le ama" clama por una muerte digna para él, expresando con vehemencia una idea muy próxima a la que en la actualidad se debate en torno a la eutanasia pasiva[65]. Por otro lado, su concepción de la religión como exigencia máxima de justicia y verdad se aparta totalmente de la anteriomente expuesta en relación con las autoras más conservadoras. En su diálogo *El miedo* dramatiza la crucifixión de Cristo. Destaca en esta pieza la valentía de las mujeres que le acompañaron hasta el final en contraste evidente con el abandono de sus discípulos varones. Desde la cruz, Jesús anima a su madre y expone con claridad las cualidades transformadoras de su mensaje:

> "No temas Madre". Mientras aletée en tu corazón el amor al prójimo, y tu alma se estremezca ante el dolor de todos los seres humanos, el miedo no podrá albergar en ti. Ten presente esto que te digo: "El Hambre es el enemigo mortal y triunfador del miedo". Ten hambre y sed de Justicia y serás más fuerte que todos los que lleven armas contra ella. Contra los explotadores, los usureros, los que están dominados por ambiciones ruines, los falsos, los hipócritas que harán el mal amparándose en mi nombre, los usurpadores de la tierra que es patrimonio de todos (p.27).

La transmisión de códigos religiosos y morales progresistas dentro del marco de la doctrina católica se lleva a cabo también en las obras de *Halma Angélico*. Cristóbal de Castro, en su prólogo al volumen *Teatro de mujeres*, observa: "Halma Angélico es una fervorosa creyente. Y en todas y cada una de sus obras se entrecruzan matices de una ortodoxia inquebrantable y de un misticismo sofocado por el vivir moderno" (p.12). *Entre la cruz y el diablo*, por ejemplo, aunque con una cierta ingenuidad y simplismo que ya su título viene a resaltar, escenifica la entrega y el sacrificio de que una modesta comunidad de religiosas es capaz para ayudar a las jóvenes que la sociedad margina por supuestos delitos legales o morales. La idealización que se hace de la comunidad religiosa llega al máximo con el sacrificio final de una de ellas, que muere por salvar la vida de una fugada cuando ésta regresa perseguida por un mal hombre. En otra de sus obras, *La nieta de Fedra*, incluye una interesante conversación entre dos seminaristas, Lorenzo y Román, que representan dos posturas enfrentadas ante la vocación religiosa. Lorenzo considera que el sacerdote debe estar dispuesto a una entrega total y a la renuncia completa de sí mismo. Cuando cree descubrir en él la ambición de ser alguien, de triunfar, decide abandonar la carrera religiosa, al no considerarse destinado para tan alta misión. Román, con una menor fe religiosa, continua en su empeño pues considera perfectamente legítima la utilización del sacerdocio para el beneficio propio. Frente al Dios autoritario y justiciero de Román, Misericordia, una joven que quiere ser monja, defiende su imagen paternal de la divinidad.

Algunas otras escritoras moderadamente reformistas se preocupan de denunciar la corrupción del sistema político imperante, aunque en comentarios generalmente esporádicos y marginales y sin apuntar hacia propuestas de solución concretas. *A la luz de la luna*, de Mª Teresa Borragán, se abre con una discusión sostenida entre un político, un militar y un hombre recto y progresista, don Jesús, que critica a los dos estamentos citados: "Jesús - Ninguno vivís contentos... y todos estáis mal porque queréis. El oro es vuestro Dios; vuestra consejera la envidia; vuestros triunfos las derrotas de vuestros semejantes; vuestra distracción favorita, interrumpir la carrera de otros seres que marchan a su fin" (p.6). Los políticos son de nuevo atacados en su otra obra, *La voz de las sombras*, donde se les retrata en sus componendas y pactos y se critica su olvido de los problemas de aquellos que representan una vez en el poder. El valor transgresor de esta última pieza, de orden esencialmente moral, fue advertido por el público y la crítica contemporáneos, como así lo demuestran las siguientes palabras de M[anuel] M[achado]:

Doña María Teresa Borragán, excelente escritora que ya nos había inspirado grandes elogios por una labor vulgarizadora de ideas generosas y filantrópicas, lleva hoy al teatro -máxima tribuna popular- sus tendencias sanamente doctrinales en pro de lo que a ella le parece el más recio camino del bien y de la verdad, aunque sea con escándalo de la moral instituida, de los más arraigados prejuicios sociales y jurídicos, de la sentimentalidad corriente, etc., etc. *(La Libertad).*

La crítica social más comprometida se encuentra, sin embargo, en *Huelga en el puerto,* de Mª Teresa León, verdadero canto a los ideales revolucionarios marxistas. En la obra se denuncia la explotación de las obreras fabriles y de sus compañeros, los trabajadores del puerto sevillano. Al capital se le representa mediante grandes cabezas grotescas suspendidas en el aire. Una mujer del pueblo amenaza así a los ricos burgueses con una profética advertencia sobre la revolución en marcha: "La mujer del capacho - Un día todos tendréis hambre. Se acabarán las cestas grandes y los insultos. Se acabarán los amos buenos, las casas buenas. Se acabarán las amenazas..." (p.21). El poder, por su parte, utiliza matones para desarticular la huelga mediante la contratación de esquiroles, aunque sabe perfectamente que el socialismo es el futuro inevitable:

> Adame - Los esquiro... (mordiéndose la lengua)... los obreros libres hay que pagarlos caros. Sería mejor que empezásemos con los de asalto para hacer las descargas.
> Patrono Uno - Como tú quieras. Pero tenemos que proteger la producción nacional. ¿Qué sería de España sin los capitales que la imprimen vida? Yo ya sé que nuestros hijos o nuestros nietos van a encontrarse desembocados en el socialismo, pero por ahora hay que proteger, sea como sea, el libre uso de las riquezas del capitalismo individual (p.23).

La solidaridad, escarnecida y burlada en la anteriormente citada obra de *Alicia Davins,* es aquí base fundamental del movimiento revolucionario. El mensaje político, eje central de la obra, convierte a la misma en un texto útil para la propaganda que, sin embargo, no desmerece su calidad estética. El estilo telegráfico y agresivo de sus diálogos se muestra perfectamente a tono con el propósito central de la obra.

Salvo en casos tan extremos como los de *Davins* o León, predomina en los textos analizados la definición moral sobre la puramente política. La cohesión ideológica que ofrecen por lo general las autoras más conservadoras contrasta con la heterogeneidad de códigos políticos, feministas, religiosos, etc., que aparece en las obras de las escritoras más inconformistas, resultando éstos muchas veces contradictorios entre sí. No en vano su posición es bastante más incómoda puesto que se debaten por superar educación, mentalidad social, dependencia económica, etc., en el deseo de ir perfilando nuevas pautas de comportamiento femenino y diferentes normas de valoración moral. Se puede concluir, sin embargo, que se muestran más abiertas en lo que se refiere a la denuncia de la lamentable situación de la mujer en la España de su tiempo que en los aspectos ligados a la política o a la religión. Desde el tradicionalismo extremo de Elena Miniet o *Alicia Davins* hasta la postura revolucionaria de Mª Teresa León pasando por un conservadurismo moderado (el de Pilar Millán o Adelina Aparicio), por un reformismo más o menos tímido (Pilar Algora, *Halma Angélico,* Pilar de Valderrama, Elena Arcediano...) o por el radicalismo feminista de *Angélica del Diablo*, la variedad de mensajes y códigos ideológicos, políticos y morales resulta sorprendente e impide la cómoda generalización a la que estamos con frecuencia tan acostumbrados.

Teniendo en cuenta, por otro lado, el referente social reflejado en las obras de las autoras teatrales que se analizó en los tres apartados anteriores de este capítulo, se clarifican, o al menos yo así lo espero, una serie de preocupaciones temáticas y sociales que, aunque no sean exclusivas de la producción teatral femenina, sí es cierto que cobran en ésta un especial relieve cuantitativo y en muchos casos también un enfoque específico singular. Siendo diversas sus actitudes y planteamientos, no obstante, hemos tenido ocasión de comprobar que la conciencia de una nueva realidad en relación con la mujer en el ámbito doméstico, educativo, laboral y político está presente incluso en las autoras más tradicionalistas -que se esfuerzan enormemente por contrarrestar dichos cambios-. El énfasis de muchas de estas escritoras en la presentación de los problemas familiares y amorosos que padecen las españolas de estos años no impide que las más conservadoras de entre ellas asuman por lo general la visión masculina de la realidad y, repitiendo códigos aprendidos desde la infancia, se nieguen a sí mismas muchas de las posibilidades y derechos que las corrientes innovadoras del feminismo hispano reclamaban para ellas. Frente a éstas, un significativo grupo de escritoras teatrales aportan una crítica certera de la situación personal y social que viven sus contemporáneas, manifestando más o menos abiertamente su apoyo a las teorías favorables a la emancipación de la mujer.

NOTAS AL CAPÍTULO SEGUNDO

[1] Mª Francisca Vilches de Frutos, *La Generación del Nuevo Romanticismo. Estudio bibliográfico y crítico (1924-1929),* Madrid, Universidad Complutense, 1984.

[2] Un ejemplo perfecto de mujer dedicada a las estrictas "obligaciones" de la relación social es Alicia, una amiga de la familia Mendoza en *Otro beso,* de Margarita Astray Reguera (Madrid, Sociedad de Autores Españoles, 1920). Alicia es una soltera ya madura que pasa su vida recibiendo en casa o devolviendo visitas ("me debo a mis relaciones, a la vida de sociedad que toda mujer de selecta educación debe cultivar...", p.9). A partir de ahora remito al lector al catálogo de teatro impreso (apéndice II) para la consulta de las referencias bibliográficas de los textos citados. Se incluirá entre paréntesis tan sólo la página de la obra correspondiente.

[3] José Fernández del Villar, *Alfonso XII, 13.* Com. 3a. Madrid, *La Novela Teatral,* nº 306 (1922). El protagonista de la obra, el joven Perico, rechaza la frívola conducta de las jóvenes modernas que le rodean: "¡Niñas de Alfonso XIII, como usted llama, en general, a las muchachas del día, en contraposición con las de Alfonso XII, que eran las de su época! Éstas, vehementes, apasionadas, románticas y soñadoras; las otras, ligeras, vanidosas, indiferentes y frívolas. ¡No hay quien las aguante!" (Acto 3º, p. 3).

[4] Federico García Lorca, *Doña Rosita la soltera o El lenguaje de las flores,* en *Obras Completas. II,* Madrid, Aguilar, 1986, pp. 881-970, y Alejandro Casona, *La casa de los siete balcones,* Madrid, Escelicer, 1966.

[5] De igual modo, la famosa autora vuelve a plantear la oposición familiar al amor por razones de diferencia social y económica en uno de sus populares sainetes. La protagonista de *Los amores de la Nati* es una muchacha humilde que se gana la vida ejerciendo como ocasional modelo para pintores. Aunque su amor por Guillermo, hijo de una familia "hidalga" de procedencia manchega, está fuera de todo cálculo interesado, no lo ve así la madre del joven, la cual logra arrancarlo de su lado llamándole al pueblo con la noticia de una grave enfermedad. Nati consigue finalmente reunirse con Guillermo, rechazando a un viejo rico que intentó conseguirla a través de oscuras tercerías.

[6] La joven, con su título de Medicina en el bolsillo y la firme decisión de sacar adelante a su familia mediante su trabajo, no entiende que ciertos convencionalismos referentes a las clásicas reglas del cortejo "formal" sigan teniendo validez: "Rafa - Rafael, 'tu' Rafael, te dice que ha venido a esta casa como debió venir: con un previo permiso. Traído por un hombre de tu propia familia: por tu hermano Carlos. Y no llegando hasta ti sin ofrecer antes mis respetos a tu mamá. ¿No es así como cumple un caballero?/ Luci - ¿Qué nota de moral en las costumbres es esa de valerte de mi hermano?/Rafa - Un hombre de tu familia./ Luci - lo será. Así lo espero. Hoy es un mentecato. Ni sé por qué alardeas de haber visto a mi madre antes que a mí, cuando ya todo un año nos hemos visto en clase y en la calle, y aún lejos de esta tierra, sin que ella presidiera nuestro libre charlar..." (*Mujeres solas,* p. 62).

[7] La citada oposición entre los dos amores, puro el uno, pasional y destructivo el otro, articula temáticamente las comedias de la escritora gallega Margarita Astray Reguera: *Otro beso* (1920) y *Santiña* (Cop. mec, s.a.), resultando igualmente clave en el desarrollo argumental de *La princesa Riquilda,* drama histórico de Elena Macnee de Porla. Cronológicamente fuera de este estudio, la comedia de Mª Teresa Borragán, *Ilusión* (Madrid, R. Velasco, 1917), describe también los efectos aniquiladores de una oscura e innoble pasión sensual.

[8] En su prólogo al volumen antológico citado escribe De Castro: "Ella, Elena, dotada de todos los encantos del alma y de todas las gracias del cuerpo, siente su 'tragedia biológica'. Publica su vida con los demás, pero calla su vida con ella misma. Calla, y arde por dentro y se consume en el espantoso combate. El Temperamento la avasalla. 'La tragedia biológica' se cumple, inexorable, implacable" (*Teatro de mujeres,* p. 13).

[9] La expectativa masculina de frialdad y pasividad femenina ante el amor, el hecho de que el desdén avive en muchos casos el interés del hombre, se expone también, aunque desde una perspectiva más especular que crítica, en *Málaga tiene la fama,* de Lola Ramos de la Vega: "Rape - ¡Lo que zon las cozas de la vía!... ¡Y las rarezas de loz hombres!... Vemoz a una mujé enamorá jasta el güezo de nosotros, que sufre y pena, y nos queamos como zi tar coza... ¡Y lo bastante que veamos a una que nos esprezia y nos trata a la baqueta, como jaze la Coquina conmigo, pa que andemoz a gatas por zu persona!" (p. 52)

[10] Sirva de muestra un fragmento de la conversación que mantienen unas vecinas que se encuentran en la peluquería de Dolores en el sainete madrileño *El juramento de la Primorosa,* uno de los mayores éxitos tetrales de la escena madrileña de los años 20, a propósito del abandono de que una de ellas ha sido objeto por parte del señorito de turno: "Celes -¡Ni una palabra de cariño! Nada, nada... ¡Qué frío me entró en el corazón!/ Leo- Anda, mátate por ellos. Pierde tu honra, destroza tu vida, y después te largan un puntapié donde se clava el alfiler a la muñequita de cera pa que te toque la lotería (...)./ Paloma - Tantas fatigas que pasa por ti Pepe, el Flamenco, y a ése ni lo miras./ Celes - Ties razón que te sobra. ¡Tan rebueno que es! Pero estaba ciega. Sólo tenía ojos pa ese ingrato. Claro, al ver que sólo le daba palabrería y finos modales, hizo la del humo.../ Leo - ¡Ah!, ¿pero saliste sana y salva de la quema?/ Celes - Os lo juro por mi madre./ Leo - Entonces, anda y que lo zurzan a ese tío desaborío" (p. 63).

[11] En la obra adaptada a la escena española por *Magda Donato, Aquella noche,* se encuentra la misma crítica a la común aceptación de un pasado sentimental que se aprueba para el hombre y se condena en la mujer. Marita, después de haber mantenido relaciones íntimas con el famoso actor Balkany, rechaza sus proposiciones de matrimonio al comprobar que él no es el hombre que ella creyó conocer en un principio: "Jefe [de policía] - ¿De modo que quería casarse con usted? ¿Y usted era la que no quería?/ Marita - No; no quería encadenar mi vida a la suya./ Carlota [madre de Marita] - Pero, Marita: después de lo que había pasado, ¿pensabas que algún día podrías casarte con otro hombre..., engañarle?/ Marita - Ya, ya sé que eso no pueden hacerlo más que los hombres./ Lovasdy [su padre] - (Indignado) ¿Qué dices? ¿Quién te ha metido esas ideas en la cabeza?/ Marita - (Sarcástica) Pero, papá, te aseguro que muchas de las chicas de hoy piensan lo mismo" (p. 90).

[12] Uno de los diálogos que la autora publicó durante la posguerra, estando ya en el exilio, bajo este título, el diálogo *La que más amó,* fue representado el 20 de marzo de 1926 por la compañía "El Mirlo Blanco" en el teatro de los Baroja. La obrita se anunció con el título *Diálogo con el dolor.* Véase Isabel [Oyarzábal] de Palencia, *Diálogos con el dolor,* México, Editorial Leyenda, s.a. (1944).

[13] "Colombina - ¿Una divinidad? ¿Soy yo la única? ¿Puedes jurarme que soy yo tu primer amor?/ Pierrot - (Vacilando) Sí... No... ¡Sí, Colombina! Recibe mi corazón, brasa ardiente de un incensario ante tu hermosura; recíbelo con todo su amor y con todas sus cobardías. (Se queda pensativo) ¡Pobre Margot!... ¡Sí!... Hay una diferencia: entonces era amado, y ahora soy amante. Balanza del amor ¿por qué tus platillos de oro han de oscilar siempre con eterno desacuerdo?... ¡Fuera dudas!" (*El taller de Pierrot,* pp. 173-174).

[14] Cristóbal de Castro (ed.), *Teatro de mujeres,* pp. 13-14: "Pilar de Valderrama, que con su volumen de poesías *Huerto cerrado* reveló una sensibilidad profunda y una delicadeza espiritual señoril, nos ofrece, con su comedia *El tercer mundo,* una inquietud 'sentimental, sensible, sensitiva', también hondo problema de Amor y también fatal corolario de la 'tragedia biológica de la mujer'".

[15] La puesta en cuestión de la norma social queda explícitamente planteada en el tercer acto, cuando Marta, ya habitante del poético tercer mundo, contempla la fuga de dos jóvenes que se aman e interroga a la MUJER: "Marta - ¿No os dejan amaros?/ Mujer - No; ¡cuando para amar vivimos!/ (Impetuosa) Y libres queremos ser,/ libres queremos sentirnos/ para que este amor tan nuestro/ pueda sin trabas vivir,/ pueda existir sin prejuicios/ que hagan de él, tan bello y grande,/ algo deforme y mezquino./ Y lo quieren limitar/ y regir, y aprisionar,/ ¡Como si admitiera leyes/ el corazón y el espíritu" (*El tercer mundo,* p. 128).

[16] Juan O. Valencia, en su artículo "Unión platónica de Machado y Guiomar en *El tercer mundo" (Estreno,* X [1984], 2, pp. 41-42) afirma que la obra se basa en la experiencia personal vivida por Pilar de Valderrama con Machado, configurándose a partir de un código de comunicación secreto que ambos compartían. Coincide Valencia con mi interpretación del desenlace como forma no rupturista de subvertir el orden social establecido en torno al amor (p. 42). Por su parte José María Moreiro, en su libro *Guiomar, un amor imposible de Machado* (Madrid, Espasa Calpe, 1982), atribuye al propio Antonio Machado lo que él afirma ser el tema central de la obra, la voluntad creadora, en una línea que le sugiere posibles influencias de Nietzsche o Schopenhauer (p. 41). Marta y Héctor serían así una suerte de *alter-ego* de Pilar y Antonio Machado, respectivamente.

[17] Una espléndida parodia de esta extendida costumbre del enlace acordado por la familia sin contar con la verdadera inclinación de los jóvenes implicados se encuentra en uno de los mayores éxitos de la temporada 1920-1921, *¡No te ofendas, Beatriz...!* (23-VII-1920), comedia en la que Javier y Beatriz deciden no enfrentarse a sus respectivos padres y simular un mutuo amor que les permita continuar en secreto las relaciones que en realidad les interesan a ambos. Finalmente, la total sinceridad que impregna su relación les conducirá al verdadero amor. Vid. Carlos Arniches y J. Abati, *¡No te ofendas, Beatriz...!*, Com. 3a. Madrid, *El Teatro Moderno*, nº 48 (18-VIII-1926).

[18] Durante la fiesta del último acto de la comedia *El eterno modernismo*, de Elena Miniet, se muestra abiertamente el desprecio que siente la nobleza por el burgués enriquecido, al que se soporta sin embargo por su dinero, algo que a menudo escaseaba en las familias de título.

[19] La escena en que el señor Curtado discute con el padre de Paquita la cuantía con que ambos piensan dotar a sus hijos, plasma perfectamente el aspecto "comercial" del trato matrimonial tal y como se concebía en la época entre las clases acomodadas.

[20] "Ventura - (...) Cuando me canse de estar soltera, me buscaré yo solita al hombre que crea me puede hacer feliz. Un hombre que sepa ganarse la vida... No un tonto" (*La díscola*, pp. 9-10).

[21] El ascenso social del negociante con éxito –esta vez un hombre– tiene también negativas consecuencias familiares en *Los lagarteranos*, de Luis de Vargas (9-09-1927), éxito comercial de la temporada que describe los problemas de Fernando Orejas, dueño de una boyante repostería, para controlar a dos de sus hijos, más interesados en desclasarse definitivamente mediante un buen matrimonio que en el negocio familiar (*La Farsa*, nº 11 [26-XI-1927]).

[22] En *Así son todas*, monólogo de cómica intencionalidad de la actriz y escritora Irene López Heredia, encontramos sin embargo la denuncia explícita de este hecho: "Sí, ya sé que el hombre es libre, y que puede hacer lo que quiera. Pero vamos a ver, ¿es esto lógico? Por qué no hemos de tener la misma libertad las mujeres? Porque es una barbaridad lo del matrimonio. La ley del embudo. ¿Por qué, si tú vas con tus amigos formales a comer por la noche, no voy a poder ir yo con mis amigas formales a comer también?... Porque es una barbaridad... No te alarmes, no soy yo sola la que piensa así" (pp. 7-8).

[23] La doncella personal de Guillermina, Mme. Crer, se hace eco de la opinión que los amigos de la casa tienen acerca del problema del matrimonio: "¡Si Dios quisiera conceder a los señores marqueses un bebé...! El señor marqués tornaría a su formalidad. Yo lo espero..." (*Marquesa de Cairsan*, p.25).

[24] La última de las decepciones de Julia se produce cuando se da cuenta de que su marido ya no confía en ella, que ya no les queda ni la vieja camaradería intelectual que un día los unió: "Julia - (Con amargura) ¡¡Pruebas!!... En mi corazón está el índice de todas tus faltas..., el nombre de todas las mujeres, que has escanciado por capricho... Sabe mi dolor, de tu flirt galante... de tu aventura escandalosa, y, amándote, te he defendido de mí misma, ha soportado mi dignidad tu desaire, sostenida en una sola ilusión: No encontrar rivalidad en tu intelecto... Posaba mis ideas en las tuyas, y hallaba siempre el único amor que me quedaba!!... ¡¡Este amor era tu fe, Agustín!!... ¡¡Tu confianza era mi orgullo!!..." (*Sin gloria y sin amor*, p. 77).

[25] María Martínez Sierra, *Gregorio y yo. Medio siglo de colaboración*, p. 47.

[26] La posibilidad de una relación femenina adúltera, de una fuga incluso, permanece latente como tema de fondo durante buena parte de la obra en la comedia *El pájaro negro*, de Elena Miniet.

[27] "Rafael - (Radiante) ¡Pero la nueva ley, con los motivos que tiene, le da derecho a divorciarse y a casarse con otro!/ María - A divorciarme, sí; pero a casarme con otro viviendo mi primer marido, no, porque mis creencias no me lo permiten" (*La mercería de la Dalia Roja*, p. 38).

[28] Un ejemplo meridiano de la fuerza transformadora de la maternidad, capaz de madurar a la joven más frívola, puede verse en el éxito de Serafín y Joaquín Álvarez Quintero, *Tambor y cascabel* (23-11-1927). Juanina, la caprichosa y alocada protagonista, tranquiliza a su marido nada más saberse embarazada con estas palabras: "Juanina - Descuida. Hay algo en mí que me lo manda; que tiene más poder que todo. Y no es nada aún... pero ya siento su aleteo. Es un no sé qué que veo que me transforma muy hondo, muy claro..." (*Tambor y cascabel*, Madrid, Imprenta Clásica Española, 1927, p. 98).

[29] "Espectáculos, informaciones y noticias", *ABC*, 10-12-1918, p. 20. Las referencias completas de las autocríticas, entrevistas y reseñas de estreno se citarán desde ahora de forma abrevia-

da con el título de la publicación colocado entre paréntesis. Las referencias bibliográficas completas de las mismas pueden encontrarse en el apéndice documental correspondiente al teatro representado (Apéndice I).

[30] Un trágico día en que el padre se ha ido con ambos a la montaña se desata una terrible tormenta de nieve. La madre, que no puede contener la angustia que siente al pensar en su pobre hijo en medio del frío, confiesa la verdad: "Aquel hijo que aguardé tres años, de rodillas a la vera del altar y de la fuente, aquel hijo que había de servir de orgullo a Andrés y me iba a vengar para siempre de 'la otra'... es Jesús, ¿sabes?... Es Jesús, el niño maltrecho y ruin, ese que vale poco, ese a quien llamáis con desdeño el jayón..." (El Jayón, p. 57).

[31] Davins pretende llamar la atención a las madres obreras del peligro que acecha a sus hijos si, olvidando sus "cristianas" enseñanzas, siguen a los líderes sindicales. De este modo se pretende hacer de la madre de familia firme bastión del tradicionalismo católico que se oponga a toda fuerza de progreso.

[32] "Yerma - (...) Cada mujer tiene sangre para cuatro o cinco hijos, y cuando no los tiene se les vuelve veneno, como me va a pasar a mí" (Federico García Lorca, Yerma, en Obras Completas, II, p. 813). Sobre el debate entre la lectura de Yerma como tragedia de la mujer infecundada y la interpretación de la obra como drama de la mujer estéril, vid. Francisco Ruiz Ramón, Historia del Teatro Español. S. XX, Madrid, Cátedra, 1975, pp. 200-204.

[33] Tal es el caso de Elena en la citada comedia Al margen de la ciudad: "Elena - [refiriéndose al hijo de Alidra] Sí. Ese hijo que puede venir a la vida es mío... Quiero cuidarle desde su primer latir y ya en la persona de su madre... ¿No comprendes? ¡Es el hijo que, a gritos, mis entrañas, no fecundadas, te hubieran pedido en limosna de cariño!" (p. 83).

[34] Un funcionario del censo la insulta así en su propia casa: "El hombre - (Brutal y grosero) ¡Ah, vamos; ya! ¡Tanto circunloquio para venir a esto! ¡Claro, como debajo del cabeza hay una hija de diez y ocho años, se quiso disimular la S! ¡Comprendido! ¡Más vergüenza es lo que hacía falta!... ¡Se lleva uno cada chasco!" (La nieta de Fedra, pp. 44-45).

[35] La actitud de rechazo social que padece el hijo sin padre aparece también reflejada en El secreto de Julia, de Adelina Aparicio y Ossorio, y en Dios los cría, de Mª Luisa Madrona.

[36] En la comedia de Berr y Verneuil, Mi mujer es un gran hombre (Trad. de José Juan Cadenas y Enrique F. Gutiérrez Roig. La Farsa, nº 2 [8-10-1927]), Colette Colbert es una ilustre abogada que renuncia temporalmente a su bufete para dedicarse a su marido y a ser "sólo mujer". Resulta muy novedoso su desenlace, ya que su esposo la impulsa de nuevo a volver al trabajo al darse cuenta de que, desocupada y libre, es fácil presa para la aventura galante que la aleja de él. Por su parte Eduardo Haro, autor de Las doctoras, ofrece la solución más tradicional al hacer que su protagonista, la doctora Mª Teresa, deje su profesión para dedicarse íntegramente a Fernando, el padre de su hijo ("Mª Teresa - La vida moderna rompe las cadenas que esclavizan a la mujer. Todos los caminos de la vida deben ser accesibles para ella. Esposa, madre, doctora. ¿Por qué no?/ Fernando - Yo sólo te quiero mi mujer. Pero veo que prefieres tus triunfos de abogado"; Madrid, La Farsa, nº 208 [5-09-1931], p. 15).

[37] "María - (...) Quiero que seáis modosas y bien educadas, que olvidéis palabras feas y ademanes groseros, y después, cuando pasen los años, os acordaréis de la señorita Mari Carmen que os acogió como unas hijitas grandes y os enseñó a ser buenas y honestas" (La mercería de la Dalia Roja, p. 59).

[38] "Duque - Convertir a las mujeres en eruditas antipáticas haciéndoles perder su feminidad; la mujer ha nacido para cuidar sus hijos, su marido, su hogar. ¡No puedo ver a las mujeres sabias!/ Cabeza - ¡Ahora impone la vida, señor duque, que las mujeres sepan ganarse el pan! Porque es el mundo tan distinto de hace treinta años, en que sólo aprendían las señoritas a cantar al piano (...)./ Duque - Pero hay oficios propios para la mujer./ Josefa - Que los matan las máquinas que inventan los hombres, y como para sanar enfermos no hay más inventor que Dios, (...), médica haremos a la chica (...)./ Duque - ¡Qué lástima que una criatura tan linda la conviertan ustedes en una insoportable bachillera!" (Las tres Marías, p. 58).

[39] Mª Rosa, la figura central del boceto de comedia Dios los cría, de Mª Luisa Madrona, tiene que enfrentarse también con la trivialización que hace su familia adoptiva de sus inquietudes culturales y artísticas: "Mari-Rosa - No sé, vengo a buscar trabajo./ D. Casimiro - ¡Trabajo! ¡Cualquiera que te oiga!... Es que ésta es literata y quiere hacer novelotes y escribir en periódicos, ¡qué sé yo! ¡Como si eso fuera hacer algo!..." (p. 19).

⁴⁰ La obra se cierra con un durísimo monólogo de la protagonista, que acaba de prostituir-se por primera vez: "Tengo dieciséis años, una educación demasiado elevada, y un concepto de la vida altamente digno; pero con las ásperas y violentas luchas que me esperan, a los die-ciocho años ya creo que no seré lo que soy ahora, sino lo que debo ser. Es decir, lo que la sociedad quiere que sea. Una indecente golfa, sin pizca de vergüenza ni concepto de la digni-dad. Una bestezuela inconsciente que se ofrece a dar gusto a los distinguidos cerdos con dos patas que la soliciten" (*Una romántica,* p. 47).

⁴¹ Ángeles, la madre de la recientemente titulada doctora, se lamenta ante su hija del enga-ño de su administrador, que les ha llevado a la ruina: "Ángeles - Soy mujer... Dejé la hacienda en manos del administrador, de los arrendadores... Y todos abusaron. Compréndelo, mi Luci. ¡Somos mujeres solas!.../ Luci - (...) ¿Y qué importa? No llores, madre mía. Estoy yo aquí, a tu lado. Tengo armas ahora, que antes no tenía" (*Mujeres solas,* p. 33).

⁴² Apareció publicada como "Apropósito para una fiesta de obreros". Fue estrenada en el Teatro Liceo, de Salamanca, el 2 de octubre de 1920.

⁴³ Una intencionalidad igualmente proselitista caracteriza las dos obras de Gabriela García *Que madre nuestra es...,* colección de ofrecimientos, diálogos y despedidas para el mes de las flores (Madrid, Nueva Librería Católica, 1918) y *A Jesús por María. Teatro moral,* colección de diálogos para ofrecer las niñas la Primera Comunión (Madrid-Barcelona, Bruno del Amo-Libre-ría Salesiana, 1925). Los valores que fundamentalmente se pretende inculcar con ellas son la pureza y la caridad, virtudes consideradas como esenciales para una mujer cristiana.

⁴⁴ Mª del Pilar Contreras y Carolina de Soto y Corro, *Teatro para niños.* Diálogos, monólo-gos, comedias, apropósitos y revistas, en un acto, en prosa y verso, para escuelas, colegios y salones. Madrid, Impr. de Antonio Álvarez, 1910-1917, 6 vols. Una segunda edición del tomo VI fue publicada en 1918 - vid. apéndice II-.

⁴⁵ "Margarita - Vivir en una casita más humilde, sin lujos ni amistades que no podamos soportar. Yo puedo irme de institutriz a cualquier sitio, a Luisa la metemos en el colegio y Anita y tú.../ Remedios- (...) Calla, por Dios, calla./ Margarita - Es de la única manera que podemos pagar algo de lo que debemos; pero si no quieres trabajaremos en casa lo que poda-mos, que no es ninguna deshonra./ Remedios - ¿Trabajar mis hijas?... (Se cubre el rostro con las manos) ¡Dios mío, Dios mío!..." (*A la luz de la luna,* p. 18).

⁴⁶ Max Frantel, "Pilar Millán Astray romancière et dramaturge espagnole confie à 'Comoe-dia' sa tendresse pour Paris", *Comoedia* (26-05-3?). La fecha resulta ilegible. El recorte de pren-sa pertenece al dossier de críticas sobre teatro español de la Colección Rondel (Biblioteca del Arsenal), donde también se encuentran las reseñas de estreno de algunas de sus obras más conocidas.

⁴⁷ La autora, de acuerdo con su propia definición ideológica, presenta en este caso una cigarrera contraria a cualquier clase de conflicto sindical: "Josefa - ¿Pero que les dieron el aumento de jornal que pedían?/ Tomasa - Sí, señora.../ Josefa - Pues entonces, ¿qué centellas quieren ahora?/ Tomasa - Eso de la semana inglesa./ (...) Josefa - Que no me da la gana que provoquen la huelga. ¡Eso na más! ¡Mira que cigarreras españolas con costumbres inglesas!" (*Las tres Marías,* p. 75).

⁴⁸ "Raimunda - Esos cargos no los puede desempeñar porque no sabe de cuentas ni casi de letra; pero para probar zapatos poca ciencia se necesita" (*Los amores de la Nati,* p. 10).

⁴⁹ Margarita Nelken, *La condición social de la mujer en España,* p. 187.

⁵⁰ Un amigo del matrimonio le aconseja a Julia que intente rehacer su vida volviendo a retomar su antigua profesión: "D. Fernando - (...) Yo, qué quieres, hasta te aconsejaría que, después de vueltos a la normalidad, en amplia independencia los dos, volvieras tú a trabajar de nuevo..., a escribir, y quién sabe si esto podría compensar en parte.../ Julia - (Con seguridad y desencanto) ¡¡Eso no puede ser..., es imposible ya, don Fernando!! (...) Comprenda, que habiendo fracasado Agustín, intentar yo de nuevo triunfar, era dejarle a él en el mayor ridículo y vacío... Hasta parecería por mi parte una venganza... (Magnánima) ¡¡Me resignaré a vivir SIN GLORIA Y SIN AMOR" (*Sin gloria y sin amor,* pp. 97-98).

⁵¹ La obra de los valencianos Conchita e Ignacio Ruiz (padre e hija) titulada *Alma valencia-na* (1926) tiene también como telón de fondo la guerra de Marruecos, si bien se aparta total-mente del planteamiento pacifista citado.

[52] Elena es la única persona que ha intentado ayudar a Alidra, la joven huérfana a la que la sociedad ignoró desde su infancia: "Alidra [a Tomás] - Los que eran como tú, son los que nunca dieron importancia ni tuvieron nada que enseñar a una chiquilla del camino: sin casa, sin escuela, sin hogar, sin padres (...) ¡Bah, una mujer para el mañana!... ¿Qué vale una mujer para el mañana, habiendo tantas?... Dejadla rodar (...) Muchas ideas y buenos propósitos me acompañan... Los debo a Elena. A otra mujer, que fue buena para mí..." (*Al margen de la ciudad,* p. 76).

[53] "Político - ¡Qué saben ustedes las mujeres de estas cosas!/ Jesús - ¡Vaya! La contestación sacramental. Pues lo mismo que los hombres. Lo que se las enseña (sic), con la sola diferencia de que ellas tienen más cordura para ejecutarlo porque no las ciegan tanto las pasiones./ Margarita - (...) Gracias, padrino. Si tuviéramos muchos que nos defendiesen como usted, estaba ganada nuestra causa./ Jesús - Vuestra causa se defiende por sí sola; lo que la hace falta (sic) es justicia; pero esa no la busquéis./ Margarita - ¿Por qué?/ Jesús - (...) Porque os la han de hacer los hombres, y no saben o no quieren hacerla" (*A la luz de la luna,* pp. 6-7).

[54] Una obra anterior de la autora, la comedia en 3 actos titulada *Ilusión* (Madrid, R. Velasco, 1917), nos permitirá comprender mejor el progresismo emancipista de esta autora. Amalia, la protagonista, da la razón al párroco, que la estima porque ve en ella una "revolucionaria de las ideas de este pueblo", a lo que ella replica: "Amalia - Soy una mujer que no puede resignarse a ser tan ignorante como sus abuelas, ni a ser esclava de un hombre porque ellas lo fueron. ¿Es quizá el progreso para la mujer una palabra vana sin fuerza para redimirla? ¡Triste privilegio el de haber nacido mujeres y madres de los hombres para ser por ellos postergadas!" (p. 12).

[55] Mamie Salva Patterson, *Woman-victim in the Theater of Spanish Women Playwrights of the Twentieth Century,* University of Kentucky - Dissertation, UMI, 1980.

[56] Coincide con esta obra la pieza de Margarita Astray Reguera titulada *Santiña,* que ofrece, junto con su negativa visión del progreso, una dura crítica dirigida contra la mujer moderna de la ciudad, opuesta a la tradicional muchacha que encarna los valores "de siempre" y que habita en el campo. Véase Margarita Astray Reguera, *Santiña.* Comedia 3 actos. Cop. mec., s.l., s.a. (El texto mecanografiado de esta obra se encuentra en el Institut del Teatre, de Barcelona. Aunque sin fecha, pertenece presumiblemente a este mismo período).

[57] "D. Alvaro - (...) Yo encuentro mal en ti todas esas ridiculeces modernas porque te quiero como a una hija; y dime, criatura, ¿crees tú bonito, elegante, el llevar la falda por la rodilla, o más arriba, que hay de todo en la viña del Señor; el sentarte muy a la 'néglige', cruzando las piernas como un muchacho, teniendo entre los dedos un cigarrillo, que acabaréis el día menos pensado sustituyéndolo por un puro, y el beberos un whiskey, o lo que sea, con la misma facilidad que un marinero? ¡Vamos! Es absurdo, absurdo" (*El eterno modernismo,* p. 11).

[58] La postura política defendida se expresa a la perfección en uno de los cantables que Javier de Burgos compuso para la obra: "Eufrasia - Yo quiero pa este pueblo/ pobre y hambriento/ una bandera roja/ como un pimiento./ Yo quiero en esta tierra,/ que a cera huele,/ que al que tenga dos riales/ se le encarcele;/ y que a mí en su riqueza/ parte me den;/ porque unido a lo mío,/ viviré bien./ Cayetana - (...) yo quiero pa este pueblo/ paz y trabajo/ que es la única riqueza/ del que está abajo;/ que fe y amor y abrigo/ tengamos tóos;/ y que al morir, consigo/ nos lleve Dios" (*La Talabartera,* Cantable nº 5, pp. 2-3).

[59] En un alarde de populismo flagrante, los autores le dedican la obra desde el prólogo: "Pintamos a ese pueblo humilde, trabajador y sufrido que (...) pasa la vida entera haciendo frente al levante (...) y sobre montes de espuma tiende las redes de sus copos para traer en ellos esa carne de plata que lo mismo alegra al hogar pobre que al rico (...). En los personajes manda siempre el corazón. ¿No es todo corazón el pueblo?" (*Málaga tiene la fama...,* pp. 4-5).

[60] En ella se encuentran incluso claras alusiones a las famosas dos Españas: "Juan - (...) volveré más ilustrado/ y tal vez vea las cosas.../ Teresa - Las verás del otro lado,/ del lado que te conviene,/ que es paz, orden y trabajo,/ sentimientos que se inspiran/ en todo buen cristiano" (*La vorágine,* p. 131).

[61] "Marta - ¡Esto es saber querer, señoras!/ Josefa - ¡Y esto también lo enterrarás con tu progreso! ¡Ya lo verás, chiquilla!" (*Las tres Marías,* p. 21).

[62] El hacendado que rige de hecho los destinos de sus habitantes, Martín Conde, es un hombre justo y generoso que lo mismo imparte una peculiar justicia salomónica que conforta al desvalido con su ayuda económica y espiritual. A él acuden los vecinos del pueblo cuando algún conflicto los divide.

[63] Otro aspecto que viene a complicar el perfil ideológico de *Halma Angélico,* escritora que estuvo afiliada al sindicato anarquista C.N.T. hasta 1938, es su defensa militante de la fe católica y de las órdenes religiosas que luchan por ayudar a la mujer en la obra *Entre la cruz y el diablo.* Con todo, la fe religiosa es para ella servicio al prójimo, nunca condena moral, puesto que las mujeres que pecan y que son acogidas en el convento donde se desarrolla la trama son presentadas como víctimas dignas de compasión, sin condenas ni reproches.

[64] José Mª Moreiro, *Guiomar, un amor imposible de Machado,* Madrid, Espasa-Calpe, 1982. Este autor sostiene que ambos se conocieron cuando Pilar de Valderrama se refugió en un hotel segoviano para superar la profunda crisis matrimonial que había destrozado sus nervios. Al parecer, ella supo entonces (1928) que su marido había tenido una amante, la cual acababa de suicidarse. Pese a tan gran decepción, sus firmes creencias religiosas y su educación conservadora le impidieron aceptar el amor de Machado en otro plano que no fuera el de una unión de almas en el mundo del pensamiento. En relación con sus ideas políticas, Moreiro contrapone el republicanismo de Machado con las ideas antirrepublicanas de Valderrama.

[65] "La que le ama - (...) No es justo que él padezca para que los demás se beneficien ni en nombre de la Ciencia queráis lograr un éxito a costa suya. El conocimiento en el terreno de la medicina, cuando se ha perdido toda fe en el alivio de un mal debe de emplearse para evitar sufrimientos y no para poner un cerco al lecho de un moribundo e impedir que huya" (*La que más amó,* p. 37).

CAPÍTULO TERCERO

LAS ESCRITORAS TEATRALES Y LAS MODALIDADES DRAMÁTICAS: DRAMAS Y TRAGEDIAS

Muchos fueron los géneros que cultivaron las autoras teatrales de los años 20 y 30, destacando el absoluto predominio cuantitativo de la comedia, seguida por el sainete y las piezas de teatro infantil. Bastante más atrás quedó el género dramático, en su doble modalidad de dramas y tragedias. Las obras líricas (revistas, zarzuelas, operetas, sketchs, etc.) tuvieron menos aceptación entre las autoras que entre sus colegas masculinos, pero salvo esta excepción notable, la presencia relativa de los distintos géneros en el corpus analizado es similar a la que se constata en el período en su conjunto[1].

Retomando la definición aristotélica de "tragedia"[2], Patrice Pavis ofrece como rasgo fundamental del género el que la obra trágica "representa una acción humana funesta, que a menudo termina con una muerte"[3]. Claro que la muerte puede aparecer, de acuerdo con las obras revisadas, de forma indistinta en el desenlace de dramas (*El Jayón, La vorágine, Los prisioneros del espacio, La princesa Riquilda...*) o tragedias (*La voz de las sombras, Sara Levy*). De hecho, tan sólo tres de los dramas consultados evitan esta constante: *Una romántica* (el drama radica en este caso en el proceso de corrupción de una víctima inocente, que acaba prostituyéndose); *El amo* (cuyo desenlace supone un final positivo que alivia el tenso desarrollo de la acción durante la obra), y *Berta* (la protagonista es descubierta en su terrible pasión incestuosa y repudiada con odio por su legítimo cónyuge). Por lo tanto, no podrá ser la muerte el criterio diferenciador de dramas y tragedias, más ligado a la suerte futura de los personajes presentados como ejes positivos de la acción en cada caso.

Las escritoras de teatro no resultaron ajenas al general rechazo del público por las formas dramáticas y trágicas en la escena de los años 20 y 30, orientada predominantemente hacia las diferentes modalidades de lo cómico. En su estudio sobre el teatro representado en Madrid entre 1918 y 1926, Dougherty y Vilches constatan la enorme dificultad del género dramático para alcanzar el éxito: "Raro era el drama (...) que llegó a las cien representaciones y en las pocas excepciones registradas, el éxito se debía principalmente a sus conexiones con otros géneros dramáticos o a la vigencia del popularismo"[4]. Si escasa es la nómina de dramas de autora publicados en estos años, la situación es todavía más sangrante en lo que respecta al género trágico. Tan sólo se han localizado diez títulos publicados entre 1918 y 1936 con el calificativo genérico de "drama". De entre ellos, destaca la presencia de un relativamente importante grupo de dramas históricos, junto con la anecdótica presentación de un "drama social" y otro "drama popular"[5]. En el marco del drama representado se inscriben doce títulos, entre los que se cuentan cinco traducciones y una adaptación[6]. Tres autoras publicaron "tragedias" en estos mismos años: Mercedes Ballesteros (*Tienda de nieve*), Mª Teresa Borragán (*La voz de las sombras*) y Josefa Rosich Cotulí (*Sara Levy*), las dos últimas representadas pero en el ámbito minoritario del teatro de arte (la pieza de Borragán) o de la representación local de aficionados (*Sara Levy*). Aunque sigue predominando la obra en tres actos, destaca una mayor variedad estructural en dramas y tragedias que la observada en el caso de comedias, sainetes y juguetes cómicos (piezas en uno, dos y cuatro actos, obras divididas en varios cuadros, otras con prólogos o epílogos, etc.).

A pesar de una atención tan generalizada y mayoritaria por parte de las escritoras hacia las variedades cómicas, es sin embargo en el género "serio" en el que se inscriben las obras más innovadoras e interesantes del conjunto. Se incluyen en este grupo dramas temáticamente renovadores como los de Mª Teresa Borragán (*La voz de las sombras*) y Halma Angélico (*La nieta de Fedra*), que plantean desde una perspectiva feminista temas y argumentos, y piezas vanguardistas como *Huelga en el puerto*, de Mª Teresa León, o *Tienda de nieve*, de Mercedes Ballesteros, que participan en el gran esfuerzo que llevaban a cabo durante estas dos décadas ciertas minorías intelectuales y artísticas en pro de la renovación de la escena española convencional, aparentemente muy alejada de los "ismos" que recorrieron la Europa del primer tercio de siglo.

3.1. DEL DRAMA RURAL AL DRAMA HISTÓRICO

El drama de ambiente rural: Concha Espina, Mª Teresa Borragán y Halma Angélico

Cronológicamente primera dentro del grupo esbozado más arriba y uno de los raros casos en que público y crítica parecieron coincidir un tanto, el drama de Concha Espina *El Jayón* (1918) surge como una adaptación al teatro de una obra aparecida previamente como novela en la colección *La novela corta* (1916)[7]. El citado drama fue galardonado con el prestigioso premio "Espinosa Cortina", concedido por la Real Academia Española de la Lengua, con lo que no pudo ser mayor el reconocimiento de la intelectualidad "oficial" a esta primera creación de Concha Espina para el teatro[8]. Prueba de la favorable acogida general que tuvo la obra fue la excelente venta de ejemplares que obligó a reeditarla hasta cuatro veces en pocos años, pese a haberse mantenido muy poco tiempo en cartel, como veremos[9]. La afamada novelista escribió ya con posterioridad a la guerra otras tres obras más que no llegarían a ser representadas[10]. Sin embargo, en una entrevista concedida al periódico *Heraldo de Madrid* en 1926, Concha Espina se declaraba bastante remisa frente al género teatral, del que le molestaban especialmente las inevitables gestiones subsiguientes a la escritura con objeto de "colocar" la obra en los escenarios. Para ella el teatro fue un "descanso" en medio de la ardua tarea novelística, como no dudó en confesar al periodista José Luis Salado. A pesar de que la narrativa fuera su principal dedicación, le preocupaba sin duda la escena española, que consideraba atrasada con respecto a lo que se estaba haciendo fuera, y planeaba hacer ella misma un teatro "con ideas y sin chabacanería", rechazando para sus futuras piezas al público frívolo predominante en los teatros[11].

El Jayón es, quizá, uno de los dramas más cercanos a la tragedia de los aquí estudiados, puesto que cobra en él especial importancia la fuerza omnímoda del destino. Su propia autora aludía en la autocrítica publicada en *La Tribuna* previamente a su estreno al "*karma que se cumple*" en medio de un ambiente rústico, como veremos mucho más frecuente en este género que en la comedia o el sainete. Un espacio rural, más de nueve años de tiempo dramático y una acción que "se muestra" principalmente en el tercer acto, frente al carácter predominantemente rememorativo del primero y del segundo (el más largo), caracterizan un drama escrito con un estilo primoroso en el que la autora combina a la perfección esa lacónica expresión propia del campesino con el ocasional desahogo lírico de unos personajes sensibles a la naturaleza y víctimas de fatales designios.

El primer acto, estructurado en cinco escenas, se inicia en un escenario exterior, el portal rústico que abre la casa del matrimonio formado por Marcela y Andrés al paisaje agreste santanderino. Casa y campo unidos, vida familiar y fenómenos meteorológicos ligados en los momentos de máxima tensión, como en la terrible espera en medio de la tormenta durante el segundo acto. El segundo escenario descrito, antes de iniciarse el tercer acto, sitúa la acción en el interior de la casa: "Una cocina montañesa con el llar en el suelo, gran campana, espetera brillante (...), colmada botijera y bancos rústicos de nogal" (p.83). Como en las acotaciones que encabezan los dos actos anteriores, una indicación sobre la hora del día y la luz que en consecuencia invade la escena termina con la citada nota de ambiente[12]. Sin duda, el primitivismo del medio rural permite plasmar pasiones e instintos en su más pura expresión, utilizando la naturaleza como reflejo directo del sentir de los personajes. Localizada su acción en la región santanderina, tierra natal de la escritora, destaca en la obra una sobria ambientación regional, que queda en un segundo lugar frente al carácter universalmente humano de las pasiones descritas (ansias de maternidad, amor, celos...)[13]. Contribuye igualmente a la ambientación local el empleo de un vocabulario rústico y popular en la descripción de usos y costumbres del país: "Carmen y Flora llevan, debajo del brazo y en la mano, botijos de barro al uso del país. Cándido, en mangas de camisa, con el dalle al hombro y la colodra en la cintura, llega detrás de las mozas" (p.13)[14]. El lenguaje, bellamente poético, combina con perfecta naturalidad las imágenes líricas y el rústico arcaicismo del habla campesina del Norte[15]. Destacan por su bello estilo poético los conmovedores parlamentos de la protagonista en los dos últimos actos. Su estado de ánimo sintoniza en todo momento con el entorno natural que la circunda (el crepúsculo del triste rememorar, la tormenta de la angustia y el miedo, el llanto de las dos mujeres acompasado con el ruido de la riada que baja del monte...):

> Marcela - (...) ¡Dios mío! (para esconder su pensamiento se levanta y vuelve a escudriñar los horizontes.) Cunde la nieve; se rasan las veredas... todas las lejuras parecen una sola mortaja (...) Oye, oye los frémitos del aire, los clamores del agua en el fondo de la hoz... (p.41).

La tristeza reina en el hogar de la pareja protagonista. El marido sufre el desengaño de un amor extraconyugal imposible mientras la esposa pena de celos al no poder lograr su amor, sino tan sólo el

«EL JAYÓN»

DRAMA EN TRES ACTOS, ORIGINAL DE CONCHA ESPINA, ESTRENADO EN ESLAVA

ACTO I
1. Marcela (Srta. Morer).—2. Andrés (Sr. Hernández)

ACTO II
1. Remedios (Sra. Quijada).—2. Elías (Sr. Hidalgo).—3. Manuel (Sr. Tobías).
4. Marcela (Srta. Morer).

ACTO III
1. Luisa (Sra. Siria).—2. Antonio (Sr. Vega).— 3. Marcela (Srta. Morer).—4. Andrés
(Sr. Hernández).—5. Irene (Sra. Peñaranda).

Caricaturas de escena: *El Jayón*, de Concha Espina, por *Fresno*.

agradecimiento que recibe por haber recogido y criado junto con el hijo de ambos a un pobre niño abandonado ante su puerta que ambos saben es hijo ilegítimo de Andrés. El tercer vértice del doloroso triángulo dramático lo constituye la presencia constante, aunque casi invisible, de Irene, la antigua novia de Andrés y madre del "jayón", que lucha por resistirse a la fuerza que la lleva hacia esa casa donde viven, apartados de ella, sus dos amores: Andrés y el hijo abandonado. Los tres se sitúan ya en este primer acto en un contexto social claro, el de la pequeña comunidad rural donde todo se habla y se calla a un tiempo. Tres personajes, pues, destacados con nitidez frente al coro de segundas figuras, que comentan su triste suerte y son testigos de un sufrimiento trágico que todos lamentan.

La muerte del niño enfermo en medio de la tormenta provoca la desesperada confesión del drama oculto de estos tres personajes trágicos. Muerto el hijo, Marcela arroja al hombre junto a la verdadera madre del superviviente y huye hacia la montaña para morir en ella. Una tragedia de amor, celos y orgullo maternal mal entendido que termina en la disolución del fatal triángulo expuesto sin condenas de tipo moral, sin alusión alguna a una valoración convencional del adulterio o de la maternidad fuera del matrimonio, que sería tan esperable. No es el aspecto moral lo que interesa, sino el dolor de tres seres inocentes, manejados sin piedad por un funesto destino ("Antonio - ¡Es el sino de las personas, no digas!... Nacen con la negrura de un desvelo como quien saca una pinta en la piel, y arrastran aquella nube hasta que vuelven a la tierra" [p.85]). Este desenlace en el que triunfa el niño fuerte sobre el débil y la mujer afectiva y sexualmente preferida frente a la legítima esposa, se ha interpretado como heredero de las teorías favorables al darwinismo de los naturalistas. En realidad, la ley de la selección natural de las especies no es aquí ni mucho menos tan decisiva como la noción clásica del destino trágico del ser humano, ligada a una preocupación existencial más que determinista.

Estrenada en el Teatro Eslava de Madrid el 9-12-1918 por la compañía dirigida por G. Martínez Sierra[16], tuvo tan sólo cuatro representaciones, a pesar de que la crítica fue unánime al comentar las entusiastas aclamaciones del público en el estreno, éxito especialmente significativo por tratarse de la primera realización para la escena de la ya famosa novelista: "Por esta vez, la rutina habrá de resignarse con que una novelista ilustre haya triunfado en la escena de Eslava, desde la que hubo de saludar, al fin de los tres actos, a los espectadores que la aclamaban" (El Debate)[17]. Precisamente fue su cualidad de escritora de novelas la que destacaron los comentaristas como causa y razón del primoroso estilo literario del drama. La orientación trágica del mismo fue percibida con acierto por Manuel Machado, que escribía: *"El Jayón* es una obra dramática, trágica más bien, llena de emoción y de fuerza, cuyo fondo es hondamente patético. Y que por la forma y el ambiente (...) está llena de verdadera poesía real" *(El Liberal)*. Del mismo modo, Federico Leal, de *El Universo,* incluía la pieza en el ámbito del teatro poético[18]. Por lo que respecta a las claves temáticas desarrolladas, el crítico de *ABC* elogió el tema maternal elegido como característica de la perspectiva femenina adoptada por la autora en la concepción de su obra, destacando, por otro lado, la plasticidad del cuadro de ambiente local, aspectos ambos considerados como ejes de la pieza también por José Alsina, crítico de *La Vanguardia* de Barcelona. Los dos decorados de Mignoni fueron especialmente apreciados, con la excepción que supuso el comentario de José Mayral en *El Fígaro*[19].

También en un medio rural -un pueblo de Castilla la Vieja- en el que el paisaje y las fuerzas del destino determinan el desarrollo de la acción, se desarrolla la tragedia de Mª Teresa Borragán *La voz de las sombras* (1924). La importancia del entorno natural se manifiesta ya desde la acotación escénica inicial, que describe una rica casa castellana desde la que se contemplan tanto los despeñaderos que la circundan como un lejano y mísero poblado rodeado de eras. El ambiente rústico de la vivienda se retrata mediante la presencia del característico arcón y las sillas de vaqueta (p.7). Aún resulta más llamativa la proyección hacia el exterior de la casa en el segundo escenario descrito -el de los dos últimos actos-. Esta vez se trata de la terraza que se alza sobre el agreste acantilado. Sigue contemplándose en lontananza el poblado. De nuevo se halla presente también el elemento mobiliario rural: un escaño antiguo de nogal (p.27).

El duro e inhóspito paisaje de roca cortada funciona de modo similar a como la escarpada y omnipresente montaña santanderina lo hacía en el drama de Concha Espina. Las voces del título nacen del abismo y parecen reclamar víctimas propiciatorias con que calmar su furia:

> Ramón - (Coge su cabeza [de Margarita] y se asoma al despeñadero) Escucha, Mar...; oye cómo gimen y protestan los genios del abismo.
> Marg. - (Asomándose por la barandilla) ¿Aún crees en esas brujerías?
> Ramón - Sí, hermana. Cada vez que la noche nos envuelve, reclaman su presa a las sombras, a cuanto no debe ser... Y sus gritos se yerguen y treman sobre el silencio como un canto for-

midable que pidiera justicia... Las sombras del abismo tienen
hambre, Mar... (p.39).

El protagonista de la obra, Ramón[20], padece de unos terribles ataques epilépticos que van minando su salud física y mental. Miembro
de una familia de buena posición económica, se siente víctima de la
degeneración moral de su padre, a partir de cuyos vicios juveniles
explica su terrible enfermedad. Exacerbado y patológico resulta este
carácter central, un personaje cuyos sentimientos vienen marcados
por pasiones extremas: odio hacia su padre y hacia el medio social
en que éste vive, compasión infinita por su madre -eternamente desgraciada y sola, pero convencida aún de las bondades del sistema
que la convirtió en víctima-, amor exaltado por su hermana -reflejado
en unas ansias enormes de protección- y desesperación ante su propia vida. Frente a este patético antihéroe, la autora presenta al prototipo masculino ideal, Jaime, un amigo de los dos hermanos, joven,
fuerte e idealista, que marchó del país, decepcionado ante la boda
de Margarita y que regresa al final del segundo acto para traerle la
esperanza de una nueva vida. Otros dos personajes masculinos, el
del corrupto padre de Ramón y el de su inconsciente y conquistador
cuñado, vienen a reforzar la visión predominantemente negativa que
se ofrece de dicho sexo. Las tres mujeres en la vida de Ramón, su
madre, su hermana y su ex-novia, son en realidad tres seres pasivos
que sufren las consecuencias de las decisiones que otros tomaron
sobre su propia vida.

Los finales de acto se caracterizan por su aguda tensión climática.
La alteración que el matrimonio recién concertado para su hermana
produce en Ramón se refleja en el impresionante ataque epiléptico
que sufre al cierre del primer acto. El simbólico desprendimiento del
anillo de bodas de Margarita -arrojado al despeñadero- con que termina el segundo abre una incógnita de rebeldía para su futuro.
Durante el acto siguiente, Ramón anima a su hermana a que, saltán-
dose las ridículas convenciones de la hipócrita moralidad reinante, se
fugue con Jaime y cree con él una familia. Una vez consumada la
huida, Ramón arroja a su cuñado al fondo del barranco, y totalmente
perturbado ya, se proclama ejecutor de divinas sentencias. La evolución de este patológico carácter termina así en una dramática locura
total que queda compensada con el futuro de amor que aguarda a la
deuteragonista. Como en *El Jayón*, la enfermedad es vencida y la
salud triunfa. El desenlace, aunque lleva implícito muerte y destrucción, presenta también una cara optimista que de nuevo emparenta
la obra con el drama de Concha Espina, donde la muerte del jayón y
el autosacrificio de Marcela contribuirán al reencuentro de los que se

aman. Drama y tragedia pueden tener, pues, una significación difícilmente diferenciable, hecho que se ve confirmado por la calificación de "drama trágico" con que se anunciaba la obra en los periódicos en el momento de su estreno.

Caracterizada por la total proporcionalidad de sus tres actos (13-12-12 escenas de similar extensión), destaca su indeterminación temporal frente a la importancia que como vimos cobra el espacio. Tanto el lenguaje de los diálogos como el empleado en las acotaciones presenta una abundantísima y monocorde adjetivación que pretende enfatizar, no sin cierta torpeza, la intensidad dramática perseguida -se repiten sin cesar adjetivos como "tremante", "profundo", "infinito", "enloquecido", "sombrío"...-. "Tristeza", "tormento", "violencia", "emoción", "destrucción", "rebeldía"... son algunas de las claves nominales a su vez más repetidas. El hiperbólico estilo empleado sirve para enrarecer progresivamente el ambiente e introducir las notas y premoniciones de violencia que culminan con el asesinato final. Se multiplican en los momentos de tensión previa al climax las alusiones al paisaje que resulta, como vimos, un personaje más de la trama. Sin duda mucho menos lograda que en el drama de Concha Espina, la manifiesta intencionalidad poética de la autora se plasma en un tono grandilocuente que resulta más bien amanerado y falso.

La voz de las sombras (25-04-1924) fue estrenada en la temporada de teatro de arte emprendida por la compañía dramática "Miguel Muñoz" en el Teatro Martín, del que fuera directora y empresaria durante la temporada 1923-1924 la propia Mª Teresa Borragán, y se dieron de ella ocho representaciones[21]. El mensaje anti-comercial de la etiqueta "tragedia" bajo la cual se había publicado el texto impreso fue con toda probabilidad la causa de que se anunciase en su lugar el estreno de un "drama trágico", denominación un tanto más suave y asimilable por el público. Manuel Machado, crítico de *La Libertad,* daba cuenta en su reseña del carácter "sanamente doctrinal" de la obra estrenada, al mismo tiempo que elogiaba la valentía de su autora al enfrentarse con los prejuicios morales instituidos. Era ésta la única disculpa que encontraba el citado escritor para el atropello de las convenciones teatrales que percibía en la misma. Por su parte A. Vidal, de *Heraldo de Madrid,* relacionó la pieza con *Espectros,* de Ibsen[22]. El crítico de *El Sol* concedió al hecho una negativa interpretación al afirmar con dureza "Lo que más claramente queda demostrado en ella son los estragos que la lectura de Ibsen puede producir en las almas sencillas". Coincidiendo en relacionar el personaje central del drama con el Oswaldo de *Espectros,* Luis Bejarano reconoció los personales méritos de la escritora a la que atribuía una "envidiable cultura", "recia complexión verbal y una habilidad expositiva que imprimen a su tragedia un sello de arte merecedor de todos los elogios". Desde el punto de vista de la construcción del drama, el comentarista de *ABC* destacó algunas escenas del tercer acto, que valoró como el más estimable de la obra. La recepción de la crítica tras el estreno fue moderadamente positiva, aunque coincidía en señalar las "inexperiencias" de esta autora primeriza.

Mª Francisca Clar Margarit, escritora de origen balear conocida incluso familiarmente por el seudónimo *Halma Angélico*, cultivó con bastante éxito la novela, el cuento, el artículo periodístico y el género teatral[23]. Integrada en el mundo cultural madrileño de los años veinte y treinta, se dedicó profesionalmente a la literatura, actividad que alternó con una intensa participación en la vida política y cultural durante el período republicano. A los cinco títulos aparecidos con anterioridad a la Guerra Civil (firmados con sus seudónimos *Ana Ryus* y *Halma Angélico*) se suma su faceta de adaptadora -con una polémica adaptación posterior del cuento del escritor ruso Jefim Sosulia, la comedia *Ak y la humanidad* (1938), cuyo estreno fue violentamente atacado por críticos afines al sindicato C.N.T., en el que a partir de entonces cursó baja la escritora-[24], y su incursión en la dirección escénica como directora del cuadro artístico constituido en el Lyceum Club Femenino[25]. En todas estas facetas, como en sus creaciones literarias extra-teatrales, manifestó su preocupación por la situación de la mujer en la vida social y familiar, denunciando hipocresías morales o lacras históricas en el terreno educativo y laboral, y reclamando la solidaridad entre mujeres como único modo de mejorar la condición social femenina en la época[26].

Berta (1922), drama en tres actos firmado por esta autora con el seudónimo *Ana Ryus*, fue de nuevo publicado en 1929 con diferente título, *La nieta de Fedra*, esta vez a nombre de *Halma Angélico*. En *La nieta de Fedra* se abandona, sin embargo, la citada designación genérica, calificándose la obra de "Teatro irrepresentable". La autora fue probablemente consciente en la revisión de su drama del carácter "atípico" del mismo -extensión, tema, etc.-, por lo que esta denominación puede entenderse casi como una resignada aceptación del destino únicamente literario al que se vería condenada su creación con casi toda probabilidad. La obra fue bien acogida en medios literarios, como así lo demuestra el prólogo de la escritora María Valero de Mazas -que aludía en el mismo a "la necesidad de crear los nuevos Códigos para los nuevos hombres"- y el elogioso comentario que de ella hiciera E. Díez-Canedo en su reseña de estreno de *Entre la cruz y el diablo,* ya comentada:

> Yo declaro que cuanto interés haya podido hallar en la obra
> narrativa de 'Halma Angélico' no supera ni iguala al de otro
> drama suyo 'La nieta de Fedra', no representado, que yo sepa
> (...). El título no cuadra del todo con el tema, pero evoca el de
> la tragedia clásica, que este drama moderno toca también, en
> cierto modo, una vez más, con originalidad y fuerza[27].

De gran interés para la comprensión de *La nieta de Fedra* resulta el prólogo de su autora, en el que ésta no duda en relacionarla con dos textos previos que debieron inspirarla, la *Fedra,* de Racine, y la de Unamuno: "Yo, respetando la altura de estos maestros, anonadada por su grandeza y mi pequeñez, no me atrevo a dar a mi *humaniza-da* Fedra (Berta en este caso), el nombre clásico, ni tampoco a hurtárselo del todo" (p.9). Efectivamente, una pasión común alienta a las heroínas de estas tres obras, el deseo incestuoso de una madrastra por el joven hijo de su marido. Con todo, la obra de *Halma Angélico* se propone -y consigue- desmitificar la figura de Fedra, que pierde en ella toda grandeza trágica.

Al iniciarse la acción nos encontramos en el gabinete de una modesta casa, sencilla, limpia y muy convencional en su descripción escénica (costurero, jaula, floreros...)[28]. La longitud de las acotaciones escénicas, que como veremos se repite también en las descripciones de personajes, apunta sin duda hacia el carácter de teatro para ser leído que parece presidir la concepción de la obra. Dos son en total las decoraciones presentadas y en ambas se refleja un ambiente de clase media, escasamente representado en el corpus.

A diferencia de lo observado en la coetánea *Fedra* de Unamuno, no es la madrastra la protagonista única de este drama, sino que dicho protagonismo se reparte entre las tres generaciones femeninas de una misma familia, en la que Berta, eslabón central, destaca por sus negativos rasgos. Desde el mismo inicio, se contraponen los dos caracteres femeninos principales: el de Mónica y su hija Berta. Mientras que la primera es todo corazón y sentimiento, a Berta la describen su madre y su ama como una mujer fría y pragmática. Debido a una severa educación y un orgulloso carácter, Berta reacciona con ira cuando descubre su origen ilegítimo, atacando sin piedad a su madre moribunda que, de hecho, fallece víctima de tan gran dolor. La tercera fémina de la saga, Angela (la hija mayor de Berta), bella, bondadosa y sensible, reproduce tanto en lo físico como en lo moral los rasgos de su difunta abuela.

La obra, dividida en tres "jornadas" -conviene recordar aquí los tres "tiempos" de *Al margen de la ciudad,* de esta misma autora-, parece recurrir a la clásica denominación de los actos en un intento

de huir de las claves más manidas del convencionalismo teatral. El
primer acto, centrado en la exposición de los antecedentes familiares
de la protagonista y sobre todo en la descripción de la bella personalidad de su madre, se cierra con la casi fantasmal aparición de Mónica que, con el último aliento, perdona a su cruel hija por esa dura
condena que la lleva a la muerte. Sin embargo, Paula, la modélica
criada y amiga de la muerta, expresa un tétrico presentimiento acerca
del futuro de la orgullosa e intransigente "doncella": "¡Miedo me da
lo que quizá te espera!" (p.70), una funesta premonición que, reiterada al final de la jornada central, se cumplirá fatalmente en el desenlace del acto tercero. En el trascurso del mismo, Lorenzo, el hijastro,
anuncia públicamente su decisión de abandonar el seminario. Casi al
mismo tiempo, Angela y él descubren su incipiente y mutua atracción. Berta, dominada totalmente por su irresistible pasión, suplanta
a su hija tras la reja en el cortejo nocturno que Lorenzo pretende ini-
ciar con la muchacha y declara su ilegítimo deseo. Se ha desencade-
nado el drama. Cae el telón tras el melodramático insulto con el que
su actual marido la repudia definitivamente ("¡Ramera!"), una exclamación que desmerece un tanto el equilibrado y sobriamente tenso
desarrollo de la acción durante este magnífico tercer acto.

Como en las versiones de Racine y Unamuno, el conflicto se ha
trasladado en este caso del hijastro (Hipólito, en la obra del mismo
título de Eurípides) a la madrastra[29], pero al contrario que en éstas,
no se desarrolla con detalle su íntimo conflicto (razón y deber frente
a pasión), ya que la acción dramática se contempla "desde fuera", sin
mostrar empatía alguna con el personaje, al que se condena sin piedad por su egoísta y cobarde actitud. El drama de *Halma Angélico*
coincide con la pieza unamuniana en su modernización de ambiente
y personajes -despojados del universo trágico griego: divinidades,
ambiente majestuoso, coros, conspiración política...- y en el eco clásico de la maldición hereditaria que se vislumbra en las predicciones
de la vieja criada. Sin embargo, muchas son las discrepancias con los
antecedentes literarios aludidos por la autora en su prólogo. La primera recreación importante del mito clásico, la obra de Racine, inspira a Unamuno la confesión de su culpa por parte de una Fedra arre-
pentida y valiente que llega al extremo de suicidarse para expiarla.
Berta, que como las protagonistas de esas dos versiones confiesa
ante su hijastro su incestuoso amor, no lo hace espontánea y abiertamente, sino oculta en la oscuridad y suplantando el puesto que
debiera ocupar su hija. Precisamente su maternidad (tiene además
otra niña de su matrimonio con Martín) la diferencia también de la
Fedra unamuniana, que vuelca en Hipólito una confusa mezcla de

afectos maternales y sentimientos amorosos. La desaforada ansia de maternidad no justifica, como en los antecedentes mencionados, la conducta de Berta. Finalmente, frente a la heroica actitud de Fedra, a su muerte trágica, Berta es públicamente humillada, insultada, repudiada, sin que ella parezca estar dispuesta a tomar iniciativa alguna, sorprendida como lo está por la revelación de su verdadero carácter pasional, desconocido hasta para ella misma. No es por lo tanto extraño que *Halma Angélico* calificase a su protagonista de "Fedra humanizada". En efecto, la grandeza trágica de la Fedra sincera, valiente, dispuesta al autosacrificio como purificación de su culpable traición al esposo, se ha perdido en el drama que nos ocupa. El mensaje *ad contrarium* que transmite la autora es de tolerancia y comprensión con las culpas ajenas. Pues nadie está libre de pecado, nadie tiene derecho a la condena moral.

Entre el drama y el sainete: Dolores Ramos de la Vega

Existe un tipo de dramas mucho más "ligeros" y comerciales, que tuvieron un relativo éxito entre el público debido a sus conexiones más que evidentes con el pujante sainete. Entre ellos se encuentran el drama en 3 actos *Magda la Tirana,* de P. Millán Astray, y *Málaga tiene la fama,* de Dolores Ramos de la Vega y Manrique Gil. Estas obras, de híbrida complexión genérica, representan dos típicas manifestaciones del madrileñismo y el andalucismo teatral respectivamente. Dejando a un lado en esta ocasión la obra de Pilar Millán, que será abordada posteriormente en relación con el sainete -pues bajo este género y con un desenlace feliz, modificado con respecto al drama impreso, fue representada en los escenarios-, nos centraremos ahora en el "drama popular" de ambiente malagueño.

Dolores Ramos de la Vega, actriz (tiple) y escritora teatral, fue autora de numerosas obras estrenadas durante las dos primeras décadas del presente siglo, entre las que predominó indiscutiblemente el género lírico[30]. Dentro del período de interés para este estudio, Lola Ramos estrenó una sola obra escrita en colaboración con Manrique Gil, el drama popular en 3 actos *Málaga tiene la fama,* basada, como declaran sus autores en el prólogo que precede al texto impreso, en la famosa copla popular andaluza que empieza con el verso que da título a la pieza. El folklore andaluz preside, junto con los tipos populares de siempre, toda la obra. Los autores escribieron la pieza "ambicionando que el nombre de Málaga honrara la escena española de nuestros días y triunfase en ella al igual que en numerosos dramas y comedias lo consiguieron sus hermanas Sevilla, Córdoba y

Granada" (p.3). Olvidando cualquier pretensión literaria, los autores se interesaron tan sólo por hacer de su obra un canto a la tierra malagueña, acompañado de la exaltación de las consabidas "virtudes populares". Para hacer más digerible este drama, ya de por sí bastante ligero, la nota cómica se mantiene incluso en los momentos de mayor tensión mediante las continuas muestras de ingenio de un lenguaje convencionalmente popular.

La obra se inicia en un escenario exterior, las playas de la barriada de "El Palo", en Málaga: "(El mar a todo foro, y en la lejanía, la farola y algunos edificios del puerto. En primer término izquierda, la fachada del ventorrillo de "La Victoria", formando ángulo)" (p.7). El segundo acto se desarrolla en el interior de la humilde choza en la que habitan Carmen, la protagonista, y su anciano padre. Está situada en una calle que, con el idealismo propio de este género populista, se describe significativamente como mísera, pero muy limpia (p.25). El siguiente acto, dividido en dos cuadros, presenta un nuevo escenario exterior, la escollera de Levante, perfectamente descrita en la acotación inicial con singular detalle[31].

En realidad, el detallismo realista que caracteriza las largas acotaciones escenográficas que encabezan cada uno de los actos, propio del género costumbrista, sobrepasa incluso el espacio concedido al retrato de los tipos en acotación, cuya descripción vendrá dada en la mayor parte de los casos por los comentarios ajenos sobre su conducta. Apenas despierta la mañana, un soleado día del mes de enero, cuando empiezan a desfilar por el kiosco de Victoria pintorescos tipos que vienen o van a sus faenas: Diego, el taimado seductor de jóvenes muchachas del pueblo, dueño de las barcas de las que viven la mayor parte de los habitantes del humilde barrio como pescadores o vendedores de pescado; don José, su viejo padre, que aún no suelta del todo las redes del negocio; "El Rape", un pobretón que sobrevive a duras penas con lo que le saca al amo a cambio de cualquier pequeño servicio; Rafael, vendedor pobre y honrado, que se mata a pregonar su pescado con la ilusión de casarse un día con su novia, Carmencita; y por último, la propia Carmen, protagonista femenina de la obra, que se debate entre su amor por Rafael y la tentación que suponen las continuas ofertas del señorito rico, que anda tras de ella aprovechando la enfermedad de su padre.

Dos rasgos definen básicamente el primer acto: su línea melodramática principal (rico seductor de humildes muchachas que estrecha el cerco en torno a la honrada protagonista) y la nota cómica predominante, encarnada principalmente por una pareja secundaria en la trama, el Rape y la Coquina. Ya en el siguiente acto, Diego se introduce en la choza de Carmen e intenta abusar de ella mientras su padre duerme. La oportuna intervención del novio, Rafael, y del propio viejo, salva a Carmen del peligro. Se acuerda entonces un duelo a muerte que tendrá lugar esa misma noche en alta mar, en la soledad de las barcas. El rasgo de supremo valor con que el padre de Carmen cierra el acto al sentir amenazada a su hija es un motivo más que repetido en esta clase de obras[32]. Sin ir más lejos, resultó capital en el éxito de *Es mi hombre,* de Carlos Arniches, y muy frecuente en la producción de otros saineteros anteriores (De Burgos, Escalante, etc.). Durante el último acto se introduce una leve crítica social, inexplicablemente ausente hasta ahora en el desarrollo de la pieza, cuya verdadera función en la trama no es otra que la insistencia en la maniquea caracterización del "malvado" propietario de las barcas, encontrado muerto entre las redes del pescado. Llama también la atención la documentada descripción del arrastre del "copo", aderezada con un abundante léxico del mar y dirigida claramente a demostrar -al lector en este caso- el exhaustivo conocimiento del medio retratado[33]. Las largas escenas que describen las maniobras de los pescadores se encaminan a acentuar la nota costumbrista y local, destacando por el potencial atractivo visual de las exóticas faenas desarrolladas frente al público en la representación. El sangriento desenlace, por el cual el culpable paga por sus delitos pasados y presentes, no es en absoluto trágico, pues abre a la pareja protagonista (Carmen y Rafael) así como a las contrafiguras cómicas (Coquina y Rape) un porvenir dichoso de amor, pobreza y honrado trabajo.

Obra llevada a cabo por dos autores de indiscutible "oficio", bien construida y dialogada, presenta algunos de los elementos más específicamente caracterizadores del sainete: interés central por tipos y ambiente, combinación de una línea sentimental con otra básicamente cómica, elementos folklóricos (coplas, oficios y usos locales, etc.) y papel central del lenguaje empleado por los personajes, fingidamente "realista", con que se pretende la reproducción del habla popular local. Teniendo en cuenta además el éxito de la corriente andalucista del teatro de los años 20 y 30, se entiende que la obra se representase consecutivamente en los teatros Eslava, Latina y Maravillas y fuese posteriormente publicada en una de las colecciones teatrales más difundidas de estos años ("El Teatro Moderno").

Su estreno, ocurrido en plena época estival (27-07-1929) en el Teatro Eslava, tuvo entre la crítica una fría acogida. Sin duda el comentario más entusiasta fue el de Arturo Mori, de *El Liberal,* que resumía su juicio con las siguientes afirmaciones: "Buena presentación, discreto enredo, mejor desenlace. Se trata de un drama que

pudiéramos llamar corrido, por lo suavemente que va del principio al
fin, sin un tropiezo, sin un contraste desagradable". En el extremo
contrario, E. Díez-Canedo incluía la obra en la general tendencia de
las obras de "gente de mar" a retratar sus vidas de forma artificiosa y
superficial. Según este último crítico, la escena más favorablemente
acogida por el público fue aquella en que Carmen, durante el segundo acto, proclama que su honor no está en venta ante el señorito
rico, añadiendo no sin ironía: "Los que aplaudieron sus palabras,
(...), manifestaron un espíritu pronto a responder a la expresión de
los sentimientos elementales, que tan bien decoran un drama popular o melodrama" *(El Sol)*. De un criterio opuesto al que más arriba
he intentado defender, L. Araujo Costa, en su crítica de *La Época*,
abordaba la inevitable cuestión de las fuentes literarias, considerando
que la citada obra guardaba un mayor parentesco con el teatro social
que con la pieza quinteriana: "El drama de dos actores, Lola Ramos
de la Vega y Manrique Gil (...) está basado en una copla popular
como *La Dolores,* como *Malvaloca* (...). Pero el modelo y troquel de
estos autores en la concepción y desarrollo de su drama lo hallamos
en Dicenta con su *Juan José,* su *Daniel,* su *Señor feudal*".

El drama histórico: Elena Macnee, Aurora Sánchez y Josefa Rosich

Si hasta aquí se han examinado brevemente algunos de los dramas más significativos de entre los ambientados en "época actual",
no debemos ignorar la existencia de un pequeño grupo de obras significativamente fieles a los modelos clásicos del género histórico
romántico. Se trata de dos dramas *(La princesa Riquilda* y *El consejo
de los diez)* y una tragedia lírica *(Sara Levy),* ambientados en la baja
Edad Media.

La primera de estas obras, *La princesa Riquilda* (1919), de Elena
Macnee, es un "drama trágico en 4 actos y 6 cuadros", ambientado
en la Cataluña medieval. Riquilda, la princesa que protagoniza el
drama, se debate entre su oculto amor por Bernardo y la persecución
amorosa de que le hace objeto su primo Felipe. El rechazo frontal de
Riquilda a las proposiciones del malvado pretendiente provoca el
desencadenamiento de una línea de intriga política relacionada con
la independencia de la nación catalana. La simetría estructural de la
pieza (2º y 4º actos divididos en cuadros, frente a 1º y 3º sin divisio-
nes internas) queda confirmada con la recuperación del escenario
del segundo acto en el primer cuadro del cuarto y último. El general
moro, Almanzor, ocupa ahora el trono del conde catalán. El salón de
concilios ofrece un atractivo aspecto oriental. Contribuyen al fasto y

Magda la Tirana, Por los flecos del mantón y *El juramento de la Primorosa*, de Pilar Millán.

vistosidad de la escena los numerosos figurantes. "Soldados africa-
nos, caudillos, emires y bellas esclavas rubias" llenan la sala, en un
cuadro de exótico colorido. La escena final de la obra presenta a un
Felipe totalmente enloquecido por torturantes visiones fruto del
remordimiento causado por sus múltiples crímenes, al tiempo que la
ciudad arde por sus cuatro costados ante los atónitos ojos de los soldados catalanes que entran triunfantes en la reconquistada plaza. El
incendiario Felipe, en un larguísimo monólogo entrecortado, incone-
xo, lleno de bruscos cambios de actitud que denotan su ya total
desequilibrio mental, expresa su horrible lucha interior para, finalmente, terminar con su vida momentos antes de la entrada en el
palacio de los Borrell con sus tropas. Las tremebundas escenas de
destrucción y masacre que cierran este acto responden, como la obra
en su conjunto, a un espíritu frecuente en el drama romántico, ante-
cedente literario indiscutible de esta creación[34]. Especial importancia
cobran en este cuadro final las acotaciones, dedicadas a visualizar las
acciones, gestos y actitudes corporales del enloquecido Felipe.[35] Los
aspectos quinésicos y gestuales de la dramática escena final -suicidio
de Felipe-, probablemente la mejor de la pieza, son fundamentales.

Caracterizan el drama los continuos cambios espaciales (cinco
escenarios en total, uno de ellos repetido), su duración dramática de
aproximadamente medio año, un medio cortesano en el que se mueven nobles y caballeros, una acción bélico-política engarzada en una
doble historia de amor así como una ambientación en época remota
-los siglos de Reconquista-. El historicismo pudo ser en este caso una
estrategia para tocar el tema catalanista de una forma encubierta (los
enemigos de la independencia catalana eran por aquel entonces el
poder musulmán de Al-Andalus y el imperio franco), utilizando la
historia catalana como argumento del independentismo o, al menos,
como medio de propaganda patriótica[36]. La pieza responde, por otra
parte, a los arquetípicos rasgos del drama triunfante en el Romanticismo: frecuentes cambios de escenario y situación, numerosísimos
personajes, dinamismo y extremosidad de la acción, combinación de
escenas de íntima sentimentalidad (monólogos de la princesa, Felipe
y Bernardo) con otras de espectacularidad efectista, el desarrollo
combinado de una pasión amorosa violenta junto con la intriga política más enrevesada, motivos literarios como el de la ciudad reducida
a cenizas por el fuego, la población masacrada, etc., y una ambientación de época conseguida no sólo mediante efectos visuales sino
también a través de una prosa altamente retórica. Se trata, en suma,
de una pieza bien construida en relación, claro está, con su trasno-
chado modelo: el teatro romántico de tema histórico.

En *El consejo de los diez,* de Aurora Sánchez y Aroca *(Sancho Abarca),* "drama histórico dividido en 3 actos y 6 cuadros", el alejamiento de la realidad contemporánea afecta no sólo a la ambientación temporal, sino también a la elección de un espacio lejano y exótico: Venecia en el primer acto y Chipre en los dos siguientes. De nuevo se describe un medio cortesano, enmarcado en la "época final de la Edad Media", en el que sufre y ama una heroína de similares virtudes a las de la princesa catalana. También en este caso se hayan imbricadas la intriga política con la historia amorosa de la protagonista -a punto de contraer matrimonio con un caballero francés, el noble Gerardo, Catalina es obligada bajo amenazas a renunciar a su enlace y someterse sin reservas a la voluntad omnímoda del "Consejo de los Diez", el verdadero órgano de poder en la ciudad, que ha decidido su boda con el rey de Chipre para sellar una alianza política que interesa al país-[37].

En el aspecto escenográfico, destaca la monumentalidad del conjunto descrito en el acto central -situado en la plaza de la capital, entre el palacio, la catedral y el mar-. A su ambicioso alcance visual hay que añadir la vistosidad que requeriría su puesta en escena debido a la gran cantidad de figurantes y a sus lujosos y variados atuendos. La ceremonia del desposorio real cobraría sin duda mayor espectacularidad debido a la insistencia de la autora en el ruidoso ambiente creado por los cañones, las marchas militares, el voltear de campanas y el griterío de la multitud. Frente a las confusas indicaciones escénicas que describen los espacios domésticos del acto anterior, las frecuentes acotaciones dedicadas a señalar la evolución espacial de los grupos humanos e incluso la descripción de los espacios abiertos de este segundo acto resultan bastante más logradas.

A pesar de la muerte del rey y del caos de destrucción en que se halla sumido el territorio chipriota, el desenlace final no carece de un cierto optimismo acerca del futuro de la isla, al mando de su valiente soberana y protegida además por la amistad de Creta. Un drama de tintes no tan negros en el que se repiten también los tópicos románticos: evocación de épocas y tierras lejanas, escenarios tenidos por "exóticos", lucha del individuo y de los pueblos por su libertad frente a la tiranía, idealización del sentimiento amoroso... A diferencia de la dicotómica presentación de los dos hombres que aman a Riquilda en la obra de Elena Macnee, los dos vértices del triángulo amoroso tejido en torno a Catalina se caracterizan por su caballerosidad y su máxima bondad para con la veneciana. La nota maniquea se vuelca en este caso contra el corrupto poder del tristemente famoso Consejo, motivo central en un drama clásico del Romanticismo español: *La conjuración de Venecia,* de Eugenio Hartzenbusch[38]. En la obra de Aurora Sánchez encontramos de nuevo las escenas de muerte y destrucción, la espectacularidad de la presentación escénica, los frecuentes cambios de escenario y situación, el gusto por las situaciones límites de tipo pasional y por la intriga, un gran número de personajes, y, en general, el dinamismo y la extremosidad del género teatral triunfante en época romántica. El anacronismo de una obra en la que el tema histórico recibe tratamiento tan manido, el tinte heroico que recubre a la protagonista (una mujer es precisamente la que vence al temible Consejo frente al que se doblegan sumisos los caballeros venecianos), su estilo retórico y "elevado", plagado de interjecciones, vocativos, interrogaciones, etc., y la importancia de su didascalia -imprescindible cuando se trata de escenas "de masa"- son algunos de sus rasgos más destacados.

La tercera de las piezas históricas más arriba enumeradas, la "tragedia lírica" -entiéndase ópera- en tres actos y tres cuadros *Sara Levy,* de Josefa Rosich Cotulí[39], con música de su hermano, el maestro Celestino Rosich Cotulí, fue estrenada en sesión privada en el Liceo barcelonés el año 1918[40]. La acción se desarrolla en el Toledo de 1492, cuando por orden de los Reyes Católicos los judíos han sido expulsados de España y está a punto de ejecutarse dicha sentencia. El primer acto permite la exposición de las dos claves fundamentales de la obra: las nefastas relaciones entre cristianos y judíos y el amor "imposible" entre dos jóvenes que pertenecen a cada una de las dos confesiones. La ambientación exterior -habitual en el drama histórico y más aún en el género lírico- que abre la orfebrería de Daniel Leví a la plaza toledana, posibilita la consecutiva aparición de personajes muy variados. La calle cobra protagonismo porque en ella tienen lugar las algaradas y enfrentamientos entre las dos razas en estos días de gran tensión[41]. Nuevamente sobresale la longitud e importancia de las acotaciones, sobre todo de aquellas destinadas a describir los movimientos de los grupos humanos en una escena concurrida, como es común en el teatro lírico en general.

El siguiente acto, dividido en dos partes (lo que hace un total de tres escenarios en la obra), se inicia en otro espacio abierto: la Vega toledana. Son abundantísimas las acotaciones que describen el paisaje, las vistas sobre la ciudad, la disposición de los conjuntos y, sobre todo, la alusión a la música y las canciones. La segunda parte del acto tiene lugar en el interior de un templo arruinado. Allí, en torno al fuego, los judíos esperan cual terribles demonios la llegada de su víctima. Se acentúa en este cuadro la tendencia a la deformación maniquea del pueblo judío que apuntaba ya al final del segundo acto[42]. Los lúgubres efectos de luz, la siniestra adjetivación de sus diálogos... todo redunda en una presentación de los hebreos como raza satánica. La obra termina con la trágica crucifixión de la heroína, entregada a sus verdugos por su desesperado padre. Las maldiciones del rabino y los continuos golpes a los que el enloquecido padre se somete con peligro de su vida acentúan el dramatismo de la escena final, rematada con la peregrina aparición de un coro de serafines que acuden a recoger el alma de la mártir. Un esquemático asunto, pues, a partir del cual levantar el vistoso aparato escénico y la atractiva partitura musical para la que servía de leve pretexto un libreto poco respetuoso con la lógica interna del drama.

3.2. INTENTOS DE RENOVACIÓN : EL DRAMA SOCIAL Y LOS POEMAS DRAMÁTICOS.

El drama social: Mª Teresa León y Matilde Ras

El contexto de agitación política que vive España durante los años 30 explica el renovado interés por el drama social, que tantos éxitos cosechó a fines del siglo XIX con autores como Gaspar o Dicenta. Dejando a un lado el insólito drama social de orientación ultra-conservadora de *Alicia Davins* (Antonia Pujol y Simón) titulado *La vorágine* (1935), concebido para el adoctrinamiento católico del obrero, nos encontramos ante unas obras que se adscriben a las corrientes renovadoras bien por las interesantes aportaciones que consiguen en el aspecto técnico y formal (el drama de Mª Teresa León), bien por su difícil combinación de un tema conflictivo y crítico con un lenguaje teñido de una gran sensibilidad poética (la pieza de Matilde Ras)[43].

Muy ajustada en fondo y forma resulta la creación de Mª Teresa León (Logroño, 1903- Madrid, 1988)[44] *Huelga en el puerto* (1933), sin denominación genérica alguna, que ha sido incluida en la conocida antología editada por Miguel Bilbatúa *Teatro de agitación política: 1933-1939*. El citado editor la considera ejemplo de "teatro del pueblo" en oposición a las opciones pensadas "para el pueblo" (opciones reformistas como Misiones Pedagógicas, La Barraca, etc.)[45]. Se percibe en ella el reciente aprendizaje de las más modernas teorías teatrales por parte de la escritora (Brecht, Meyerhold, Piscator, Toller...)[46]. Pieza sintética -en un acto-, coexisten en ella numerosos personajes sin nombre, enfrentados al capital opresor (representado "teatralmente" en forma de grandes cabezudos de grotescos rasgos), con otros tomados de hechos históricos reales (Adame, Núñez, etc.).

El Telegrafista, narrador aparentemente imparcial de los hechos que funciona como hilo conductor de la acción dramática a través de sus concentrados mensajes sobre el desarrollo de la huelga mantenida por los trabajadores del puerto fluvial sevillano, es a la vez reflejo y origen del entrecortado y lacónico tono general que caracteriza al conjunto de los diálogos, en verso, de la pieza. Un estilo de versificación que responde plenamente a la situación de tensión dinámica, de ritmo vertiginoso y violencia desbordante que quiere plasmarse. Las sentencias cortas, muy adecuadas en momentos de especial efervescencia en los que se entrecruzan varias voces monologantes, alternan con otros momentos de un cierto remanso lírico. La rápida yuxtaposición de las escenas, verdaderos "flashes" que reflejan la evolución de la huelga, tiene lugar en medio de un escenario esquemático, en el que se aprovecha la luz y el sonido para crear ambientes. Las acotaciones apuntan, por otra parte, hacia una instantánea y fácil representación de la idea, mediante una plástica realización de la misma:

> (Del ángulo opuesto al telegrafista, con la escena toda iluminada, avanzan hacia las cajas del fondo grupos de esquiroles protegidos por fuerzas de asalto. Llevarán visibles las altas botas de cuero bajo el traje azul del proletario. Unos cuernecitos apuntarán en su frente) (p.23).

La mujer trabajadora, mantenida al margen por sus compañeros, es la que finalmente consigue reagrupar las fuerzas proletarias exhaustas sacrificando para ello la vida: "(Como la fatalidad, las mujeres siguen avanzando, seguras, tensas de odio. Los guardias civiles y el Gobernador estarán inmóviles. Un toque agudo de atención y una descarga. Una madre cae. Silencio infinito)" (p.24). La muerte de esta madre simbólica, luchando valientemente por el pan de sus hijos, reagrupa a los obreros que convocan entonces una movilización general. Tal y como trascurren los hechos, los obreros sevillanos triunfarán al conseguir promover la huelga general. El "ajeno" narrador-telegrafista acabará por sumarse a los obreros en huelga: "Se ha declarado la huelga general en toda España en solidaridad con los heroicos trabajadores del Puerto de Sevilla... (Se arranca los auriculares y los tira al suelo) ¡Huelga! Yo también soy de los vuestros" (p.24).

En su análisis sobre la obra cuentística y teatral de Mª Teresa León, G. Torres Nebrera afirma que *Huelga en el puerto* surge como primer fruto del viaje de la escritora por Europa (1932) para estudiar el teatro vigente y, especialmente, el soviético[47]. Según el citado profesor, la pieza tiene su fundamento histórico en los hechos acontecidos en Sevilla en 1931, cuando enfrentamientos sindicales entre CNT

y el Sindicato de Transportes de la Unión Sindical (vinculado al partido comunista) acarrearon una huelga en el puerto fluvial, huelga que
se vio contrarrestada por una dura represión y por la presencia de
esquiroles, que al parecer pertenecían a la CNT, y que la autora, para
evitar susceptibilidades, convierte en guardias de asalto disfrazados
de trabajadores del puerto. Torres Nebrera coincide con la valoración
de la obra defendida aquí al afirmar que evita la construcción pobre
de otras piezas de este talante por esos años e intenta aunar calidad
estética con una dosis amplia de declarado interés de partido.

La actividad de Mª Teresa León en relación con el teatro no termina con la escritura de esta obra. Gran amante del género, estuvo muy
vinculada a la creación del "Guiñol Octubre", más tarde rebautizado
con el nombre de "Guiñol la Tarumba" (1934)[48], ocupándose posteriormente de organizar y dirigir varios proyectos teatrales durante la
guerra ("Nueva Escena", "Teatro de Arte y Propaganda" y "Guerrillas
del Teatro"). Para estos grupos Mª Teresa dirigió montajes y llevó a
cabo una labor menos destacada, aunque no menos significativa,
como adaptadora y actriz. Resultan también de gran interés sus artículos sobre la necesaria creación de un nuevo teatro, acorde con las circunstancias, aparecidos en diversos boletines durante la Guerra Civil[49].

Se advierte una acusada preocupación de orden social, aunque
menos radicalizada sin duda, en la breve pieza de la escritora y grafóloga Matilde Ras (Tarragona, 1881- Madrid, 1969) titulada *El amo,*
"drama en 1 acto"[50]. El antologista Cristóbal de Castro afirmaba con
respecto a la misma:

> *El Amo* es una comedia rural, de feliz ambiente y viva y rica
> animación. Su diálogo, de gran dominio folklórico, surcado de
> modismos y refranes, pinta la vida molinera con trazos segu-
> ros. (...) Hay dos figuras principales, recias por de fuera y por
> dentro: la molinera, envejecida, sórdida, insensible a toda
> miseria humana, y la criada, resplandeciente de juventud y
> buen corazón. El Amo, tiránico y sensual, es también un pérfil
> afortunado. Y el criado, habitual siervo, que se revela al fin,
> impulsado por el amor, en lucha con el amo omnipotente,
> pone un broche de oro a la comedia (p.15).

La obra está ambientada en un escenario único, el molino que
poseen Fausto y Casilda en un pueblo abulense. Dividida en veinti-
dós escenas, denuncia la desigualdad y la explotación del pobre que
son capaces de ejercer incluso unos modestos propietarios campesinos, como el matrimonio que regenta el citado molino. La acción
dramática unitaria entrelaza tres parejas de personajes (Leandro-Isa-

bel, Fausto-Casilda, Fausto-Isabel), lográndose en todo momento una
notable intensidad en la expresión dramática. El decorado descrito es
típico del drama rural: "(Cocina aldeana de campesinos acomodados,
en el interior de un molino. Gran lumbre en el hogar bajo, caldero
humeante suspendido de los llares y pucheros en la lumbre. A
ambos lados, escaños de alto respaldo)" (p.141). La avaricia de la
molinera sumada al desapego de su marido hacen de ella un personaje repulsivo, prototipo de mujer egoísta y amargada. El molinero,
por su parte, es un donjuán de mediana edad, al que sólo contentan
las diversiones. Junto al infeliz matrimonio viven dos criados: Leandro (hermano de la dueña que trabaja para ellos sin soldada) e Isabel (joven humilde que dejó solos a su padre y a su pequeño hermano para ganarse el pan). Los dos jóvenes están enamorados, amor al
que se opone el ama, pues piensa que resta tiempo al trabajo que le
deben, y el amo, que intenta seducir a Isabel y comprar sus favores.
Finalmente el amor mutuo los librará de la opresión en que viven
cuando juntos decidan enfrentarse a la miseria y romper las cadenas.

Matilde Ras lleva a cabo en esta obra una dura crítica social, car-
gando un tanto las tintas al describir el egoísmo explotador del matrimonio de propietarios frente a las virtudes de sus criados. A través
de un personaje secundario, el poeta caminante que se refugia a
calentarse en el molino, ironiza sobre la idílica visión que el individuo de la urbe tiene de la "pacífica" convivencia campesina y expone mediante la fábula desarrollada la falsedad de las bondades del
sistema "patriarcal" vigente, que permite situaciones de dependencia
como las descritas. Totalmente errónea se demuestra la percepción
del visitante ocasional acerca del supuesto trato afable e igualitario
entre amos y criados[51]. La maniquea dicotomía en que se agrupan los
personajes, característica de todo drama social, no debe hacernos
olvidar que la propuesta de redención que el positivo final de la
obra plantea supone la solución individual, no colectiva, del problema de explotación presentado. El amor funciona como estímulo de
la insumisión y como vía hacia la libertad, dejándose de lado toda
acción reivindicativa violenta.

*Poemas dramáticos. Otros ejemplos de renovación. Pilar de Valderrama,
Zenobia Camprubí, Laura Cortinas y Mercedes Ballesteros*

En un claro intento de renovación de las fórmulas más manidas
del drama, varias de las autoras teatrales del corpus deciden explorar
por los arriesgados senderos del poema dramático escribiendo unas
obras que poco o nada tienen que ver con el teatro poético que cul-

tivan varios de los escritores de teatro de más éxito en la época (Eduardo Marquina, José Mª Pemán, Francisco Villaespesa...). El predominante lirismo de las obras adscritas al citado subgénero supone el abandono del consabido retrato "verosímil" de la realidad convencional tanto como el alejamiento de los temas "épicos" con que triunfan los escritores citados. Las autoras buscan por el contrario el acercamiento a una realidad más profunda y esencial, la realidad íntima. Poesía y énfasis en el aspecto psicológico del personaje son sus características más definitorias. Entre los "poemas dramáticos" de las escritoras destacan por su extensión y calidad *El tercer mundo,* de Pilar de Valderrama, y *Los tres amores,* de Laura Cortinas. Especial atención merecen también las traducciones de los poemas dramáticos de Rabindranath Tagore llevadas a cabo por Zenobia Camprubí (*El asceta, El cartero del rey, Malini, El rey del salón oscuro, El rey y la reina* y *Sacrificio*)[52].

Pilar de Valderrama Alda (Madrid, 1899 - 1979)[53] es autora de un "poema dramático, dos actos en prosa y uno en verso, en cinco cuadros", *El tercer mundo* (1934), publicado en la mencionada antología de Cristóbal de Castro *Teatro de mujeres,* quien incluía la obra en ese grupo de teatro renovador escrito por mujeres que recogió en el volumen para paliar en parte la oposición que las autoras habían encontrado para representar sus obras. Cristóbal de Castro percibía en la pieza una estructuración bimembre ajustada a su doble composición en prosa y verso:

> La obra (...) se encuadra por escenas de una realidad justa, con diálogos de prosa rápida y vivaz, en el primero y segundo acto, que forman la comedia propiamente dicha. Y en el tercero, a modo de epílogo, irrumpe, con briosa alucinación, con estrofas de varia rima, en los planetas del ensueño (p.14).

Efectivamente, el drama se desarrolla a caballo entre la realidad y el ensueño a partir de personajes que se dividen por partes iguales en individuos nominados y seres abstractos, sin denominación personal (José Miguel, Marta, Héctor.../ Ciego, Niña, Hombre, Monje...). Los tres primeros protagonizan una historia de triángulo que se desarrolla durante los dos actos iniciales. Cobra especial importancia el personaje de Marta, la protagonista de la obra, a la que se describe como una mujer especial, interesante y enormemente sensible que está siendo destruida por un matrimonio infeliz. La descripción inicial de Marta corresponde igualmente a una tónica común al resto de las presentaciones de personajes, la enumeración de unos rasgos básicos que traslucen un tipo de alma o, al menos, un estado de ánimo:

"luego entra por la puerta de la derecha una mujer de veinticinco a veintiocho años, de porte distinguido, ojos obscuros, profundos, fisonomía de expresión apasionada, que revela preocupación y lucha interior" (p.89). José Miguel, su marido, es un escritor teatral afamado, que le lleva bastante edad, y al que sólo preocupan su profesión y sus relaciones. También en su caso, la certera descripción se centra en unos rasgos físicos mínimos que caracterizan al tipo "intelectual": "(En este momento entra de la calle (...) un señor de treinta y ocho a cuarenta años; viste de oscuro; tiene el cabello bastante largo, peinado hacia atrás, algo canoso en las sienes; va afeitado; tipo marcado de escritor; lleva sombrero flexible") (p.91). Héctor, el joven solitario y sentimental del que está platónicamente enamorada, queda relegado a un segundo plano en relación con el absoluto protagonismo de Marta, vértice del triángulo sentimental a través de cuya evolución anímica se va desarrollando el drama. Se trata de un joven rico, solitario y sensible por el que Marta siente un amor casi maternal, pues piensa que, contrariamente a lo que ocurre con su marido, él sí la necesita. A diferencia de los dos casos anteriores, a Héctor no se le describe físicamente hasta el segundo cuadro -y no mediante acotación precisa sino en fugaz alusión de una de las sirvientas de la casa. Lo que interesa verdaderamente es su historia personal, sus antecedentes biográficos[54].

La insistencia de Valderrama en el vestido a la hora de describir a sus personajes resulta una constante de la pieza, especialmente importante en el tercer acto del poema dramático que, como veremos más adelante, destaca por una concepción primordialmente "plástica" de la escena. De Marta se nos dice que "lleva traje sencillo, elegante, un abrigo al brazo, y en la mano, un bolso y un sombrero pequeño" (p.89). Los desconocidos que irrumpen en su casa se distinguen por llevar "blusa de obrero" y "uniforme de chauffeur" (p.90). Su marido, José Miguel, "viste de oscuro" (p.90). Héctor "lleva muy buena ropa; la camisa es de seda fina" (p.96). Los ejemplos podrían multiplicarse a lo largo de la obra, pero el empleo caracterizador de las concisas notas de vestuario se repite de forma similar en los dos primeros actos, hasta llegar al acto de la irrealidad poética, el último, escrito en verso. Marta aparece vestida allí con una "túnica de gasa plateada de anchas mangas" (p.123), que le da aspecto de aparición, de ser de ensueño. Otros de los personajes, que se presentan en escena por primera vez, aparecen igualmente caracterizados como vagas sombras. El ciego, por ejemplo "viste traje oscuro de calzón corto y medias, un abrigo amplio con esclavina" (p. 125). La niña que le acompaña "viste una media túnica blanca, que le llega a los

MARÍA TERESA LEÓN GOYRI

CONCHA MÉNDEZ CUESTA

tobillos" (p. 125). Los vestidos son todavía con más insistencia en este acto instrumentos de caracterización y de ambientación a un tiempo.

La concepción plástica de la escena antes mencionada se revela igualmente a través de los constantes esfuerzos de recreación de ese escenario que mejor pueda sintonizar con el desarrollo de cada parte de la fábula. Los efectos de luz en sus diferentes modalidades -luces que indican el momento del día, reflectores o puntos de intensidad luminosa que atraen la atención sobre un personaje concreto, sombras que ocultan convenientemente algún elemento de la escena o que intensifican la sensación de misterio pretendida- son los elementos más y mejor utilizados para la citada ambientación escénica, dirigiendo al espectador hacia un tipo de selección perceptiva concreta. En el primer cuadro se describe una sala de ambiente moderno, bañada por la dorada luz del atardecer. La primera aparición de la protagonista se enmarca en un bello contraluz: mientras mira por la ventana, los últimos rayos del día la iluminan intensamente sobre el resto de la escena (p.89). Poco después, se produce un corte en el suministro eléctrico que deja la escena a oscuras hasta que se traen candelabros que iluminan tenue y misteriosamente el reconocimiento médico del joven desconocido que acaba de ser introducido en la casa. Ya durante el segundo cuadro, el cuarto del herido está iluminado por un "portátil encendido que derrama una luz verdosa" (p.95). La mejoría del enfermo tras los cinco días de inconsciente convalecencia que separan el primer acto del segundo se corresponde con una significativa indicación de intensidad luminosa: "(A la derecha del frente, un lado de la cortina levantado deja ver parte de un ventanal por el que entra la luz del día. Son las diez de la mañana)" (p.102). Similar sintonía entre la evolución de la trama y el momento del día evocado a través de la luz se repite al final del segundo acto, cuando se produce esa rápida disminución de luz característica del atardecer que permite el íntimo diálogo amoroso: "(La luz disminuye rápidamente; empieza a atardecer)" (p.121), y poco después: "(El sol se ha ocultado y el jardín se llena de luna)" (p.121). De nuevo es en el tercer acto donde se intensifica la funcionalidad de este tipo de acotaciones sobre la luz en la escena, siendo imprescindibles para estructurar el acto en partes e incluso para la misma comprensión del papel que desempeñan algunos personajes (José Miguel, muy especialmente). En la larga acotación inicial destaca un segundo aspecto muy vinculado al uso de la luz: el color. Verde, gris y malva son los colores de la obra y, en concreto, de este acto de "ultramundana" apariencia:

(Habitación-estudio. A derecha e izquierda, muros lisos de tonos gris malva; el fondo será todo de cristal, y formando parte de él, hacia la derecha, una puerta-mampara que se abrirá tan sólo para dar paso a los personajes y se cerrará tras ellos. En el muro derecha [...] un diván turco con largo almohadón morado, de cabecera, y cubierta amplia del mismo tono. [...] Próxima a la cristalera, a la izquierda, una mesa de regular tamaño. Sobre ella papeles, algunos libros, cuartillas y un portátil de tenue luz verdosa que permanecerá encendido todo el acto, pero tan débil que sólo será un punto de luz. Ante la mesa, un sillón en el que está sentado José Miguel, de perfil al público. Un grueso tul gris cayendo a modo de cortina delante de la mesa, borrará su figura; únicamente se le verá, escribiendo sobre las cuartillas, en los momentos en que un haz vivo de luz, entrando por el ventanal, se proyectará sobre él, iluminándole, y una vez extinguido [...] volverá a quedar en sombras, distinguiéndose tan sólo el punto verde de la lámpara) (p.123)[55].

La luz llama la atención alternativamente sobre José Miguel, situado constantemente detrás del tul -la permanencia de la luz procedente de la lamparita de mesa así lo indica-, o sobre los personajes que aparecen fugazmente sobre la escena, concebidos en este acto como creaciones de su mente, que se mueven delante del tul. Varios de los episodios o "apariciones" que se producen en este acto están separados por una rápida descarga luminosa sobre el escritor, que sirve para relacionar lo que ocurre delante del escenario con lo que escribe en sus hojas José Miguel. El juego de presencias y ocultamientos, el tipo de luz elegido (focos que surgen en medio de la oscuridad) y los colores empleados en trajes y decorado colaboran en la recreación de un ambiente irreal, casi onírico, que se identifica con el mundo de la ensoñación creadora, con el soñar despierto machadiano.

El tercer mundo comienza con un acertado efecto de suspense. Marta observa por la ventana algún suceso inesperado que le produce una gran alteración. Iluminada por la luz "de sol poniente", toda la atención del espectador se centraría sobre ella, sobre sus reacciones. La profunda excitación y nerviosismo que la invaden y su repentino desfallecimiento aumentan la intriga y la expectación del lector-espectador que se interroga sobre la razón de esta escena. La acción sorprendente, que introduce en la obra un elemento de intriga "policíaca" (un desconocido ha sido atropellado e introducido en la casa), se ve acompañada de una cuidada especificación escenográfica en la que destacan las indicaciones sobre gestos que reflejan reacciones anímicas así como los ya citados efectos de luz. La importancia y extensión de las acotaciones en la obra se pone de manifiesto desde este primer cuadro. En el segundo se introduce un elemento fundamental para el desarrollo argumental de la fábula: las ideas dramáticas de José Miguel, marido de la protagonista y autor teatral de prestigio que busca con desesperación una obra "nueva", "distinta", que le permita mantener el éxito alcanzado hasta el momento. Las inquietudes de este autor que se encuentra en un momento de transición, que quiere empezar una nueva obra, son las mismas que Pilar de Valderrama logra, a mi juicio, plasmar en la suya:

> José Miguel - (...) Después de mi último éxito, tan definitivo, tan unánime, no puedo decaer; quiero hacer algo muy original y bello, algo dramático sin drama; algo nuevo, completamente nuevo (Se pasea preocupado); pero que no sea la novedad su único mérito, porque esto no basta (p.99).

"Algo dramático sin drama". Imposible definir mejor una obra como *El tercer mundo,* en la que, como tendremos ocasión de ver, se abandona el violento desenlace esperable para buscar una solución distinta, original, al drama del amor adúltero.

El segundo acto se divide también en dos largas escenas. Cinco días han trascurrido y el enfermo empieza a recuperarse un tanto. A solas con Marta, se desvela por fin el secreto que les une: ambos estaban a punto de fugarse juntos cuando se produjo el accidente con el que arranca la pieza. Definida ya la situación de triángulo que generará el drama, uno se interroga acerca de cuál será la reacción del marido que iba a ser engañado. Cuando aquel convierte sus iniciales sospechas en certezas termina de afincarse en escena la tensión. El "original" esposo, en lugar de enfurecerse e intentar alguna venganza, oculta inicialmente su descubrimiento con un propósito sorprendente: utilizar a los dos frustrados amantes para experimentar con ellos y escribir su drama a partir de los hechos acaecidos. He aquí el primer elemento "nuevo" de esta pieza dramática sin drama, el esposo engañado prefiere observar, provocar incluso encuentros y desenlaces, para utilizarlos como fuente de inspiración creativa. Se introduce en esta escena una segunda idea dramática esencial para la comprensión de la obra. El teatro ha de centrarse en la realidad íntima y abandonar el retrato de lo cotidiano y convencional:

> Héctor - (Con sequedad) ¿Es usted escritor?
> J. Miguel - Del género teatral; es el que más me seduce; y, dentro de él, lo que tiene menos realidad, realidad vulgar, coti-

diana, entiéndalo bien, no la realidad de cada uno - "que es también realidad"-, la de nuestros sueños, la de nuestro mundo... ¡Esa es la que me atrae! (p.106).

También en este cuadro se explicita la segunda clave fundamental en la pieza de Valderrama, el concepto de "Tercer Mundo", una peregrina idea defendida por Héctor que utilizará José Miguel a la hora de "escribir" el epílogo en verso que cierra esta pirandelliana obra[56]. En ella los personajes pertenecen a dos tramas superpuestas, la creada por Valderrama y la desarrollada por el escritor José Miguel. Una vez descubierta por él la verdad del amor existente entre su esposa y el desconocido, inicia un acoso aparentemente inocente solicitando permiso a Héctor para utilizar su accidente como materia dramática. Después la continuación del drama consistirá en unos "imaginarios" amores entre el invitado y su propia mujer.

En la misma casa, espacio dramático único que se divide en cuatro espacios escénicos distintos durante la obra, pero en esta ocasión en el jardín de boj que la precede, tiene lugar el cuadro cuarto, último del segundo acto, en el que se produce el desenlace de la acción: la completa caída en la locura de la protagonista, incapaz de soportar por más tiempo la situación a la que su marido la somete. El último acto, escrito en verso, desvela el original solapamiento entre la historia narrada en un primer nivel (accidente- fuga frustrada- imposibilidad del amor de Héctor y Marta) y la fábula creada, en un segundo nivel, por uno de los personajes, el escritor de dramas. Es precisamente en la obra de este último donde se produce el "segundo" desenlace, el encuentro platónico de sus criaturas, que renuncian al amor carnal para fundirse en comunión espiritual completa.

Se plasman además en la obra algunas de las novedosas teorías sobre el subconsciente y la interpretación freudiana de los sueños que empiezan a ser conocidas en la España de estos años. El interés de la autora por el misterio, por la "otra" realidad -la de la mente-, emparenta esta producción con los intentos de llevar a cabo un teatro de indagaciones esenciales de autores como Azorín (*Lo invisible, Angelita*) o Unamuno (*El otro, El hermano Juan*). La misma alusión al trastorno psíquico de la protagonista, a su final locura, remite a toda una serie de creaciones coetáneas que recurren a este "leit-motiv" tan del momento (recordemos, por citar sólo un ejemplo, *Sin-razón*, de I. Sánchez Mejías). Teatro "sin drama", en el que un adulterio no es tal, en el que un marido traicionado recrea su propia historia y se contenta con ser espectador -y provocador- de los hechos, en el que la acción es interna a los personajes, interesando principalmente su evolución psicológica y su constitución moral. Como las criaturas pirandellianas, Héctor y Marta dudan sobre su propia existencia y llegan a creerse mera creación de la mente ajena, dando la razón al maquiavélico marido que ha tramado una tan especial venganza. Como se ha podido comprobar anteriormente, la obra destaca por su eficaz utilización de los lenguajes escénicos, especialmente luz, color y música (en este orden), mediante abundantes y bellas acotaciones que acompañan a unos diálogos de altas cualidades estéticas. Todo ello compensa del "pecado" de reiteración en la idea en el que incurre la autora en alguna ocasión.

Pilar de Valderrama escribió dos obras más en el período que nos ocupa, *La vida que no se vive,* comedia dramática en un prólogo y tres actos, que fue leída en el Ateneo de Madrid en un ciclo de lectura de obras teatrales inéditas[57], y *El sueño de las tres princesas* (28-04-1929), estrenada en el teatro de arte que mantuvo en su casa de la calle Rosales (1929-1930), el conocido teatro "Fantasio". Este teatro, organizado por Valderrama en colaboración con su esposo, Rafael Martínez Romarate, nació como teatro infantil, pero en él tuvieron lugar otras representaciones más "serias"[58].

La escritora uruguaya Laura Cortinas (San José, 1896 - Montevideo, 1969) publicó en una editorial catalana dos obras teatrales bajo un título unificador, *Teatro del amor* (1930)[59]. Interesa en esta ocasión la primera de ellas, *Los tres amores,* poema dramático en tres actos que presenta una estructuración en tres piezas independientes (cada uno de los "actos"), cuya unidad de acción viene determinada por un misterioso personaje que actúa en todas ellas como ocasional "voz en off", explicitando el sentido que adquiere cada una en el contexto global. A la diferente nómina de personajes que encabeza cada una de las partes de este verdadero tríptico escénico se añade en cada caso una fábula distinta y un espacio igualmente diverso. Las tres tienen en común, sin embargo, el hecho de ser episodios de los que La Sombra, misterioso espíritu de una mujer condenada por los dioses a vagar en pena a causa de su estéril existencia sin amor, se presenta como mudo testigo. El esquematismo en la descripción de los tres escenarios presentados, la carga simbólica y ejemplificadora de sus personajes principales y la abstracción poética que domina el triple desarrollo argumental se repiten en todos los actos, destacando la especial fuerza y efectividad del primero de ellos.

Cada acto narra una historia que ejemplifica un tipo de amor diferente. En el primer caso se trata de un amor humano, del juvenil y profundo amor de una pareja a cuya relación se opone un padre intransigente. Se describe así una plaza en pleno estallido primaveral que permite la aparición de diversos tipos (vendedores, sirvientas,

paseantes, poetas, parejas de enamorados...) a través de los cuales
presentar la fuerza enorme de la pasión amorosa. En este espacio
indeterminado y vago ("una plaza en cualquier país") destaca una
historia particular, la protagonizada por Fernando y Gloria, éstos sí
individuales y nominados, en los que brilla con especial nobleza la
cualidad purificadora del amor de pareja, que si es necesario salta
por encima de la convención. Como ocurría en la obra de Valderrama, de nuevo la luz y el color cobran un papel predominante en la
recreación de ambiente:

> (En un ángulo de la plaza, se verá un quiosco con luz verde.
> [...] Frente al público, estratégicamente ocultos en la penumbra,
> entre los árboles y el jardín, varios bancos (...). Antes de pren-
> derse las luces y comenzar el desfile, aparecerá La Sombra. [...]
> Vestirá túnica azul-violeta; [...] y aparecerá en la escena al
> levantarse el telón, con la plaza aun en la penumbra del atar-
> decer) (p.9).

En el siguiente acto, de la primavera se pasa al otoño y del amor
de juventud a la melancólica evaluación de la propia vida durante la
etapa de madurez. Un sacerdote es en esta ocasión el elegido como
prototipo de un amor perfecto, ideal, el amor a Dios, único que
puede hacer realmente feliz al hombre y justificar toda su existencia.
Al sacerdote citado se le caracteriza mediante la descripción detallada de sus pertenencias, del cuarto de trabajo en el que recibe a los
que le necesitan o juega a las cartas con sus viejos amigos. El reclina-
torio, la mesa cubierta de libros, la calavera... todo apunta hacia una
personalidad sencilla, reflexiva, profunda. Las siete escenas que componen el acto se dividen en cuatro episodios en los cuales el sacerdote se enfrenta sucesivamente a una monja en crisis espiritual que
le pide consejo, a dos amigos que representan la vaciedad de la vida
del solterón egoísta y solo, a unas jovencitas que vienen a ofrendar
sus flores a la Virgen y a una viuda mayor, amargada y sin amor.
Todos ellos funcionan como elementos de contraste con respecto al
personaje central, al que La Sombra elogia en el cierre del acto por
su modélico amor a Dios. En cuanto al ambiente descrito -el despacho del sacerdote desde el cual se puede adivinar la Iglesia del Seminario que él dirige-, al citado empleo de la luz se añade en este
segundo acto la significativa presencia del elemento sonoro -los
rezos y cánticos de los seminaristas-. Destaca la conjunción de
ambos en la poética escena final:

Padre Juan - ¡Señor!... ¡La verdad eres Tú! (Cae de rodillas.
Habrá oscurecido completamente, viéndose tan sólo las velas
de la Iglesia a través de la portada. La Sombra aparece en escena al comenzar los cantos de los Seminaristas situándose junto
al Padre Juan) (p.53).

El carácter arquetípico de los protagonistas anteriores viene confirmado por la expresa definición categorial de la mujer que protagoniza la última de las tres historias, LA MADRE. Su amor es el más
sublime de todos. Dispuesta al mayor sacrificio por aliviar el sufrimiento de su hijo, enfermo de neurastenia, no consigue, sin embargo, evitar su suicidio. El acto se desarrolla esta vez en un hotel balneario al que acuden veraneantes y enfermos en busca de reposo o
curación. El espacio se articula en dos polos opuestos por una acen-
tuada línea de verticalidad, el mar y la elevada ermita. En las ascen-
siones a pie que emprenden las madres desesperadas como ofrenda
para la curación milagrosa de sus hijos está la salvación; en las aguas
del mar que rodea el Hotel, la muerte, como ocurre en el caso del
neurasténico, ahogado mientras su madre luchaba con la montaña
por curarle. Las miradas de los veraneantes se dirigen reiteradamente
hacia la altura, contemplando las increíbles hazañas de las madres
oferentes. Subrayan así la oposición en dos niveles en que se basa el
juego escénico descrito. Un nuevo dualismo rige el ámbito de los
personajes, entre los que sobresalen, en primer lugar, la madre, tipo
ideal femenino, toda generosidad y devoción altruista, y, en directa
oposición con ésta, la coqueta, una señora que veranea en el balneario y que emplea su inútil tiempo en flirtear a espaldas de su marido.
A través de esta oposición se define el mensaje central, de nuevo
explicitado por la callada sombra, quien siempre interviene al final
de cada acto para enjuiciar el valor del caso propuesto:

La Sombra -¡Amor! ¡Amores! ¡Todos bellos, pero todos fuga-
ces!... ¡Un solo Amor es inmortal! "Semilla y fruto", él es materia y él es alma! El sacrificio es su alimento, nada le entibia ni
lo mata. Todo lo da, en la vida y en la muerte.
¡Amor de madre! ¡Flor de lágrimas! ¡Tú serás inmortal! (p.79)

No consta representación alguna de los dos poemas dramáticos
anteriores, representaciones que sí tuvieron lugar en el caso de algunas de las traducciones ya mencionadas de los poemas teatrales de
Rabindranath Tagore por Zenobia Camprubí Aymar (Barcelona, 1887
- Puerto Rico, 1956), escritora de educación bilingüe que, conocien-
do a la perfección el inglés, tradujo de este idioma las piezas de teatro que el autor hindú había trasladado al mismo personalmente[60].

ZENOBIA CAMPRUBÍ AYMAR

MERCEDES BALLESTEROS GAIBROIS

Aunque su análisis no interesa aquí por tratarse de obras no originales, que no podrán servir por tanto para un intento de definición estructural del teatro cultivado por mujeres en estos años, su recepción en la prensa podrá orientarnos acerca de la aceptación que obtuvo el teatro de raíz verdaderamente poética entre la crítica y el público coetáneos.

Estrenada el 6-04-1920 en el Teatro de la Princesa, *El cartero del rey* fue tratada de "curiosidad literaria" por *Andrenio* (E. Gómez de Baquero), pieza esencialmente lírica que sedujo por su sencillez y ternura, pero que carecía de nervio dramático, según el citado crítico, quien señaló de igual manera el escaso atractivo que ejerció entre el público (*La Época*). Manuel Machado coincidió en señalar la nula adecuación de la obra para la representación: "Ni los fondos ni los personajes caben en el artificio escénico, ni la representación material puede añadir a estos diversos poemas valor alguno. Antes quitárselo" (*La Libertad*). José Alsina elogió abiertamente la pureza de la traducción de Zenobia Camprubí (*El Sol*)[61], alabanza que se repitió casi sin variación en la mayoría de las reseñas consultadas. Se describe en conjunto una representación destinada a un público selecto, minoritario, que aun así escuchó la obra con atención más por cortesía que por verdadero placer.

El "Teatro de la Escuela Nueva", proyecto renovador dirigido por Rivas Cherif y *Magda Donato,* inició su andadura con *El rey y la reina,* también poema dramático primorosamente traducido por Zenobia Camprubí y calificado por Rafael Rotllan de "narración épica" atendiendo a su carácter básicamente "narrativo" (*El Debate*). De nuevo insistía Alsina en rechazar su adecuación a la escena: "El poema, al igual que sus hermanos, tampoco fue escrito con la mirada puesta en la aparición escénica" (*El Sol*). También en este caso se hacía referencia al selecto público que ocupaba el salón del Hotel Ritz en el que tuvo lugar el estreno (*La Voz* y *La Libertad*). Los críticos se mostraron en general sorprendidos por la atención "religiosa" con que fue seguida tan difícil obra, pensada más para la íntima lectura que para la representación. De especial interés resulta el comentario del anónimo crítico de *ABC,* que difería de la percepción de "público selecto" generalmente apreciada, destacando entre los obstáculos para el éxito que sufriría una obra semejante la falta de preparación tanto del público como de los actores[62]. Aunque los dos poemas de Tagore estrenados en Madrid fuesen ejemplos extremos de lirismo sobre las tablas, no cabe duda que los reparos expuestos hubieran afectado también, de un modo u otro, a los poemas dramáticos anteriormente citados en caso de que su representación se hubiese llevado a cabo. Habría sido necesario que un grupo de arte, guiado únicamente por aspiraciones artísticas y literarias, se hubiera hecho cargo de dichas obras para que hubieran podido salvar las barreras que el teatro estable ponía a este género de obras, más aún si se trataba, como en los casos citados, de autoras noveles. De cualquier modo, ahí quedaron como muestra de una alternativa posible de teatro innovador que por la vía del lirismo poético intentaba insuflar nueva vida a la escena española del momento.

Más radical aún se muestra la propuesta renovadora de Mercedes Ballesteros (Madrid, 1913) implícita en su obra *Tienda de nieve* (1932), "tragedia" que se aparta totalmente de la concepción clásica del género[63]. La obra se compone de seis momentos con escasa ligazón interna, alejados de cualquier tipo de desarrollo argumental convencional. Obra de extremada brevedad, predomina en ella la imagen poética de corte vanguardista que dota al texto de un carácter profundamente simbólico[64]. Las insólitas asociaciones mentales ajenas al discurso lógico racional, típicas del surrealismo, la enmarcan en un contexto escénico profundamente renovador al mismo tiempo que sintonizan con el críptico mensaje último de la obra: la tragedia del ser pensante, del filósofo como representante del "abominable" razonamiento lógico. Tres decoraciones se presentan en la obra. La primera de ellas se repite en cuatro "momentos": "(A la izquierda, una casa con un gran letrero: TIENDA DE NIEVE. A la derecha, un pozo y un árbol. El suelo es de hierba y flores)" (hoj.1). En el tercero de los momentos, un efecto casi cinematográfico sitúa al lector "(Dentro del pozo)" (hoj.10). El momento siguiente transcurre en un espacio de un mayor esquematismo simbólico: "(A un lado del escenario, DIOS representado por un reflector hacia el público. Lo demás a obscuras)" (hoj.15). No deja de ser sorprendente el "atrevimiento" que supone en el teatro del momento el traer a Dios a la escena y la original solución a la que se recurre para ello[65]. En el conjunto de la obra, el juego de luces y sombras se conjuga con el predominio escénico del blanco (la nieve) y el negro (el interior del pozo, las sombras que permiten distinguir a Dios).

Igualmente esquemáticos resultan tanto los diálogos como el resto de las acotaciones. Bastará como muestra la conversación entre el artesano y el ángel que abre la pieza:

> Artesano - He dejado en tierra todo lo malo y he traído aquí al mar...
> Angel - (Apareciendo) Esto no es el mar.
> Artesano - (Mirando asombrado a un lado y otro) ¿Cómo...? Si hace un momento...
> Angel - (Sonriendo) Sí, hace un momento; hace un momento, pero ahora ya no... (hoj.1).

De forma aparentemente inconexa se presenta al sabio que anda en busca del tiempo, al ángel chino enamorado de Blancanieve, al artesano que se ha quedado sin manos y al filósofo que no tiene tiempo, otra vez al ángel chino que quiere gozar junto a Dios de siete días de eternidad, a Blancanieve despojada del corazón de su amado ángel y, en el sexto y último momento, la solución de todas las "tragedias" particulares (el artesano recupera sus manos; el ángel, su corazón) a excepción de la más trágica de todas, la del sabio-filósofo, al que se acusa: "la tragedia eres tú mismo" (hoj.27). El término *tragedia* se emplea en esta obra en un sentido nuevo que nada tiene que ver, pese a la calificación que reza en la portada, con el género convencionalmente entendido. La denominación trágica alude aquí a las diferentes desgracias que afectan a los fantásticos protagonistas, surgidos de una peculiar amalgama entre los clásicos personajes de cuento y tipos anclados en la mitología y la teología. Teatro, en suma, fuertemente intelectual, pese a su carácter predominantemente lúdico, que se encuentra a caballo entre el surrealismo, la greguería y el género infantil[66].

NOTAS AL CAPÍTULO TERCERO

[1] Un importante crítico de la época, Luis Araquistáin, afirmaba en una de sus colaboraciones de prensa de estos años: "La comedia blanca, sentimental, de desenlace feliz, es la que conserva el cetro en España. En segundo término, viene la comedia de retruécanos; bastante atrás, el sainete de buena cepa y, finalmente, el teatro poemático" ("Teatro y sociedad: La organización económica", *El Sol,* 19-04-1928).

[2] La tragedia, a la que Aristóteles dedica su *Poética,* queda definida allí del siguiente modo: "Es, pues, la tragedia, imitación de una acción esforzada y completa, de cierta amplitud, en lenguaje sazonado, separada de cada una de las especies [de aderezos] en las distintas partes, actuando los personajes y no mediante relato, y que mediante compasión y temor lleva a cabo la purificación de tales afecciones". Vid. Aristóteles, *Poética.* Ed. de Valentín García Yebra. Madrid, Gredos, 1974, p. 145. Por su parte el drama no se consolida plenamente como género teatral específico hasta el siglo XVIII, considerado desde entonces como síntesis de la comedia y la tragedia. Sobre los orígenes del drama, véase Felipe Sassone, *El teatro, espectáculo literario,* Madrid, CIAP, 1930, pp. 23-31.

[3] Patrice Pavis, *Diccionario del Teatro. Dramaturgia, estética, semiología,* Barcelona-Buenos Aires-México, Paidós, 1984, p. 516.

[4] Dru Dougherty y Mª Francisca Vilches, *La escena madrileña entre 1918 y 1926,* p. 128. Este es el caso, como veremos, del drama popular en tres actos *Málaga tiene la fama,* de Lola Ramos de la Vega y Manrique Gil.

[5] *Angélica del Diablo* (M.P.M.), *Una romántica* (Dr. 4a.); *Alicia Davins, La vorágine* (Dr. social 3a.); Concha Espina, *El Jayón* (Dr. 3a.); Agustina González, *Los prisioneros del espacio* (Dr. 3a.); Elena Macnee, *La princesa Riquilda* (Dr. t. 4a.); Pilar Millán Astray, *Magda la Tirana* (Dr. 3a.); Dolores Ramos de la Vega y Manrique Gil, *Málaga tiene la fama* (Dr. pop. 3a.); Matilde Ras, *El amo* (Dr. 1a.); Ana Ryus, *Berta* (Dr. 3a.), y Aurora Sánchez y Aroca, *El consejo de los diez* (Dr. hco. 3a.).

[6] Los seis títulos originales son *La voz de las sombras,* de Mª Teresa Borragán (anunciado en cartelera como "drama trágico" e impreso como "tragedia"); *La pasión ciega,* de la Condesa de San Luis; *El Jayón,* de Concha Espina; *El premio de mi pecado,* de Mª Paz Molinero; *Al rojo,* de Carlota O'Neill y *Málaga tiene la fama,* de Lola Ramos y Manrique Gil. Las traducciones corresponden a *Sor Mariana,* de Gloria Alvarez Santullano; *El cartero del rey* y *El rey y la reina,* de Zenobia Camprubí; *Albergue de noche,* de Irene Falcón, y *Anna Christie,* de Isabel Oyarzábal. La adaptación es la de *La dama de las camelias,* de Conchita Montes y L. Fernández Ardavín.

[7] R. Cansinos-Assens, *Literaturas del Norte. La obra de Concha Espina,* Madrid, Imprenta de G. Hernández y Galo Sáez, 1924, p. 119. Cansinos añade que fue posteriormente recogida, junto con otras narraciones en el volumen *Ruecas de marfil* (1917). Gerard Lavergne, en su tesis doctoral *Vida y obra de Concha Espina* (Madrid, Fundación Universitaria Española, 1986, p. 45), cita un artículo de la autora de 1906-1907 titulado "El Jayón" y recogido junto con otros artículos suyos aparecidos en Santander en el volumen *Cuentos.*

[8] La obra fue poco después adaptada como ópera al italiano *(Il trovatello)* y al francés *(L'Innocente,* estrenada con éxito en Río de Janeiro en 1928), con música de Francisco Mignoni. Vid. *Enciclopedia Universal Ilustrada Europeo Americana,* apéndice 4, p. 1290 y suplemento 1955-56, p. 274.

[9] Mary Lee Bretz, *Concha Espina,* Boston, Twayne Publishers, 1980, p. 62.

[10] Se trata de *Moneda blanca* (Madrid, Afrodisio Aguado, 1942); *La otra* (Madrid, 1942), y *La tiniebla encendida* (1955), esta última publicada en sus *Obras completas* (Madrid, Fax, 1960). En los registros de la Sociedad de Autores aparece inscrita otra obra teatral, *La eterna visita,* junto con las adaptaciones para televisión que se han llevado a cabo de sus obras *La niña de Luzmela, Un valle en el mar* y *El Jayón.*

[11] José Luis Salado, "Concha Espina dice que el teatro está muy atrasado en España", *Heraldo de Madrid,* 2-01-1926, p. 5.

[12] Acto primero: "Es verano. La tarde empieza a caer" (p.1); acto segundo: "Nieva y es media tarde en el mes de febrero" (p. 37), y acto tercero: "Ha pasado la noche y ha salido el sol encima de la nieve: su luz debe asomarse a la escena" (p. 83).

[13] En dicha autocrítica, que aparece recogida en la edición de la obra consultada -vid. apéndice II-, afirma la autora: "No es *El Jayón* una obra regional, o por lo menos, es muy secundario su regionalismo; la acción puede suceder en todos los rincones del mundo donde el Amor y el Dolor vayan de la mano, como suelen ir; si yo la sitúo en mi tierra de Cantabria, es porque de ella conozco, (...), el paisaje y las costumbres, el lenguaje culto y señoril, modelo popular de buen castellano, con todos sus ritmos y matices" (*El Jayón,* pp. IX-X).

[14] El siguiente fragmento se ofrece como un ejemplo más del perfecto funcionamiento y adecuación de las acotaciones en la ambientación del drama: "[Luisa] (Escancia y ofrece vino blanco a los pastores y luego a su marido. Beben mientras sigue la conversación; lían cigarrillos en hojas de maíz y los encienden en la mecha del farol, descolgándole del clavo donde Antonio le habrá puesto en una viga próxima. Durante la escena, hasta el final del acto, se siguen sucediendo algunos truenos y relámpagos de la tormenta ya lejana.)" (*El Jayón,* p. 68).

[15] Cito tan solo un fragmento que puede ilustrar el estilo comentado: "Marcela - Se había marchado lo mismo que un fantasma... Desde entonces me cela como si quisiera hablarme. Y yo tengo mucho miedo a sus ojos verdes igual que el río del ansar; a su cara sin colores; a su voz llena de agruras..." (*El Jayón,* pp. 20-21).

[16] La obra fue presentada anteriormente en Barcelona por la misma compañía (*La Época*).

[17] En la entrevista anteriormente citada, Concha Espina se quejaba del comportamiento de G. Martínez Sierra, empresario del Teatro Eslava, que retiró la obra con tal premura pese al éxito de público y crítica (José Luis Salado, "Concha Espina dice que el teatro está muy atrasado en España", *Heraldo de Madrid,* 2-01-1926, p. 5). En otra entrevista aparecida un año más tarde en *ABC,* la autora declaraba, como en la anterior, sentir una íntima pereza para escribir teatro debida a su experiencia negativa con los empresarios (L.C., "¿Por qué no escribe usted para el teatro?, *ABC,* 23-06-1927, pp. 9-10). Gerard Lavergne ha investigado en torno al supuesto problema que pudo esconderse tras esta decisión de Martínez Sierra y concluye que nada extraño parece explicar el hecho, aludiendo más bien a la pobreza teatral percibida en la obra por algunos críticos como causa de la retirada de la misma (*Vida y obra de Concha Espina,* pp. 70-71).

[18] Esta crítica, como aquellas otras que se citarán más adelante y cuya referencia no aparece en el apéndice documental de teatro representado, está recogida en el conjunto de reseñas integrado en la edición del texto consultada (*El Jayón,* pp. 123-124).

[19] "Así como los efectos escénicos del acto primero nos causaron una impresión de espanto, de desesperación, por los tonos chillones del decorado, por la falsedad absoluta del paisaje, por la colocación, en general, en cambio tenemos que confesar el acierto del escenógrafo Mignoni al presentar la misma, exacta decoración de paisaje en el segundo, con un efecto de nieve verdaderamente originalísimo. El decorado del tercer acto es de escasa, nula originalidad" (*El Jayón,* p. 130).

[20] A pesar de ser él el personaje a través de cuyos puntos de vista se focaliza la acción, ésta gira en torno a su hermana Margarita, a la que sus padres quieren casar con un señorito madrileño, hijo de un ministro, que disgusta profundamente a Ramón.

[21] En respuesta a un artículo publicado en *Heraldo de Madrid* por José Romero Cuesta ("Los nuevos autores", 6-09-1924) en el que se acusaba a Borragán de haber rechazado el estreno de una obra de autor novel porque éste no podía colaborar económicamente en el estreno, la citada escritora y empresaria respondía en el mismo periódico aclarando que el proyecto de teatro de arte citado había nacido con un plan previamente determinado en el que se incluían muy pocos intentos (Mª Teresa Borragán, "A propósito de un artículo. Una aclaración", *Heraldo de Madrid,* 13-09-1924, p.5). La nómina de estrenos de la temporada de teatro de arte del Martín aparece completa en Dru Dougherty y Mª Francisca Vilches, *La escena madrileña entre 1918 y 1926,* pp. 48-49.

[22] Según Luis Arquistáin, en *Espectros,* de Henrik Ibsen, la señora Alving aparece como una Nora fracasada. Cuando siendo joven descubrió que su marido era un hombre lleno de vicios y huyó a la casa del hombre que amaba, el pastor Manders, éste le dirigió un frío sermón moral y la restituyó al hogar abandonado. Sin suficiente valor como para rebelarse ella sola contra la ley social, continuó su impura vida conyugal y tuvo un hijo, Oswaldo, paralítico por herencia. Los pecados de los padres se castigan así en el hijo, que morirá reprochándoles su desventurada existencia (*La batalla teatral,* Madrid, CIAP, 1930, pp. 95-96). Sobre la importante influencia de Ibsen en la escena española del primer tercio de siglo, destaca entre la numerosa bibliografía coetánea

el libro de H. Gregersen, *Ibsen and Spain* (Cambridge, Mars, 1936). Puede verse también la tesis doctoral de J.S. Ozimek-Maier, *Ibsen and Spain: A Re-examination,* Wisconsin, 1980.

[23] Mª Francisca Clar Margarit *(Ana Ryus, Halma Angélico)* nació en Palma de Mallorca en 1888. Sus padres fueron Francisco Clar Ryus, militar de profesión, y Francisca Margarit Conde. Permaneció poco tiempo en la isla, al ser nombrado su padre gobernador de Luzón (Filipinas), donde vivió hasta su primera juventud, al independizarse la colonia de la corona española. La familia se instaló entonces en Madrid, donde Mª Francisca estudia en el Sagrado Corazón y, posteriormente, arte dramático. Casada a los veintiún años, vivió un infeliz matrimonio del que tuvo dos hijos. Después de una temprana separación, empieza a ganarse la vida con sus cuentos y artículos para la prensa hispanoamericana. Funda en Madrid un Hogar Sudamericano para exiliados, destacando entre sus amistades de aquellas tierras políticos y diplomáticos como Rómulo Gallegos, Oswaldo Basil, Manuel Pichardo, César Tolentino, etc. En los años 20 y 30 fueron también frecuentes sus colaboraciones en prensa española *(ABC, Blanco y Negro, Heraldo de Madrid...)* y en revistas femeninas como *Mujer* y *Mundo femenino.* Tomó parte activa en diversas organizaciones feministas de la época tales como el Lyceum Club Femenino (en el que dirigió la Sección de Literatura y llegó a ser su última presidenta), la Asociación Nacional de Mujeres Españolas (de la que fue nombrada vicepresidenta en enero de 1935), Unión de Mujeres de España, España Femenina, etc. Acabada la guerra, que había pasado en Madrid (calle Moreto, 15), fue encarcelada y exculpada después de tres meses de cárcel. Vino entonces un injusto olvido, el declive económico de su familia y el aislamiento intelectual que padeció hasta su muerte, ocurrida en Madrid el 9 de noviembre de 1952. (Agradezco algunos de los datos biográficos sobre la autora a la amable colaboración de doña María de Clar, nuera de la escritora, y a su biznieto, Aníbal Clar Pérez, material documental y gráfico cedido gentilmente para esta investigación).

[24] *Halma Angélico, Ak y la humanidad.* Comedia inspirada en el cuento del escritor ruso contemporáneo Jefim Sosulia, Madrid, Aguilar, 1938. La obra fue estrenada en el Teatro Español de Madrid el 5 de agosto de 1938 y tuvo una buena acogida entre el público. La prensa anarquista desató una campaña furibunda contra la obra y su autora -hasta entonces militante de la CNT- que encabezó J. García Pradas desde el periódico madrileño del sindicato. La obra fue calificada de "plagio repugnante" y acusada además de "contrarrevolucionaria" (diario *CNT,* de Madrid). A raíz de estos hechos fue retirada de los escenarios por deseo expreso de su autora a principios de septiembre. La vinculación de *Halma Angélico* con el sindicato cenetista parece apuntar hacia una maniobra interna de desprestigio. Alude brevemente al escandaloso estreno Robert Marrast en *El teatre durant la Guerra Civil Espanyola* (Barcelona, Institut del Teatre, 1978, pp. 85-86).

[25] Dirigida por *Halma Angélico* se estrenó en el Lyceum Club la obra de Enrique Bayarri *Coro de mujeres* ("Los Teatros", *El Liberal,* 3-06-1936, p.6 y *"Coro de mujeres,* en el Lyceum Club Femenino", *Heraldo de Madrid,* 2-06-1936, p. 8).

[26] *Halma Angélico* publicó bajo este seudónimo las siguientes piezas de teatro: *La nieta de Fedra* (1929), *Entre la cruz y el diablo* (1932), *Al margen de la ciudad* (1934), y *Ak y la humanidad* (1938). Permanece inédita otra pieza suya, *La gran orgía,* entregada para su registro en la Sociedad General de Autores el 8-07-1932. La producción narrativa de la escritora incluye títulos publicados como *La mística* (1929), *El templo profanado* (1930), *La Desertora* (1932) y *Santas que pecaron* (1935). En posesión de la familia permanecen inéditas *El Madrid que a veces también llora* (escrito de posguerra que la autora no llegó a terminar), *Agar* (poema en prosa), *Ibor el magnífico* y *La Jineta.*

[27] E. D-C., "Los teatros: Muñoz Seca 'Entre la cruz y el diablo', de 'Halma Angélico'", *El Sol,* 12-06-1932, p. 12.

[28] La autora logra reflejar los esfuerzos de las mujeres que habitan la casa por disimular su escasez de medios y disfrazarla de un confortable "bien pasar" con la reiteración de diminutivos que emplea en la enumeración de los objetos que pueblan la sala: "(A la derecha [siempre del actor] un balcón o mirador, y frente a él un costurero, una jaula y algunos tiestos con plantas; en la pared que forma rincón, un estantito con libros, un par de butaquitas, una silla de costura y una alfombrita para los pies; es un rinconcito de labor, lectura y descanso)" (*La nieta de Fedra,* p. 7).

[29] Andrés Franco, en el capítulo séptimo de su libro *El teatro de Unamuno* (Madrid, Insula, 1971), realiza un estudio comparativo entre la *Fedra* de este autor y sus dos fuentes literarias básicas: *Hipólito,* de Eurípides, y *Fedra,* de Racine. A propósito de la obra de Unamuno, puede consultarse también la introducción de José Paulino a su edición de la obra *(La Esfinge. La venda. Fedra,* Madrid, Castalia, 1988).

[30] Cito a continuación los títulos teatrales de esta autora localizados: *La Buñolá* (1906), *La calderada,* con Luis Ibáñez Villaescusa (1910), *El califa* (1912), *Cariñito ciego* (1906), *El caserón de las flores* (1909), *Del valle al monte* (1906), *La estocá de la tarde* (1905), *Las grandes fatiguitas* (sin imprimir), *El niño de Brenes* (1908), *Un cordobés* (1907). Constan además en los registros de la Sociedad de Autores Españoles cinco títulos más: *Gente de mar o los jabegotes; Morir por un ideal o el triunfo de la República, El puntillazo, U.H.P.* y *Volver a ver.* Destacan en el citado corpus las zarzuelas y las obras escritas en colaboración.

[31] "(En el telón de fondo estarán pintadas la farola, catedral, la Alcazaba, el castillo y otros edificios y embarcaciones del puerto, todos iluminados. Delante del telón, y a ras del suelo, habrá colgadas [con unos alambres invisibles que penden del telar] tres o cuatro fermas de olas movibles, cada una de las cuales llevará colocado en la parte trasera un varal con luces azules o verdes)" (*Málaga tiene la fama,* p. 39).

[32] "Juan - Hoy sale la luna más pronto, pa que nos veamos bien las caras... ¡Eze tiburón va a ve las agayas que tié un padre cuando ofenden a zu hija!... ¡Y más zi eze padre e jabegote y ze yama Juan 'er Buzo'" (*Málaga tiene la fama,* p. 37).

[33] "(Por el mismo sitio salen dos jabegotes, tirando de la 'veta' o maroma, la cual van enrollando en el suelo, hacia el fondo izquierda. Y ya desde este momento hasta que saquen el copo, no cesan de salir jabegotes y algún chavea, tirando de la maroma, y cuando llegan al montón a donde van enrollándola, desenganchan la bandolera que llaman 'traya' y hacen mutis por donde entraron para volver a salir, repitiendo la misma operación cuantas veces sea preciso)" (*Málaga tiene la fama,* p. 47).

[34] Juan Alcina Franch, en su introducción al volumen antológico *Teatro romántico* (Barcelona, Bruguera, 1984 [3ª ed.]), anota entre las características fundamentales del drama romántico el gusto por un tipo de escena efectista y espectacular, idéntica a la descrita en relación con el final del acto 4º, en la cual "el sufrimiento angustioso de los personajes se mezcla con escenas de horror y sangre" (p. 17).

[35] Cito tan sólo un par de ejemplos: "(Levantando los ojos, su mirada se fija en el Cristo de mármol. Se oye más cerca el himno de gloria que los vencedores cantan. De pronto, Felipe se quita el turbante, la cota de malla, las cadenas y joyas del caudillo moro, echándolas lejos de sí)" (p. 114), y más adelante: "(Vuélvese del Cristo, el horror y el miedo pintándose en su rostro, como por doquiera mira ve las caras espantadas de sus víctimas)" (*La princesa Riquilda,* p. 114).

[36] "Borrell - (...) Decid a vuestro señor que desde aquel día en que nuestro Wilfredo, El Velloso, dando a Francia la victoria sobre sus enemigos, los Normandos, ganó del Emperador Carlos el Calvo, la independencia del Condado de Barcelona, y ese (...) glorioso escudo... desde aquel día hemos dejado de ser tributarios de Francia, y mientras Dios quiera que yo sea Conde Soberano de Barcelona... mientras (Dirigiéndose al pueblo) haya un solo catalán... Cataluña será independiente" (*La princesa Riquilda,* p. 55).

[37] Según consta en la portada del texto impreso, la obra fue estrenada el 01-04-1929. No consta el lugar de su representación, que pudo ser probablemente Murcia, ciudad de edición de la pieza.

[38] En la citada obra, el tema gira en torno al enfrentamiento del héroe con el presidente del Tribunal de los Diez, órgano de gobierno de la república veneciana caracterizado por la severidad de sus leyes, el rigor y el misterioso funcionamiento de sus tribunales. Coincide también con el tratamiento que Aurora Sánchez da al tema de la conspiración ligada al Consejo: embozados, reuniones nocturnas, espías, amenazas de tormento, terror... Véase al respecto el análisis de la obra de Harztenbusch presente en la introducción de Alcina Franch a su volumen de *Teatro romántico* (p. 57).

[39] En el registro de derechos dramáticos de la Sociedad de Autores aparece otra obra de la misma autora titulada *El gaitero gallego,* también musicada por su hermano Celestino.

[40] Mª Lourdes Möller-Soler, "La mujer de la pre- y postguerra civil española en las obras teatrales de Carmen Montoriol y de Maria Aurèlia Capmany", *Estreno*, XII (1986), p. 6. En el texto impreso aparece en la contraportada una inscripción manuscrita que confirma dicha representación: "Estrenada en sesió privada al Teatre del Liceu".

[41] La descripción de la plaza donde se desarrollan los acontecimientos de los dos primeros actos de la tragedia es especialmente larga y detallada (véase *Sara Levy*, p. 8).

[42] "(En el fondo, al rojizo resplandor de una fogata que proyecta sus infernales resplandores en los muros, los judíos se agitan afanosamente preparando con horrible solicitud los aprestos necesarios para realizar la mutua venganza)" (*Sara Levy*, p. 46).

[43] En la línea de teatro proletario cultivada por Mª Teresa León se inscribe el drama en 1 acto de Carlota O'Neill *Al rojo,* que retrata "la vida trágica de las modistas" *(La Libertad).* Fue estrenado por el "Grupo Teatral Nosotros" en el Teatro Proletario de la calle Alcalá 193 (Madrid) que dirigía César Falcón (12-02-1933). Carlota O'Neill escribió por estos años otra obra, en colaboración con Juan G. Olmedilla, titulada *El caso extraordinario de Elisa Wilman,* que abordaba otro conflictivo asunto: el tráfico de estupefacientes ("Los Teatros", *El Liberal,* 8-11-1935, p. 8). En el registro de derechos dramáticos de la Sociedad General de Autores aparecen registradas como de esta autora *Al rojo, Viernes santo,* y una adaptación de *Anna Christie* realizada en colaboración.

[44] Imprescindible información biográfica sobre la autora facilitan sus libros *La historia tiene la palabra* (1944), *Sonríe China* (1958) y *Memorias de la melancolía* (1970). Vid. una apretada revisión general en G. Torres Nebrera, "María Teresa León, esbozo a tres tintas (Memorias, biografías, novelas)", en AA.VV., *Mª Teresa León,* Valladolid, Junta de Castilla y León, 1987, pp. 27-40. (En este mismo volumen se incluye una completa biografía final). Véase igualmente Antonina Rodrigo, *Mujeres españolas,* pp. 207-224; Janet Pérez, *Contemporary Women Writers of Spain,* Boston, Twayne, 1988, pp. 45-49, y Angela E. Bordonada, *Novelas breves de escritoras españolas (1900-1936),* Madrid, Castalia-Instituto de la Mujer, 1990, pp. 391-393.

[45] Para una mejor comprensión de los conceptos "teatro popular", "teatro político" y "teatro proletario" en el período, consúltese el libro de Jacinto Benavente, *El teatro del pueblo* (Madrid, Librería de Fernando Fé, 1909) y el de Ramón J. Sender, *Teatro de masas* (Valencia, Orto, s.a.; 1931).

[46] Mª Teresa León, *Memorias de la melancolía,* Barcelona, Círculo de Lectores, 1987 (1ª ed. 1970), p. 49.

[47] G. Torres Nebrera, "La obra literaria de María Teresa León (Cuentos y Teatro)", *Anuario de Estudios Filológicos,* VII (1984), p. 379: "Becada por la Junta de Ampliación de Estudios, y en compañía de Rafael Alberti (...) Mª Teresa viaja en 1932 por Europa para estudiar el teatro vigente en aquel momento, especialmente el soviético, el mejor ejemplo a la sazón de un teatro político y revolucionario –es el momento de autores como Majakovski y su *Tragedia bufa,* o Vichnevski y su *Tragedia optimista,* o Meyerhold y su *Octubre teatral,* o las piezas presentadas por la Comedia popular de Moscú– (...). Un primer fruto de estos contactos (...) fue la pieza revolucionaria –en una coyuntura de sangrientos enfrentamientos de clase que acabarán en la revolución del 34– *Huelga en el puerto".*

[48] Francisco Mundi Pedret, *El teatro de la guerra civil,* Barcelona, Promociones y Publicaciones Universitarias, 1987, p. 17: "'Guiñol Octubre', que tomó el nombre de la revista Octubre de Rafael Alberti y María Teresa León, estuvo dirigido por Miguel Prieto. Inauguró sus actividades en 1934, y fue rebautizado con el nombre de 'Tarumba', por Pablo Neruda. Fue un guiñol de oposición durante el bienio negro, que se dedicó a visitar las aldeas. Posteriormente estuvo al servicio de la propaganda republicana de guerra". En la reedición de *Memorias de la melancolía* publicada por Círculo de Lectores aparece una bella fotografía en la que Mª Teresa y Rafael manejan los muñecos del "Guiñol la Tarumba" en su casa madrileña ante unos atentos niños que contemplan la representación.

[49] Tal vez el más famoso sea el titulado "Gato por liebre", aparecido en *El Mono Azul,* 36 (14-10-1937) y recogido en Robert Marrast, *El teatre durant la Guerra Civil Espanyola,* pp. 289-290. Reproduzco tan sólo un fragmento, ya clásico, de este artículo, muestra perfecta de la profunda preocupación de la escritora e intelectual por el teatro: "¿Para qué sirve un teatro? Pues para educar, propagar, adiestrar, distraer, convencer, animar, llevar al espíritu de los hombres

ideas nuevas, sentidos diversos de la vida, hacer a los hombres mejores. Para ello el teatro ha de seguir vivo con la vida de su tiempo, buscar afinidades con el teatro antiguo, y para cumplir con nuestro deber estrictamente revolucionario deberíamos evitar que pasasen gato por liebre, llamando teatro a la basura inmunda" (p. 290). Más información sobre las actividades culturales de Mª Teresa León durante la Guerra Civil en Mª Inmaculada Monforte, "La labor cultural de María Teresa León", en *Las mujeres y la Guerra Civil Española*, Madrid, Instituto de la Mujer-Dirección de Archivos Estatales, 1991, pp. 148-151.

[50] Matilde Ras Fernández, conocida grafóloga, colaboró a partir de 1917 en la prensa con temas de su especialidad. En 1923 obtiene una beca de la Junta de Ampliación de Estudios para estudiar en la *Société Technique des Experts en Ecriture,* de París. Viajó por Francia, Portugal e Italia, siendo internacionalmente conocida por sus trabajos grafológicos. Además de sus varios tratados y artículos periodísticos *(La Voz, Heraldo de Madrid, Informaciones...)* sobre grafología, y de sus traducciones de textos filosóficos y poéticos, escribió novela *(Quimeriana, Donde se bifurca el sendero),* cuento *(Cuentos de la guerra, Charito y sus hermanas,* traducciones de Perrault, Grimm, etc.), un guión cinematográfico inédito *(Yolanda* [María Laffite, *La mujer en España,* p. 244]) y dos piezas más para el teatro: *El taller de Pierrot* (farsa en 1 acto que se analiza más adelante) y *Heroísmos oscuros* (registrada en la Sociedad de Autores en la categoría de colaboraciones). Especialmente recomendable resulta la lectura de su *Diario* (Madrid, Editorial Reus, 1949 [2ª ed.]).

[51] "Poeta - Advierto un ambiente patriarcal en este hogar campesino. Este interior apacible armoniza con la poesía de paz y dulzura del paisaje" *(El amo,* p. 146). Más adelante añade: "Yo celebro haber visto por mis propios ojos puesta en acción esa antigua filosofía de la dicha en la limitación de los deseos. Y no menos me agrada el patriarcal afecto que os une como a iguales, amos y criados, en torno de una misma mesa" (pp. 148-149).

[52] Zenobia Camprubí tradujo también la comedia de Rabindranath Tagore titulada *Ciclo de la primavera* (1918).

[53] Publicó varios libros de poesía *(Las piedras de Horeb,* 1924; *Huerto cerrado,* 1928; *Esencias,* 1930, y *Holocausto,* 1941, en recuerdo de su hijo muerto en la Guerra Civil) interesándose también por el teatro como autora y animadora del teatro íntimo "Fantasio". Casada con el también escritor Rafael Martínez Romarate, ha pasado a la historia de la literatura como musa y amor de Antonio Machado *(Canciones a Guiomar,* 1929). Vid. Pilar de Valderrama, *Sí, soy Guiomar: memorias de mi vida,* Barcelona, Plaza y Janés, 1981.

[54] "Héctor -Mis padres no viven; murieron los dos en una travesía (...). Como no tenía hermanos ni parientes próximos, viví con mi tutor, hombre frío y reconcentrado, que a mi mayoría de edad me entregó mi fortuna (...). Residencia fija, no la tengo; casa, hogar que me atraiga, me guarde y al que yo vuelva con cariño, no le tengo" *(El tercer mundo,* p. 103).

[55] En relación con el escenario del último acto, Cristóbal de Castro afirma en su prólogo: "El tercer acto tiene un escenario estilizado, de cortinas y reflectores, a propósito para la evocación. Con símbolos, como de un auto sacramental, aparecen ante la esposa alucinada el Ciego y la Niña, el Hombre, la Mujer, el Monje..." *(El tercer mundo,* p. 14).

[56] Acerca de la repercusión de Pirandello en la escena española de la época pueden encontrarse interesantes testimonios en Felipe Sassone, *Por el mundo de la farsa (palabras de un farsante),* Madrid, Renacimiento, 1931, pp. 283-289 y 291-297. Sobre la misma cuestión, vista retrospectivamente, véase Mariano Martín, "Ejemplos de renovación: Teatro francés e italiano en la escena madrileña (1918-1936)", *El teatro en España entre la tradición y la vanguardia,* Madrid, CSIC-Tabapress, 1992, pp. 128-129.

[57] F. Sáinz de Robles reproduce en su *Ensayo de un diccionario de la Literatura* (vol. II, Madrid, Aguilar, 1949, p. 1707) el siguiente comentario de Alfredo Marqueríe con respecto a la citada lectura en el Ateneo: *"La vida que no se vive* es el título de la comedia de Pilar de Valderrama. Un prólogo y tres actos llenos de finura literaria, de original invención, de pulcro lenguaje, de diestro diálogo y, sobre todo, de delicadísima poesía, que encantó al auditorio y que arrancó encendidos aplausos". Según José Mª Moreiro, la obra fue retocada en el curso de 1930 por consejo de Antonio Machado, que en sus cartas a "Guiomar" la excluye de los elogios brindados a otras de sus creaciones *(Guiomar. Un amor imposible de Machado,* p. 184).

[58] A propósito del teatro doméstico que Valderrama acogía en su domicilio de la calle Rosales, Justina Ruiz de Conde escribe: "Al marido [de Pilar de Valderrama], le atraía el teatro y

se aficionó a la escenografía y a la decoración. Era la época de las representaciones teatrales hogareñas –"El mirlo blanco", de los Baroja, por ejemplo—, y los Martínez Romarate tenían también su teatrito, 'Fantasio', que nació para que sus hijos y los amigos de éstos dieran funciones infantiles. A veces había marionetas; otras, producciones más serias" *(Antonio Machado y Guiomar,* Madrid, Insula, 1964, p. 132).

[59] Laura Cortinas viaja pronto a Montevideo, donde realiza sus estudios y emprende su carrera literaria. Fue agregada cultural de su país en Méjico. En 1927 obtuvo un importante premio nacional por su novela *Carmita,* a la que se añaden títulos como *Mujer, La vidente, La virgen morena* y *El hombre nuevo.*

[60] "Desde un principio Zenobia tradujo directamente del inglés, lengua que conocía a la perfección, y Juan Ramón corregía el texto y le daba forma poética, a pesar de que Zenobia aparezca casi siempre como única traductora" (Antonina Rodrigo, *Mujeres de España,* p. 124). Fundamental para conocer la personalidad de esta gran mujer y sensible escritora resulta su recientemente editado *Diario: Cuba (1937-1939)* (Madrid, Alianza, 1991), que ha de ser aún completado por los volúmenes correspondientes al resto de los años que pasó en el exilio (Estados Unidos, Buenos Aires, Puerto Rico) hasta su muerte, en 1956.

[61] Resulta de especial interés la columna de "Revista de trajes" dedicada íntegramente a describir los decorados y el vestuario, acertadamente diseñado por Vázquez Díaz, que acompañó al artículo de Alsina *(El Sol).*

[62] "Es digno de alabanza tal esfuerzo, pero no se puede desconocer que el empeño estaba erizado de dificultades, no siendo las de menor monta lo exótico del género, su delicada fragilidad y la falta de preparación en el público y en los mismos autores [léase, actores]; no es de extrañar, por lo tanto, que los tenues matices y la honda y sutil emoción puesta por el autor en su obra no llegasen con toda su pureza a los espectadores" *(ABC).*

[63] Mercedes Ballesteros Gaibrois, hija de los historiadores Antonio Ballesteros y Mercedes Gaibrois, cursó la carrera de Filosofía y Letras. Escribe con posterioridad a la Guerra Civil los siguientes títulos de teatro: *Una mujer desconocida* (1946), *Las mariposas cantan* (1952), *Quiero ver al doctor* (1953, en colaboración con su marido, el autor y director teatral Claudio de la Torre), *Las chicas del taller* (1963, con Luca de Tena) y *Lejano pariente sin sombrero* (1966). Más conocida como novelista que como autora de teatro, utilizó también los seudónimos *Sylvia Visconti* y *Baronesa Alberta* (en sus colaboraciones en la revista de humor *La codorniz).* Véase Patricia O'Connor, *Dramaturgas españolas de hoy,* pp. 145-147, con útiles referencias bibliográficas sobre la autora.

[64] Surrealismo y poesía se entrecruzan constantemente en la obra: "([El ángel] Se coloca las manos del ARTESANO en las puntas de las alas)" (hoj. 4), o, poco más adelante, "Angel -(Con énfasis) La nieve habita en las esquinas de las horas" (hoj. 5).

[65] Conviene recordar aquí un intento similar, aunque mucho más conocido, el de Rafael Alberti en *El hombre deshabitado (Teatro de liberación,* Madrid, Edición Primer Acto-Girol Books Inc., 1988), "auto sacramental sin sacramento" en el que el Creador se enfrenta, pura luz y sonido, con su criatura y la lleva de la tiniebla al paraíso y de allí, nuevamente al infierno.

[66] Antes de terminar con el drama y la tragedia, debo citar dos títulos más, de muy diferente signo, que se inscriben en el ámbito de la representación teatral de estos años: *La pasión ciega* (22-12-1925), de Carmen Díaz de Mendoza, Condesa de San Luis, y *El premio de mi pecado* (13-10-1928), de Mª Paz Molinero. Acerca de esta última pieza afirmaba el crítico de *ABC:* "Es un drama sintético, casi vanguardista, en dos actos fulminantes y un epílogo mortuorio". La autora de la obra era una niña de tan sólo once años que trabajó como actriz y que más tarde se dedicaría profesionalmente a la actuación dramática.

CAPÍTULO CUARTO

LAS ESCRITORAS TEATRALES Y EL GÉNERO CÓMICO: COMEDIAS, SAINETES Y JUGUETES CÓMICOS

Entre las múltiples razones que pueden dar cuenta del ya mencionado predominio cuantitativo de las obras de autoras clasificables dentro del género cómico hubo dos que resultaron a mi juicio fundamentales. En primer lugar, el absoluto triunfo en la escena comercial madrileña de las obras pensadas para la intrascendente diversión del público burgués predominante en los teatros. Una predilección por la obra frívola y sentimental que se veía reforzada, en segundo lugar, por las expectativas que con respecto a las escritoras de teatro mantenían críticos y espectadores. Tal y como se explicará con cierta detención en el último capítulo del libro, las autoras fueron generalmente bien recibidas cuando estrenaron obras ligeras de tema sentimental, mientras se rechazaban con bastante frecuencia sus intentos de abordar cuestiones de mayor envergadura e implicaciones polémicas.

Patrice Pavis recoge el concepto aristotélico de comedia al definirla de acuerdo con tres criterios que la oponen de manera esencial a la tragedia: los personajes son de condición inferior, el desenlace es feliz y su finalidad consiste en provocar la risa del espectador[1]. Según Pavis, la comedia se consagra a la realidad cotidiana de la gente sencilla, de donde procede su capacidad de adaptación a todo tipo de sociedades y la diversidad infinita de sus manifestaciones. Si la tragedia se rige por una serie de motivos necesarios que conducen a sus personajes obligatoriamente hacia la catástrofe, la comedia vive de la sorpresa, los cambios de ritmo y el azar. Es, en resumen, una imitación de costumbres puesta en acción cuya fábula pasa por las fases de *equilibrio, desequilibrio* y *nuevo equilibrio*[2]. Por lo común, las obras consultadas responden al citado esquema aristotélico de segmentación narratológica (exposición y puesta en marcha de los elementos dramáticos, complicación y enmarañamiento del nudo, resolución del conflicto y retorno a la normalidad). Además se adscriben a una concepción realista del espacio escénico, preocupada por la reproducción verosímil del medio social, que seguía siendo por estos años la preferida por el público medio. De ahí que la mayoría de estas piezas fueran comedias en tres actos (más de veinte en el corpus de teatro impreso que aquí se recoge), seguidas muy de lejos por las comedias infantiles en un acto, que serán analizadas en el apartado correspondiente al teatro infantil, y por aquellas divididas en dos actos (seis obras en total)[3] y cuatro actos (dos comedias tan solo)[4].

Escribieron comedias en los años 20 y 30 autoras como Pilar Algora, *Halma Angélico,* Adelina Aparicio y Ossorio, Elena Arcediano, Margarita Astray Reguera, Mª Teresa Borragán, Adela Carbone, Laura Cortinas, Pilar Millán Astray, Elena Miniet, Mª Luz Morales (con Elisabeth Mulder), Concha Ramonell Gimeno, Matilde Ribot, Genoveva Rovira Valdés y Conchita Ruiz (en colaboración con su padre, el comediógrafo valenciano Ignacio Ruiz). No es difícil distinguir en el conjunto de la producción de estas escritoras dos tipos fundamentales de comedias: la comedia popular, cultivada principalmente por Pilar Millán Astray e influida directamente por los tipos y situaciones propios del sainete madrileño, y la comedia sentimental de ambiente elevado (alta burguesía y aristocracia), que frecuentan casi todas las demás autoras de comedias (Adelina Aparicio, Elena Miniet, Pilar Algora, Mª Teresa Borragán...). Con respecto al primer tipo, destaca el problema de delimitación genérica que presenta en concreto la producción de Millán Astray (en la que se confunden indistintamente comedias, comedias asainetadas y sainetes). En cuanto al segundo y mayoritario grupo del corpus, el cruce de géneros apunta, según los casos, hacia el drama por una parte y, en el extremo contrario, hacia el juguete cómico.

Las comedias de Pilar Millán Astray localizadas como textos impresos responden a dos de los modelos genéricos predominantemente triunfantes en la escena de estos años, la comedia popular y el sainete madrileño. Igualmente respetuosas con la tradición del género -en este caso, siguiendo el modelo de la alta comedia sentimental benaventina- se muestran las comedias publicadas por Adelina Aparicio y Ossorio. En el marco del teatro representado en los escenarios madrileños de entreguerras, además de la ya citada Millán Astray, destaca la labor realizada por otras dos autoras que cultivaron el triunfante género cómico: Sofía Blasco, actriz y autora de varias comedias de éxito, y Sara Insúa, conocida novelista y hermana del famoso escritor Alberto Insúa.

En cuanto a las dos comedias de *Halma Angélico* se refiere *(Entre la cruz y el diablo* y *Al margen de la ciudad)*, mientras que la primera de ellas fue representada con relativo éxito de público y crítica, la segunda se concibe muy probablemente como teatro para ser leído. Como se explica más adelante, esta última obra es sin duda una de las más interesantes e innovadoras en el marco de la comedia de autora. Pilar Algora y Elena Arcediano contribuyeron también a la necesaria renovación del género aportando una temática claramente feminista en comedias como *Sin gloria y sin amor* (Algora) o *Mujeres solas* (Arcediano).

4.1. SIGUIENDO LA TRADICIÓN DEL GÉNERO

Pilar Millán, Adelina Aparicio, Sofía Blasco y Sara Insúa.

En respuesta a la estupenda acogida popular de que gozaron por término general las comedias de corte costumbrista y fuerte ambientación local, directamente ligadas en estos años al triunfante sainete "alargado" en dos y tres actos, fueron varios los autores que cultivaron un teatro heredero de las fórmulas de éxito implantadas por Carlos Arniches y Serafín y Joaquín Alvarez Quintero. Entre ellos, destaca, inusualmente, un nombre de mujer que triunfa en los escenarios madrileños y es citada en las nóminas de autores de gran éxito a partir de la temporada 1924-1925 hasta la Guerra Civil. Se trata de Pilar Millán Astray[5], aludida frecuentemente en los comentarios de prensa del momento como "ilustre sainetera", y autora de numerosas piezas calificadas de "comedias" e, incluso, de "comedias asainetadas".

Aunque la definición clásica del sainete, basada en la extensión y número de actos de la pieza[6], permite establecer una delimitación nítida entre sainetes y comedias, ésta delimitación resulta difícil y confusa cuando, abandonándose el prototipo clásico (los sainetes de Quiñones de Benavente y Ramón de la Cruz), se "estira" el sainete y se alarga su trama hasta dar lugar a una nueva forma genérica de la que Carlos Arniches se convierte a principios de este siglo en indiscutible maestro[7]. A partir de ese momento, la comedia se ha venido distinguiendo del sainete en razón de un diferente planteamiento de asuntos, tipos y ambientes en ambos géneros. En el terreno de la trama, los dos marcos genéricos parecen encarnar respectivamente la idea frente a la emoción, el argumento complejo frente a una simplista línea sentimentaloide fuertemente melodramática. Por lo que respecta al personaje, el maniqueísmo del sainete junto con la sencillez y popularismo de sus tipos se opone también a una teóricamente más elaborada distribución de roles en la comedia, donde pueden alternar una mayor variedad de estratos sociales, registros lingüísticos, etc.

En el caso de Pilar Millán, el "problema" del cruce de géneros en la mayor parte de sus piezas resultó evidente ya para los críticos de entonces y, muy probablemente, también para ella misma, que no dudó en inhibirse de cualquier intento de definir genéricamente sus estrenos en varias autocríticas: "¿Sainete, comedia asainetada o popular? La clasificación de mis obras, como todos saben, siempre se la brindo a los críticos"[8].

El teatro de la autora gallega responde a una manera propia, a una personal combinación de sentimentalismo, comicidad, costumbrismo y efectos fuertemente teatrales. Con el segundo de sus estrenos, el sainete *El juramento de la Primorosa*, logró ya constituir lo que iba a ser en el futuro una "plantilla" teatral propia que repetiría con variaciones en muchas de sus obras posteriores. Jorge de la Cueva, crítico de *El Debate*, se hacía eco de este hecho en su reseña del estreno de la comedia *La Galana*, que subió a los escenarios en 1926, cuando ya la escritora había estrenado varios de sus principales éxitos del período:

> El truco es sencillísimo: un acto de ambiente, en el que la acción entra casi al final; una acción fuerte, melodramática, sin una gran preocupación por la originalidad, entremezclada con escenas de ambiente; piropos al Madrid castizo, alguna chulería, corrección moral, habilidad efectista para los finales de acto y, al fin, un poco atropelladamente, todo se arregla a pedir de boca (*El Debate*).

Su primera producción, sin embargo, se apartó del tema madrileñista que tantos éxitos le proporcionaría posteriormente.

La comedia en tres actos *Al rugir el león* (1923), escrita en el pazo coruñés donde la autora pasaba habitualmente sus vacaciones, se inspira en este ambiente rural gallego directamente vivido y observado por ella. Inicia así lo que iba a ser una constante en su teatro, la obsesión por una documentación exhaustiva de la realidad ambiental que retrataría después en sus obras. En *Al rugir el león* se anuncian ya algunas de las características más acusadas de sus producciones posteriores. Efectivamente, el primer acto incide sobre todo en la plasmación de un ambiente. Para ello resulta fundamental el detallismo verista de la escenografía sugerida en las acotaciones que encabezan el acto y que constituyen su "pre-puesta en escena". La crisis, planteada casi al final del primer acto, se desarrolla posteriormente y llega a su solución al acabar el segundo, motivo por el cual se criticarán a menudo sus "inútiles" actos terceros en muchas de las reseñas periodísticas que comentaron varios de sus estrenos. La trama sentimental se adereza con motivos claramente melodramáticos (hijos ilegítimos, distancia social insuperable, amores secretos, sacrificios inconmensurables...) y con la defensa de los valores morales tradicionales: honor, familia, nobleza, religión, etc. Manuel Machado, por citar tan sólo un ejemplo, comentaba en su reseña posterior al estreno de la obra (ocurrido el 19-04-1923 en el Teatro Centro, de Madrid) que en ella se exponían "bellezas de índole moral" que seducían al público, encantado de recibir semejantes lecciones de comportamiento (La Libertad). También comedia de ambiente gallego, El pazo de las hortensias (16-12-1924) presenta un único "espacio dramático" (el campo gallego) y un "espacio escénico" repetido en los tres actos[9], el pazo de Mourelo que, constituyendo un motivo central en la obra, da título a la misma[10].

De las comedias de Pilar Millán, otras dos se encuadran en lo que se podría denominar con justicia "comedias de ambiente madrileño", ambas estrenadas y publicadas en 1926: La Galana (estrenada el 24-02-1926) y Pancho Robles (el 5-10-1926). La primera de ellas, calificada en algunos catálogos como sainete[11], se ambienta en una popular jamonería de los barrios bajos de Madrid, comercio que regenta con problemas una viuda de mediana edad, Dolores, a la que todos conocen como "la Galana". El escenario, repetido en los tres actos de la obra, es uno de los más característicos del corpus de esta autora. Representa la trastienda de la jamonería, donde la familia tiene su propio domicilio. La puerta del foro se abre hacia la tienda, como ocurre también en La mercería de la Dalia Roja o en Mademoiselle Naná. De este modo se presentan unidos los espacios doméstico y laboral de la protagonista. El piano, la cómoda, los cuadros y flores y, sobre todo, la inevitable mesa camilla de la mayor parte de sus espacios escénicos, determinan un ambiente de modesto "bien pasar" en el que reina un gusto vulgar y adocenado.

Con una expresiva exclamación de autoridad, Dolores cierra el primer acto dejando encarrilado el nuevo rumbo que ha de tomar la familia para superar la actual crisis por la que atraviesa el negocio. El segundo acto se dedica por completo a demostrar la valía del nuevo encargado y la maldad absoluta de los ocultos enemigos que acechan el negocio de la Galana (empleados, parientes, etc.). Cerradas las líneas sentimentales que protagonizaban las dos hijas de la dueña y restaurada la prosperidad del comercio, sólo quedan por resolver dos cuestiones, que mantienen la leve intriga que recogerá el tercer acto, los amores de Rafael, el hijo de Galana, con Dora y la verdadera identidad del misterioso Pablo. Todo ello se verá satisfactoriamente resuelto en el último acto cuando Pablo logra demostrar su inocencia, clarificar su pasado y permitir así que Rafael y Dora se unan sin sombras ni problemas. El equilibrio familiar se restaura y la comedia acaba felizmente en todas sus líneas.

También en este caso fue confusa la definición de la crítica con respecto a la inevitable cuestión del género de la pieza: "Guiándose, sin duda, por su amor al pueblo madrileño, al que pertenecen los personajes de su nueva obra, la señora Millán Astray la ha denominado sainete; pero es indiscutible que no le iría mal el calificativo de comedia. Comedia asainetada, de costumbres y tipos populares" (*ABC*)[12].

Sin duda bastante inferior, la comedia curiosamente titulada *Pancho Robles* (teniendo en cuenta que su protagonista vuelve a ser una mujer, la Sole), se desarrolla igualmente en lo más castizo del Madrid de principios de siglo. En este caso, el único escenario que se describe para los tres actos consiste en una sala confortable y bien amueblada en casa de la protagonista, donde, como es habitual, todo está muy limpio y aseado -con lo que esto implica acerca de una implícita calificación de la "mujer de la casa" y de sus virtudes domésticas-. Frente al estatismo del primer acto y a su excesiva longitud, motivada por la exposición inútil de múltiples historias paralelas idénticas a la de la protagonista, la velocidad de la acción va en aumento hasta culminar en un repentino y forzadísimo desenlace. Melodramatismo y humor son sin duda las dos notas predominantes en toda la pieza, destacando la valoración positiva que hizo la prensa de la pintura de los tipos y la tonalidad del ambiente, rasgos ambos que la emparentaban más con el sainete que con la comedia *(ABC)*.

Influida tal vez por el abrumador éxito de público de sus sainetes y por esas cualidades de sainetera que la prensa estimó en ella por encima de todo, Millán Astray acaba por dar salida a la contradictoria necesidad de escribir obras largas, en tres actos, con asuntos y tipos propios del más puro sainete, calificando dos de sus últimas producciones anteriores a la guerra como "comedias asainetadas". Tanto *La mercería de la Dalia Roja* (1932) como *Las tres Marías* (1936) contienen una evidente carga ideológica -y casi cabe afirmar que política- que las acerca a la comedia, así como elementos de ambientación y lenguaje típicos del sainete madrileño. A propósito del inminente estreno de la última de ellas, la propia autora declaraba: "*Las tres Marías* es más bien una comedia. Con tipos de sainete, claro. Esta es mi tendencia de siempre" *(La Voz)*.

A propósito del reiterado elemento melodramático de sus piezas, *La casa de la bruja* constituye el primer reconocimiento explícito de la autora en este sentido, al calificar la comedia de "popular melodramática"[13]. Efectivamente, la obra presenta una serie de personajes típicos del cuento infantil (la bruja, la humilde y explotada criadita, el usurero feroz...) que se dividen sin matices en buenos y malos, en perseguidores y perseguidos, en el transcurso de una acción increíble basada en falsas identidades, huidas, persecuciones, premios y castigos[14]. No resulta, pues, extraño que el melodramatismo argumental de la comedia (niña inclusera, madre soltera, bebe muerto, jóvenes huérfanos explotados por seres ruines y sin escrúpulos...) se viera acompañado de numerosos descuidos en la construcción de la trama, desde la injustificada presencia del prestamista en la escena final de la obra hasta la falta de conclusión en la línea amorosa protagonizada durante el segundo acto por Simona y Miguel, personaje al que se olvida totalmente en el tercero y último. De nada le valió a la autora su valiente anticipación a la crítica ("[La novedad] Declarar yo misma, antes de que me lo digan ustedes en son de reproche, que se trata de una obra melodramática" [*Heraldo de Madrid*]), puesto que la mayoría de los comentaristas del estreno vieron con muy malos ojos este abierto reconocimiento de las cualidades melodramáticas de la pieza *(El Liberal)*[15].

De indiscutible menor enjundia y calidad, sus otras dos comedias originales, *El millonario y la bailarina* y *Ruth la Israelita,* padecieron nuevos ataques de la crítica, basados en la "híbrida" composición genérica de ambas producciones. La primera de ellas, ambientada entre guitarristas, bailarinas y demás gentes del espectáculo, ofrece en su primer acto una continua sucesión de tipos de lo más variado (la vieja bailarina, la tiple fracasada, el yanqui ingenuo y rico, los flamencos engañadores, el chulo postinero, la bailaora joven y honrada, etc.) a los que a duras penas parece unir una trama argumental concreta. Las continuas entradas y salidas de personajes, la alocada e ininterrumpida charlatanería de varios de ellos, son difícilmente controladas por la autora, que deja campar a sus anchas a los citados tipos para lucirlos sin aparente justificación. El caprichoso juego escénico al que obligaba la acumulación de personajes fue denunciado en su reseña por el crítico de *El Debate,* mientras que su adscripción genérica parecía salirse de lo habitual en las obras de esta autora, pues se la emparentó lo mismo con el juguete cómico *(La Época)* que con el vodevil *(La Libertad)*.

De *Ruth la Israelita* opinaba la autora: "Esta vez no se trata de un sainete, sino de una comedia dramática, muy dramática en algunos momentos" *(Heraldo de Madrid)*. Efectivamente, el desenlace de la obra resulta infortunado de acuerdo con las expectativas de los que acudían al teatro para ver triunfar al amor. En realidad, puede afirmarse que los dos primeros actos de la obra son de auténtico "planteamiento" por cuanto que los dos motivos de interés dramático, el amoroso -atracción mutua entre Ruth y el seminarista- y el religioso -conversión de Ruth-, no se presentan hasta el tercer acto, dando lugar a una acción de gran sencillez y esquematismo, donde se ignora el continuo desfile de tipos y el enmarañamiento de líneas dramáticas diversas común en otras de sus obras. El desdichado final, prácticamente único en la producción de la autora[16], fue alterado en la nueva versión de la obra que Pilar Millán escribió en 1933 para su estreno en Madrid, el 26-01-1933[17]. Argumento, número de actos y desenlace fueron retocados de forma esencial en la segunda redacción, pensada sin duda para complacer al público enfatizando el aspecto melodramático de la pieza (muerte de Ruth) y dulcificando la línea argumental al consumarse la pretendida conversión de la hebrea que permite el breve encuentro amoroso de los dos jóvenes protagonistas. A falta del texto impreso de esta segunda redacción de la comedia, las reseñas periodísticas nos lo confirman: "Ruth viene a morir a casa de los Moncadas. Y se ofrece al Dios verdadero, al Mesías de la ley y de los profetas" *(La Época)*. La composición de la obra fue también sustancialmente alterada, puesto que los comentaristas informan que la estrenada fue una pieza en cuatro actos *(ABC, El Debate, La Voz)*.

No hay que olvidar, sin embargo, que pese al importante número de "comedias" estrenadas por la autora en estos años, fueron sobre todo sus sainetes los que le proporcionaron un puesto entre los autores de éxito indiscutible. Entre 1918 y 1936, Pilar Millán estrenó ocho piezas bajo esta última denominación genérica: *Los amores de la Nati, La chica de la pensión, Las ilusiones de la Patro, El juramento de la Primorosa, Mademoiselle Naná, Magda la Tirana, La tonta del bote* y *Por los flecos del mantón*. Todas ellas se estructuran en tres actos con la excepción del sainete lírico en dos actos y cuatro cuadros *Por los flecos del mantón*. La autora escribió además durante su breve período de residencia en Barcelona otro sainete en dos actos y 1 cuadro, *La Talabartera*[18], del cual no consta representación alguna. Finalmente hay que incluir en este grupo las "estampas

Un suceso vulgar, de Anita Prieto.

La Galana, de Pilar Millán.

Entre la cruz y el diablo, de *Halma Angélico*.

de sainete" tituladas *Las andanzas de Ginesillo,* pieza en tres actos concebidos de forma coordinada, pero independiente, por su autora, la cual afirmaba en su autocrítica: "Son tres pequeños sainetes sin pretensiones" *(ABC).*

El juramento de la Primorosa (10-10-1924) constituyó sin lugar a dudas el primer gran éxito de la autora después de su debut como comediógrafa durante la anterior temporada. Más de cien representaciones alcanzó con esta su segunda obra en cartel y primera de ambiente madrileño. Los elogios de la crítica fueron unánimes y se vieron reforzados por lo que suponían de descubrimiento de un nuevo nombre para la escena comercial. Con esta creación, la autora entraba de lleno en la órbita del sainete arnichesco que llenaba los teatros una y otra vez a base de una plantilla compositiva de éxito repetida sin descanso con ligeras y bastante superficiales variaciones.

De nuevo la protagonista, Dolores "la Primorosa", corresponde al tipo de mujer madura, madre fuerte y de gran corazón, que lucha con decisión por defender a los suyos y mantenerlos en un estricto orden moral. Este tipo de carácter se repite en otras de sus protagonistas, destacando por su similitud con ella Galana y Patro, madres las dos que luchan decididamente por sacar adelante a su familia. El personaje de Primorosa fue sin duda el gran acierto de Pilar Millán. Público y crítica se vieron cautivados por su poderosa personalidad. Hasta tal punto fue esto así que varios de los reseñadores del estreno acusaron a la autora de haber restado algo de su grandeza trágica al personaje dando una explicación personal y revanchista al gesto, que al comienzo parecía puramente altruista, de defender a la pobre mujer engañada incluso en contra de su propia hija. Lo que la crítica no supo ver, tal vez, fue el impulso melodramático que la obra recibía (madre soltera y abandonada por un señorito) a través de su inolvidable protagonista, una insistencia en el tema del engaño femenino tal vez innecesaria, pero muy efectiva. Junto a Primorosa y para resaltar sin duda su decidido carácter la autora sitúa un tipo masculino también muy frecuente en su producción: el marido pasivo, desvaído, totalmente dependiente y secundario con respecto a su cónyuge. Aparece igualmente por primera vez en su producción el tipo del viejo consejero y confidente de la protagonista, en este caso Miguel, hombre solitario, admirador profundo de la mujer y único capaz de apreciar su verdadero valor, que en la presente obra la convierte en símbolo de la raza y de las virtudes femeninas castizas. Junto a estos tres tipos que reaparecerán después en muchas otras de sus producciones, se presenta una masa coral de vecinas y vecinos que funcionan como elementos de ambientación y distensión humorística.

A pesar de las reiteradas declaraciones de la autora garantizando el absoluto verismo de la pieza, cuyo proceso de gestación pasó en una peluquería de la calle de la Encomienda, conviviendo con muchos de los tipos que en la obra se presentan, los críticos no dudaron en resaltar el parentesco de la obra con el manido folletín escénico que tanto gustaba al público mayoritario de los escenarios madrileños[19].

En general, la crítica coincidió al señalar la justeza de los tipos y el indudable logro de su lenguaje popular, al igual que se denunciaba el elemento melodramático inserto en el sainete y la desproporcionada calidad de los tres actos, siendo el último el peor considerado. Al encanto unánimemente aceptado de sus personajes, admirablemente observados del natural y muy bien logrados al pasarlos al teatro, se opuso en general la falta de "realidad" de las ideas dramáticas (un asunto folletinesco propio del repertorio teatral más conocido). Todos coincidían, sin embargo, en reconocer el nacimiento de una nueva firma de prestigio en el teatro madrileño del momento, dotada de un innegable dominio de la técnica y de un manejo del diálogo muy estimable.

Esa misma temporada (1924-1925), Pilar Millán se vio obsequiada con otro nuevo éxito de público, el conseguido con su sainete en tres actos *La tonta del bote*. Este fue sin duda su mayor triunfo sobre las tablas, puesto que a las innumerables reposiciones de la misma (que se dieron incluso después de la guerra) hay que añadir varias versiones cinematográficas posteriores[20]. La obra recrea el conocido tema de la bondadosa Cenicienta que logra triunfar después de múltiples sufrimientos. El desarrollo de la acción conduce a Susana de la desgracia y la soledad hasta la más completa de las felicidades. El elemento melodramático predomina por encima de la nota cómica tan característica en su anterior sainete, *El juramento de la Primorosa*. Los huérfanos lloran al contarse sus respectivas historias, la niña maltratada consigue el amor y la fortuna, la vieja mala queda pobre y abandonada hasta que la protagonista la recoge pese al mal sufrido por su causa... todo ello adornado con un lenguaje plagado de exclamaciones continuas y rematado con el castigo (aunque temporal) de los "malos" y el premio para los "buenos", final que sería muy del gusto de los espectadores contemporáneos[21].

Al evidente éxito de público no correspondió un acuerdo crítico similar. En su reseña del *Heraldo de Madrid*, Rafael Marquina calificaba la obra de "sainetón" fiel a la rancia receta de la pieza colorista y sentimental, plagada de trucos, romanticismo barato y figuras de cartón, rechazando el falso madrileñismo del ambiente. Opinión con-

traria manifestaba José L. Mayral al situar la obra en la línea arnichesca del efecto seguro y la atinada observación, al mismo tiempo que
destacaba la habilidosa combinación de escenas dramáticas con
motivos altamente cómicos (La Voz)[22].

El siguiente sainete estrenado por la autora (29-08-1925), Las ilusiones de la Patro, supuso un claro bajón en relación con el alto
nivel alcanzado en este género en sus dos obras anteriores. La acción
tiene lugar de nuevo en los barrios bajos de Madrid y, más concretamente aún, en la salita de estar de la humilde casa de unos artesanos, la Patro y su marido[23]. El sentimentalismo y la nota cómica constituyen los dos rasgos fundamentales de este sainete. La creación del
ambiente y la constante incidencia humorística encubren una obra
pobre de ideas y de recursos dramáticos sólidos que pretende tan
sólo divertir, alejándose del espíritu adoctrinador de otras producciones de la autora y recurriendo para ello al chiste fácil o a la entronización de la emoción más primaria. Por su parte, la crítica periodística posterior a su estreno fue realmente dura con la obra. Los comentaristas valoraron positivamente el tipo fuerte y maternal de Patro,
mientras que recusaron el leve asunto del sainete (que podría desarrollarse en un sólo acto), la baja calidad de algunos chistes de escaso gusto y la crudeza excesiva del lenguaje.

Los dos sainetes posteriores de esta autora, Mademoiselle Naná
(4-07-1928) y Los amores de la Nati (13-03-1931), se encuentran estrechamente emparentados en tema y estructura argumental. Las protagonistas son en ambos casos jóvenes solteras y huérfanas, cuya innata honradez se ve en peligro precisamente a causa de su soledad e
indefensión. La primera de ellas se desarrolla en un original ambiente: un salón de modas de alta costura en Madrid. Este medio elegante
(lujosa decoración, vestidos caros, música, adineradas clientas...) contrasta cómicamente con la vulgaridad y la ignorancia de las castizas
modelos[24]. Un cambio de escenario paralelo al que se describe en
Los amores de la Nati opone el exótico escenario de los dos primeros
actos -la casa de modas donde entra a trabajar Naná- con la modesta
y alegre buhardilla de los barrios bajos donde viven Nazaria y su
abuelo[25].

En Los amores de la Nati, la joven huérfana en peligro trabaja
alternativamente como modelo de pintores o como dependienta en
el comercio y vive en compañía de una avara tía (Raimunda), dueña
de una pensión conocida como "La Madrileña". Precisamente en la
casa de huéspedes se desarrollan el primer acto y el último, un escenario propicio para la presentación contrastada de diversos tipos.
Esta es la función que lleva a cabo la primera escena -partida de car-

tas-, donde el estudiante vividor alterna con el solterón sin recursos, por poner tan sólo un ejemplo. El segundo acto se desarrolla en el sotabanco donde se ha trasladado Nati, en clara similitud con la presentación de la buhardilla de Nazaria en el tercer acto de la obra anteriormente comentada[26]. Los motivos cómicos son básicamente los mismos que ya conocemos: las peleas entre "chulapas", el humorismo de los insólitos nombres propios, el gracejo popular de los diálogos... El conflicto es de nuevo de orden sentimental (los obstáculos para su amor a los que han de enfrentarse Nati y Guillermo)[27]. Tanto ésta como la anterior pieza resultan ser los sainetes más inequívocamente ajustados al género de esta autora, puesto que lo intrascendente del asunto permite centrar la atención del público en la exposición de los tipos (que predomina en esta última sobre la nota cómica e incluso sobre la línea sentimental del conflicto). Esto no quiere decir, por otro lado, que sean los más logrados, puesto que carecen de la fuerza y el melodramatismo de *El juramento de la Primorosa* o *La tonta del bote*.

En la modalidad del "sainete lírico", es decir, del sainete que incluye cantables, se inscriben tres de las producciones de Pilar Millán: *Por los flecos del mantón* (1925)[28], *Magda la Tirana* (1926) y *La Talabartera* (1929). La primera de ellas, estrenada el 11 de diciembre de 1925, recibió unas críticas bastante negativas en términos generales, sobre todo en lo referente al segundo y último de sus actos. Por el contrario, la música que el maestro Guerrero escribió para la ocasión fue del gusto del público y de los críticos, que alabaron especialmente el número de los exploradores del segundo acto. El escabroso tema, relacionado con una violación (la de Trini, protagonista del sainete), pudo ser en parte responsable de dicho fracaso.

En cuanto a *Magda la Tirana,* se observa en este caso una divergencia entre texto impreso y obra representada similar a la que se comentaba anteriormente en relación con la comedia *Ruth la Israelita*. En esta ocasión, la alteración del desenlace motivó incluso un cambio en la denominación genérica, que pasó a ser "drama en 3 actos, en prosa, con ilustraciones musicales" en la obra publicada. Magda es una "cantaora" reputada que tiene con ella a su joven hermana, educada hasta ahora en un colegio de monjas y alejada completamente del tipo de vida de su hermana mayor. La oposición de los dos caracteres y, sobre todo, del turbio pasado de Magda frente a la pura inocencia de su hermana menor resulta el eje en torno al cual gira la pieza. Magda, la mujer que provoca pasiones indómitas, le roba inintencionadamente a su hermana el amor de un honrado obrero que la verá morir ante sus ojos asesinada por un celoso rival, en total recreación del mito de Carmen, creado por Mérimée. Después de haber examinado las reseñas posteriores al estreno, resulta evidente que el final de la obra representada difería del trágico desenlace comentado para rematar felizmente la línea sentimental que une a Magda con el hombre honesto que una vez pretendió a su hermana, en respuesta a las demandas de un público que buscaba sobre todo en el teatro amable distracción y triunfo de los buenos sentimientos[29]. Una alteración sustancial del desenlace que motivó, aparentemente sin otros cambios, la adscripción genérica diversa de la obra representada frente a la obra impresa. Salvo M. Fernández Almagro *(La Época)* y E. Díez-Canedo *(El Sol),* la crítica recibió positivamente esta nueva creación escénica de la ya famosa escritora.

El tercero de los sainetes líricos citados, *La Talabartera,* compuesto en dos actos y un cuadro, resulta ser un caso único de ambientación histórica en el extenso corpus teatral de Pilar Millán. Con cantables de Javier de Burgos y numerosos coros de chulos, vendedoras, estudiantes, etc., previstos en el texto manuscrito de la autora, la espectacularidad del "sainete" estaba asegurada. En realidad, la importante presencia de la música (23 cantables en total) y la utilización de masas corales hacen de esta obra una verdadera zarzuela.

Dos fueron, pues, las modalidades teatrales principalmente cultivadas por Pilar Millán: la comedia sentimental de costumbres populares y el sainete madrileño. Con todo, hasta las obras más claramente asignables al primer grupo (como las dos de ambiente gallego, por ejemplo) presentan rasgos inconfundibles del sainete: el énfasis en el trazado de los tipos y la recreación del medio a partir de situaciones convencionales consideradas prototípicas. El teatro de la escritora gallega se resiste, sin embargo, a una clasificación coherente. Obras calificadas por su autora de comedias son indiferenciables de sus más clásicos sainetes (el caso de *La Galana* o de *El millonario y la bailarina,* por citar tan sólo dos ejemplos). Aunque algunas de sus comedias -*Al rugir el león, El pazo de las hortensias, Ruth la Israelita...-* presentan un medio social próximo a las clases medias y acomodadas, que deja claramente a un lado el tópico ambiente madrileño popular de sus sainetes -en los tres casos citados el escenario es de tipo rural-, el esquematismo de su acción dramática, la insistencia en el trazo unidimensional del personaje y la obsesión por la nota costumbrista serían características que, por el contrario, las acercarían al sainete. En cuanto a las "comedias asainetadas" se refiere *(La mercería de la Dalia Roja* y *Las tres Marías),* su híbrido nombre podría aludir a la mezcla en una misma pieza de personajes populares con otros de más elevada condición social -con sus respectivos y heterogéneos códigos lingüísticos- y, lo que resulta más significativo aún, a la consciente combinación también de un asunto propio de comedia (generalmente una tesis que ilustrar y defender) frente a unos rasgos constructivos característicos del sainete (tipos, sobre todo).

En otro orden de cosas, es necesario recordar que sus mejores sainetes presentan los rasgos típicos atribuidos con frecuencia al mucho más estudiado teatro de Carlos Arniches, su gran amigo y compañero de paseos de "exploración" por los barrios bajos de Madrid[30]: un argumento prefijado del que los personajes son meros peones, un diálogo que busca expresamente el efecto cómico, una línea sentimental claramente melodramática que culmina en un desenlace generalmente artificioso, dibujo de tipos en lugar de construir personajes individualizados y una fecundidad basada en el cultivo de una plantilla teatral que se modifica superficialmente. Similar fue en ambos casos la actitud de la crítica, que reconocía en ellos un indiscutible dominio del "oficio" y a los que se achacaron defectos que más bien correspondían a las propias características del género cultivado[31].

Sometida a los estrictos límites definidos por la tradición de los dos géneros mencionados, el conjunto de la producción de Pilar Millán responde a una plantilla compositiva común. La obra prototípica de esta autora se desarrolla como veíamos en un espacio "literario" clásico: el Madrid castizo de la Cabecera del Rastro, Embajadores y Chamberí, en época contemporánea a la del público y sin fuertes especificaciones de orden temporal. Los espacios escénicos más comunes son igualmente archiconocidos: la modesta salita de estar, muy limpia, alegre y ordenada, o la humilde y concurrida pensión. La esquemática acción propuesta en términos generales se distribuye del modo siguiente: un primer acto donde el principal propósito estriba en la plasmación del ambiente popular descrito[32] y de los tipos que protagonizan la trama (retratados en su constitución moral más que física) y en el que la acción no se adivina hasta el final (en los casos más extremos, hasta bien entrado el segundo acto); el segundo acto presencia por lo común un incremento significativo de la nota melodramática y una concentración de la acción sentimental, que a menudo se resuelve sin esperar al acto final; en el tercero y último, frecuentemente reiterativo en cuanto a la evolución de la trama se refiere, introduce episodios digresivos e incluso incorpora extemporáneamente nuevos tipos que ayuden a la obra a alcanzar un desenlace necesariamente feliz. No es tampoco extraño que se olvide la autora en estos casos de cerrar líneas de acción secundarias y que desaparezcan personajes que no han visto concluido su conflicto. Los desenlaces forzados con que se remata la acción suponen la defensa de valores sociales y morales básicamente tradicionales, por los cuales los personajes "buenos" logran la anhelada consecución del "objeto" (identificado aquí generalmente con el ser amado) y la recompensa a sus virtudes, mientras que los "malos" son castigados o, al menos, derrotados. Entre el conjunto de tipos maniqueamente definidos destaca casi siempre la figura potente de una mujer que protagoniza la línea sentimental principal. Dos tipos de mujer se dan en el papel central: la madre (mujer fuerte, dura en apariencia, pero sensible y amorosa en el fondo) y la joven soltera (bella, honesta, en peligro de perder su honra por los engaños masculinos). El elogio de las virtudes patrias -casticismo local y nacional- se suma al propósito de adoctrinamiento moral de las clases populares a las que se dirige muy especialmente la "enseñanza" de las obras. Sin embargo, este afán didáctico se revela totalmente secundario, reducido en ocasiones a afirmaciones puntuales poco relevantes en el desarrollo de la obra, frente al primordial objetivo de las comedias y sainetes analizados: divertir al público y lograr así el deseado éxito de taquilla.

La insistencia de la autora, como por otra parte ocurre en la mayoría de los escritores costumbristas, en documentarse sobre el terreno acerca de los tipos y situaciones reales que pretende llevar a los escenarios, no evita el que la inspiración "literaria" sea fundamental en el conjunto de su producción. Sólo dentro de la convención de la comedia sentimental y del sainete madrileño se pueden entender muchas de sus obras, en las que, como la crítica señaló a menudo, se reconocen temas y personajes de cuentos, melodramas y otros géneros populares consumidos con pasión por el público medio del momento. El lenguaje, igualmente convencional, se utiliza doblemente como forma de caracterizar social y geográficamente a los personajes y como recurso constante de comicidad[33]. Su importancia resulta a todas luces fundamental, pues nos encontramos ante un tipo de teatro donde el elemento narrativo predomina sobre el puramente dramático, es decir, los personajes cuentan, hablan entre sí, para ponernos en antecedentes o para exponer acciones que se han sustraído al espectador situándolas en los entreactos. Para dejar de lado la cuestión genérica, como hemos visto bastante debatida, los comentaristas solían caracterizar globalmente la producción de Pilar Millán en relación con la comedia de costumbres populares, con tipos y ambientes propios del sainete madrileño, de tanto éxito en los escenarios de entonces. A esta imbricación de géneros diversos habría que añadir, según lo ya explicado, la influencia del melodrama y la nota cómica predominantes en el sainete.

Para sintetizar igualmente la diversa actitud de la crítica, por lo general mucho más dura con Pilar Millán de lo que fuera el público a lo largo de los trece años de permanencia en cartel de la autora sobre los escenarios transcurridos hasta la guerra (1923-1936), habría que distinguir entre quienes se acercaron a sus obras considerando en todo momento el marco genérico en el que ella misma no dudaba en incluirlas, el sainete costumbrista y la comedia sentimental popular, y aquellos otros que defendían un teatro que necesariamente debía ser más ambicioso en temas y técnicas. Mientras que los primeros solían apreciar las evidentes dotes de la autora para cautivar y "manejar" a su público, para construir dinámicos y chispeantes diálogos y retratar magistralmente tipos y ambientes, los críticos más comprometidos con la renovación del teatro español veían defraudadas sus iniciales expectativas tras el descubrimiento de una nueva firma potencialmente interesante. La persistencia de la autora en su "manera" propia no hizo más que exacerbar sus críticas tras los sucesivos estrenos. Como se ha visto en algunas de las reseñas comentadas anteriormente, diálogos, tipos y ambientes fueron los tres elementos dramáticos más elogiados en su producción, rechazándose por el contrario con firmeza su tendencia al melodramatismo (realzada por el uso de trucos y "teatralerías"), el empleo de un lenguaje a menudo rudo y procaz, tomado sin cribar de la realidad ambiental descrita, y el abombamiento de la trama para convertir lo que deberían ser por su leve asunto sainetes en un acto en comedias de tres[34].

Igualmente respetuosa con la convención genérica elegida, en este caso la comedia sentimental de ambiente elevado al estilo benaventino, Eduarda Adelina Aparicio y Ossorio (que firmaba a menudo sus obras con el seudónimo *Adebel*) fue autora de varias obras para el teatro, de las que tan sólo vio representadas dos títulos con éxito relativo de crítica y público: la comedia en tres actos *La díscola* (26-04-1929) y el juguete cómico *Tal para cual o el secreto de Julia* (25-11-1932), claramente emparentado con la comedia de parecido título, *El secreto de Julia.* La tendencia de *Adebel* a reescribir sus propias obras ha sido comprobada al comparar los textos publicados de *El secreto de Julia,* comedia de 1929, con el juguete cómico *Tal para cual o el secreto de Julia,* publicado en 1933. De las cuatro comedias de la autora localizadas como textos publicados, *La díscola, El secreto de Julia, Guillermina* y *Marquesa de Cairsan,* las dos últimas han resultado ser también dos versiones de la misma obra. El evidente parentesco de varios de los títulos teatrales de esta autora registrados

en la Sociedad General de Autores parece apuntar en la misma dirección[35].

Las comedias de Adelina Aparicio se desarrollan en un ambiente
totalmente distinto al de la comedia popular y el sainete madrileño
de Pilar Millán. Sus personajes son miembros de la alta burguesía de
los negocios, de las profesiones liberales o de la aristocracia. La
intriga argumental cobra en algunas de ellas un mayor relieve así
como también la "idea central" en torno a la cual se articulan, relacionada en repetidas ocasiones con la verdad del propio origen
(hijos bastardos de noble ascendencia a los que en un determinado
momento se les revela una inesperada paternidad). Formalmente
destaca el mayor número y menor extensión de sus escenas, el detallismo de sus acotaciones y el énfasis en el juego verbal de unos
diálogos ágiles y generalmente divertidos. En general, la falta de
pretensiones "trascendentes" de su teatro no impide que repetidamente se aprecie en sus obras una idea subyacente que articula
muchas de sus situaciones, la necesaria consolidación e inmutabili-
dad de las clases sociales, planteamiento que la sitúa claramente
entre el grupo conservador de las escritoras analizadas. La enfática
diferenciación que las solapas de sus obras publicadas presentan al
anunciar sus otras producciones como "comedias cómicas" y "comedias dramáticas" resulta significativa, puesto que confirma la agrupa-
ción de sus piezas en dos bloques: aquellas comedias de mayor gravedad e insistencia en la idea (principalmente *Guillermina* y *Marquesa de Cairsan*) frente a la comedia de humor, próxima al juguete
cómico, que busca la pura y simple diversión del espectador - *El
secreto de Julia, Tal para cual (...)-*. Ingenuidad, sencillez y modestia
de propósito fueron algunas de las claves más repetidas en sus respectivas reseñas.

Con una típica comedia que recrea el ambiente de la alta burguesía de los negocios, *La díscola,* dio *Adebel* sus primeros pasos sobre
los escenarios (26-04-1929). La acción se desarrolla íntegramente en
el chalet madrileño propiedad de un matrimonio de nuevos ricos. La
comedia recrea una vez más el tema teatral, tan de moda, de las tres
hermanas completamente distintas en temperamento y educación. La
mayor de ellas es ya considerada por la familia como una irremedia-
ble solterona. La mediana, obediente a los designios maternos, es la
preferida de sus papás, que preparan para ella un beneficioso enlace
matrimonial con el hijo de un especulador bursátil al que creen hombre adinerado. En cuanto a la pequeña, la joven "díscola", su fuerte e
independiente personalidad hace de ella un elemento claramente
"incómodo" para la familia. La oposición funcional entre estas dos

últimas se refleja tanto en sus relaciones con la madre, una señora injusta y dominante, como en sus relaciones con los hombres.

A la exposición de los diferentes tipos de mujer que las hermanas encarnan, se añade la plasmación dramática de las mezquinas redes de interés que rigen los matrimonios en los medios acomodados. El número de escenas aumenta de forma notable en relación con el corpus de Pilar Millán anteriormente comentado (una media de doce, en este caso), mientras que el número aproximado de páginas es muy similar (unas veinticinco). Las escenas son, pues, mucho más breves y mayor también el movimiento de los personajes (entradas y salidas). Lejos de la pericia en la "construcción" teatral que manifestaba la autora gallega, no son pocos los fallos en el encadenamiento lógico de las secuencias que se encuentran en ésta como en otras de las comedias de *Adebel*[36].

Dos líneas sentimentales articulan la comedia: la interesada relación entre Pepito y Paquita, dóciles a la presión familiar, frente al amor honrado y valiente de Ventura y Marcial, que no le temen ni al enfrentamiento ni al trabajo. Trayendo la salvación a su familia al final del tercer acto -al librar a su hermana de un nefasto matrimonio y a sus padres del fraude del que su futuro yerno les quería hacer víctimas-, Ventura demuestra haber tenido razón al enfrentarse a los suyos y, más aún, al querer elegir por su cuenta, y en razón únicamente de sus méritos propios, al hombre de su vida. La crítica presentada es, sin embargo, bastante moderada: la familia aprende la lección y acepta encantada el enlace entre Ventura y Marcial, un hombre de humilde origen que llegó a ser alguien mediante su esfuerzo y trabajo. En cualquier caso, el propósito moralizador de la obra resulta evidente, como también el triunfo de valores tales como el buen sentido, la justicia y el verdadero amor.

Las opiniones vertidas con ocasión del estreno de la comedia fueron sin duda más amables de lo que la obra probablemente merecía en atención a la habitual indulgencia tributada al novel, sobre todo si se trataba de la primera obra de una mujer (no así en las siguientes, como veremos más detenidamente en el siguiente capítulo). La levedad de los "ataques" a la institución familiar más arriba referidos se pone de manifiesto al comprobar que ni siquiera los críticos más conservadores tuvieron motivo de escándalo en ellos[37]. Importantes excepciones fueron los críticos de *El Sol* y *La Voz,* que denunciaron lo manido de asunto, tipos y procedimientos en general[38]. Por su parte, Paulino Masip, comentarista del *Heraldo de Madrid,* insistía en el "tono ingenuo e inocente de la comedia", propio de un teatro elemental sin grandes complejidades en la psicología de los personajes o en la disposición externa del conflicto dramático. Con muy buen juicio, emparentaba además la obra con el juguete cómico, género que la autora cultivó en otra ocasión, como enseguida veremos. A pesar de los defectos señalados, se puede concluir que, en términos generales, la comedia obtuvo una aceptable acogida por parte de la crítica, que destacó la claridad y justeza del diálogo (exento, repetían los reseñadores, de toda "cursilería"), la limpia moral propuesta y la eficacia dramática del corte de sus escenas, alabando entre ellas la final del segundo acto.

El mismo año (1929), *Adebel* publicó una segunda comedia en tres actos, *El secreto de Julia,* primera versión, como ya se comentó más arriba, del juguete cómico publicado en 1933 con parecido título. La comedia citada ofrece en apretada maraña una inextricable red de relaciones familiares y sentimentales expuestas de modo confuso y difícil de seguir con interés. Tal vez la habilidad expositiva de la autora no se correspondía todavía con las exigencias de las múltiples líneas sentimentales y de los equívocos continuos propios del juguete cómico[39], género al que remite ya la versión de 1929. La obra se desarrolla en la madrileña residencia del banquero Barberó. Un elegante salón detalladamente dibujado acoge a los personajes de la pieza, miembros de la clase alta e incluso de la nobleza. El escenario, descrito con gran cúmulo de detalles, presenta varios espacios diferenciados y la posibilidad de un juego escénico dinámico y cambiante.

El característico ambiente del disparate cómico está presente en la comedia desde su mismo inicio. El diálogo entre la mecanógrafa y el mayordomo gallego -con su acento característico- ofrece ya pretexto para el humor. De la escena II a la IV se producen también ridículas persecuciones entre criados, en unas escenas brevísimas y de ágil desarrollo. Pero son las escenas XIII y XIV de este primer acto, con la llegada de un nuevo administrador, Pierre, exageradamente cursi, y, sobre todo, con la confusión de identidades entre la mecanógrafa y la dueña de la casa que él protagoniza, las que presentan un efecto cómico más acentuado. Pierre responde al tipo del personaje cómico por excelencia: su estilo artificialmente refinado, sus pretensiones de conquistador impenitente y a menudo frustrado, su terrible error al contarle a la dueña de la casa lo que los criados dicen de ella, creyéndola una empleada más... todo en él es motivo de risa. El tremendo embrollo familiar presentado (dos hijos de padre desconocido, un hermano que se fugó con la mujer amada por el banquero, unos parientes que vienen de América a transmitir la última voluntad de un muerto, un administrador que es un señorito calavera arruinado en busca de rica esposa...) se utiliza a su vez como medio de comicidad asegurada[40]. El resto de los tipos son igualmente clásicos del género humorístico: la soltera madurita a la caza de marido, el donjuán de tres al cuarto delatado por su propia torpeza, la viuda matamaridos de nuevo tras una víctima, la huerfanita adolescente y sentimental y el eterno enamorado que nunca quiere dejar claras sus intenciones.

Si escasa es la justificación dramática de las diferentes acciones sentimentales, menor aún parece la razón que apoya la elección de título, puesto que sólo de forma casual se ofrece la clave del "secreto", en absoluto integrado en el desarrollo de la comedia. El primer acto concluye sin el más mínimo rastro de línea argumental coherente. El puro humor sustituye a la esperable presentación de esa idea central que suele articular toda comedia. Doce escenas en que la risa y el amor intentan imponerse sobre los "problemillas" familiares de tanto nacimiento mal "identificado" constituyen por su parte el segundo acto. Las dos parejas en curso (Lita-Perico y Julia-Pierre) no parecen ir por buen camino al finalizar el mismo. Las diversas líneas amorosas junto con la multitud de personajes que pueblan la casa (empleados, parientes, visitas, etc.) durante los cuatro días en que trascurre supuestamente la acción confieren a la obra un dinamismo que en ciertos momentos resulta casi vertiginoso.

A partir de esta comedia y pensando en su representación, *Adebel* escribió una segunda versión que más acertadamente denominó "juguete cómico", en la que sin modificar sustancialmente las diferentes líneas de la acción sentimental ni los momentos cómicos de mayor interés, estructuró de forma diferente las secuencias, añadiendo matices nuevos en las relaciones de ciertos personajes y acentuando todo aquello que contribuía al disparate y al absurdo cómico[41]. El resultado más estimable de esta segunda versión es su mayor comprensibilidad, al estar mejor explicados e intercalados los antecedentes fundamentales de la acción dramática. La dureza con que los críticos calificaron una obra que, por otra parte, no era muy diferente de las intrascendentes piezas que se estrenaban con tanta frecuencia en los escenarios madrileños, puede ejemplificarse con el elocuentísimo "silencio" del prestigioso crítico Melchor Fernández Almagro *(La Voz)*. Los más amables aludían a la "sencillez" e "ingenuidad" de la pieza estrenada *(El Liberal)* o la calificaban de "obrita cómica 'muy de por las tardes'" *(Heraldo de Madrid)*. En la entrevista que la autora concedió a este último periódico, exponía una síntesis argumental de su obra, que consideraba como de ambiente "madrileño burgués". Jorge de la Cueva, crítico de *El Debate,* analizaba sus "fallos" con cierto detalle para concluir afirmando: "Esto que decimos tan rápidamente sucede en escena a través de tres largos actos, tan difusos, tan llenos de complicaciones, tan caprichosos de construcción y de movimiento, que es preciso detenerse a veces para saber lo que pasa y recordar lo que ha pasado".

En 1932 aparecieron publicadas en idéntica editorial dos comedias en tres actos y una mutación firmadas por Adelina Aparicio: *Guillermina* (1ªed.) y *Marquesa de Cairsan* (2ªed.). Después de haber comparado ambos textos, es posible afirmar que la segunda comedia es una nueva versión de *Guillermina,* con distinto título y un segundo acto sustancialmente modificado. La coincidencia de fechas es, sin embargo, un dato que causa extrañeza, pues resulta difícil adivinar cuál pudo ser el motivo de una revisión tan inmediata de la primitiva comedia. En general, las modificaciones observadas en la segunda versión de la comedia intentan superar la excesiva explicitud e insistencia en la idea que perjudicaba en la anterior la consecución de la intriga. Se logró así una mayor ambigüedad en algunas escenas, se ajustó la línea dramática evitando digresiones innecesarias y se perfeccionó, en suma, el avance argumental de la obra. También se perfiló con mayor nitidez la personalidad de la protagonista, eliminando rasgos contradictorios, mientras que se consiguió una mayor realidad psicológica en el personaje del marqués. Por todo ello, *Marquesa de Cairsan* merece ser considerada como versión elaborada y perfeccionada de la anterior comedia.

Ambientada cronológicamente en el contexto de la proclamación de la Segunda República, el esquema temporal seguido conduce la acción a través de nueve meses de tiempo dramático que arrancan en abril de 1931 con la algazara popular que saludaba al nuevo sistema político. La casi completa coincidencia entre el tiempo histórico de los espectadores y el tiempo dramático que enmarca la acción no es óbice para que la actualidad política nacional se utilice como mero telón de fondo, sin funcionalidad real en la obra. Los dos escenarios presentados, el salón principal de la casa de los marqueses y la salita de estilo español antiguo que le servía de escritorio a la antigua marquesa, aparecen descritos en detalle mediante unas acotaciones inusualmente extensas y bien construidas, en comparación con la generalidad del corpus revisado.

Como es común en el género de comedia que cultiva la autora, los personajes pertenecen mayoritariamente al ámbito de la aristocracia, clase que parece obsesionada con la "verdad de la sangre" (Clarita es hija bastarda de Varsall; Guillermina es de origen plebeyo, aunque siempre se creyó noble)[42]. Su evolución psicológica apenas se justifica si no es por la característica central del tipo que representan. De ahí que, en repetidas ocasiones, su única misión aparente estribe en servir de portavoz a las "curiosas" teorías de la autora sobre los asuntos más diversos[43]. Destacan, sin embargo, dos personajes femeninos contrapuestos: Clarita, la hermana "bastarda" de Guillermina, que representa a la frívola muchacha moderna, y María, su compañera de colegio, encarnando el tipo de la joven tradicional. Mientras que Clara es atrevida, violenta y acaba por cometer una vil acción al fugarse con el marido de su hermana, la monjil amiguita es modesta, tímida y de indiscutibles principios morales. Clara termina pagando con la vida su "pecado", en contraposición con el afortunado matrimonio del que disfrutará su amiga.

Concluido el primer acto, la acción no se descubre por ningún sitio, aunque parece evidente que algo significará en la misma la inoportuna llegada de Clarita a casa de su hermana, la marquesa de Cairsan. En el segundo, cobra especial relevancia la "mutación" (salto espacio-temporal ocurrido tras la escena XVI del segundo acto), que nos sitúa en una sala de la casa amueblada en estilo español clásico, presidida por una pantalla de gran importancia escenográfica. El sofisticado *secretere* que aparece en el citado dormitorio de la antigua marquesa cobra una dimensión escénica muy especial. Accionando uno de sus múltiples mecanismos, Clarita descubre el verdadero origen de la que hasta ahora creía su hermana paterna. El público se enteraría de este hecho mediante la proyección de la carta descubierta en la citada pantalla, en un innovador esfuerzo de la autora por incorporar la nueva técnica cinematográfica a los escenarios teatrales. El desenlace final de la pieza no puede ser más feliz ni tranquilizador en relación con los valores morales burgueses: el marido "descarriado" vuelve al buen camino, la esposa comprensiva es recompensada con la tan deseada maternidad, la mala mujer es castigada por el destino con una muerte violenta, la amiguita honesta se casa con el ingeniero bueno y trabajador... El tema político, suavizado y reducido al mínimo en esta segunda versión, resulta ser un mero "adorno", un guiño de complicidad con el público aprovechando la actualidad de los sucesos presentados. Después del descalabro sufrido ante público y crítica con el juguete cómico *Tal para cual o el secreto de Julia*, estrenado en Madrid el mismo año en que se publicó esta comedia, y teniendo en cuenta además la baja calidad de la misma, no resulta extraño que *Marquesa de Cairsan* no tuviera ocasión de subir a las tablas[44].

Varias de las autoras que lograron acceder a los escenarios comerciales (acceso a menudo facilitado por su profesión de actrices o por su parentesco familiar con importantes hombres de la literatura y la escena), estrenaron obras fácilmente adscribibles al género de la intrascendente comedia ligera de asunto sentimental, destacando entre ellas los nombres de Sofía Blasco, hija del famoso autor teatral de fines de siglo Eusebio Blasco, y Sara Insúa, novelista de ilustre apellido, hermana del prestigioso escritor Alberto Insúa.

Comediógrafa de indiscutible repercusión en los escenarios comerciales de los años 20 y 30, Sofía Blasco estrenó entre 1927 y 1933 tres comedias en Madrid, al menos otras tres en provincias[45], y un monólogo cómico, siendo, pues, una de las autoras de comedias más significativa del teatro representado en el período[46]. Su primer estreno en Madrid, la comedia en tres actos *Hacia la vida* (19-06-1930), fue llevado a cabo por una compañía de aficionados amigos de la autora en el Teatro Infanta Isabel, en el marco de un homenaje a la escritora que pretendía impulsarla en su nueva dedicación profesional. Huérfana de escritor, Sofía Blasco se encontraba entonces en una difícil situación económica de la que pretendía salir gracias al teatro. La escritora y actriz Sofía Blasco recurría al teatro, pues, no sólo como vocación, sino como solución vital, y no dudaba en reconocer ante la prensa las dificultades que había tenido que superar para estrenar por primera vez en Madrid, después de varios años de escribir comedias. En la entrevista concedida a J[uan] G. O[lmedilla], la autora definía su obra como "comedia de ambiente elegante entre personas de elevada posición social" y cifraba su objetivo dramático en "hacer pasar el rato por medio de un diálogo fácil, sin frases retumbantes, que aproxime mis personajes lo más posible a la realidad" (*Heraldo de Madrid*)[47]. Tras su estreno, este mismo crítico, que juzgó la obra positivamente, se interrogaba acerca de la razón por la cual no había sido representada por una compañía profesional. El comentarista de *La Voz* encontraba en ella, por el contrario, las inexperiencias inevitables del autor novel junto con "un gran sentido de la dinámica teatral y excelente gusto para dialogar". La buena acogida que el público dispensó a la comedia fue comentada por todos los críticos sin excepción.

El siguiente estreno madrileño llegó para Blasco con la comedia en tres actos *Una tarde a modas* (12-12-1931) en el Teatro de la Zarzuela, estando a cargo la función de la compañía "García León-Perales". También en esta ocasión la autora figuraba en el reparto -en el papel de madame Geo, dueña de la casa de modas donde se desarrolla el segundo acto-. Enrique Díez-Canedo resumía así en su reseña el desarrollo argumental de la pieza:

> Una ligera intriga sentimental, la reconquista del marido por
> una mujer a la que vemos en el primer acto en su cuartito de
> soltera para establecer distancias, y en el último acto, raptada
> literalmente por su marido de una fiesta mundana, después de
> una jornada en que ésta le dio celos con su antiguo novio. Se
> enlaza con un acto de sainete, de alto sainete, en casa de una
> costurera que recibe a sus clientes y exhibe graciosos modelos
> franceses (El Sol).

Se entienden, pues, las modestas pretensiones que la autora de la citada comedia manifestaba tener respecto de la misma: "Distraer, distraer siempre; ora divirtiendo el ánimo de los espectadores y, sobre todo, de las espectadoras, porque es una comedia para mujeres, ora emocionando el corazón" (Heraldo de Madrid). Con posterioridad a su estreno, Juan G. Olmedilla calificó la comedia de "ligera, graciosa, chispeante", elogió la interpretación de los actores y destacó el evidente éxito de público. La autora fue también apreciada positivamente en su papel de actriz cómica (Heraldo de Madrid). Arturo Mori, de El Liberal, estimó "perfecto" el primer acto de una obra "con asunto de boceto": "La desavenencia puramente formal, de un matrimonio moderno. Nada más. Y el mérito de Sofía Blasco está en llevar esa pequeñez de asunto a una comedia de tres actos". El crítico de ABC incidió de nuevo en el éxito de Blasco no sólo como autora sino también como intérprete, elogiando en la comedia la facilidad en la construcción del movimiento escénico y del diálogo[48].

Dos años después, la escritora conseguía de nuevo la casi imposible meta del estreno. Se trataba en esta ocasión de la comedia dramática Redención (com. en 3 actos, el segundo dividido en 2 cuadros), estrenada en el Teatro Chueca el 26-09-1933 y calificada en varias reseñas de "comedia social cristiana". En la autocrítica previa al estreno que publicó Sofía Blasco en ABC anunciaba que se trataba de una obra diferente a las que había escrito anteriormente por no ser frívola como ellas, y resumía así su intención: "Teatro constructor de ideas nobles de justicia, defendiendo al que lucha. Amor y trabajo". El público y algunos sectores de la prensa prefirieron, sin embargo, las comedias intrascendentes y sentimentales de la autora a sus proyectos dramáticos más ambiciosos. Debido al tema social abordado, la comedia recibió una crítica marcada por un claro sesgo ideológico. Ni que decir tiene que periódicos como El Debate o La Época le pusieron graves reparos:

> No ha podido doña Sofía Blasco sustraerse al maleficio que
> parece pesar sobre el teatro de carácter social y que hace que

HERALDO DE MADRID — Página 5

TEATROS Y CINES

GUIA DE ESPECTADORES

"Una tarde a modas" es una comedia muy femenina, y su autora, Sofía Blasco, interpreta en la misma uno de los principales papeles

Se estrena hoy en la Zarzuela

Es horrible, verdaderamente horrible ese que Sofía Blanco—la batalladora escritora, hija del inolvidable maestro Eusebio Blasco—llama «su calvario» para estrenar esta comedia mundana «Una tarde a modas», que hoy, por fin, vamos a conocer—y probablemente a saborear deleitados—en el teatro de la Zarzuela, gracias a la generosa comprensión de García León y Perales, los afortunados actores empresarios. A punto de asomarse a las candilejas con su obra—o sus obras—varias veces, y siempre, por una u otra causa, quedándose al margen, no obstante su talento, su capacidad y su persistente entusiasmo:

—Y lo que es más angustioso—me dice—: necesitando estrenar, no ya para probar fortuna y combatir, con el mismo derecho que los demás, por la gloria, sino para vivir, para que esta interinidad económica en que, por ser huérfana de un escritor español tan ilustre como honrado, vivo desde hace algún tiempo, se resuelva de una vez y yo pueda dedicarme sin agobios ni apremios a mi arte. Ahora, después de saber esto, comprenderá usted cuánta gratitud atesora mi alma para estos excelentes actores de la Zarzuela, que tan cordialmente me acogieron, admitiendo, sin leerla, mi comedia y disponiendo su inmediato estreno. Gratitud que no se limita al gesto hospitalario, sino que se extiende al inteligente esfuerzo desplegado por todos ellos para montar «Una tarde a modas» con la propiedad escénica y el cuidado interpretativo que la índole de la comedia reclama.

La acción de «Una tarde a modas» transcurre en Madrid; el primer acto, en el pisito de soltera que sirve de refugio a la protagonista, separada de su marido por desavenencias conyugales nacidas de la frivolidad del esposo; el segundo, en una casa de modas que dirige Madame Géo—interpretada por la propia comediógrafa—; el tercero... Pero no digamos dónde transcurre el tercer acto de la obra para no restarle interés a la curiosidad de los espectadores... La heroína—una mujer joven y bella, profundamente «sentida» por la escritora—corre a cargo de Socorrito González, lo que ya es una garantía de buen arte dramático.

—No puedo tener para ella mas que elogios. Viste mi comedia con todo lujo y propiedad y matiza su papel maravillosamente—exclama Sofía Blasco, emocionada—. Creo que gustará mucho. Como también confío en que el primer acto sorprenderá por su originalidad y cautivará por su feminidad al auditorio. Toda esa jornada, algo atrevida de exposición, es una batalla sensual entre la esposa ofendida y el marido—muy bien visto por el galán Tino Rodríguez—para la reconciliación, que tiene tanto de amnistía como de reconquista. Luego... no sé, no sé qué pasará; el acto que más miedo me inspira es el segundo, porque en él actúo yo, y aunque estoy bien segura de mi papel—que he de hacer con acento afrancesado—no lo estoy de la impresión que mi trabajo pueda hacer en el público. Manuel Morales hace un tipo de conquistador admirable. Irene Caba Alba tendrá, de seguro, un nuevo éxito en el de una señorita que acude a la casa de modas con la pretensión de ser contratada como modelo... Todos, en fin, están muy bien. Y lo único que siento es no haber sabido en tiempo oportuno que mi comedia iba a estrenarla Joaquín García León, para haberle escrito un papel digno, en mi intención al menos, de su extraordinaria vis cómica.

—Dicen que escribió usted su obra en muy poco tiempo...

—En tres tardes. Siete u ocho horas en total. Otra cosa no tendré, pero lo que es facilidad para el diálogo... ¡Y un ansia de llegar, de revelarme, de redimirme de esta existencia que ahora llevo!...

—¿Finalidad artística de su comedia?...

—Distraer, distraer siempre; ora divirtiendo el ánimo de los espectadores y, sobre todo, de las espectadoras, porque es una comedia para mujeres, ora emocionando el corazón de los que tengan la humorada benévola de acudir a ver y juzgar «Una tarde a modas». ¡Dios quiera que al salir del teatro no me rectifiquen el título diciendo malhumorados y contritos: «¡Una tarde a perros!» Aunque, la verdad, esto último no lo espero desde el momento en que mi comedia quedó en manos de García León, que es un concienzudo director de escena, y de su compañía, que es una compañía excelente, favorita del público madrileño.

O.

Doña Sofía Blasco.

CAPITOL DANCING

En Bellas Artes

Muy pronto, inauguración

ATRACCIONES MUNDIALES

Sesenta bellísimas mujeres.

Tres orquestas.

LIDO

Exito formidable de

Mlle. Wiard

Guiette Portal

Ballet Botz

y de la extraordinaria pareja

MEL et MELMA

SIN ELOGIOS...

LAS LEANDRAS

Todas las noches. — Compañía de revistas

CELIA GAMEZ

Teatro Pavón

Se despecha en contaduría con cuatro días de anticipación.

Mañana tres grandes funciones.

"La dama de las pieles", del "Premio Infantado, 1931", de Emilio Hernández Pino, es una comedia moderna de amor y aviación

Se estrena esta noche en el Fígaro

Según el propio autor nos confesara el día en que supo que había sido premiado en el concurso teatral para noveles organizado por Cuyás de la Vega, «La dama de las pieles» es una comedia muy superior—a su juicio—en factura, en tema, en intención, en ambiente a «Oro viejo», la comedia dramática galardonada con el Premio Infantado 1931.

—Sin embargo—nos dijo Hernández Pino entonces—, me gustaría estrenar primero «Oro viejo», porque marca una iniciación que entronca con el pasado, con la tradición dramática española.

—¿Qué pasa en «La dama de las pieles»?—le preguntamos.

—Mucho y casi nada. Arranca de la iniciación de un raid de aviación transatlántica coincidente con el inicio de un idilio amoroso. Dos aviadores van a emprender el vuelo, cuando una mujer—creo que me dijo norteamericana, que luego resulta ser andaluza—, Mary, se enamora de uno de ellos.

La comedia empieza en el aeródromo de Tablada—algo muy moderno injerto en algo tan antiguo como Sevilla—durante la madrugada del Viernes Santo: tradición y futuro, vuelo del espíritu y vuelo mecánico, alentado también por el espíritu.

Mary—protagonista que dará seguramente espléndida ocasión a la bellísima actriz Eugenia Zúffoli para revelar en plenitud su positivo talento dramático—es una mujer muy de hoy que ama las pieles antes que las joyas, la gloria antes que la riqueza y la belleza mejor que el bienestar.

Bonafé, el gran Bonafé, tiene asimismo un papel en el que puede demostrar una vez más su adaptabilidad prodigiosa a todos los géneros.

La escenografía, de Burmann, extraordinaria como suya.

La interpretación a cargo del resto de la compañía, tan cuidada como todas las del Fígaro.

La Empresa — que admitió espontáneamente la obra cuando el autor era un novel perfectamente desconocido del público—, encantada con la comedia y esperanzada, creemos que legítimamente, en el triunfo inmediato.

O.

AVENIDA

EXITO

del film distribuído por UFA

EL DELATOR

Interpretado por la malograda artista

LYA DE PUTTY

GACETA TEATRAL MADRILEÑA

«LAS LLAMAS DEL CONVENTO», éxito de clamor, en el teatro Muñoz Seca. Creación insuperable de Irene López Heredia y Mariano Asquerino. Díez Canedo, el prestigioso crítico de «El Sol», ha dicho que Ardavín «ha vuelto a tener, como poeta, en esta comedia un éxito excelente en los cantos líricos (relación de amor, en el primer acto; campo andaluz, en el segundo, y mantilla de blondas, en el tercero)». Y termina así su laudatoria crítica: «Y el público, entregado a la tarea de aplaudir a los actores y al autor, que salió a escena, no sólo en los finales de acto, sino al final de los pasajes culminantes.» (13)

LARA

Todos los días, tarde y noche,

Vivir de ilusiones

El mayor éxito de ARNICHES

LAS DICTADORAS

EL EXITO DE LOS EXITOS

ROMEA

Triunfan como nunca **Bretaño, Margarita Carvajal, Palitos y Liana Gracián** hacen la locura del éxito en sus inimitables creaciones.

Circo de Price

Llevan bailando 360 horas...

¿

CAMPEONATO MUNDIAL DE BAILE DE RESISTENCIA

SECCION DE RUMORES

SE DICE:

Que los aplaudidos autores Pascual Guillén y Antonio Quintero han leído a la compañía de la zarzuela una comedia titulada «Caracoles».

—Que la obra es de ambiente gitano.

Que el éxito de lectura ha sido enorme.

—•—

Que la temporada de teatro lírico nacional de que nosotros hablamos hace varios días empezará en el teatro Calderón en los primeros días de marzo.

—Que los delegados del Gobierno son los maestros Vives y Esplá.

—Que ya tienen varios estrenos preparados para esa temporada.

—•—

Que mañana por la tarde se celebrará en Pavón la función homenaje a Galán y García Hernández.

—Que se estrenarán tres números de la revista de Garcerán, titulada «La república de trabajadores».

—Que los números los cantará el notable barítono Vicente Riaza, acompañado de las vicetiples de la compañía de Celia Cámez.

—Que después se pondrá en escena «Las Leandras».

—•—

Que no es cierto que la compañía León-Perales termine su actuación el próximo 6 de enero, como ha asegurado algún periódico.

—Que siguen en el mismo plan de cordialidad del principio el maestro Calleja y la compañía y que el negocio no terminará hasta que finalice el contrato que tienen firmado, o sea hasta el 30 de junio.

—•—

Que Lina Mayer, la gentil vedette italiana, incorporada a nuestra escena con éxito por su garbo natural y por sus excelentes dotes de artista, se nos va. Se va a América.

—Que ha sido contratada por una Empresa solvente «de allá».

—Que esta noticia causará cierto desconsuelo a cuantos admiradores —casi todo el censo—dejó en Madrid durante su actuación «velasqueña», o sease con Velasco.

—Que a última hora se ha recibido en la Redacción un telegrama desde Barcelona en el que Lina se despide.

—•—

Que Claudio de la Torre y Florián Rey preparan actualmente en Joinville la versión hablada de «La hermana San Sulpicio».

—Que, con esta versión, la Paramount abre el ciclo de sus películas absolutamente españolas.

—Que la protagonista de la edición sonora será, naturalmente, Imperio Argentina, intérprete central de la versión muda.

—Que el galán será también Ricardo Núñez.

—•—

Que esta noche llega a Madrid la gentilísima actriz de cine Rosita Díaz.

—Que se propone pasar el fin de año entre los suyos.

—Que, sin embargo, Rosita es de las que vuelven a Joinville.

—Que antes de salir de París renovó su contrato en condiciones ventajosas.

—Que también ha firmado su prórroga Roberto Rey.

—Que estas noticias nos las comunica José Luis Salado, quien tiene interés en desmentir los rumores que hacen correr los artistas sin contrato.

—Que, precisamente, Rosita Díaz y Roberto Rey filmarán en enero una nuevo opereta del propio Salado.

—•—

Que Enrique Suárez de Deza está escribiendo un asunto de cine.

—Que este asunto se lo ha encargado José Luis Salado por orden de Claudio de la Torre.

—Que se realizará en Joinville por cuenta de la Paramount.

—Que la protagonista será encargada, probablemente, por Rosita Moreno.

—•—

Que ya se han empezado a hacer contratos para lo que ha de ser teatro Ideal.

—Que ya se sabe que irá una compañía de comedia.

DOS ACONTECIMIENTOS EN UN SOLO DIA

Inauguración del

BARCELO

Suntuoso cine.

EL CANTOR DESCONOCIDO

El mejor film OSSO

—Que se ha contratado a la primera actriz Mercedes Prendes.

—Que Pérez Soriano tiene pensado varios nombres más que no quiere decir porque algunos elementos están contratados.

Los cantantes españoles de Milán y el Liceo de Barcelona

BARCELONA.—Un grupo de artistas líricos españoles que residen habitualmente en Milán, ha dirigido un escrito al empresario del Liceo, en el que expresan su descontento y su protesta por la forma en que se desarrolla la temporada de ópera, que dicen no es la más a propósito para crear una situación nueva, sana y poderosa, determinante del venturoso resurgimiento del arte nacional. Declaran que todos sus compañeros merecen su acendrado respeto, y consideran que todos tienen derecho a ganarse la vida ejerciendo su profesión; pero estiman que para esta primera temporada, hecha a base exclusivamente de cantantes nacionales, debiera haberse hecho una escrupulosa selección entre los mejores, mucho más cuando el empresario cuenta con subvenciones de la propiedad del teatro, de la Generalidad y del Ayuntamiento, subvenciones que hay que suponer que se conceden no para favorecer intereses particulares, sino para que las cosas se realicen lo mejor posible. Creen también que se debía haber consultado a la Junta Nacional de Música y Teatros Líricos, creada para consolidar el teatro lírico nacional, y que ya tienen un plan estudiado.

Se lamentan, finalmente, de que el empresario, en sus viajes por Milán, no se haya acercado a la colonia española, ni se haya enterado de los valores artísticos existentes entre ella.

TEATRO ESPAÑOL

¡No deje usted de ver!

Los pistoleros

Exito sensacional.

BUTACAS, 5 PESETAS

CALLAO

LUNES PROXIMO ESTRENO

MAMA

por

CATALINA BARCENA

Superproducción FOX

Sofía Blasco ante el estreno de *Una tarde a modas*.

todas las obras de esta clase sean parecidas en lo utópicas, en lo ingenuas y en lo simplistas, y tengan el empaque exterior declamatorio y un poco amanerado de las comedias de tesis de fines del siglo pasado *(El Debate)*.

Luis Araujo-Costa, de *La Época,* recusaba igualmente lo inverosímil de la trama y la heterodoxa mezcolanza de conceptos socialistas y cristianos. En el aspecto teatral comentaba: "la comedia es monocorde, rectilínea, dispuesta a demostrar una cosa en la que van mal colocadas las premisas (...). Hay unos tipos de vasco no mal trazados" *(La Época)*[49].

La prensa liberal apreció en algún caso los nobles propósitos que la autora se proponía alcanzar con esta comedia. Arturo Mori, de *El Liberal,* afirmó que la obra reunía todas las condiciones precisas para interesar y emocionar al público, elogiando especialmente sus tipos episódicos. Juzgó positivamente su "afán de catequesis social" añadiendo que los personajes hablaban "en cristiano y en liberal". Juan G. Olmedilla lamentaba la ausencia de técnica teatral, si bien consideraba muy beneficiosa para la obra su ingenuidad y ternura *(Heraldo de Madrid)*. Sin embargo, los críticos de *La Voz* y *El Sol* no pudieron justificar, por afinidad de ideas, los fallos evidentes que encontraban en la obra. Victorino Tamayo, de *La Voz,* emparentaba la obra de Sofía Blasco con los folletines de Luis de Val y lamentaba la falta de elevación de su lenguaje[50]. M[elchor] F[ernández] A[lmagro] rechazaba en su reseña de *El Sol* el mundo ingenuo y paradisíaco retratado en la comedia: "*La redención* (sic) desenvuelve sus episodios en un paraíso donde la pavorosa cuestión social es un juego inocente"[51].

Frente al éxito de sus comedias de intrascendente entretenimiento, especialmente pensadas para un público femenino (tal y como afirmaron la propia autora y los críticos del momento), su única comedia de tesis, la comedia "social-cristiana" titulada significativamente *Redención,* fue tachada de ingenuamente optimista y superficial en el análisis de las estructuras del sistema. No parece imposible que actuasen aquí ciertos prejuicios críticos que podían aceptar a la mujer-autora en la obrita menor, en la pieza enfocada al "sentimental" público femenino, pero no a la autora de piezas polémicas que pretendían tratar cuestiones de mayor envergadura.

La conocida escritora Sara Insúa[52], autora de numerosos títulos publicados en las populares colecciones de novela corta de estos años, estrenó una comedia en tres actos titulada significativamente *La domadora* (14-05-1925) y escrita en colaboración con su hermano, el escritor y periodista Alberto Insúa[53]. La comedia despertó gran curiosidad en la prensa debido en buena parte a la fama y el prestigio del citado escritor, famoso novelista vinculado estrechamente al teatro como crítico y autor, y, por supuesto, también a causa del inesperado debut de una autora novel de ilustre apellido, que ya se había ganado un puesto como autora de cuentos y novelas. Representada en el Teatro Cómico por la compañía "Díaz-Artigas" tuvo tan sólo cuatro representaciones. La crítica no apoyó por su parte el estreno de la autora novel, de la que se elogió repetidamente tanto su belleza y simpatía como sus dotes de cuentista y escritora de novelas, pero a la que no se le reconocía una pareja habilidad como comediógrafa. El feliz final que termina con "el hombre de mal carácter dominado por la dulzura y el amor de una criatura abnegada"[54], carecía, según los críticos, de novedad, defecto al que sumaban la tópica ausencia de "carpintería" teatral, es decir, de esos "pequeños detalles, insignificantes secretos de construcción que dan a la obra ese algo indeterminado que muchas veces basta para asegurar un éxito" (El Debate). Se elogió, sin embargo, la naturalidad del diálogo y la perfecta recreación de la psicología femenina en el personaje central (ABC).

Por lo que respecta a la siempre espinosa cuestión de la colaboración autorial, mientras que Melchor Fernández Almagro atribuía el fracaso de la obra a la inexperiencia de la escritora en las lides teatrales y declaraba abiertamente no haber visto "la mano de Alberto Insúa" en la composición de la comedia (La Época), José L. Mayral, crítico de La Voz, elogiaba la pieza atribuyéndosela íntegramente a la pluma del insigne novelista, al que calificó en esta ocasión de "comediógrafo notabilísimo". En cualquiera de los casos, los más que evidentes prejuicios que sufrían a menudo las escritoras en las valoraciones de la crítica no le hicieron mucho favor a Sara Insúa, responsabilizada de los fallos y eximida de los evidentes aciertos que también mostraba la obra. Dejando a un lado la opinión de los críticos, el tema abordado, la regeneración de un pintor de vida bohemia por una gentil muchachita enamorada que sigue sus enseñanzas en el estudio de arte, anticipa el asunto central de una novela corta posterior de esta autora, Salomé de hoy (1929). Al contrario de lo que acontecía en la comedia, la redención del señorito donjuán de vida disoluta que persigue con tenacidad y amor su joven esposa, resulta imposible en la posterior novela[55]. Todo parece indicar, pues, que este era un tema que interesaba muy especialmente a la escritora, probablemente mucho más implicada en la elaboración de la comedia de lo que la crítica quiso reconocer entonces[56].

4.2. UNA VISIÓN "OTRA" DE LA COMEDIA

Halma Angélico, Pilar Algora y Elena Arcediano

Preocupada por hacer de su creación teatral un motivo de reflexión sobre los aspectos más problemáticos de la existencia del hombre en su medio, *Halma Angélico* lleva a cabo un teatro trascendente, de serias preocupaciones, al que no le interesa especialmente ese obsesionante retrato verista de la realidad, ya sea popular o aristocrática, que cultivaban casi sin excepción las autoras más comerciales.

Como en general se observa en el significativo grupo de escritoras que intentaron trabajar por la necesaria renovación de la escena, *Halma Angélico* considera la realidad artísticamente manipulada mucho más veraz que los retratos costumbristas de tipos y ambientes que monopolizaban la mayor parte de los escenarios de la época. Su preocupación por la necesaria renovación de la escena española aparecía, de hecho, claramente expresada en "La revolución en la escena" (1937), un artículo suyo escrito en plena contienda bélica :

> Ha pasado un año de guerra. Ha sacudido la revolución todos los cimientos carcomidos de cuanto tendía a desmoronarse o lo estaba ya. Sólo el teatro sigue desdentado y tambaleante sin el menor asomo de un posible rejuvenecer o de completa manumisión. Los procedimientos son los mismos. El autor sigue con la obra debajo del brazo. El anquilosamiento se agudiza, si cabe[57].

Durante el período que nos ocupa, *Halma Angélico* publicó dos comedias que venían a sumarse a su ya citado drama *La nieta de Fedra* (1929): *Entre la cruz y el diablo* (1932) y *Al margen de la ciudad* (1934). Como veremos seguidamente, el cuestionamiento de la hipocresía moral de la sociedad burguesa y de la situación de inferioridad real de la mujer en la misma son algunos de los temas centrales de "reflexión" apuntados en estas obras.

Estrenada por la compañía "Margarita Robles" en el Teatro Muñoz Seca, *Entre la cruz y el diablo* (11-06-1932) tuvo una importante difusión, puesto que fue además publicada poco después en una colección teatral de gran tirada *(La Farsa)*. En su triunfante entrada en la escena profesional, *Halma Angélico* presentó una obra de protagonista colectivo, las monjas de un convento dedicado al cuidado y rehabilitación de jóvenes "recogidas". Al parecer, la autora pudo haberse inspirado en sus visitas conventuales a su hermana, Madre General de las Trinitarias y fundadora de diversos centros religiosos en Estados Unidos y América del Sur. Algunos críticos la relacionaron incluso con un reciente éxito teatral que había traspasado nuestras fronteras, la comedia de tema igualmente conventual *Canción de cuna,* de Martínez Sierra[58].

Nueve mujeres protagonizan la pieza en la que sólo aparece un personaje masculino secundario, interviniendo en una única escena. La comedia comienza en la modesta habitación de un convento durante las invernales fechas del Carnaval. Una página entera se dedica a la descripción de los tipos de mujer que han sido acogidas por las hermanas en el convento. Entre ellas, el tipo cómico, el tipo de chulapa adinerada, la gitana de llamativo atuendo... A las monjas se alude colectivamente y, como en el caso de las muchachas, se presta especial atención a su vestuario -hábito y calzado-[59], dejándose la caracterización moral de las hermanas para el propio desarrollo de la obra. Destaca la perfecta recreación del ambiente que se plasma desde la primera escena con una ingenua anécdota: dos monjitas miran encandiladas un plato de natillas, lujo inusual en la casa, y se debaten ante la tentación tremenda que para ellas suponen sus golosas apetencias. El argumento apenas existe, sino que se trata más bien de presentar diversas "estampas", variados tipos de religiosas y acogidas. Así, frente a la monja joven, alegre, traviesa y profundamente idealista -Sor Inés- se retrata a la religiosa ya mayor en edad y experiencia, de carácter severo, escéptica con respecto a la posibilidad de conducir a las muchachas descarriadas al "buen camino" y obsesionada con los problemas cotidianos -Sor Dulce Nombre-. También entre las "acogidas" hay antagonismos evidentes, destacando la oposición entre Asunción, la mujer dócil y agradecida que aprecia la labor de las monjas y se considera segura y feliz en el convento, y Bernarda, presentada como una joven rebelde, un tanto salvaje y profundamente egoísta, que acude al convento cuando no le queda más remedio, para escapar luego en seguida a continuar su peligroso deambular callejero. El mensaje moral de la obra, la posibilidad de redención de cualquier culpa, el perdón sin límite que las monjas ejercen al acoger una y otra vez sin preguntas a las que huyeron de la casa, se materializa en un caso modélico, el de Candelaria, la acogida que supo comprender lo bueno que le habían enseñado y formó una familia con la que ahora vive próspera y feliz. El final del acto, en el que se nos han presentado múltiples historias individuales y ninguna acción central clara, es también de "creación de ambiente": se oye el rezo y la música de órgano acompañada de un coro de voces femeninas.

Respetando la doble unidad de tiempo y lugar, el segundo acto repite la decoración y se desarrolla la noche de este mismo día. Se presenta un nuevo caso de "redención", esta vez encarnado por la acogida modélica, Asunción, que por fin se decidirá a aceptar la petición de matrimonio de Juan Manuel, el encargado de las cuentas y de la conservación del convento, que la quiere a pesar de su pasado. Las monjas velan a la espera de que regrese una muchacha que huyó la noche anterior con el propósito de vengarse de un mal hombre. A eso de la medianoche se oyen gritos y carreras en el jardín. La joven huida regresa perseguida por un hombre. Sor Dulce Nombre, tan dura en apariencia, se interpone entre los dos para proteger a la muchacha y resulta así herida de muerte. Hasta la más escéptica de las acogidas, Bernarda, reconoce la sinceridad de la entrega total de las monjas, dispuestas a dar su vida si hace falta. Este desenlace, profundamente "evangelizador", no concuerda sin embargo con el tópico final feliz de la comedia al uso, sino que sorprende por su teatral dramatismo. La obra, con unos diálogos de apreciable calidad y un interés que se mantiene pese a la ausencia de una línea argumental poderosa, rezuma un contenido doctrinal muy claro, sin resultar por ello demasiado proselitista o tendenciosa. Su brevedad, dos actos de corta extensión y total proporcionalidad -diez escenas cada uno-, dotó de mayor efecto al repentino y trágico desenlace, impidiendo la insistencia innecesaria en la idea y las escenas de relleno frecuentes en obras de tan esquemático asunto[60]. Con todo, no puede dejar de apreciarse en ella un cierto misticismo idealizador y un tono de sentimentalismo dulzón que resta fuerza al drama.

Curiosamente, estamos ante un nuevo caso de reutilización de una obra anterior por parte de su autora. Entre los fondos de la Biblioteca Nacional de Madrid se ha localizado un boceto de comedia en dos actos firmado por *Ana Ryus* y titulado *Los caminos de la vida* (1920) que resulta ser prácticamente idéntico a la comedia anteriormente comentada. Efectivamente, *Ana Ryus* fue también un seudónimo utilizado en los comienzos de su actividad literaria por Mª Francisca Clar Margarit y la obra localizada corresponde a la publicación primera de una comedia que más tarde sería retomada por su autora para, con muy leves cambios, conseguir su representación en los escenarios. Lo mismo sucede, como veíamos en el capítulo anterior, con *Berta* (1922), drama en tres actos también firmado por *Ana Ryus,* que se corresponde íntegramente con *La nieta de Fedra* (1929). Con toda probabilidad, la autora trató de rescatar del olvido dos obras publicadas a comienzos de los veinte cuando en la década siguiente, ya famosa y bien relacionada en medios intelectuales y artísticos, pudo tener contacto con personas influyentes en el ámbito teatral y editorial que podrían facilitar su difusión. Este hecho parece confirmado por la

casi total ausencia de retoques sobre los textos por primera vez edita-
dos. Sin embargo, resulta significativo que en ambas ocasiones se
cambiara el título de las obras, buscando sin duda un mayor "gancho"
comercial. En el caso que ahora nos ocupa, por ejemplo, no hay duda
de la mayor carga melodramática -e ideológica, incluso- del segundo
título elegido: *Entre la cruz y el diablo,* frente a *Los caminos de la
vida,* más neutral desde un punto de vista sémico. Con todo, este último título respondía mejor al espíritu de tolerancia y comprensión,
ajeno a toda intransigencia moral, que se percibe en la obra.

La divergencia más importante entre ambas versiones se produjo
precisamente en torno a su desenlace. Sor Dulce Nombre, la hermana herida por salvar a la muchacha que regresa perseguida a refugiarse en el convento, no muere en el boceto de comedia de 1920.
La versión de 1932 enfatiza por tanto la entrega total de las religiosas
y concluye con un desenlace dramático que refuerza el propósito
evangelizador de la pieza. Seguramente por esta misma razón la
autora incluyó en esta segunda ocasión un párrafo final de carácter
declamatorio, puesto en boca de la superiora, que explicitaba un
tanto torpemente el valor testimonial de la vida de estas monjas y
daba cuenta también del sentido del nuevo título de la comedia.

En términos generales, la crítica acogió favorablemente la obra. Un
comentarista tan exigente como Enrique Díez-Canedo, además de elogiar abiertamente la labor narrativa de la escritora -citando la publicación de los cuatro cuentos que componen el libro *La desertora,* aparecido ese mismo año-, alababa también en su extensa reseña de estreno
el drama irrepresentado de esta misma autora *La nieta de Fedra*, publicado un par de años antes. Reconociendo en *Halma Angélico* "un
autor dramático verdadero", afirmaba a propósito de la obra que nos
ocupa: "Más cercana a la perfección, por lo menos a esa perfección
que consiste en la buena medida de las escenas, en la ponderación del
diálogo, en la calidad del ingenio y en el concepto humano de los personajes, se advierte la comedia en dos actos titulada *Entre la cruz y el
diablo*" (*El Sol*). El anónimo crítico de *La Voz* proclamó sin ambages el
nacimiento de un autor teatral nuevo de indiscutible interés: "*Halma
Angélico* interesa no ya por lo que realiza en la comedia dada al público del Muñoz Seca, sino también por lo que en ella presentimos de
intuición poéticoteatral (sic)". En relación con el título de la comedia, el
comentarista se mostraba en desacuerdo con su referencia "de tesis". La
autora, según él, no trató al escribir su obra de convencer adoctrinan-
do, sino mediante la demostración implícita que pudiera deducirse de
los hechos mismos. Coincidía así con las afirmaciones que la propia
escritora hiciera en este periódico poco antes del estreno[61].

Ni que decir tiene que si la prensa liberal acogió positivamente la obra en términos generales -con excepción del *Heraldo de Madrid*-, los periódicos del ala conservadora *(La Época, El Debate, ABC...)* fueron todavía más entusiastas en sus elogios a una obra que defendía con eficacia los ideales católicos[62]. Por otro lado, casi todos ellos coincidieron en destacar el primer acto de la comedia por su conseguida factura.

El afán de profundización en la problemática existencia de la mujer, en su compleja psicología y en la situación social en que vive, presentes ya de algún modo en su anterior comedia, cobran especial relieve en otra de las obras de esta autora, la "comedia en tres tiempos" *Al margen de la ciudad*. La comedia de *Halma Angélico* se apartó del marco genérico convencional abordando cuestiones de honda densidad dramática que solían ser ajenas a la comedia. Domina en la obra un acento fuertemente poético -sensibilidad lírica que, como ya veíamos, adivinaron en su primer estreno teatral varios de los críticos del momento- y una nota de agudizada sensualidad, siendo la fuerza del deseo una presencia constante y trágica que obliga ineluctablemente a los personajes. En su prólogo a esta edición, Cristóbal de Castro percibía en ella esa "tragedia biológica de la mujer" que ocultaba la doble existencia, pública e íntima, a que ésta se veía compelida muchas veces en razón de poderosos convencionalismos aparentemente inamovibles[63].

Ya la misma estructuración de la "comedia" en *tiempos* nos proporciona la primera pista en relación con el propósito renovador perseguido. El escenario, moderno y poco usual, una fábrica situada al borde del camino, lejos de la ciudad, lejos de cualquier núcleo humano, resulta también clarificador en este sentido. Aunque Castro tiene razón cuando afirma que el ambiente importa menos en la obra que los caracteres y que su autora "trabaja más en las almas que en el decorado", sobresalen claramente por encima de la media sus cuidadas y extensas acotaciones escénicas, de las que la descripción inicial de la vivienda situada sobre la fábrica resulta una buena muestra[64].

El aislamiento en que viven los personajes del drama los empuja a la reflexión, al diálogo esencial, que ansía profundamente la comunicación real con el otro. Desde sus primeras intervenciones se manifiesta la radical oposición entre los dos tipos masculinos fundamentales. Tomás, el marido de la protagonista y dueño del negocio familiar, es un hombre práctico, frío y preocupado únicamente por el trabajo y los beneficios. Su hermano Leoncio, que ha venido como los otros tres acudiendo a su llamada para ayudarle con el negocio, encarna al tipo bohemio de poderosa sensualidad. Los hermanos de Tomás se apoyan en Elena, su mujer, por ser la única fémina que vive junto a ellos. Hermana para Cristino, madre para Mario, amada inalcanzable para Leoncio, mero objeto de descuidada posesión para su propio esposo, todo lo lleva en silencio cumpliendo la inexorable ley del deber. Elena es la mujer condicionada por su educación y circunstancias, dispuesta a soportar el fracaso de su matrimonio en nombre del buen parecer. Cuando sus fuerzas parecen desfallecer ante el continuo acoso al que Leoncio, su antiguo novio y hoy cuñado, la somete, llega como llovida del cielo Alidra, la muchacha del camino. Elena presiente en ella la compañía que necesita y la distracción de los hombres, que tendrán ahora una mujer bella a la que admirar. Alidra encarna la libertad. Es un auténtico símbolo de la mujer pura, sin mediatizar, la Eva espontánea y salvaje. A pesar de sus opuestos caracteres y de su diferente medio y educación, entre ambas nace una sincera amistad que las lleva a ayudarse en todo momento. Alidra hace ver a Elena el sinsentido de una existencia desperdiciada junto a un hombre al que no ama ni respeta por unas ideas inculcadas que van en contra de lo natural. Comedia, pues, de conflictos psicológicos y dilemas morales, en la que se enfrentan unos personajes antinómicos que dotan de una mayor tensión dramática a la pieza.

El lenguaje de la obra, en muchos casos rupturista, libre de cualquier clase de tabúes, combina atrevimiento de expresión con un acentuado lirismo. Pasión y poesía, crudeza de expresión y suavidad lírica, conviven en apretada mezcla. Lo mismo puede decirse del resto de los lenguajes escénicos. La climática escena que cierra el segundo tiempo permite la aparición de una Alidra que "si la comprensión artística y la cultura del público lo concediera" se presentaría desnuda sobre las tablas, "salpicado su cuerpo aún por el agua" y, añade la autora, "Desde luego, piernas y brazos, si la artista ha de cubrirse, estarán empapados, y a su paso quedarán huellas húmedas impresas sobre el pavimento" (pp.66-67). Queda fuera de toda duda la amplia y liberal concepción artística de *Halma Angélico,* que no se detiene ante nada cuando se trata de plasmar la sensualidad máxima que requiere una escena -para ella un efecto teatral más-[65].

El desenlace de la pieza nada tiene que ver con el tópico final feliz para cuya consecución se daban innumerables quiebros en muchas de las comedias anteriormente comentadas. Alidra, sabiéndose embarazada y harta de su sedentarismo prolongado, abandona la casa. Elena cierra la obra con una dramática petición dirigida a Leoncio, el padre de una criatura que debió ser suya, para que retenga a Alidra junto a ellos y poder así cuidar del niño que va a nacer. Lejos de cualquier tipo de censura moral ante la maternidad no legitimada por la "norma" social, la autora utiliza este hecho como una solución "transferida". Elena vivirá así a través de Alidra la rebelión, la pasión, la maternidad... Por lo tanto, el drama sigue abierto. Continua sin solución el amor imposible de la pareja protagonista. Nada se resuelve definitivamente.

Obra de profunda raíz dramática, de trascendencia ideológica y moral plenamente buscada, demuestra un impulso progresista y arriesgado no muy frecuente en un género tan ligado como éste al negocio empresarial. Los complejos diálogos distraen de la ausencia de una acción evolutiva real. Todo lo sucedido puede sintetizarse en la alteración de la monótona existencia de una familia producida por la llegada de una joven bella y "salvaje". La valentía de expresión de su autora tanto en el nivel dialógico como en su utilización de los códigos escénicos, sus ideas feministas, y su anti-convencionalidad formal (extensión inusitada de la pieza, lirismo acentuado de su lenguaje, escenario poco frecuente y atrevidos comportamientos de sus personajes) permiten relacionar esta obra y su autora con algunas de las tendencias vanguardistas del teatro del momento[66].

Emparentadas con la anterior comedia de *Halma Angélico* por su enfoque decididamente feminista de temas y personajes, las comedias de Elena Arcediano *(Mujeres solas)*[67] y Pilar Algora *(Sin gloria y sin amor)*[68] no pretendieron, sin embargo, la renovación formal del género, sumándose al canon convencional de la comedia en tres actos de ambiente elevado. En el primer caso, la protagonista pertenece a una familia de rentistas valencianos. En el segundo, la acción se desarrolla en el medio teatral madrileño, entre escritores y periodistas ("La escena se desarrolla en Madrid, en alto ambiente literario" [p.9]). Coinciden igualmente en presentar un carácter femenino central, verdadero eje del drama. Se trata de mujeres fuertes, decididas, caracterizadas por su bondad moral y su destacado intelecto. Predomina también en ambas comedias la idea, el propósito argumental básico, sobre la preocupación por el discurso teatral. Escenarios, diálogos, etc., corresponden al modelo habitual en la comedia de ambiente refinado.

Sobresale un tanto en este último aspecto la cuidada descripción de los ambientes, por otro lado convencionales, en la comedia de Elena Arcediano, destacando la extensa acotación escénica que inicia el tercer acto -también el más novedoso por abandonar el tradicional interior doméstico burgués para describir el despacho de la doctora Luci en su clínica-. El énfasis en la tesis pro-feminista de Arcediano da lugar a frecuentes parlamentos de retórico lenguaje, cercanos a la arenga o al discurso político casi. También puede explicarse en razón de este interés central el descuido estructural que supone el abandono de la línea argumental protagonizada por la hermana de la protagonista en los actos primero y segundo al llegar al último. Nada se dice de los tres años transcurridos en el entreacto, quedando en el olvido el gran problema que plantea el embarazo indeseado de Tere en el acto central. A pesar de ello, la obra consigue mantener el interés y resulta ideológicamente eficaz al captar las simpatías del lector para la tesis moderadamente feminista que sostiene con sus palabras y con sus actos la protagonista.

Paralelamente, la comedia de Algora, innovadora por su tema (el inútil sacrificio intelectual de una mujer que renuncia al éxito profesional por un matrimonio desgraciado) y por la perspectiva femenina desde el que éste se enfoca en todo momento, no resulta tampoco especialmente novedosa en el nivel formal. El escaso interés por la puesta en escena explica el hecho de que la acción se desarrolle en un único escenario: el típico salón elegante de una familia burguesa acomodada. El medio teatral presentado (autores dramáticos, actrices, empresarios, críticos...) permite a la autora exponer algunas de sus ideas sobre el teatro. La acción se reparte entre los tres actos del siguiente modo: crisis matrimonial debido a una absurda rivalidad creadora en el primer acto; relaciones extra-conyugales de Agustín y separación del matrimonio en el segundo y reencuentro forzado por los convencionalismos en el tercero. La comedia concluye con un final abierto: la esperanza de un futuro mejor basado en la comprensión y la mutua estima de la pareja, ya que no en el amor[69].

Es posible concluir, por tanto, que la mayor parte de las comedias del corpus analizado se inscribe en el marco del teatro comercial dirigido principalmente al entretenimiento del público, si bien no faltan los intentos de contribuir a la mejora moral del mismo. Al espíritu reformista presente en algunas obras de claras simpatías profeministas no corresponde, como podría esperarse, un similar esfuerzo de renovación formal, destacando el general desinterés de las autoras citadas por los lenguajes teatrales paralelos al discurso verbal.

Si las autoras aportaron alguna diferencia de enfoque en la utilización del marco genérico de la comedia, el sainete o el juguete cómico, ésta se debió sin duda al punto de vista "femenino" desde el que se abordan ciertos temas -como veíamos en el segundo capítulo de este trabajo- y, tal vez, en el tipo de "lector-espectador implícito" presente en sus creaciones[70]. En este sentido apunta la habitual percepción de la crítica periodística coetánea de la especial orientación de varias de estas piezas hacia el público femenino -las obras de Pilar Millán y de Sofía Blasco se analizaron a menudo en estos términos en las correspondientes reseñas de estreno-. Resulta muy significativa en este sentido la serie de artículos que Luis Araquistáin publicó en la página teatral de *El Sol* entre 1927 y 1928 acerca del origen y significación social de los géneros teatrales predominantes en la escena española del momento. Según este prestigioso crítico, las preferencias masculinas se inclinaban por la comedia de retruécanos y de caracteres inferiores, mientras que las mujeres preferían las comedias sentimentales, en las que unos personajes tropezaban con ciertos obstáculos en sus anhelos amorosos, para conseguir finalmente un desenlace feliz[71]. Parecida era la opinión sostenida por R. Pérez de Ayala quien, a propósito de los *Coloquios con Eckermann y Soret,* de Goethe, comentaba la natural compasión y tendencia al sacrificio de la mujer, junto con su especial capacidad de identificación con el dolor ajeno. Llegaba aún más lejos al afirmar que los teatros de arte se encontraban abocados al fracaso por ser excesivamente intelectuales y no satisfacer el derecho femenino a la fruición emotiva[72]. Desde estos extendidos presupuestos críticos, no puede extrañar que las comedias de las escritoras teatrales fuesen analizadas en relación con las claves sociológicas más relevantes del público femenino al que aparentemente irían dirigidas. Probablemente esta división de la audiencia potencial que los críticos percibían y que tal vez algunas autoras intentaron aprovechar, unas veces con propósitos adoctrinadores y en otras ocasiones con miras claramente comerciales, fuera el mejor método para aislar a la mujer autora en ese "gineceo cultural" del que algunas de ellas se esforzaban por salir definitivamente.

NOTAS AL CAPÍTULO CUARTO

[1] "La comedia es, como hemos dicho, imitación de hombres inferiores, pero no en toda la extensión del vicio, sino que lo risible es parte de lo feo. Pues lo risible es un defecto y una fealdad que no causa dolor ni ruina; así, sin ir más lejos, la máscara cómica es algo feo y contrahecho sin dolor" (Aristóteles, *Poética*, p. 141).

[2] Patrice Pavis, *Diccionario del Teatro. Dramaturgia, estética, semiología*, pp. 66-68.

[3] Son estas *Entre la cruz y el diablo*, de *Halma Angélico; Otro beso*, de Margarita Astray Reguera; *Pipo, Pipa y el lobo Tragalotodo*, de *Magda Donato* y Salvador Bartolozzi; *Por las misiones*, de Matilde Ribot; *Amor, arte y juventud*, de Genoveva Rovira Valdés, y *Los caminos de la vida*, de Ana Ryus.

[4] *A la luz de la luna*, comedia en 4 actos y prólogo, de Mª Teresa Borragán, y la adaptación de *Magda Donato Aquella noche*, comedia dramática en 4 actos.

[5] Nacida en La Coruña el año 1879, creció y se educó entre la alta sociedad coruñesa. Sus padres fueron José Millán Astray y Pilar Terreros. Vivió su infancia y primera juventud en esta ciudad, de la que partió con su familia hacia Madrid al ser nombrado su padre director de la cárcel de la capital. Cuando contaba poco más de 20 años contrajo matrimonio con Javier Pérez de Linares, perteneciente a una familia aristocrática valenciana. El matrimonio se instaló en Valencia, donde nacieron dos de sus tres hijos: Javier y Carmen –su tercera hija, Pilar, nació en Madrid–. Muy joven aún, Pilar Millán Astray quedó viuda y tuvo que afrontar una difícil situación económica. Fue entonces cuando decidió retomar sus tempranas actividades literarias (artículos, cuentos y novelas), con el fin de poder mantener a sus hijos sin la ayuda de su familia. En 1919 la autora cuenta 40 años de edad y gana su primer premio literario, el Blanco y Negro, con la novela *La hermana Teresa*. Entre sus novelas cabe asimismo citar *La llave de oro* (1921), *El ogro* (1921) y *Las dos estrellas* (1928). Escribió con relativa frecuencia en varios periódicos y revistas durante la Dictadura (*ABC, Blanco y Negro, La Nación, El Espectador, El Sol...*). Pasó los tres años de la guerra encarcelada en Alicante y Murcia, regresando después a Madrid con importantes problemas de salud. Murió el 22 de mayo de 1949 sin haber abandonado su dedicación a la literatura. (Agradezco a doña Rafaela Risueño, nuera de la escritora, los datos biográficos facilitados).

[6] El Diccionario de la Real Academia de la Lengua Española (1984) define el *sainete* a partir de dos acepciones distintas: "Pieza dramática jocosa en un acto de carácter popular, con música o sin ella, que se representaba como intermedio de una función o al final" y, con bastante más laxitud, "Obra teatral con música o sin ella, frecuentemente cómica, aunque puede tener carácter serio, de ambiente y personajes populares, en uno o más actos, que se representa como función independiente". En línea con la definición primera del sainete, escribe Patrice Pavis: "El sainete es una obra corta cómica o burlesca del teatro español clásico. Sirve de intermedio (entremés) en los entreactos de las grandes obras, presenta personajes populares muy tipificados, (...) y sirve para relajar y divertir al público" (*Diccionario del Teatro*, p. 435).

[7] Sobre este autor, véanse los libros ya clásicos de Vicente Ramos (*Vida y teatro de Carlos Arniches*, Madrid, Alfaguara, 1966); Manfred Lentzen (*Carlos Arniches. Vom "género chico" zur "tragedia grotesca"*, Genève-París, Minard-Droz, 1966), y D.R. Mckay (*Carlos Arniches*, New York, Twayne Publishers, 1972), a los que se han añadido en los últimos años los libros de Herminio Martínez (*El arte grotesco en las tragedias grotescas de Arniches y los esperpentos de Valle-Inclán*, Ann Arbor, UMI, 1987) y Juan A. Ríos Carratalá (*Arniches*, Alicante, Caja de Ahorros, 1990).

[8] Pilar Millán Astray, "Autocrítica: La mercería de la Dalia Roja", *ABC*, 4-05-1932, p. 41.

[9] Para la mejor comprensión de estos dos términos, véase Anne Ubersfeld, *Lire le Théâtre*, París, Editions Sociales, 1977.

[10] Pilar Millán Astray estrenó otras dos obras de ambiente gallego con posterioridad a la Guerra Civil: *La meiga de Vilariños* (noticia sin reseña de estreno en *ABC*, 4-06-1940, p. 2) y *Carmiña*, comedia 3 actos (Teatro Cómico, de Madrid, 28-05-1943). Véase la reseña de esta última en Alfredo Marquerie, *En la jaula de los leones* (Madrid, Ediciones Españolas, 1944, pp. 178-179) y la reseña de estreno aparecida en *ABC*, 29-05-1943, p. 12.

[11] Por ejemplo, en el catálogo de Felipe Garin Martí, *El teatro español en su aspecto moral y religioso* (Valencia, Imprenta de Vicente Tarondier, 1942).

[12] Uno de los críticos que mejor trató por lo general las producciones de Pilar Millán, Manuel Machado, afirmaba de la obra: "Tres largos actos de sainete con puntas y ribetes de melodrama, o bien simplemente melodrama asainetado y en todo caso no 'comprimido'" (*La Libertad*). El crítico de *La Voz* alabó por su parte la "admirable exposición" del primer acto para terminar atacando duramente el resto de la obra: "Luego vienen todos los trucos manidos del sainete, todas las situaciones de melodrama y folletines". El "truco" del falso robo de Pablo en el segundo acto, tan oportunamente resuelto en el siguiente, fue comentado por Luis Bejarano como muestra magistral del modo en que la autora manejaba los recursos teatrales para cautivar al público, mientras criticaba el exceso de episodios digresivos que distraen en la obra del asunto principal (*El Liberal*).

[13] La comedia en 3 actos *Perla en el fango* fue calificada de "comedia melodramática" en algunas de las reseñas de estreno (*El Sol, La Voz*).

[14] A propósito del género melodramático afirma Patrice Pavis: "Los personajes, claramente divididos en buenos y malos, no tienen la más mínima elección trágica, están modelados por buenos o malos sentimientos, por certezas y evidencias que no sufren contradicción alguna. Sus sentimientos y sus discursos se exageran hasta el límite de la parodia y provocan con facilidad la identificación del espectador, junto a una catarsis barata. Las situaciones son inverosímiles, pero claramente trazadas" (*Diccionario del teatro*, p. 305).

[15] En defensa y reivindicación del género melodramático se pronunció, en cambio, Luis Araujo Costa, que encabezaba su crítica con una verdadera disertación teórica a propósito de la historia y evolución de dicho género y de sus relaciones con el folletín, como especialidad novelesca (*La Época*).

[16] Es necesario recordar aquí que el desenlace de *La mercería de la Dalia Roja*, en el que se frustra la línea sentimental que unía a Alicia con Rafael, es interpretado por boca de la protagonista como un triunfo de las nobles ideas y de la religión.

[17] La obra publicada en 1923 fue estrenada en Barcelona por la compañía "Díaz-Artigas" (Teatro Goya, 11-07-1923). Probablemente la autora no consiguió verla representada en los escenarios madrileños debido a su escaso tirón de público, motivo por el cual decidiría sacarla de su olvido modificándola para hacerla más comercial justo en la temporada en que ella misma fue empresaria y directora de la compañía del Muñoz Seca: "De *Ruth, la hebrea* (sic), comedia, más bien poemita religioso, que estrenó Josefina Díaz en provincias hace unos cuantos años, ha hecho Pilar Millán Astray, su autora, una refundición para añadir un título más de su propiedad a la temporada del Muñoz Seca" (*El Liberal*).

[18.] El manuscrito mecanografiado de la obra se conserva en la biblioteca del Institut del Teatre de dicha ciudad bajo la signatura 83559.

[19.] Melchor Fernández Almagro, por ejemplo, comentaba no sin cierto sarcasmo: " [Los] caracteres que intervienen en *El juramento de la Primorosa* no proceden de los barrios populares madrileños, ni de lugar alguno que esté señalado en el mapa psicológico de la Humanidad. Proceden en línea directa del melodrama. Y melodrama, que no sainete, es en puridad la obra que comentamos" (*La Época*).

[20.] Sobre los fracasados intentos de estreno de este sainete que sería después el mayor éxito de Millán Astray en el teatro, véase el artículo de la autora, incluido en la serie titulada "Recuerdos de mi vida" que apareció durante los meses de marzo a junio de 1949 en el diario *Informaciones*, "La odisea de *La tonta del bote*". El artículo se cerraba con unas alusiones irónicas a esos empresarios que afirmaron que "no veían obra" en una pieza que "se tradujo a cinco idiomas, se hizo con ella una magnífica película (...) que aún no se quitó de las carteleras hispanoamericanas desde hace la friolera de veinticuatro años" (7-04-1949, p. 1). Posteriormente se ha llevado a cabo una nueva versión de la obra para el cine protagonizada por la conocida actriz cómica Lina Morgan y dirigida por Juan de Orduña en 1970.

[21.] "El público ha celebrado todo esto y ha visto con simpatía cómo al triunfar esta nueva 'Cenicienta', que también encontró su príncipe azul, es generosa y magnífica para todos, que sienten, como ella, henchidos los corazones de alegría y ternura" (*ABC*).

[22.] Floridor comentaba, por su parte, el carácter madrileño, suelto y castizo, del diálogo y su fiel observación de los modelos (*ABC*). De nuevo la pobreza del asunto era denunciada por el crítico de *La Época*, que sin embargo reconocía la facilidad de la autora para compensar con un chispeante y ágil diálogo lo que consideraba una liviana trama para ser desarrollada en tres actos. Manuel Machado relacionó también esta producción con la obra de Arniches elogiando sobre todo el magnífico lenguaje de la pieza y su eficacia compositiva (*La Libertad*).

[23] Transcribo íntegra la acotación inicial que describe este espacio escénico por ser una de las más completas y representativas del espacio doméstico popular típico en las obras de esta autora: "(Salita modesta, pero muy limpia y aseada. En el foro, puerta que da a un patio de vecindad y ventana a la izquierda, con reja, hay dos tiestos y un botijo. En lateral derecha, puerta a las habitaciones interiores. Repartidos por la escena, cómoda, camilla con faldones verdes, sillas, mecedoras, cuadros baratos: sobre la cómoda un cuadro de la Virgen de la Paloma y dos floreros)" (*Las ilusiones de la Patro*, p. 7).

[24] Su lenguaje popular chocaría sin duda durante la representación con tan sofisticado atuendo, como así lo apunta el modisto Antuanet, cuya afrancesada pronunciación del castellano contribuye también al citado efecto cómico ("Antuanet [A las modelos] – ¡Hablen ustedes lo menos posible! Su graciosa manega de hablar sienta muy mal con las espléndidas tualets que lucen. Si fuegan de mantón de Manila, ¡deliciosas!" [p. 30]).

[25] De nuevo la confusa categorización genérica de la obra destaca en el conjunto de las críticas analizadas. Arturo Mori, por ejemplo, afirma rotundo que se trata en este caso de una "comedia de costumbres universales con personaje sainetesco" (*El Liberal*). A su vez, Juan G. Olmedilla la calificó de "arnichesca comedia asainetada", añadiendo: "En general interesó más la parte costumbrista del ambiente de la casa de modas que la analítica de los caracteres principales. Y la gracia superó a la intención moralizadora" (*Heraldo de Madrid*). Sainete la consideraron Jorge de la Cueva (*El Debate*) y Luis Araujo Costa (*La Época*).

[26] La similitud entre la descripción del sotabanco de Nati (*Los amores de la Nati* p. 31) y la buhardilla de Naná del tercer acto de *Mademoiselle Naná* (p. 45) es tan asombrosa que merece ser comprobada para entender hasta que punto se agarraba la autora a su personal plantilla escénica a la hora de abordar una nueva producción.

[27] A estas alturas de la producción de la autora, los críticos se atrevían ya a definir, sin temor a errores, la fórmula básica de sus sainetes. Arturo Mori resumía estos "rasgos típicos" de forma harto expresiva: "Cuatro personajes familiares, el asuntillo amoroso, el dominio sentimental de las mujeres sobre la veleidosa contextura de los hombres, una chulilla acometedora y leal y el triunfo inevitable del amor con todas sus consecuencias" (*El Liberal*).

[28] En los archivos de la Sociedad General de Autores aparece registrada como "zarzuela en 1 acto".

[29] Sirva como muestra la siguiente cita de E. Díez-Canedo al respecto: "*Magda la Tirana* nos ofrece el consolador espectáculo de dos hermanas, joven, inocente y piadosa la una; 'cantaora' de flamenco la otra, enamoradas de un mismo hombre. Todo acaba bien, porque la una se hace hermana de la Caridad y la otra se casa por la iglesia con el enamorado, honrado obrero que la redimirá de su existencia desordenada, aunque en el fondo, casi heroica" (*El Sol*).

[30] Véase Pilar Millán Astray, "La sainetera y el sainetero o 'pescando' con Arniches por los barrios bajos de Madrid", *Informaciones*, 16-06-1949, p. 1.

[31] Juan A. Ríos, *Arniches*, pp. 87-89. Véase en este mismo libro un ejemplo del tipo de análisis al que fue sometido el autor en la crítica periodística del momento: Pilar Nieva, "El estreno de *Es mi hombre* y su recepción en la crítica coetánea (1921-1922)" (pp. 172-181).

[32] Este tipo de ambientes de marcada especificidad se ajustan a la propuesta de definición genérica que M. A. Garrido Gallardo esboza en "Notas sobre el sainete como género literario", *El teatro menor en España a partir del siglo XVI*, Madrid, CSIC, 1983, pp. 13-22.

[33] La deformación lingüística arnichesca de los personajes populares madrileños convive en algunas de sus obras con el gracejo dialectal andaluz. En las dos obras de ambiente gallego, se recrean –principalmente en *El pazo de las hortensias*– expresiones en dicha lengua o bien en castellano galleguizado. Véase el artículo de Serge Salaün "El 'Género chico' o los mecanismos de un pacto cultural" (*El teatro menor en España a partir del siglo XVI*, pp. 251-261), para un planteamiento de la funcionalidad lingüística en unas obras donde predomina el reconocimiento sobre la novedad, la convención sobre la intriga (p. 255).

[34] Entre los títulos de esta autora estrenados en la posguerra se encuentran *Cada una piensa a su manera*, *Cayetana la Rumbosa*, *La condesa Maribel*, *La Cuscurrita*, *Don Chucho, el indio*, *Don Pío Pío*, *El ídolo roto*, *La infeliz burguesa*, *La noria* (adaptación de Jorge Middleton), *Por qué se casa la Solé*, *Puede más el amor*, *La romancera*, *Sol de España*, *El tío Claridades*, y

dos traducciones al catalán realizadas por Pauli y Samsó: *Tot per els fills* y *La reina dels pernils* (*La Galana*).

[35] En la última página de la segunda edición de *Marquesa de Cairsan* se incluye la siguiente lista de "obras de la misma autora": *La díscola*, comedia; *Por un mantón de manila*, comedia cómica; Marquesa de Cairsan, comedia dramática; *La voz de la sangre*, comedia; *La fuerza del vínculo*, comedia dramática; *El secreto de Julia*, comedia cómica; *Madre y policía*, comedia cómico dramática; y *Don dinero se impone*, comedia cómica. La Sociedad General de Autores Españoles tiene registradas en su departamento de derechos dramáticos los títulos siguientes: *La Bastarda de Barsall, Guillermina Varsall, La díscola, Tal para cual o el secreto de Julia, La hija del cardenal, Marquesa de Cairsan, Las dos bastardas* y *El cardenal Crespo Ordoño*. La coincidencia parcial de varios de estos títulos parece indicar que la autora registró en algún caso distintas versiones de una misma obra.

[36] Uno de los más graves fallos de este tipo se encuentra al final de la escena IX del segundo acto: Paquita no recuerda que se casa al día siguiente e incluso le pregunta al novio acerca de la hora del enlace (p. 48).

[37] Luis Araujo-Costa afirmaba el "triunfo final de la justicia, la razón y (...) una fragancia en la idea, compostura de la obra que desde el principio gusta y conforta el ánimo en horizontes de una perfecta sanidad mental y moral" (*La Época*). Aunque un poco más reticente, no pareció ofendido el crítico de *El Debate* por las reiteradas expresiones en contra de los defectos de algunas familias vertidas en la obra: "La obra, limpia, moral, ejemplar, sólo le sobra unos conceptos aislados contra la familia".

[38] Enrique Díez-Canedo, por ejemplo, escribía: "Cuando visto el acto primero desesperábamos de hallar atractivo en el segundo, creímos habernos equivocado al ver apuntar, en la contradicción de dos figuras femeninas (...) el germen de una comedia interesante. (...) Lo demás (...) es repetir los tipos y las situaciones eternas sin añadirles sustancia propia; (...) el chiste ineficaz (...), buscar una expresión humana en boca de personajes acartonados (...); pecado, en fin, el afán moralizador que se apoya en postulados gratuitos" (*El Sol*).

[39] Resulta de especial interés para comprender el verdadero significado del concepto genérico "juguete cómico" en estas dos décadas el epígrafe dedicado a comentar los éxitos del género entre la temporada 1918 y 1925 del ensayo de Dru Dougherty y Mª Francisca Vilches, *La escena madrileña entre 1918 y 1926. Análisis y documentación*, pp. 99-105. Los citados investigadores comprueban en estos éxitos centenarios la preferencia del juguete cómico por el truco conceptual, la dislocación lingüística, los equívocos continuos y las situaciones disparatadas que se complican hasta llegar al absurdo.

[40] "Conde – (...) ¿Pero qué está usted haciendo, amigo Pierre?/ Pierre – ¡Matarle, conde!/ Conde – ¿A quién? (...)/ Pierre – Al hijastro de la hermana política del padre de la señorita que es hija del señor Barberó" (pp. 33-34).

[41] En la solapa de la edición de *Tal para cual o el secreto de Julia* se ponen en relación dos títulos de los registrados en la Sociedad de Autores como distintos – *Marquesa de Cairsan o la Hija del Cardenal* – y se anuncia una comedia en preparación, de la que no tengo noticias: *La venganza de ...* (sic).

[42] La idea de que el verdadero origen sale siempre a la luz, por más que se empeñen en ocultarlo medio y educación, constituye el motivo central del argumento de comedia escrito por Adelina Aparicio, *La voz de la sangre* (1929).

[43] Toda la escena III del segundo acto no tiene más justificación dramática que dar lugar a que el doctor elucubre sobre el destino, la vocación y la libertad para el mal o el bien del individuo, discurso que no se ve de qué modo quiso relacionar la autora con la trama de su comedia.

[44] Entre las comedias "dramáticas" de ambiente refinado –alta burguesía y aristocracia– cabe citar también *Otro beso*, de Margarita Astray Reguera; *Amor, arte y juventud*, de Genoveva Rovira Valdés; *A la luz de la luna*, de Mª Teresa Borragán y, de Elena Miniet de Bolívar, *El eterno modernismo* (estrenada el 4 de febrero de 1929 por un grupo de aficionados en Santander), *El pájaro negro* (1930) y *Siguiendo su destino* (1931).

[45] Hasta el momento he podido registrar tres estrenos de la autora en provincias. La primera de las obras estrenadas, *Rayo de luz*, se dio a conocer en San Sebastián (*ABC*, 16-04-1925, p. 29). En esta misma ciudad estrenó un año después *Marquesa de Arnoldi* (*ABC*, 25-06-1926,

p. 24). En 1927, otro estreno en Santander, la comedia *La posada del reloj*, adaptación de la obra de Eusebio Blasco *La posada de Lucas*, de 1880 (*ABC*, 26-04-1927, p. 38).

[46] En el registro de derechos dramáticos de la Sociedad de Autores aparecen los siguientes títulos de esta autora: *El pan cotidiano, Marquesa de Arnoldy, Hacia la vida, Una tarde a modas, La posada del reloj* y *La redención*. Sofía Blasco fue colaboradora de *La Libertad*, firmando sus trabajos bajo el pseudónimo *Libertad Castilla*. Véase, como ejemplo, su reseña aparecida en la columna "Los Teatros" (*La Libertad*, 23-04-1936, p. 6).

[47] La autora resumía así el argumento de la comedia *Hacia la vida*: "Una mujer que llega de fuera y alegra la vida de un enfermo. Nada más sencillo. Ella le lleva de nuevo hacia la vida. En el desarrollo de la obra, mucho amor, pasión y sentimentalismo. Hay un tipo cómico, que yo creo muy humano y que yo misma represento" (*Heraldo de Madrid*).

[48] "El primer acto, especialmente, nos parece irreprochable por su donosura y agilidad. Es un acto que tiene *chic*, palabra en la que resumen los franceses muchas cosas y que encontramos para esta comedia de justa aplicación. El acto segundo, un acto puente, no es más que un pretexto para que Sofía Blasco (...) demostrase ser una excelente actriz cómica (...). Un desfile de modelos de las últimas elegancias, para las señoras de particular interés, completa el entretenido espectáculo" (*ABC*).

[49] *Floridor*, crítico de *ABC*, fue el único comentarista de la prensa conservadora que comentó positivamente la obra, afirmando que el problema social se trataba en ella con ecuánime sentido de la justicia, y añadía: "Una acción de novela sentimental sirve de nexo a las escenas de la obra, que por su índole encaja muy bien en un teatro popular".

[50] Victoriano Tamayo escribía a propósito del argumento de la comedia: "Aquel patrono que en el curso de dos años agasaja a su amiga con una vida regalona y con dos o tres millones de pesetas en alhajas, y que además la quiere con fatigas, no merece el trato que le dan su propia amiga, su rival el obrero agitador y honrado, y hasta un cura con puntas y ribetes de revolucionario con textos del Nuevo Testamento (...). Arcaísmos ideológicos e ingenuos atrevimientos se mezclan en infantil mezcolanza para venir a resolverlo todo en una boda canónica –el cura casa a la ex entretenida y al obrero libertador de sus compañeros– dentro de un ambiente laico" (*La Voz*).

[51] Para comprender mejor el sentido de estas críticas, conviene recordar los dramas sociales de *Alicia Davins* y Teresa León. El feliz desenlace de la comedia social cristiana de Blasco y su afán conciliador contrastan con los desenlaces dramáticos y llenos de tensión de las otras dos piezas, como también divergen los dramas citados por su mayor ortodoxia e intransigencia ideológica.

[52] Nacida en Madrid el 22 de febrero de 1903, publicó sus primeras colaboraciones en la prensa antes de haber cumplido los veinte años (*La Voz*). Además de sus numerosos trabajos en algunos de los más importantes periódicos nacionales, publica en 1924 su primer libro (*Cuentos de los siete años*), que fue seguido de varias novelas cortas, probablemente su género literario preferido (*Felisa salva su casa, La mujer que no pudo ser mala, Salomé de hoy*...). Además, con el seudónimo de *Próspero Miranda*, tradujo varias novelas de autores franceses contemporáneos.

[53] Nació en La Habana en 1883. A los quince años vino a España, donde cursó estudios hasta concluir en Madrid la carrera de Derecho. Sus primeros artículos (1905-1906) iniciaron una continuada colaboración en revistas y periódicos tan importantes como *El País, El Liberal, Blanco y Negro, Nuevo Mundo*, etc. Tuvo gran éxito como novelista y fue también aplaudido como autor teatral (*En familia* [1914], *Nunca es tarde* [1914], *El amor tardío* [1915], *La culpa ajena* [1916], *El bandido* [1917], en colaboración con Hernández Catá, como las anteriores, *La madrileña* [1918], *La domadora*, en colaboración con Sara Insúa [1925], *Una mano suave* ...).

[54] Manuel Machado comentaba al respecto: " 'La domadora', una mujer, claro está, y domando, naturalmente, a un hombre, nos presenta el caso de la fuerza incontrastable de la sugestión femenina, que sabe quedarse en los límites de la dulzura y la suavidad invencibles. La conquista sin violencia, la paz sin victoria (...), es el afortunado desenlace" (*La Libertad*).

[55] Sara Insúa, *Salomé de hoy*. Madrid, *La novela de hoy*, nº 375 (19-07-1929).

[56] Otras autoras que siguieron en sus estrenos los populares cauces de la sentimentalidad y la diversión propias de la comedia ligera y el juguete cómico fueron Margarita Robles (actriz que estrena *Trece onzas de oro* [15-06-1929], escrita en colaboración con el también actor Gon-

zalo Delgrás), Concha Ramonell (autora del apunte de comedia *Octavio su criado* [20-04-1936] y del juguete cómico *El retorno de Frasquito* [5-01-1929]), y Rosario Cárceles (con el sainete *Si te ves en la calle*, estrenado poco antes de estallar la guerra [3-06-1936]).

[57] *Halma Angélico*, "La revolución en la escena", *Técnicos* (portavoz sindical de Técnicos de CNT-AIT), 5-08-1937; apud. Robert Marrast, *El teatre durant la Guerra Civil Espanyola*, pp. 278-279.

[58] Mamie Salva Patterson, *Woman-Victim in the Theater of Spanish Women Playwrights of the Twentieth Century*, p. 102.

[59] Los hábitos de las monjas se describen del modo siguiente: "Visten hábito azul de lana y sobre el escapulario una cruz blanca de lo mismo. Las capas son de lana también y de color negro". También se detalla el tipo de uniforme de las muchachas: "Viste el uniforme de las acogidas: traje entero azul marino, de un tono fuerte, sin estrecheces, sujeta la cintura con una tira de la misma tela que el traje; cuellecito blanco de batista y puños vueltos de la misma clase". La nota más reveladora del interés de la autora por la correcta caracterización física de sus personajes se encuentra probablemente en la descripción del tipo de la artesana enriquecida, Candelaria: "Usa gran mantón alfombrado, porque es invierno; pero si a la artista le es más cómodo de manejar puede sacarlo de espuma o bordado, cuanto más lujoso, mejor, siempre que sea negro" (*Entre la cruz y el diablo*, s.p.).

[60] Precisamente a causa de la corta extensión de la pieza, al principio de la función la compañía estrenó un paso de comedia de Silva Aramburu, titulado *Cómo se besa a un santo*.

[61] "Es un 'caso', no un problema, que planteo y resuelvo; y presento el 'caso' situándome en un plano sereno de arte, sin propósito dogmático o crítico, porque creo más asequibles a la captación de un espíritu femenino los estados psicológicos de las almas de mujer que se revelan tal y como son en mi obra. Y no se juzgue por el título (...) un prurito de convertir el escenario en tribuna de ideas que ni propugno ni ataco" (*La Voz*).

[62] Araujo Costa señalaba que el fondo moral de la obra se deducía suavemente de ésta, hablando la acción por sí misma (*ABC*). El crítico de *El Debate* afirmaba por su parte: "Escrita con garbo y soltura tiene además la valentía, digna del mayor elogio, de defender una idea hondamente sentida: la religión". Las "Veladas teatrales" de *La Época* ofrecían el siguiente juicio al respecto: "Sin extremismos, que hubieran sido empalagosos, se pone tan alta la fuerza y eficacia del ideal católico, que el público recibe una impresión sedante en su ánimo, un poco cansado del materialismo de la época".

[63] Cristóbal de Castro (ed.), *Teatro de mujeres*, p. 13.

[64] Reproduzco tan sólo un fragmento de la misma: "La acción en una fábrica, al borde de un camino. La vivienda sobre las naves de un taller. (...) Fuera no hay más luz que la del tenue brillar de las estrellas y la que rebasa de la vivienda en la parte alta del edificio que, como se verá, ha de ser absolutamente practicable, por desenvolverse allí la acción. El reflejo de la casa llega hasta la mitad de la carretera (...). Queda este volumen escenográfico (...) en primero, segundo y hasta tercer término del escenario si fuera posible. (...) A través de sus ventanales se divisan las poleas y cuanto pueda influir a la mayor comprensión del lugar donde nos hallamos" (*Al margen de la ciudad*, p. 19).

[65] "([Alidra] Felinamente echa su brazo al cuello de Leoncio, procurando rozarle con él la cara, insinuante, expresiva, para atraérselo con coqueterías, hasta lograr sustraerlo a la idea dominante, llevándoselo como un autómata hacia las habitaciones interiores. [...] Esta escena, de intensísima feminidad y emoción, depende en absoluto de los actores. Elena, temblorosa y febril, los ve marchar, en una lucha intensa con su propia pasión. Los sigue con la mirada, presintiendo el 'fin' de la pareja, y sus labios, temblorosos como sus manos, buscan traspasar el umbral con el ansia de contener lo que temen [...])" (*Al margen de la ciudad*, p. 67).

[66] A propósito de la polémica sobre la crisis y necesaria renovación del teatro durante la década de los 20, véase Dru Dougherty, "Talía convulsa: La crisis teatral de los años 20", *Dos ensayos sobre teatro español de los 20*, Murcia, Universidad, 1984, pp. 85-157. Los esfuerzos realizados desde la prensa de estos años en favor de la renovación teatral han sido analizados en trabajos como los siguientes: Mª Francisca Vilches y Dru Dougherty, "La renovación del teatro español a través de la prensa periódica: La *Página Teatral* del *Heraldo de Madrid* (1923-1927)", *Siglo XX/20th Century*, VI (1988-89), pp. 47-56; Elena Santos Deulofeu, "*La Farsa*: una revista teatral de vanguardia", *Siglo XX/20th Century*, VI (1988-1989), pp. 57-65; Vance R. Holloway,

"La *Página Teatral* de *ABC*: Actualidad y renovación del teatro madrileño (1927-1936)", *Siglo XX/20th Century*, VII (1989-90), pp. 1-6, y Pilar Nieva de la Paz, "*Teatros*: Página teatral de *El Sol* (1927-1928)" *Anales de la Literatura Española Contemporánea*, XVI (1991), pp. 291-319.

[67] Estrenada en el Teatro Eslava, de Valencia, por la compañía "López Heredia-Asquerino", el 5-01-1934. Se estrenaron durante la guerra otras tres producciones suyas. En primer lugar, dos adaptaciones realizadas en colaboración con Maximiliano Thous: *La fierecilla domada* (versión de la obra de Shakespeare), en el Teatro Eslava de Valencia (5-07-1938), y *El caballero de la triste figura*, en el Teatro Principal de Valencia por la "Cía. Oficial de Arte Dramático" (12-10-1938). Véase Ricardo Bellveser, *Teatro en la encrucijada. Vida cotidiana en Valencia 1936-1939*, Valencia, Ayuntamiento, 1987, p. 97. Con respecto a la segunda de estas adaptaciones, Robert Marrast ofrece una fecha de estreno divergente, el 15-10-1938 (*El teatre durant la Guerra Civil Espanyola*, p. 203). La tercera es una pieza original (comedia dramática en tres actos), publicada durante la posguerra: *Sol en la arena* (Valencia, Diputación Provincial, 1955).

[68] La obra fue estrenada en Valencia el 4-06-1926. Un año más tarde fue representada en Barcelona (vid. reseña de *ABC*, 17-03-1927, p. 37, que ofrece un título cambiado: *Sin gloria y sin honor*) y en Zaragoza, en abril del año 1927, por la compañía "Carmen Díaz" de aficionados. Pilar Algora figura en el registro de la Sociedad General de Autores como autora de otra comedia: *Fraternidad* (colaboración). El diario *ABC* (11-03-1928, p. 55) informa del estreno de la comedia de esta autora *Los ídolos del hogar*, en San Sebastián.

[69] Ni que decir tiene que si estas comedias de tendencia moderadamente progresista no pretendieron lograr renovación formal alguna, otras comedias temáticamente más conservadoras como las de Adela Carbone (*La hermanastra* [Teatro Rey Alfonso, Madrid, 7-09-1923], en colaboración con Joaquín F. Roa), Laura Cortinas (*El buen amor*, estrenada en el Teatro Solís, de Montevideo, por "Filodramática Uruguaya", el 31-08-1929) o Mª Luz Morales y Elisabeth Mulder (*Romance de media noche*, Teatro Arriaga, Bilbao, Res. en *La Voz*, 3-01-1936, y *ABC*, 4-01-1936), todas ellas en tres actos, tampoco supusieron una aportación novedosa dentro de su marco genérico.

[70] "A diferencia de los tipos de lectores citados, el lector implícito no posee una existencia real, pues encarna la totalidad de la preorientación que un texto de ficción ofrece a sus posibles lectores. Consecuentemente, el lector implícito no está anclado en un sustrato empírico, sino se funda en la estructura del texto mismo" (Wolfgang Iser, *El acto de leer*, Madrid, Taurus, 1987, p. 64). Sobre este mismo concepto puede consultarse también, D. W. Fokkema y Elrud Ibsch, "La recepción de la literatura: El lector implícito", *Teorías de la literatura del siglo XX*, Madrid, Cátedra, 1988, pp. 192-193.

[71] Luis Araquistáin, "Una mentalidad infantil", *El Sol*, 5-04-1928, p. 8. Estos artículos de Araquistáin sobre los géneros y su implicación social fueron posteriormente reunidos en su libro *La batalla teatral*, Madrid-Barcelona-Buenos Aires, Compañía IberoAmericana de Publicaciones, 1930.

[72] R. Pérez de Ayala, "El placer de llorar y el público femenino (Goethe crítico de teatros)", *El Sol*, 9-02-1928, p. 5.

DEMETRIO.
Lolín y Bobito.

CAPÍTULO QUINTO

EL TEATRO INFANTIL. OTROS GÉNEROS

Al revisar la trayectoria literaria de las escritoras teatrales españolas de preguerra se observa una especial inclinación por el teatro destinado a la infancia y la juventud. La tradicional vinculación de la mujer con la carrera pedagógica así como la clásica definición de la "esencia" femenina en relación con el matrimonio y la maternidad explican en buena medida la general aceptación de las producciones para el teatro de niños escritas por mujeres, frente al frecuente rechazo con que se las recibía en otras parcelas de la creación dramática. Una opinión excepcionalmente contraria fue la manifestada por Jacinto Benavente, artífice de un "Teatro de los Niños", inaugurado el 20 de diciembre de 1909, cuando, haciéndose eco de los tradicionales prejuicios con respecto a la mujer intelectual -a la que a menudo se le presuponían rasgos masculinizantes-, declaraba en relación con este asunto: "Para escribir un buen cuento de niños hay que tener alma de madre. Lo que es lo mismo, ser un gran artista, verdadero artista... Género de arte en que debían triunfar las mujeres, si no fuera porque la mayoría de las mujeres escritoras tiene muy poco de femenino"[1]. La postura de Benavente era síntoma de la minusvaloración que afectaba a la mujer creadora, muy especialmente entre sus colegas masculinos. De hecho, entre los ilustres colaboradores que estrenaron en la campaña del "Teatro de los Niños" (1909-1910) que él dirigió en el Teatro Príncipe Alfonso (Sinesio Delgado, E. López Marín, Eduardo Marquina, Ceferino Palencia, Felipe Sassone, Ramón Mª del Valle-Inclán...) no figuró ninguna mujer[2]. La enorme evolución de la situación de la mujer española y de las escritoras en particular a lo largo de las dos décadas siguientes se percibe en el significativo nombramiento de cuatro mujeres (Mª Luz Morales, *Elena Fortún, Magda Donato* y Esperanza González) como miembros de la Comisión del Teatro de los Niños creada en plena Guerra Civil por el gobierno republicano y presidida, curiosamente, por el mismo Benavente[3]. Se reconocía al fin la dedicación de las escritoras al teatro infantil y la calidad de sus creaciones para los niños.

En el corpus de teatro infantil escrito por mujeres revisado en este ensayo, cabe distinguir con claridad entre las obras que se adscriben a la tradicional corriente pedagógica y escolar del género, preocupada muy especialmente por la educación moral y religiosa de los niños (y más comúnmente, de las niñas), y un segundo grupo de obras pensadas sobre todo para la diversión y el entretenimiento del público infantil[4]. No debe extrañar que sea significativamente más importante la presencia del primero en el corpus de teatro impreso que nos ocupa aquí frente a una mayor relevancia del segundo grupo en el marco del teatro representado. Claro que es necesario tener en cuenta la dificultad de localización de las innumerables representaciones escolares del teatro "educativo", de las que rara vez queda constancia[5].

5.1. TEATRO INFANTIL ESCOLAR

Pilar Contreras, Micaela de Peñaranda, Matilde Ribot y *Carolina Soto*

Representantes del teatro escolar de carácter eminentemente educativo y moralizante fueron autoras como Pilar Contreras de Rodríguez, Micaela de Peñaranda, Matilde Ribot y Carolina de Soto y Corro[6]. Escribieron también para la representación en la escuela autoras como Gabriela García *(Que madre nuestra es...* y *A Jesús por María. Teatro moral)*, Pilar Pascual de Sanjuán y Magdalena S. Fuentes (ambas colaboradoras de la antología *Discursos, diálogos y poesías)*[7], cuyas creaciones son de dudosa clasificación dentro del género teatral, ya que se trata de recitaciones de monólogos, ofrecimientos y, muy rara vez, diálogos, pensados para diferentes actos y fechas de celebración obligada en la escuela. Como ya se comentó con algún detalle en el segundo capítulo de este ensayo, el propósito de estas obras consistía en presentar modelos de conducta positiva frente a otros censurables por sus vicios o defectos, con el objeto de contribuir a la formación moral del niño.

Heredera de la literatura infantil decimonónica, la producción teatral de carácter didáctico y moralizante se escribe mayoritariamente

El Teatro de Pinocho

EL DUQUESITO DE RATAPLÁN

COMEDIA BUFA, REPRESENTABLE

(Continuación.)

CUADRO SEGUNDO

La misma decoración del cuadro primero. El maestresala y un criado colocan la mesa servida y con dos cubiertos.

MAESTR. Me parece que ya está todo.

CRIADO Sí, señor maestresala; la mesa está preciosa, digna del festín que va a servirse en ella. El cocinero ha preparado un menú que es como para chuparse los dedos.

MAESTR. Severamente. Esas cosas las harás tú, que eres un criado mal criado; mas no los ilustres señores duques de Rataplán. Con ojos de codicia. Y oye, dime, ¿de qué consta ese famoso menú?

CRIADO Pues mire usted, señor maestresala, en primer término hay un caldo de pájaros mosca, que es un primor, y filetes de avefría empanados, y lechuga de gallina con ensalada de pechuga... digo, no, gallina ensalada con lechuga de pechuga, digo...

MAESTR. Impacientado. Dices... ¡dices tonterías! Será pechuga de gallina con ensalada de lechuga.

CRIADO Lleno de admiración. Eso mismo, señor maestresala. Bueno, también hay miel recién fabricada en la Mielería Real y bombones rellenos con mayonesa acaramelada.

MAESTR. Con voz lúgubre. Te olvidas ¡ay! de lo principal.

CRIADO Juntando las manos con tristeza. ¡Qué me he de olvidar! ¡Lo que es que me da reparo hasta nombrar ese manjar fatal!

MAESTR. Con voz baja y misteriosa. Y, por fin, ¿qué... *pescado* han elegido?

CRIADO Pues un lenguado, señor maestresala; eso sí, un lenguado magnífico, fresco, sabroso y, además, rebozado con huevos de codornices.

MAESTR. Suspirando. ¡Lástima de festín, del que sus infortunados comensales, al menos uno, probablemente no llegará al final!

CRIADO ¿Usted conoce a esos nobles, sí que desdichados, forasteros?

MAESTR. Dándose tono. Los conozco mucho; has de saber que el ahijado de una tía de la prima de mi suegra tiene una hermana casada con el cochero que guiaba la carroza que los ha

traído a la capital pirulandesa. Así es que sé de buena tinta que el señor duque es un venerable anciano y su hijo Segismundo un apuesto doncel, de fiero y simpático continente.

CRIADO ¡Y han tenido que ser ellos los primeros en que vaya a recaer la severidad de la nueva y terrible «Ley del pescado frito»!
Suena un ruido de bocina.
¡Ya están aquí! ¡Oigo la bocina del automóvil!

MAESTR. ¡No seas majadero, hombre! ¿Cómo va a haber automóviles ya? ¿Te olvidas de que estamos en el siglo xv?

CRIADO Precipitándose a la ventana. ¡Ellos son! ¡Ellos son!
Al punto se abren las puertas de la derecha y aparecen los dos mayordomos, que se colocan a cada lado y anuncian majestuosamente:

MAYORS. ¡El señor Duque de Rataplán y su hijo Segismundo!

DUQUE Entrando. Estoy encantado con el recibimiento que nos ha hecho Su Majestad Pirulón XVII a nuestra llegada al hermoso reino de Pirulandia. Apenas habíamos traspasado las fronteras cuando recibimos su galante invitación para comer en palacio. Espero que después de la cena tendremos el honor de ofrecer el testimonio de nuestro respeto y agradecimiento a nuestro egregio huésped.

SEGIS. Y a su hija, la princesita Pirulina.
Se sientan a la mesa. Los dos mayordomos anuncian:

MAYORS. ¡El consomé Pinocho!

DUQUE E HIJO Tomando la sopa que trae el criado. Está riquísimo. El maestresala quita los platos y los mayordomos anuncian entonces con acento formidable e intencionado que hace sobresaltarse a todo el mundo:

MAYORS. ¡El lenguado frito!

DUQUE ¡Oh, qué alegría! casualmente es el pescado que prefiero.
Todos se miran con terror y se hacen señas de inteligencia con susto y desolación. Hay un momento de silencio impresionante, durante el cual el duque come rápidamente el lenguado.

SEGIS. Yo, primero, repetiré de este exquisito consomé Pinocho.

DUQUE Separando las espinas con gran cuidado. Hay que ver la maña que yo me doy para comer pescado. Lo que es de este lado no queda ya ni pizca. Ajajá; ahora me comeré la otra mitad.
Ostensiblemente de la vuelta al pescado. En el mismo instante los dos mayordomos se abalanzan sobre él y le sujetan; entre tanto el criado se precipita hacia una campana y empieza a agitarla lúgubremente, mientras el maestresala va a la puerta de la izquierda y la abre, anunciando con solemnidad:

MAESTR. Señor: el crimen se ha consumado.
Segismundo se ha puesto en pie, estupefacto, en medio del barullo; el duque está atónito, y por la izquierda entra el Rey con la Princesa.

(Continuará en el número próximo)

Leéd las nuevas y extraordinarias aventuras de Pinocho

Página de *El duquesito de Rataplán*, de Magda Donato.
(Revista *Pinocho*, 1925)

en verso, ideal para la recitación y el aprendizaje memorístico de los niños, y presenta unos diálogos ridículamente retóricos, totalmente inadecuados al nivel lingüístico real del público al que iban destinados. Sin apenas atención a los códigos escénicos no verbales (tal vez a excepción del vestuario, pensado para el lucimiento de los niños ante sus familias), partía del presupuesto de unos escasos medios para la representación.

Una de las autoras de teatro infantil más prolíficas, Pilar Contreras (Alcalá la Real, 1861 - Madrid, 1930)[8] -artífice también de la música de muchas piezas para niños-, ve aparecer en 1918 la segunda edición de su tomo sexto de *Teatro para niños,* escrito en colaboración con Carolina de Soto y Corro González. Corresponden a Pilar Contreras las seis primeras piezas del volumen, todas ellas protagonizadas por niñas con la excepción de *El mejor empleo,* en la que aparece un niño mendigo de secundaria importancia. Teatro pensado para las representaciones habituales en los colegios femeninos de religiosas, contiene los típicos monólogos, discursos y ofrecimientos a la Virgen (*El cuento de la abuelita, En la fiesta del árbol y Corona de amor),* que carecen de cualquier indicación escénica así como de la más mínima acción dramática. Más cercanas al verdadero género teatral, *Las tres Marías* (apropósito en verso), *El mejor empleo* y *La entrada en el gran mundo* (zarzuelita en 1 acto), incluyen breves acotaciones espaciales, presentan un mayor número de personajes (tres o cuatro actores más coros de niñas en la primera y tercera) e incorporan también música y baile (las dos últimas). Tanto *El mejor empleo* como *La entrada en el gran mundo* desarrollan la común oposición entre dos hermanas, una llena de virtudes, la otra inconsciente y frívola. Mediante la moraleja final, presente prácticamente en todas las piezas citadas, se persigue inculcar en las niñas los valores más apreciados tradicionalmente en su sexo (obediencia, modestia, caridad y pureza).

Las otras cinco piezas de la antología pertenecen a Carolina de Soto y Corro[9], habitual colaboradora de Pilar Contreras, quien escribía la música para sus fábulas y apólogos. A excepción del monólogo *La lechera,* que recrea la conocida historia de la soñadora llena de ambiciones, frustradas de improviso por un fatal accidente, el resto de las obritas aquí reunidas presentan el clásico ambiente fabulístico en el que intervienen animales dotados de inteligencia y palabra, reproduciendo situaciones y comportamientos totalmente humanos (una asamblea de diputados en *Un congreso de ratones,* fábula en verso para párvulos; el trabajo frente a la revuelta huelguista en *Abejas y zánganos,* fábula en prosa y verso, etc.). Todas ellas se caracterizan por su ambiente campestre y el acompañamiento musical (recitaciones cantadas y bailables). Coinciden con las anteriormente comentadas piezas de Pilar Contreras en su total inadecuación entre la edad de actores y público (dos de ellas están escritas para su representación por parte de párvulos) y el tipo de lenguaje empleado, en largas tiradas de presumiblemente difícil memorización para niños de tan corta edad[10]. En 1919 apareció publicada otra obra infantil de Carolina Soto, la fantasía lírica en 1 acto *Monedas y billetes,* con música de Miguel Santonja, estrenada en el Colegio religioso de María Inmaculada de Madrid en 1918. Protagonizada por una niña de modesto origen educada en un colegio de religiosas casi por caridad, pretende demostrar los peligros que encierra la ambición de riquezas y lujos. Sobresale en la mediocre pieza la personificación de las monedas (el cobre, la plata y el oro) y del billete de mil pesetas. Músicas, cantos y recitaciones aparecen intercalados con el propósito de hacer más amena la función escolar, predominando en su composición rimada las series octosilábicas asonantes.

Micaela de Peñaranda es autora de otro volumen de teatro destinado a los niños, titulado *Teatro infantil* (1926), compuesto por siete comedias *("Métome en todo" y "¿A mí qué me importa?, El anónimo, Nunca apartarse de Dios, ¿Dónde se encuentra la dicha?, La carta a Dios, La envidiosa, ¡Quién fuera rica!)* y un "paso cómico representable" *(El agua milagrosa).* Todas están protagonizadas por niñas (de cuatro a siete muchachas), con la excepción de la última pieza, en la que aparece un personaje masculino secundario. Se trata de obritas muy breves pensadas para el adoctrinamiento moral de las niñas en edad escolar. En casi todas ellas se repite la oposición ya citada entre dos tipos femeninos, el polo positivo frente al negativo, es decir, la niña perfecta frente a la que se describe como dominada por algún funesto vicio que debe aprender a desterrar, imitando a la niña modélica. Para que su alcance abarque las más variadas esferas sociales, la autora sitúa algunas de las piezas en un ambiente modesto, mediante una brevísima acotación inicial del tipo "La escena representa una casa pobre" (p.56) -*Nunca apartarse de Dios*- o "La escena representa una cocina de casa pobre" (p.88) -*La carta a Dios*-, mientras que otras retratan ambientes acomodados o incluso lujosos ("La escena representa una casa de pueblo, bien alhajada" (p.96) -*La envidiosa*-; "La escena representa un gabinete lujosamente amueblado" (p.74) -*¿Dónde se encuentra la dicha?*). Apenas se incluyen indicaciones sobre los personajes y su movimiento en la escena, resultando excepcional el empleo de los apartes en *El anónimo.*

Aunque pensada para la representación escolar con fines benéfi-
cos y dejando a un lado el melifluo prólogo de alabanzas a las
"nobles" y "caritativas" señoras que protegen a los niños pobres, *La
princesa encantada*, cuento de hadas en 3 jornadas y 1 prólogo, de
Matilde Ribot, supone un cierto cambio en relación a las anteriores al
dejar en segundo plano el propósito didáctico que predominaba
absolutamente en ellas. Se trata de una primitiva escenificación del
conocido cuento de *La bella durmiente*. Uno de los escolares "favo-
recidos" por la caridad narra las peripecias de la joven sentenciada
por el hada perversa, mientras los hijos de las ricas señoras presentes
componen las estampas que ilustran el cuento y lucen sus preciosas
galas[11]. La obra fue representada en el Teatro de la Comedia el 27 de
enero de 1920, en la función a beneficio de la Escuela Maurista del
distrito de la Latina.

La comedia en dos actos *Por las misiones* de esta misma autora,
comedia "propia para ser representada por niños y muy recomendada para Colegios y Catequesis" (p.1), está escrita, según indica la
autora en una nota dirigida a los directores de los colegios e instituciones religiosas, "para niñas o señoritas" (p.21). La autora construye
su obra de acuerdo con las necesidades y objetivos fundamentales
del teatro para fiestas de caridad, en el cual estaba especializada.
Esta es la razón del gran número de personajes que en ella intervienen: cuantos más escolares interviniesen en las representaciones,
más público contribuiría a la causa benéfica. Pensando en su absoluta flexibilidad para cualquier tipo de escuela y catequesis, fueran los
que fuesen los medios materiales o los objetivos perseguidos, los dos
actos permiten su representación independiente: "Dos actos tiene la
obra, pero está escrita de modo que sea igualmente interesante si
conviniera hacer una cosa más corta. Así el primer acto solo llena el
objeto, y el segundo acto solo también" (p.21). Deseosa de facilitar
todo el apoyo a los responsables de las posibles representaciones
escolares, la autora les aconseja incluso acerca de la escenografía
más conveniente para la obra, la forma en que se puede caracterizar
mejor a los niños, etc[12].

Entre los numerosos estrenos de teatro para la infancia y la juventud de Matilde Ribot cabe destacar el de *Juan Ciudad (Estampas de
la vida de San Juan de Dios)*[13], que tuvo lugar el 7-01-1936 en el Teatro Cómico, obra que fue representada en esta sola ocasión por la
compañía de aficionados "Sociedad Española de Arte"[14]. Especie de
biografía dialogada, Jorge de la Cueva asoció a este hecho su defecto
compositivo central. Según él, el tiempo rápido que impone una vida
tan activa y varia llevaba a no ofrecer en muchos casos los datos

necesarios para la comprensión de cada episodio, dando lugar a un "espectáculo" demasiado fragmentario. El citado crítico elogió, sin embargo, la valentía con que la autora se enfrentó a tales dificultades y la calidad de sus versos. La reseña de *La Época,* además de dar cuenta del éxito de su estreno, asocia el nombre de su autora con la producción teatral destinada a las numerosas fiestas benéficas de estos años, dato que resulta revelador de la posible existencia de toda una corriente, todavía prácticamente desconocida, de escritura femenina teatral ligada a la beneficencia y, por tanto, al teatro de aficionados[15].

5.2. TEATRO INFANTIL RENOVADOR

Magda Donato, Elena Fortún y *Concha Méndez*

Como se anticipaba al comienzo de este mismo capítulo, existe un grupo de obras teatrales escritas por las autoras para los niños totalmente alejadas del ámbito escolar tradicional, que supusieron una importante renovación en relación con los moldes del teatro infantil decimonónico. Dos son las autoras más importantes del teatro infantil comercial: *Magda Donato* -seudónimo de Carmen Eva Nelken- y *Elena Fortún* -seudónimo de Encarnación Aragoneses Urquijo-, ambas cultivadoras de una serie propia de personajes lanzados a la fama y seguidos con auténtica devoción por el público infantil. En cuanto a Concha Méndez Cuesta, su excepcional aportación a la transformación poética del género infantil tuvo mayores dificultades para llegar al gran público. Tan sólo se ha localizado una representación de aficionados en el marco del Lyceum Club Femenino de su pieza infantil en un acto *El ángel cartero* (6-01-1929), así como ediciones privadas de sus textos infantiles de una difusión previsiblemente limitada.

Magda Donato (Madrid, 1900 - México, 1966) tuvo desde muy joven una vocación literaria (periodismo, cuentos y novelas cortas) y teatral que la acercó al mundo de las tablas en sus muy diversas facetas: como autora de teatro infantil, como adaptadora de comedias extranjeras de éxito[16], como actriz[17] y colaboradora de C. Rivas Cherif en diversos grupos de arte -"Teatro de la Escuela Nueva", "El Caracol"-[18] y como crítico teatral. Su interesante columna fija en *Heraldo de Madrid,* "Lo decorativo en la escena", de tema inicialmente escenográfico, fue derivando hacia una ligera reseña de los modelos lucidos por los actores en la representación, verdadera crónica de modas que anticipaba su casi inmediata colaboración fija en la revista *Estampa,* con una columna de moda titulada "Páginas de la mujer"[19].

El prestigio que alcanzó como cultivadora del género infantil queda claramente expresado en el homenaje que se celebró en el Círculo de Bellas Artes en honor de "los más grandes cuentistas españoles": *Antoniorrobles,* Salvador Bartolozzi, *Magda Donato* y *Elena Fortún*[20]. Además de dos breves piezas infantiles publicadas en la revista *Pinocho* (1925) y firmadas en solitario, *Donato* escribió una serie de obras teatrales para niños basada en los personajes que Salvador Bartolozzi, su esposo y compañero de aventuras teatrales, había dado a conocer en la revista *Estampa,* los famosos Pipo y Pipa. Anteriormente, Bartolozzi se había convertido en un dibujante popular por su introducción en España del conocido personaje italiano Pinocho (editorial Calleja, 1917), en continua oposición con otro personaje de su creación, el "sanchopancesco" Chapete. Después de su popularización en *Estampa,* Bartolozzi publica diversos libros que divulgan aún más las aventuras de Pipo y su perrita Pipa, a los que acompaña un nuevo personaje, el malvado Gurriato. De ahí, los muñecos saltan al escenario en el Teatro de la Comedia y en el Beatriz, donde Bartolozzi estrena en solitario algunas de sus creaciones; después, en el Cómico, donde organiza junto con *Magda Donato* el "Teatro Pinocho" y, finalmente, en el Teatro María Isabel, a partir de diciembre de 1934. Ya en colaboración, *Magda Donato* y Bartolozzi estrenaron un total de once títulos con importante éxito de público y crítica.

El primer título infantil en el que la prensa reconoce la labor de *Magda Donato* como autora y colaboradora en la dirección, *Pinocho en el país de los juguetes,* comedia en 2 actos, se estrena todavía en el Teatro Beatriz (12-03-1933)[21]. A la fama adquirida por el proyecto de Bartolozzi se añadía ahora el prestigio de una pluma conocida: "El nombre de *Magda Donato* ya era garantía de éxito. Y así fue" *(La Voz).* El anónimo crítico de *El Liberal* comentaba por su parte: "Que no sea ésta la última obra infantil de 'Magda Donato'. Su delicadeza, su tacto literario, la acercan a la sensibilidad del público infantil, y acaso sean esas funciones de las pocas que en Madrid frecuentan nutridamente los aficionados al teatro" *(El Liberal).*

Tras este afortunadísimo comienzo y durante tres temporadas más se suceden ininterrumpidamente los estrenos de *Donato* y Bartolozzi. La comedia para niños *Aventuras de Pipo y Pipa o La duquesita y el dragón* se estrena el 28-01-1934. Si lleno estaba el teatro la tarde del estreno, no era previsible que dejara de estarlo un solo día, a juicio del comentarista del *Heraldo de Madrid:* "Con estos elementos, una escenografía adecuada y un prodigio de trucos teatrales, algunos,

Dibujos de Salvador Bartolozzi

como el del dragón colosal que invade la escena realmente maravillosos, fácil es presumir el éxito". Dos meses después del anterior, el 18-03-1934, se lleva a la escena *Pipo y Pipa en busca de la muñeca prodigiosa*, también en el Teatro Cómico. Arturo Mori destacaba en las páginas de *El Liberal* la especial sintonía de las obritas de estos creadores con la mentalidad infantil:

> 'Magda Donato' y Bartolozzi sabían lo que se hacían al intentar la estatificación de teatro de niños en Madrid, pero completamente de niños, porque las maravillas de Benavente dedicadas al público infantil no llegan tanto a los corazones de ese público especialísimo como 'Pipo y Pipa' y sus derivados, iniciados en el guignol y reforzados con la plena luz de la batería (*El Liberal*).

Como en anteriores estrenos, se celebraba en este caso también la magnífica interpretación de la compañía de Josefina Díaz de Artigas y Manuel Collado, asiduos protagonistas de la serie. También durante el año 1934 se estrenan *Pipo y Pipa contra Gurriato* (22-04-1934) y *Pipo, Pipa y los Reyes Magos* (23-12-1934). La reseña de este último estreno aparecida en *ABC* daba cuenta de varias de las que pueden ser consideradas características de toda la serie (sorpresa, aventura, humor e incitación a la participación de los espectadores):

> Unos proyectos tan audaces vienen adornados con trucos de mucha sorpresa y con lances de mucha risa. La empresa del María Isabel ha facilitado estos efectos con unos telones muy bonitos. Y los autores de la comedieta han tenido la habilidad de dar intervención [en] el diálogo (sic) a los chicos del público (*ABC*) [22].

En 1935 se estrenan cuatro títulos más en el Teatro María Isabel. Los estrenos de la temporada 1934-1935 (desde *Pipo, Pipa y los Reyes Magos* en adelante) suponen un cambio de compañía, pues ahora serán Isabelita Garcés y Mercedes Muñoz Sampedro las principales intérpretes. El cuento infantil en 2 actos divididos en 1 prólogo y 12 cuadros *Pipo y Pipa en la boda de Cucuruchito* se estrena el 20-01-1935[23]. "Visualidad, fantasía, humorismo sencillo" eran de nuevo los rasgos más destacados de la pieza a juicio de la crítica (*El Liberal*). Vienen después los estrenos de *Pipo y Pipa en el fondo del mar*, comedia infantil en 2 actos y 8 cuadros (24-03-1935)[24], y de la probablemente más famosa pieza de la serie, *Pipo, Pipa y el lobo Tragalotodo* (7-11-1935). Con esta obra se confirma el interesante papel desempeñado en la escena para niños por esta pareja excepcional de artistas, a los que el crítico de *El Liberal* califica de "dos excelentes renovadores del género". El prestigioso crítico de *El Sol,* Antonio Espina, destacaba la especial espectacularidad, plena en color y fantasía, del cuento escénico de *Magda Donato* y Salvador Bartolozzi. A los valores plásticos de la misma se sumaban los estrictamente literarios, demostrando la maestría de los dos creadores en sus respectivas artes. Similares elogios les fueron tributados en esta ocasión por E. Díez-Canedo *(La Voz)* y Arturo Mori *(El Liberal).* Todos ellos coincidían en señalar la fantástica acogida que los niños brindaban diariamente a la pieza, y apreciaban en ella, como en el conjunto de la serie, valores que dejaban atrás en muchos casos a las obras supuestamente "importantes" del teatro para adultos.

El éxito de la pieza se tradujo un par de meses más tarde en forma de publicación en una de las colecciones teatrales de mayor prestigio y difusión de estos años, la colección *La Farsa,* que con la oportunidad de la fecha (4-01-1936), les hacía a los niños un bonito regalo de Reyes. Se trata de una recreación moderna del viejo cuento protagonizado por Caperucita Roja y el Lobo Feroz. Dividida en dos actos, el primero gira en torno a la captura de Caperucita por el lobo Tragalotodo, mientras el segundo desarrolla las peripecias de su rescate por parte de Pipo y su perrita. Como en los casos anteriores, la obra se estructura en un importante número de cuadros -doce-, que facilitan el dinamismo y la variedad imprescindibles para mantener la volátil atención infantil. Todos ellos desarrollan en un espacio diferente un motivo completo, tienen su propio título y guardan entre sí una cierta independencia que no rompe la coherencia global de la historia. Entre sus personajes aparecen algunos de la más pura raigambre cuentística tradicional (Caperucita, la Abuelita, el Lobo Feroz...), otros de animación (la abeja, el mirlo, la cigarra...), personajes corales, que hablan al unísono y en verso (mamás, niñas...) y, finalmente, personajes nuevos, del universo creativo de estos autores (Pipo, Pipa, Gurriato, Catapún, Pifpaf, Patatrás...). A los tradicionales elementos de la fantasía cuentística (animales que hablan, peces que vuelan, magos y conjuros) se añaden en este caso elementos modernos de ambientación (máquinas, por ejemplo) y modelos actuales de diálogo y conducta (las interpelaciones mutuas de las mamás y las niñas, sin ir más lejos). Los intentos de implicar lo más posible al público en la acción son también frecuentes: "Lobo - (...) (Abriendo una boca enorme y haciendo ademán de abalanzarse a las butacas) ¡Huy, si no me contuviera! ¡Ham! Ahí sí que hay una buena ensalada de niños" (p.19). A estos afortunados esfuerzos se añade el absoluto predominio de una escena dinámica, plagada de aventuras, en la que movimiento y ruido son continuos. Por otra parte, el factor humorístico fundamental proviene del contraste cómico entre el heroísmo generoso de Pipo frente a la cobardía de su perrita Pipa. La música, los disfraces, bailes, juegos, etc., contribuyen también a la general diversión de los pequeños lectores-espectadores.

Se estrenaron posteriormente *Pipo, Pipa y los muñecos* (29-12-1935), cuento infantil en 10 cuadros, y *Pipo y Pipa en el país de los borriquitos* (12-03-1936). El éxito de público era así explicado por el crítico de *ABC*:

> Hay varias cosas importantes en estas obritas que se estrenan de cuando en cuando en el teatro María Isabel. Una de ellas es el arte que tienen dichos autores para adornar con rasgos inge-niosos y artísticos una farsa, sin salirse de la esfera intelectual del público al que va dirigida. (...) Otra cosa laudable es la presentación de dichas obras, que se hace con lujo y acierto en el montaje de telones y trucos de maquinaria. Y, finalmente, la compañía (...) interpreta los temas infantiles con igual fervor y cuidado que si se tratase de una obra para mayores *(ABC)*.

En resumen, una empresa seria, a cargo de profesionales, en la que se cuidaban texto y puesta en escena tanto o más que en el tea-tro, de supuesta mayor envergadura, escrito para adultos, en total sintonía con el predominante clima favorable al relanzamiento del género. F. Miranda Nieto escribía a propósito de este estreno en *El Sol:* "Sobresale la calidad del teatro infantil español sobre el resto del teatro para adultos". Y a propósito de la obra estrenada añadía: "Difí-cil la facilidad de la trama, compleja la sencillez del diálogo, someti-da a estrictas leyes técnicas la arbitrariedad con que ha sido realizada esta comedia" *(El Sol)*.

Aunque sin duda mucho menos presente en los escenarios del período, *Elena Fortún* (Madrid, 1886 - Madrid, 1952) es la otra autora de teatro infantil más popular del momento[25]. Habitual colaboradora en la prensa de estos años, los cuentos para niños son su género pri-mordial. Al igual que en el caso de *Magda Donato,* destaca su con-cepción abierta y novedosa del género, siendo pilar fundamental de la transición hacia una concepción actual de la literatura para niños. Su personaje más popular, Celia, una niña traviesa y desconcertante, ha dado lugar a una larga serie de cuentos y aventuras, prolíficamen-te desarrollada durante los años de posguerra. Son también muy conocidas otras dos de sus criaturas: Cuchifritín y Matonkiki.

Su *Teatro para niños,* escrito con anterioridad a la guerra y cuya primera edición localizada data de 1942, es un volumen en el que se recogen doce comedias en 1 acto: *Las narices del mago Pirulo, El palacio de la Felicidad, Moñitos, La Bruja Piñonate, Miguelito, posadero, Circo a domicilio, El milagro de San Nicolás, Caperucita Encarnada, La hermosa hilandera y los siete pretendientes* [26], *Una aventura de Celia, El manto bisiesto* y *Luna lunera.* Aguilar publicó en 1948 otra edición de la citada antología en la que no aparece recogida *La aventura de Celia,* tal vez la obra más conseguida. Llena de encanto y humor, presenta las mil y una travesuras de una Celia en vacaciones enfrentándose sin temor a los insufribles adultos que la rodean. Entre las obras recogidas en el *Teatro para niños,* algunas están pensadas para ser representadas por los niños en sus casas. Otras pueden servir -siempre según la autora- para fiestas de colegios, evitando a los profesores el tener que recurrir al aburrido teatro escolar que más arriba mencionamos: "Habéis visto a los profesores y al director [...] revolviendo libros y revistas modernas para encontrar una comedia menos ñoña que las conocidas y sin esa atroz moraleja, casi siempre estúpida, dulzona y empalagosa" (p.9). Alguna se dirige a la representación en el teatro a cargo de niños o actores y, por último, la que más nos interesa, por haber sido estrenada con anterioridad a la guerra, *Luna lunera,* está escrita para muñecos de guiñol "y [...] puede ser representada por niños o actores" (p.235)[27].

Luna lunera combina la línea tradicional de reyes, príncipes y brujas con el elemento fabulístico -personificación animal-. Sus numerosos personajes, divididos, como es de rigor, en buenos y malos, se mueven en torno a las malvadas peripecias de la bruja, usurpadora del trono real y perseguidora de todos los habitantes del reino, a la que vencerá con ayuda de la luna el buen príncipe. Las abundantes y logradas acotaciones describen ambientes de gran colorido y fantasía, no faltando la utilización de efectos escénicos complejos (vuelos, desapariciones, etc.). Destaca sin duda la caracterización de la luna[28], que posibilita algunos de los trucos más interesantes y sorprendentes para los niños: "(Cuatro ratones traen una litera; entra la Reina; la Luna saca la lengua, que es una rampa luminosa que llega al centro de la escena, y por ella suben todos cantando)", y más adelante en la misma página: "(Cuando llegan a cierta altura [los ratones con la Reina], la Luna saca una mano y se los va tragando a todos. Después, la Luna se queda sentada en el alféizar, riéndose con toda su boca)" (p.210). Las canciones, los fragmentos rimados de corte popular y los bailes con que se festeja la recuperación de las personas y objetos desaparecidos contribuyen igualmente a lograr una obra de gran calidad e interés. El empleo de un lenguaje ágil y auténticamente dramático, la introducción de elementos de la tradición folklórica popular, las afortunadas acotaciones para la puesta en escena y el empleo constante del recurso cómico son algunos de los rasgos que Juan Cervera define como característicos del teatro infantil de esta autora que encuentro más adecuados en lo que a esta pieza se refiere[29].

Estrenada el 16-02-1930 en el Teatro de la Comedia en el marco del grupo de guiñol de *Donato* y Bartolozzi, el Teatro Pinocho, *Luna lunera o Cigüeñitos en la torre,* comedia en 1 acto y cuatro cuadros, fue unánimemente elogiada en la prensa que reseñó el evento. Enrique Díez-Canedo escribía a propósito de la misma: "Curioso aprovechamiento de temas y motivos de cuento infantil; graciosos pretextos para el escenógrafo; (...) los dos nidos, uno con tres cigüeñas y otro con tres brujas, al lado de la torre por donde asoman los ladrones, contentarían al más exigente" *(El Sol).* La combinación de un texto de calidad con el oficio como decorador y diseñador de muñecos de Salvador Bartolozzi explicaban, a juicio de los críticos, la buena acogida de la pieza, que fue representada junto con un estreno del propio Bartolozzi, *En la isla embrujada (ABC).*

Posteriormente (14-02-1932) fue estrenada otra obra de *Elena Fortún* titulada *La merienda de Blas,* en una representación única patrocinada por la sección de "Gente Menuda" de *Blanco y Negro* en el Teatro de la Comedia. Los populares personajes creados por la autora para el semanario (Celia, Roenueces y el mago Pirulo) protagonizaban la obra de *Fortún,* escrita *ex profeso* para la fiesta, según se dice en la reseña de estreno de *ABC.* La famosísima Celia reaparecería sobre las tablas en otra ocasión también en función de aficionados, esta vez a cargo del Teatro Paloma que los marqueses de Luca de Tena (propietarios de la revista *Blanco y Negro*) tenían en su casa de Serrano *(La Época).* Se trataba de una pieza corta, representada junto a bailes, monólogos y otras piezas cortas, y titulada *Celia dice....* Se estrenó con motivo de la tradicionalmente infantil fiesta de Reyes (6-01-1936). Para la ocasión, nada menos que un escenógrafo como Sigfredo Bürmann[30].

Para terminar con esta breve panorámica del teatro infantil hecho por mujeres durante los años 20 y 30 no debe olvidarse la importante creación para niños de Concha Méndez Cuesta (Madrid, 1898)[31], especialmente relevante por su calidad y novedad, pese a lo cual no logró el acceso a la escena comercial. Concha Méndez, escritora conocida fundamentalmente por sus libros de poesía, publicó dos títulos de teatro infantil, *El ángel cartero* (1931) y *El carbón y la rosa* (1935), pero se sabe que escribió varios títulos más que no llegaron a publicarse. Entre ellos las comedias infantiles *El pez engañado* y *Ha corrido una estrella*[32]. Concha Méndez escribió al menos otras tres

piezas de teatro: *El personaje presentido* (1931), espectáculo en dieciséis momentos, *La caña y el tabaco*[33], y *El Solitario*. Las dos últimas,
en posesión de la familia, permanecen inéditas. Por lo que respecta a
El Solitario, el prólogo de la obra apareció publicado en la revista
Hora de España (1938). Su lectura indica claramente que se trataba
también de una pieza de teatro infantil[34].

Acerca del nacimiento de su vocación para la escritura teatral, la
propia autora cuenta en sus memorias la impresión que le produjo
Casa de muñecas, de Ibsen, cuando tenía 13 años y se encontraba
de vacaciones en San Sebastián. Ya llevaba tiempo escribiendo poesía y frecuentando ambientes literarios e intelectuales -sostenía relaciones de amistad con la mayor parte del grupo del 27-, cuando contrajo matrimonio con Manuel Altolaguirre, también interesado como
ella en el teatro. En su ya clásico artículo publicado en *Hora de España* durante la guerra, "Nuestro teatro", Altolaguirre la cita entre la
nómina de lo que él considera un teatro de renovación (Azorín,
Jacinto Grau, los hermanos Machado, R. Gómez de la Serna, José
Bergamín, Eduardo Ugarte, Claudio de la Torre, etc.), frustrado
durante la República por un medio teatral a su juicio hostil, que
debía ser recuperado en la nueva coyuntura española[35]. Ni la historia
ni su condición de mujer y esposa de un poeta ilustre ayudaron
mucho a Concha Méndez, por lo que en su caso, tal recuperación no
ha llegado a producirse aún.

El ángel cartero, publicada en 1931 junto con *El personaje presentido,* es una pieza breve en una sola escena sin clasificación genérica
explícita. Se trata de una modernización del viaje de los Reyes Magos
a Belén para ofrecer al niño Jesús sus presentes. Cinco son sus personajes: la Niña, el Angel cartero, y los tres Reyes. Si el Angel "viste
traje típico, túnica, alas, etcétera" (p.133), la Niña por el contrario
lleva "traje moderno" (p.134). La modernidad que preside el desarrollo de la pieza se plasma en uno de los mitos más representativos del
progreso en la época, el avión. En efecto, un aeroplano transporta en
este nuevo viaje a Belén a los Reyes Magos. Ante su contemplación,
el Angel no puede menos que exclamar: "¡Magnífico! Los hombres
van superando a los mismos ángeles" (p.136). Cuando ve por primera vez la luz eléctrica, el segundo símbolo del alabado progreso, de
nuevo se admira el Angel "(Emocionado) ¡La luz en la noche! Otra
gran conquista del hombre" (p.136). Los Reyes descienden de su
aeroplano y muestran un atuendo que combina con originalidad rasgos modernos con atributos típicamente tradicionales en su imaginería: "(Los Reyes Magos entran. Uno lleva traje de aviador; otro, de
alpinista; otro viste al modo ruso, con altas botas, etc. Sobre los trajes

llevan largas capas de distintos y vivos colores. Y cubriendo la cabeza, fantásticos turbantes)" (p.137). La obra fue estrenada en la fiesta de Reyes organizada por el Lyceum Club en 1929.

La segunda pieza citada, *El carbón y la rosa,* de mayor extensión y pretensiones, fue publicada en la imprenta del matrimonio Altolaguirre en 1935, con dibujos de José Moreno Villa. Escrita durante la estancia en Londres de la pareja (1933-1935), se publicó poco después del nacimiento de la primera y única hija del matrimonio, Isabel Paloma, a la que la escritora dedica su libro. Tal vez este hecho explique el especial cariño que Concha profesaba a la obra, como así se deduce del cariñoso gesto de Altolaguirre al reeditársela posteriormente en La Habana como pequeña alegría que contribuiría a su paulatina recuperación tras la reciente muerte de su madre[36]. La obra fue leída poco después de su publicación en el Lyceum Club Femenino. A esta lectura asistió el crítico F. Miranda Nieto, quien la encomió sin reservas: "En el ciclo de lecturas que patrocina Lyceum Club, para referirnos a la labor de los noveles, es sin duda *El carbón y la rosa,* de Concha Méndez, uno de los pocos logros artísticos dignos de incondicional elogio"[37].

La pieza se estructura en tres actos y un epílogo. El primero de ellos se desarrolla en "un invernadero con paredes de cristal" (p.9). El segundo y tercero presentan el mismo escenario simultáneo, es decir, dividido en dos sub-espacios diferentes: "(La escena está dividida en dos. A la derecha, una oscura galería de una mina, débilmente alumbrada por un farol rojo de seguridad. A la izquierda el interior del palacio de los duendes que se comunica con la mina por medio de una puertecita)" (p.49). En el epílogo, la feliz conversión de la malvada Rosa en una muchacha alegre y bondadosa tiene como escenario un paisaje abierto del Sur, en el que brilla el sol, los árboles son frondosos y la música de fondo contribuye al paradisíaco ambiente.

Tres rasgos fundamentales marcan el diseño escenográfico apuntado en las acotaciones espaciales: el tamaño, la luz y el color. Los objetos cotidianos se describen a partir de insólitas proporciones que, para un lector-espectador adulto, reinventan su naturaleza haciéndonos olvidar su esencial convencionalidad. Con todo, el principal valor de esta deformación por el tamaño estriba en el atractivo visual que suscitaría en los niños. Merece la pena notar en este sentido la insistencia en el adjetivo "grande" aplicado a la mayor parte de los objetos presentes en la acotación inicial: "(Una gran estufa negra con cristales rojos y una gran maceta con un rosal de una sola rosa. La estufa y la maceta deben ser suficientemente grandes para que se puedan ocultar detrás, el Carbón [...] y la Rosa)" (p.9). Más adelante se alude a "un gran termómetro que colgará de la pared" (p.10) y a "unas grandes tijeras que cuelgan de una cinta" (p.10). Resulta igualmente original el uso del color que, si bien está presente en todos los aspectos de la descripción escénica, se especializa sobre todo en la caracterización de los personajes, definidos por una tonalidad básica. El Carbón es "un negrito adolescente" y la Rosa "una muchacha vestida de ese color" (p.9). El jardinero que cuida de la bella protagonista es "el Niño Azul" y el jefe de los duendes se presenta en escena "vestido de gris" (p.20). Más significativa aún es la antinómica presentación del candoroso corazón del carbón frente al malvado corazón de la rosa, enmarcado en el bello juego escénico que dota de vida a la rosa (salida desde detrás de la enorme maceta):

> (De detrás de la maceta sale el corazón de la rosa, vestido de gusano verde, al mismo tiempo de detrás de la estufa sale el corazón del carbón que viste de blanco porque representa un diamante, su traje debe relucir mucho en contraste con el verde turbio del corazón de la rosa) (pp.26-27).

Sería prácticamente interminable la lista de ejemplos que corroboran el especial énfasis en la nota de colorido que preside la pieza. El mismo uso de la luz redunda en esta dirección. Al comenzar el acto segundo, la escena, escindida en dos escenarios simultáneos, aparece definida también por la luz: "(Cuando se descorran las cortinas del fondo se verá dicha habitación con luz naranja. La primera habitación tendrá luz verde)" (p.49). De este modo, la autora demuestra conocer muy bien la psicología infantil y sus posibilidades de percepción estética. A esta triple caracterización del ambiente escénico se añade el acertado empleo de la música, convertida en alegre baile cada vez que los duendes aparecen en escena. Todo ello contribuye a la renovadora espectacularidad que rezuma la obra. Cabe afirmar, además, que la escritora combina magistralmente su sentido poético del lenguaje con el mundo fantástico de la imaginería folklórica, sin olvidar la necesaria sencillez y comprensibilidad que el público potencial requiere. Veamos tan sólo un ejemplo:

> Duende 1 - (Sigiloso, entrando de puntillas. Cuando habla se dirige al público). Duermen. Cuando alguien duerme yo vengo en busca de su sueño. Para mí no hay puertas cerradas, ni oscuridad, ni silencio. Puedo atravesar todos los muros, ver en todas las tinieblas, escuchar los menores sonidos. El sueño de la rosa lo siento en su perfume, y el del carbón en su fuego. He venido para conocer otra vez el misterio del olor de una rosa y el misterio del calor de una llama (p.20).

Sencillez y profundidad de significados, tradición cuentística y vanguardia espectacular, poesía y aventura, son sólo algunos de los aparentemente opuestos términos que Concha Méndez consigue aunar en esta obra, realización cumbre del corpus infantil escrito y representado por las autoras de este período. Un corpus en el que cobran luz propia las obras para niños de *Magda Donato, Elena Fortún* y Concha Méndez, tres escritoras comprometidas con los afanes reformistas de la República que tras la Guerra partieron al exilio (a México marcharon *Donato* y Méndez; *Fortún* pasó algunos años en Argentina), rompiendo de algún modo la cadena de profunda renovación del teatro infantil tan cuidadosamente elaborada durante la década de los treinta.

5.3. OTROS GÉNEROS

En respuesta a la gran demanda popular que determina el enorme consumo en los teatros del primer tercio de siglo de obritas "menores", de breve extensión y escasas pretensiones artísticas y literarias, las autoras cultivan la pieza en 1 acto de variadísima designación genérica: monólogos, diálogos, apropósitos, farsas, bocetos de comedia, pasos cómicos... Como excepciones a la predominante estructuración en un acto único, se cuentan las adaptaciones de *Magda Donato ¡Maldita sea mi cara!,* farsa cómica en 3 actos; *Melo,* folletín escénico también en 3 actos, y un par de obras de Anita Prieto: *Un suceso vulgar,* crónica en 3 actos, y *Las verbeneras,* farsa cómico-lírica en 2 actos. Al margen de la convención genérica más extendida se sitúan las piezas de Cóncha Méndez *El personaje presentido,* "espectáculo en dieciséis momentos" e Isabel Oyarzábal, *Diálogo con el dolor,* "ensayo dramático". Ambas se adscriben a un tipo de teatro intencionalmente distinto, perseguido con afán desde diferentes posiciones intelectuales y artísticas en las casi dos décadas estudiadas.

Prácticamente en los márgenes de la teatralidad se encuentra el monólogo, definido por el Diccionario de la Real Academia como "*especie* de obra dramática en que habla un solo personaje" (el subrayado es mío). En el corpus de creación teatral femenina que sirve de base a este estudio aparecen dos monólogos sentimentales de melodramático desarrollo (*Perdía...no* [1931], de Josefa Alfaro; *Entre riscos* [1933], de Marina de Castarlenas[38]), y otros dos de intencionalidad claramente cómica (*Así son todas* [1925], de Irene López Heredia[39], y *Las ilusiones de Amanda* [1932], de Sofía Blasco[40]). De éstos, el de la actriz Irene López Heredia entra casi a formar parte del género dialogal.

Verdadera estampa quinteriana, el diálogo de Julia Reyes *Al pie de la reja* (1919) se vale del tipismo folklórico y el casticismo tradicional para ambientar el cortejo amoroso. Una calle de Sevilla, una reja llena de flores, rasgueos de guitarra y españolismo de copla dan cuenta del tópico escenario utilizado. Dos enamorados, Rafael y Carmen, sostienen un diálogo tiernísimo del que no puede faltar el pueril enfado, rápidamente resuelto. Todo ello enmarcado en un dialecto caracterizado por su fuerte andalucismo y su gracejo cómico.

En el ámbito del teatro impreso, tres apropósitos en 1 acto, muy ligados a la Iglesia, la beneficencia y el altruismo pacifista, contrastan con la ausencia de tal tipo de obras en los escenarios. Todos ellos responden a la característica genérica "actualidad del tema", única que según Dougherty y Vilches parece diferenciar en muchos casos el apropósito del entremés[41]. *La caja dotal* (s.a.: 1918), de Pilar Contreras, está protagonizada exclusivamente por mujeres y destinada de igual manera al público femenino. Más extensa que las piezas en 1 acto hasta ahora comentadas, describe un medio humilde en el que sobrevive mediante duro trabajo una joven huérfana, protegida por las asociaciones marianas y por su firme fe religiosa. *La catequista modelo* (1920), "apropósito para una fiesta de obreros" de Elisa Kenelesky, fue estrenada en el Teatro Liceo de Salamanca (2-10-1920) y publicada poco después en la colección de teatro infantil "Mi revista". De nuevo dirigida a las jóvenes trabajadoras de modesta posición, se desarrolla en un "elegante taller de sombreros de señoras" donde trabaja Amelia, una muchacha modesta y muy religiosa a la que por su belleza se la obliga a lucir llamativos modelos en las carreras. Su vocación de catequista la llama con fuerza, pero la pobreza de su familia no le permite abandonar su empleo. Los problemas de conciencia de Amelia terminarán cuando un golpe de suerte le conceda la libertad de entregarse de lleno a su labor catequética. Eudosia Villalvilla representa la nota pacifista del corpus. Su apropósito en 1 acto *Las damas de la Cruz Roja* (20-03-1922), estrenada en el Teatro Princesa, de Toledo, se desarrolla en Melilla, donde están combatiendo españoles y marroquíes. La protagonista es la jefa del servicio de enfermeras de Cruz Roja, la simbólica "Paz", que acaba de recibir la Laureada por su labor humanitaria. Su objetivo principal, clamar contra la muerte de inocentes y pedir la paz a los estados.

Emparentados con los apropósitos de actualidad, los bocetos de comedia en 1 acto de Mª Luisa Madrona[42] *(Dios los cría)* y Carmen Díaz de Mendoza, Condesa de San Luis *(Don Juan no existe)* tuvieron una favorable acogida en las reseñas críticas de estreno. El primero de ellos se estrenó el 3-03-1925 en el Teatro de la Comedia por una compañía de aficionados, la "Asociación artística La Farándula". La fecha de estreno facilitada por el texto impreso corresponde a la de su puesta en escena por una compañía profesional durante la temporada siguiente (25-05-1926)[43]. Desde el prólogo de la pieza, su autora dirige la atención del lector-espectador hacia los tipos que en ella se presentan, ya que juzga prácticamente nula la importancia de su esquemático desarrollo argumental[44].

Dos son los rasgos fundamentales que aparecen combinados en la breve pieza: la nota costumbrista (actualidad de los tipos "del día" y de sus "modernas" conductas) y la romántico-sentimental (pareja "ideal" que encarna los valores supremos del amor y el arte). El interés principal de la escritora estriba en presentar la oposición entre el tipo femenino ideal (Mari-Rosa) y el tipo de mujer denostado (Gracy, Teresina). A diferencia de ocasiones anteriores, Mari-Rosa no puede ser plenamente identificada con la imagen de mujer tradicional, puesto que a sus "conservadores" rasgos (romántica, modesta en el vestir, pudorosa en su actitud) hay que añadir su carácter decidido y su deseo de trabajar, de escribir y ganar con ello su sustento y el de su pobre tío[45]. El profundo interés por el arte de Mari-Rosa resulta en este sentido una nota de innovación que suaviza en parte la oposición tradicionalmente operante. En el polo contrario, Gracy es la joven frívola e insustancial que tantas veces hemos encontrado ya en estas obras[46].

Las reseñas que siguieron al estreno (3-03-1925) señalaban con optimismo la aparición de "un nuevo valor de nuestra dramaturgia" (ABC). En la misma línea, el anónimo comentarista de *Heraldo de Madrid* escribía: "Es la comedia de la señora [Madrona] de Alfonso un bello cuadro que refleja el ambiente actual de nuestra sociedad; condena sus prejuicios y sus egoísmos, y (...) exalta el buen amor como la más noble idea de redención"[47]. La agilidad y sencillez del diálogo y el acertado dibujo de los caracteres fueron sin duda los rasgos más unánimemente elogiados. Más extensas y relevantes, las reseñas posteriores al estreno "profesional" de la obra (25-05-1926), elogiaron la citada oposición entre los dos tipos femeninos *(Heraldo de Madrid)*, el matiz cómico de gran parte de los personajes *(La Voz)* y las logradas composiciones líricas que la escritora, más conocida como poetisa, ponía en boca de su personaje principal *(La Voz, La Nación)*. Tal vez la mejor descripción de su esencia dramática fue la aparecida en el comentario de *ABC*: "*Dios los cría* es un feliz ensayo, escrito con el mayor decoro literario, en el que se entremezclan elementos de realidad, aspectos de la vida mundana al uso, con fervores románticos, que culminan en dos o tres momentos de poéticas visiones"[48]. La positiva recepción de la obra, un tanto excesiva teniendo en cuenta el ligero propósito de la misma y el modesto marco genérico elegido, se explica principalmente en relación con el horizonte de expectativas de la crítica en relación con la producción femenina, totalmente acorde con una creación como la presente, ligada a una ligera sátira social en combinación con la temática sentimental romántica.

El segundo boceto de comedia citado, *Don Juan no existe,* calificado por su autora, la Condesa de San Luis, como "ensayo ligero de costumbres más o menos ligeras", se estrenó el 7-03-1924 en el Teatro de la Princesa[49]. La obra, de polémico título, despertó un inusitado interés en la prensa del momento -dadas la brevedad de extensión y la modestia de propósito que la presidían-, interés debido más al espinoso tema del donjuanismo que a sus propios logros escénicos. Rafael Marquina situaba en sus justos términos la importancia del estreno: *"Don Juan no existe* es, en su insignificante intrascendencia, una prueba de la noble y despierta curiosidad intelectual de la Condesa de San Luis, y, en algún momento, una prueba discreta de su pericia dialogal" *(Heraldo de Madrid).* El resto de los críticos entraron abiertamente en el debate y aprovecharon para disertar sobre tan debatido asunto. *La Voz,* sin ir más lejos, dedicaba un largo artículo en primera página el día del estreno al debate sobre el clásico tipo del donjuán a propósito de la obra[50]. Un día después, la fotografía de la autora aparecía de nuevo en primera página, seguida en la siguiente por una extensa reseña de José L. Mayral, que agrupaba a la Condesa de San Luis con detractores famosos del donjuanismo como Gregorio Marañón o el portugués Guerra Junqueiro. Manuel Machado, crítico de *La Libertad,* se manifestaba de acuerdo con la condesa: "No existe Don Juan. A Don Juan lo hacen, lo crean, lo inventan, realmente, las mujeres. Ellas se encargan de convertir en Don Juan a cualquier hombre (...). Ellas son, en verdad, las únicas conquistadoras" *(La Libertad).* De la misma opinión se mostraba el crítico de *El Liberal:* "La idea es realmente bella y la apreciación absolutamente exacta. No hay tenorios. Los conquistadores de mujeres suelen ser unos pobres hombres que se dejan seducir como unos papanatas"[51]. En el bando opuesto se situaron los críticos de *ABC* y *Heraldo de Madrid.* Este último, J. Pérez Bances, escribía días antes del estreno un significativo artículo titulado "De aquí y de allá: Claro que existe Don Juan", en el que se dedicaba exclusivamente a definir su postura en torno al debate, mencionando tan sólo la obra de próximo estreno: "Bien está que una mujer aborde también el tema. (...)

Pero en cuanto a la afirmación que se sienta en el título de la obra, me parece poco probable con licencia de la condesa" *(Heraldo de Madrid)*. Aunque se prestó poca atención al análisis de las cualidades dramáticas de la pieza en relación con las profusas disquisiciones sobre la justeza de su tesis, los críticos se manifestaron en general moderadamente favorables a la misma, como muestra de posibles realizaciones futuras de la condesa de una mayor envergadura. Semejante atención crítica no fue aparentemente entendida por la autora, que en unas declaraciones a *Magda Donato* realizadas en *El Liberal* manifestaba considerar su obra como un pasatiempo intrascendente, de modestas ambiciones y poco más de media hora de duración[52].

El panorama descrito hasta aquí no deja de ser absolutamente convencional. Predominan entre las piezas "menores" las obras de sentimentalismo dulzón y las de ligero pasatiempo, respetuosas del canon dramático vigente para la consecución de ambos objetivos. Excepción notable supone la renovadora concepción de la farsa en 1 acto de Matilde Ras Fernández *El taller de Pierrot,* basada en una acertada combinación de los personajes de la Comedia del Arte italiana con el mito literario, tan en boga en los círculos "inquietos" del teatro contemporáneo, del escultor Pigmalión dando vida a su amada estatua[53]. De hecho, para entender la obra en su contexto, no hay que olvidar creaciones como *Pigmalión,* comedia en 4 actos de Bernard Shaw estrenada en Madrid durante la temporada 1920-1921, o, más aún, la "farsa tragicómica de hombres y muñecos en tres actos y un prólogo" *El señor de Pigmalión,* de Jacinto Grau, estrenada en Madrid en 1928[54], así como *Arlequín, mancebo de botica, o los pretendientes de Colombina,* bufonada de Pío Baroja que recrea el patrón clásico de la comedia del arte[55]. Cristóbal de Castro, en el prólogo que precedió a su edición de la obra *(Teatro de mujeres),* dijo de la farsa de Ras: "*El taller de Pierrot,* primorosa estampa dramática, recuerda con sus finuras románticas el teatro literario de Musset. Y tiene aquellas gracias ingenuas de la comedieta italiana, que le asignan primor y rango" (p.15).

En efecto, los tres personajes que protagonizan el triángulo amoroso central en el desarrollo de la farsa de Matilde Ras pertenecen al mundo de la Comedia del Arte: Pierrot, Colombina, Arlequín. Otros cuatro quedan al margen: Margot, la mujer que ama y espera en silencio a Pierrot, y otros tres personajes secundarios (novicio y criados). Los personajes clásicos se nos presentan oblicuamente, a través del diálogo de los demás, atendiéndose especialmente al diseño y color de su llamativo vestuario. A Arlequín le conocemos así por las hiperbólicas afirmaciones de Pierrot, tratando de ganar su perdón por el retraso en la realización de su retrato:

> Pierrot - (...) Para vos necesito elementos más densos y variados. Reparad. (Le presenta un espejo de mano) Tenéis todos los tonos jaspeados, los sienas, los ocres, los sepias y los verdes de la bilis en revolución (...). Y luego, caro señor, los vivos colores de vuestro vestido. Ni el plumaje más vistoso de las aves, ni los reflejos de las piedras preciosas pueden competir ni a cien leguas (p.172).

La fuerza plástica del color es una y otra vez utilizada para crear una atmósfera de armónica belleza: "(Se dirigen ambos [Arlequín y Colombina] hacia la puerta en elegante grupo de líneas y de colorido; él, alto y fino, con su antifaz blanco y negro sobre el rostro, el traje polícromo fundido armoniosamente en la penumbra del taller; ella, toda rosa, con un crujir de sedas en la pomposa falda)" (pp.178-179). Se realza además la plasticidad del cuadro con un reiterado juego escénico de luces y sombras, alternancia que cobra una especial importancia en la escena del duelo que enfrenta a los dos rivales en el amor de Colombina, el humilde artista -Pierrot- y el rico aristócrata -Arlequín-:

> (Colombina llora presenciando el duelo. Obscurece enteramente en escena, la cual se ilumina de pronto por un rayo de luna que entra por la ventana, deslizándose entre el follaje. Relampaguean los aceros, se delinea en blanco la figura de Pierrot y brillan fugitivos reflejos de seda en el torso violeta y azul de Arlequín. Se aproxima la música. Una figura cubierta de obscuro hábito, con un violín en la mano, apoyado sobre el hombro anguloso, intercepta un momento la claridad de la ventana, y prosigue. Bajo la sombría capucha, la luna descubre el amarillo marfil de una calavera) (p.179).

Completan esta poética farsa sobre la vanidad creadora y el desencuentro amoroso, un ambiente artístico (el taller que da título a la farsa) presidido por el cuadro sin acabar de Arlequín y la pulidísima estatua de Colombina, notas premonitorias de tragedia (la espada que preside la descripción escénica que inicia el acto o la música del monje violonchelista, presagios ambos de violencia y muerte) y el comentado valor simbólico de los personajes (Pierrot = Pigmalión / Colombina = Galatea). Finalmente triunfa el amor sincero de la mujer "real", Margot, que devuelve la vida al traicionado Pierrot, y se castiga a los culpables (Colombina, vivificada un instante por el inmenso amor de Pierrot, vuelve a convertirse en estatua en compañía del altivo Arlequín).

Antes de terminar el presente capítulo, con el que se cierra una rápida visión panorámica de la variada producción teatral femenina durante los años de preguerra, es necesario detenernos en un par de títulos, de particular denominación genérica, que constituyen una significativa aportación al teatro renovador que ha ido desfilando con periódica frecuencia por estas páginas.

La primera de estas obras -cronológicamente hablando-, el "ensayo dramático" *Diálogo con el dolor* (20-03-1926), de Isabel Oyarzábal, escritora que firmaba a menudo sus trabajos periodísticos con el seudónimo *Beatriz Galindo,* fue estrenada por la compañía de teatro íntimo "El Mirlo Blanco", dirigida por C. Rivas Cherif, en el teatro que mantenían en su casa de la calle Mendizábal Carmen Monné y Ricardo Baroja. Después de la guerra española, durante su exilio americano, Isabel Oyarzábal publicó con parecido título *(Diálogos con el dolor)*[56] un volumen subtitulado "ensayos dramáticos y un cuento" en el que se incluye el texto que sirvió de base a la citada representación de "El Mirlo Blanco": *La que más amó.* Se trata de una brevísima pieza en la que se dramatiza la agonía de un enfermo, que mantiene su vida en espera de ver a la mujer que ama, por desgracia otra distinta de la que le quiere a él. Obra esquemática, de desnudo escenario, recuerda inevitablemente una de las piezas teatrales más conocidas de Azorín, *Doctor Death, de 3 a 5,* parte integrante de su trilogía *Lo invisible* (1928)[57], que en un espacio igualmente desnudo, por el que se mueven unos pocos personajes de carácter simbólico y categorial, gira también en torno a los últimos momentos de un moribundo.

Desde su mismo título, *La que más amó* se basa en el significado categorial de sus personajes, cinco seres genéricos que carecen de la más mínima individualidad: el Enfermo, La que le ama, La que él ama, el Sacerdote y el Médico. Los personajes, cuya caracterización psicológica y moral abre la obra, son meros conceptos, que sirven para plasmar la pareja de oposiciones básicas que articulan la obra: amor-desamor / religión-ciencia. El Enfermo es una pura silueta que se vislumbra apenas; de La que le ama tan sólo interesa su "aspecto resignado, cansino, de quien ha perdido la ilusión; pero sigue enamorada"; al Sacerdote se le define escuetamente "tipo de fanático"; del Médico se afirma "semblante de expresión reconcentrada"... Igualmente esquemático resulta el dibujo del espacio, una habitación significativamente "pintada de blanco". Cama, mesa, sillas y crucifijo son su único mobiliario. Y, dotándola de un ambiente especial, la luz: "Por detrás de las cortinas y cual si procediera de una ventana situada al otro lado de la cama, luce el resplandor del sol" (p.35). Tan sólo cinco páginas le bastan a la autora para plasmar magistralmente una trágica escena, presidida por la inminencia de la muerte, de la que se hace protagonista a la mujer olvidada, fiel y amante pese a todo, que reclama para sí el momento del dolor, en el que falló la otra.

Tras su estreno en casa de los Baroja, al que asistió, como venía siendo costumbre, la intelectualidad madrileña en pleno, la obra fue calificada de "intento de teatro sintético, de una emoción contenida y de un fuerte humor polémico" por Rafael Marquina. La autora participó en la interpretación de su pieza, junto con los actores García Bilbao, Gallego, Benito y Carmen Baroja de Caro. Se representaron también *Miserias comunes,* de O'Henry; *Trance,* de Rivas Cherif; y *Arlequín, mancebo de botica,* de Pío Baroja *(Heraldo de Madrid)*. Así resumía la pieza el prestigioso crítico Melchor Fernández Almagro:

> Isabel Oyarzábal de Palencia, que tanto prestigio ha dado a su pseudónimo "Beatriz Galindo" en la conferencia, el libro y el periódico, ha escrito un *Diálogo con el dolor,* mediante el cual conocemos las distintas reacciones ante la muerte de la mujer que ama, de la mujer amada, del sacerdote y del científico. El cuadrito es de sencillez esquemática. La emoción, muy directa *(La Época)*.

La mujer que no conoció el amor, el primero de los diálogos del citado volumen, debió ser también escrita con anterioridad a la guerra, puesto que se menciona en su portada un estreno londinense de 1934 (Lyceum Club, 1934), otro madrileño (El Tingladillo, 1936) y un tercero en Suecia (Folkens Theater, de Estocolmo, 1937). De nuevo aparecen en ella similares personajes categoriales: la madre, la niña, la soltera, la Tierra. En un espacio abierto, la era en estío, tiene lugar el peculiar diálogo entre las tres mujeres. La soltera que no conoció el amor vive una vida amargada, infructuosa, insolidaria... La madre tierra le enseñará el amplio sentido que puede darse al amor maternal. Es sin duda el sonoro el lenguaje escénico no verbal más empleado en la pieza: las campanas, el gemido del viento en los juncos, la campanilla del santero, el canto del gallo y el croar de las ranas, el chasquido de las olas contra la arena, el ladrido de un perro... son sólo algunos de los sonidos aludidos por estas mujeres que ponen su esperanza y su temor en los confusos y lejanos ruidos que lleva el viento.

Concha Méndez, valor del teatro infantil todavía por descubrir, es también la autora de un "espectáculo en dieciséis momentos", *El personaje presentado,* pieza de teatro para adultos emparentada con el surrealismo y las vanguardias[58]. A propósito del surrealismo de Concha Méndez, declaraba ella misma en sus memorias: "La gente dice que soy surrealista. Lo que me pasa es que nací en un mundo que me obligó a la evasión; y de repente, como si fuera una protesta ante lo que estoy viviendo, como si me doliera algo, me pongo a hablar de cosas que llaman extravagantes"[59]. Concha Méndez deseaba una nueva realidad, se sentía incómoda en la suya. Escritora, "cineasta", campeona de natación, apasionada de los viajes... es evidente que no era la suya la imagen típica de una señorita madrileña de familia bien[60]. Una buena parte de su inadaptación al medio aparece retratada en Sonia, la protagonista de *El personaje presentido*.

Más de treinta personajes intervienen en la obra. Pensando tal vez en no obstaculizar del todo un posible intento de representación - que no llegó a producirse-, la escritora añadía tras su extensísimo reparto: "Es de advertir que un mismo actor puede muy bien desempeñar en esta obra distintos papeles" (p.9). En efecto, muchos de ellos tienen una brevísima aparición en escena, interesando casi únicamente su "figuración": camareros, pasajeros, camilleros, empleado... Fundamentales en la acción son los cuatro personajes nominados: Sonia, Javier, Gustavo y Guillermo, o lo que es lo mismo, Sonia y los hombres de su vida, el amigo, el hermano, el marido. Si bien es cierto que no hay apenas descripción física de los personajes, este hecho se ve compensado por su rica caracterización psicológica. Obra de carácter central, el temperamento exaltado, la hipersensibilidad y la espontánea vitalidad de la protagonista saltan a la vista casi desde su primera intervención en escena. Al salir de la ópera, Sonia huye corriendo para vagar sola bajo la lluvia. Así cuenta su experiencia ante su padre y su enfadado acompañante:

> Sonia - (Con entusiasmo) Yo, al ver la lluvia, me sentí agua; al ver los rayos, me sentí luz. Y ante aquel viento, me sentí viento. En mis nervios, en mi sangre, prendió la tormenta. Un irresistible impulso de volar a la noche fue más fuerte que yo. Y como volar no podía, corrí a la calle a mojarme con agua del cielo, a encenderme de luz de relámpagos, a dar rienda suelta al corazón que se me venía ahogando (pp.19-20).

El ansia de libertad y la necesidad de encontrar a un tiempo al hombre de su vida, a su "personaje presentido", son la causa de su inquieta búsqueda. Nada mejor que el coche, símbolo de lo nuevo, de la aventura, para plasmar su deseo de romper toda clase de cadenas:

> Sonia -(Con entusiasmo) Cuando lanzabas el coche como proyectil disparado que perforaba la noche, yo deseaba un momento en que nos elevásemos (sic), confundidos en sombra de noche, en medio de un huracán de vértigo. Y en el vértigo, saltar a lo desconocido, a lo imposible. ¡Qué bien, desprenderse así de la tierra, siquiera por un momento! ¡Desprenderse de todo y sentirse realmente libre! (p.62).

El espacio dramático en que se inicia la obra, una indeterminada ciudad española, cambia en el momento séptimo, cuando la protagonista se traslada a Nueva York. A partir del momento decimocuarto la acción se desarrolla a bordo de un buque, en pleno Océano Atlántico. Se trata en realidad de espacios irreales, de los que sólo interesa su nombre y la vaga alusión al mito con que éste vaya asociado. En cuanto al espacio escénico descrito, de nuevo la irrealidad es la nota constante. El amplio gabinete de predominantes tonos grises en que se inicia el primer momento recibe una cierta iluminación y ambientación musical: "(La estancia está iluminada por la débil luz de la pantalla de pie. Antes de levantarse el telón se oye el gramófono, que toca un *shimmy*)" (p.12). Entre un momento y otro, se amortiguan las luces y la escena queda a oscuras. Así, en el segundo, se presenta un nuevo escenario enmarcado por "dos *panneaux* negros, laterales" que encuadran un decorado de fondo envuelto en una densa niebla de sueño, acompañada de una música lejana (p.25). Estos dos paneles se mantienen constantes hasta el cuadro sexto, en el que retornamos al gabinete del inicio. Sin embargo, cambian los decorados del fondo en cada uno de ellos (una calle solitaria, bar americano al aire libre, puente de un transatlántico, playa), en un notable esfuerzo de la autora por dotar de atractivo escenográfico y de variedad "cinematográfica" a la obra:

> (La decoración del fondo -lo mismo las otras tres siguientes-vendrá a quedar hacia la mitad de la estancia de la escena anterior. De este modo se consigue una mayor rapidez en el cambio de un momento a otro; teniendo, por otra parte, la ventaja de no tener que movilizar la anterior escena, quedando así disponible para otro de los momentos sucesivos) (p.25).

La unidad de ambiente de los momentos segundo a quinto, intervalo en el que trascurren los sueños de Sonia, se consigue mediante la permanencia de tres elementos constantes: niebla, idéntica tonalidad de luz y música lejana. Entre momento y momento, se sigue insistiendo en la técnica unitaria de transición descrita anteriormente: "(Las voces se van callando. La decoración varía, siempre lentamente. Al puente de a bordo, sucede un fondo de playa. El mismo cambio de luz y de música que en los anteriores momentos)" (p.45). El espacio neoyorquino se describe igualmente como un espacio urbano estilizado (p.73). Los escenarios presentados en este segundo bloque (la habitación de un hotel, un *dancing*, un surtidor de gasolina y el *hall* de la casa de Guillermo) se caracterizan mediante un par de sintéticos rasgos, una luz determinada y, como en los momentos anteriores, por los trajes ajustados al lugar y la ocasión que lucen los personajes en la escena. En el último bloque (momentos decimocuarto a decimosexto), el puente de a bordo apenas se describe, interesando únicamente el avance temporal que las horas del día indican (mediodía, noche). La concepción cinematográfica del cambio rápido de escena y la misma proliferación y variedad de escenarios resulta fundamental en la construcción de la pieza. Concha Méndez, autora de guiones para el cine, demuestra su conocimiento e interés por el medio incluso en ciertos comentarios puestos en boca de sus personajes:

> El Amigo - (...) Yo, cada día (...) siento que me he olvidado de la mitad de las cosas acaecidas en el día anterior. Y la otra mitad, sobre todo si son desagradables, procuro recordarlas como a través de una cierta bruma; en términos cinematográficos: aplico el *flu*. Todo es cuestión de saberse colocar ante el objetivo, de emplear la técnica que más convenga cuando se trata de enfocar cualquier hecho más o menos nuestro (p.74).

La importancia del elemento escenográfico y espectacular se comprende a partir del examen de los diversos elementos desrealizadores que se incluyen en varios momentos de la pieza, sobre todo en aquellos iniciales que remiten al mundo de los sueños. Entre éstos, destaca la utilización de objetos cotidianos que despiden luz de colores. Así, al *barman* que lleva en la frente "un ojo de luz", le siguen en su aparición en la escena Sonia y Gustavo, vestidos de jugadores de tenis y con dos peculiares raquetas en la mano: "(La raqueta de cada uno se trasparentará de luz en la parte que corresponde a la madera, de modo que al quedar las figuras medio esfumadas por la niebla de sueño que invade la escena, las raquetas se hagan más visibles, destacándose en rítmico juego al ser manejadas por los ademanes de los jugadores)" (p.31). Parecido efecto luminoso se repite un poco más adelante, cuando los deportistas se acercan a la barra del bar americano: "Barman - (Ofreciendo refrescos desde la ventanilla del bar) Naranja. Limón. Ambar. Menta. (Cada vaso va encendido de luz del color del refresco que contiene)" (p.33). Una vez consumidos los refrescos "las luces de los vasos se apagan" (p.34).

El interés por la plástica del espectáculo se refleja además en los continuos cambios de vestuario de los personajes de acuerdo con la escena en que se desarrolla cada una de las partes del sueño de Sonia. Las acotaciones, de enorme importancia en la obra, describen en varias ocasiones escenas de corte claramente vanguardista. Así, el marino rechazado por Sonia en sus sueños, muestra originalmente su desesperación: "(Saca de sus bolsillos pañuelos con los colores de las banderas nacionales y se pone a llorar)" (p.43), insistiendo la autora un poco más adelante en la belleza del efecto visual perseguido: "(El marino se va llorando y enjugándose con las pequeñas banderas, que, unidas unas a otras, forman como una larga estela de colores. Después de unos pasos, se detiene y vuelve junto a la pareja)" (p.44).

No sólo toman cuerpo en la escena los sueños nocturnos, también los pensamientos, los presagios, las obsesiones. En general, interesa plasmar escénicamente la realidad mental en su aspecto más completo. Un ejemplo magnífico tiene lugar en el marco del problemático matrimonio de Sonia y Guillermo, una pareja a la que asedian los fantasmas de una próxima crisis en el momento decimotercero:

> (La luz de la escena [...] se extingue casi por completo. Guillermo y Sonia permanecen estrechamente unidos, como en un ensueño, sus cabezas apoyadas la una en la otra. A través del muro de la derecha, por una insospechada puerta que se acaba de abrir, aparece un hombre vestido de frac, chistera, capa y antifaz negro. Lleva guantes blancos y, sostenida en la mano derecha, una linterna de bolsillo, encendida. Al mismo tiempo, a través del muro de la izquierda, por otra idéntica puerta, aparece una mujer. Túnica blanca hasta los pies, antifaz negro. En su mano izquierda, otra linterna encendida. Ambos FANTASMAS se acercan, silenciosos, hasta la pareja) (p.101).

Si los lenguajes escénicos no verbales persiguen la innovación vanguardista, de igual modo los diálogos del texto principal se caracterizan por su anómala divergencia del canon escénico coetáneo. Lacónicos, entrecortados, plagados de imágenes alógicas, surrealistas incluso, los intercambios verbales entre los personajes llaman la atención sobre sí mismos a la vez que contribuyen al poético y misterioso ambiente que predomina en la pieza. Como ejemplo, baste citar un breve fragmento del inicio del momento tercero en el que los tenistas aluden a su recién terminada partida:

> Sonia - (Entrando, seguida de Gustavo) Quedamos a cinco iguales.
> Gustavo - Diez juegos.
> Tennisman - Diez.
> Tenniswoman - Diez.
> Sonia - Juegos.
> Tenniswoman - (Gesto de cansancio) ¡Ay, cansancio! ¡Cansancio!
> Gustavo - Yo... deseo jugar nuevamente en...
> Tennisman - El aire.
> Sonia - Aire negro.
> Gustavo - Verdinegro.
> Sonia - Del jardín.

Tenniswoman - Sin luz ya...
Sonia - Cierto... Sin luz ya.
Tennisman - (Después de unos saltos de ballet, con tono alegre) A todos propongo tomar...
Gustavo - ¿Cock-tail?
Tennisman - ¡Cock-tail! (pp.31-32).

Diálogos como éste, emitidos por los personajes del sueño de Sonia, son sin duda los mejores exponentes del espíritu vanguardista que impregna la obra. La imagen surrealista reaparece con cierta frecuencia en los mismos:

Gustavo - (Tomándola de la mano y dando unos pasos) ¿Ves? Andamos entre la niebla.
Sonia - ¡Qué bien andábamos así otras veces con zapatos de leguas!...
Gustavo - Sin arco voltaico en el mundo.
Sonia - ¡Allí sí que éramos hermanos de veras!... (p.36).

Los intercambios verbales que acontecen en el marco de la "realidad" adquieren una cierta tonalidad poética, más discursiva, en algunas ocasiones. Corresponden en general a momentos de introspección en los que Sonia deja entrever su alma insatisfecha, eternamente inquieta, en una búsqueda activa de la que se deriva una triste reflexión vital:

Sonia - Todos en la vida buscamos un amor, el amor *nuestro*. Como lo buscamos con afán, llegamos a encontrarlo. Pero suele ocurrir que ese ser que nuestro corazón elige, no es a nosotros a quien busca, sino a otro ser que es el amor *suyo*. Así, la vida es una larga cadena de desacuerdos, de inadaptaciones. Y así, todos y cada uno, nos movemos en un caos de imposible solución (p.112)[61].

Pese al vanguardismo que demuestra el manejo de códigos escénicos como luz, color, música, efectos desrealizadores, etc. y de unos diálogos que oscilan entre la relativa incoherencia de los sueños y la indagación existencial, la pieza posee una lógica dramática y una estructura interna que, aun siendo innovadoras, no impiden la comprensión perfecta de la evolución de los conflictos. Los dieciséis momentos en que se divide el "espectáculo" se agrupan, como de algún modo se ha anticipado ya, en tres bloques marcados interna y externamente (dos intermedios explícitamente señalados). Las marcas internas, de orden espacial y temporal fundamentalmente, agrupan, en primer lugar, los seis momentos iniciales, que trascurren en una misma noche y en un mismo espacio dramático (aunque los cambios escénicos sean constantes). Este primer bloque supone el plantea-

miento de un carácter y de su problema vital: la soledad que anhela
encontrar al ser gemelo. Los momentos del sueño -segundo a quinto-
aparecen estructuralmente enmarcados por los momentos de la realidad -primero y sexto-, una realidad que no excluye, con todo, el
misterio de las oscuras presencias de lo oculto (llamada telefónica
"ultramundana" con que casi se abre la obra y visión premonitoria
del amor neoyorquino en un espejo al final del sexto momento). El
segundo bloque estructural (momentos séptimo a decimotercero)
abarca un lapso temporal superior al año y su unidad viene dada
fundamentalmente por el espacio (Nueva York) y la acción propuesta (Sonia conoce a Guillermo, se enamoran, se casan). Con el final
del matrimonio de Sonia llega la partida y se inicia el tercer bloque
(momentos decimocuarto a decimosexto), que abarca unas pocas
horas y se desarrolla en la cubierta del ya citado transatlántico. Sonia
ha fracasado (la noticia de la muerte de su padre acaba con su última esperanza de consoladora compañía); Javier ha fracasado (jamás
conseguirá el amor de la mujer que quiere). La felicidad es imposible. Tal es el desenlace que se plantea, un desenlace abierto al peligro que una intriga "policíaca" iniciada durante este tercer bloque (el
intento de asesinato de un viajero millonario) supone para Sonia,
para quien puede preverse un violento final. Obra, en suma, de hon-
das preocupaciones vitales, vestidas de un ropaje escénico y estilísti-
co profundamente innovador.

NOTAS AL CAPÍTULO QUINTO

[1] Jacinto Benavente, *Obras Completas, VII,* Madrid, Aguilar, 1962, p. 968.

[2] Acerca del citado proyecto de Benavente, consúltese J. Francos Rodríguez, *El teatro en España, 1909,* Madrid, Imprenta de Bernardo Rodríguez, pp. 359-371; Andrés González Blanco, *Los dramaturgos españoles contemporáneos,* Valencia-Buenos Aires, Cervantes, s.a. (1917), p. 134; Angel Lázaro, *Vida y obra de Benavente,* Madrid, Afrodisio Aguado, 1964, pp. 67-69; Jean Marie Lavaud, "El Teatro de los niños (1909-1910)", *Hommage des Hispanistes Français a Noël Salomón,* 1979, pp. 499-507, y Juan Cervera, *Historia crítica del Teatro Infantil Español,* Madrid, Editora Nacional, 1982, p. 265 y ss.

[3] Robert Marrast, *El teatre durant la Guerra Civil Espanyola,* p. 262.

[4] Gabriel Greiner, en un significativo artículo aparecido en *El Liberal* ("Un tema del momento: El niño. Sus libros y su teatro", 29-12-1934, p. 11), defendía la necesidad de "acabar de una vez para siempre con la máxima estúpida y absurda de 'instruir deleitando' o deleitar instruyendo", y añadía "El niño debe instruirse en el colegio, educarse con sus profesores, con sus maestros, con sus padres. Pero su literatura y su teatro debe ser sólo, única y exclusivamente para divertirle".

[5] Carmen Bravo-Villasante, conocida especialista en literatura para niños, sitúa la pedagogía en el mismo origen del género, al que define como sigue: "La literatura infantil es la que se escribe para los niños –desde los cuatro a esa edad incierta de los catorce o quince años– y que los niños leen con agrado. Supone unas determinadas características. Indispensables la claridad de conceptos, la sencillez, el interés, la ausencia de ciertos temas y la presencia de otros que no toleraría el adulto" *(Historia de la literatura infantil española,* Madrid, Revista de Occidente, 1959, p. 11).

[6] En estos mismos años escribió dos de sus obras de teatro para niños Cristina Aguilá, aunque no hemos podido localizar edición alguna anterior a la publicada en la posguerra en la colección "Escena Católica Femenina": *Almas gemelas,* cuadro dramático infantil en 1 acto y en prosa (1933), Barcelona, Editorial Balmés, 1942; *El premio de la abuelita* (1942), lección escénica dada en 1 acto y en prosa, Barcelona, Balmés, 1943; *El rosario* (1941), cuadro dramático 1 acto y verso, Barcelona, Balmés, 1942; *El tiempo es oro* (1936), doble escena de ejemplar contraste con prólogo y epílogo, Barcelona, Balmés, 1942; *Verbena y alborada* (1940), escena típica en 1 acto y en verso, Barcelona, Balmés, 1942. En el Institut del Teatre de Barcelona se ha localizado una versión en catalán del primero de los títulos citados *(Germanos d'anima,* Barna, Foment de Pietat, 1934).

[7] *Discursos, diálogos y poesías propios para ser recitados por niños y niñas en diferentes actos escolares,* Barcelona, Sucesores de Blas Camí, 1920.

[8] Escritora y compositora andaluza conocida por sus libros de poesía *(Páginas sueltas, Entre mis muros...)* y por sus composiciones para zarzuelas, óperas, etc. Desde 1890 residió en la capital de España, donde dirigió el periódico *El amigo del hogar.* En los años anteriores al período que nos ocupa, Pilar Contreras escribe y publica las siguientes obras de teatro infantil: *El ensayo general, Pasado, presente y futuro, Niños y flores, Los pícaros intereses, Teatro para niños* (6 vols.), *Los caprichos de Doña Casimira o Las tres apariciones, Domésticas... sin domesticar, Muñecos y muñecas o Las niñas en el bazar, ¡Qué cosas tienes, Benita!* y *La voz de la Gratitud o Doña Pereza en acción.* Véase Mª del Carmen Simón Palmer, *Escritoras españolas del siglo XIX. Manual Bio-bibliográfico,* pp. 201-202.

[9] Nacida en Sevilla el 22 de septiembre de 1860, se traslada muy pronto a Jerez de la Frontera donde empieza a escribir siendo todavía una niña. En 1880 fundó y dirigió la revista *El Asta Regia,* trasladándose a Madrid en 1886 para dedicarse ya íntegramente a la literatura. Es co-autora, junto con Pilar Contreras, de los volúmenes de *Teatro para niños* publicados por la editorial Antonio Álvarez entre 1910 y 1917 (véase nota 8). Con anterioridad al período que nos ocupa publicó también los siguientes títulos teatrales: *La buena obra, Los vencedores, Pasado, presente y futuro, Los niños malos, Los Santos médicos, Un premio a la virtud, Los niños toreros, El cocinero de Mister John, D. Jenaro Matamoros, Paco el Trianero* y *Los tres defectos de Rita.* La escritora citada utilizó los seudónimos de *Emma Foraville, Condesa de Montalbán* y *Una hija de Nazareth.* Vid. Mª del Carmen Simón Palmer, *Escritoras españolas del siglo XIX,* pp. 675-683.

[10] Como única muestra de dicho fallo, común al resto del teatro para la escuela del corpus, reproduzco el siguiente fragmento del recitado musical que cierra el diálogo lírico "para párvulos" de Carolina Soto *Los pájaros cantores:* "Ruiseñor - (...) Prepárate a confesar, loca avecilla/ tu torpeza, ante la rara maravilla/ del concierto original que nunca oído/ dejará en breve tu orgullo confundido./ Pardillo- No hay nada que me asombre, puedo jurarlo,/ ni trino que no me atreva a ejecutarlo./ Ruiseñor - (...) Ya acudiendo de mi voz a los clamores/ no aproximan los alígeros cantores;/ ya van llegando, mira" (pp. 151-152).

[11] En el último cuadro de la tercera jornada, especie de epílogo encaminado a la *captatio benevolentiae*, se alude al atractivo que para los asistentes tenía el lucimiento de sus hijos sobre el escenario: "Aplaudid a estos niños;/ Que sean vuestras palmas homenajes/ De gratitud y cariño,/ No sólo a sus caritas y a sus trajes,/ Que por sus almas son mucho más bellos" (*La princesa encantada*, p. 23).

[12] "(Será conveniente que el escenario del primer acto no tenga mucho fondo, para que la puerta del foro en la que los cuadros han de aparecer no resulte muy lejos (...). Con respecto a la música, está arreglada de modo que pueda suprimirse o adaptarse a una música cualquiera. (...) Los trajes de los indígenas, que parecen los más difíciles, téngase en cuenta que cualquier camiseta teñida de café o de té muy concentrado da el color de la piel y que es fácil pintarse la cara de negro o de color, y simular con cualquier barrita inofensiva los labios gruesos)" (*Por las misiones*, p. 22).

[13] La citada pieza aparece recogida en un volumen antológico del teatro escrito para las representaciones benéficas por Matilde Ribot: *El teatro de las fiestas de caridad y de las veladas escolares misionales y de carácter católico* (Madrid, Langa y Cía., 1955). En la portada de este volumen constan algunos de los cargos desempeñados por la autora en la Obra Pontificia de Propagación de la Fe. Su compromiso con esta institución explica su prolífica labor de escritura teatral para la escuela.

[14] Al parecer la obra fue escrita por encargo de la orden de los Hermanos de San Juan de Dios. Se leyó ante el General de la orden el 8-07-1933 en Roma, lo que permite situar la composición de la misma con anterioridad a esta fecha. En "El poema escénico 'Juan Ciudad': Fiesta benéfica en proyecto" (*La Época*, 1-01-1936, p. 3) se rechaza expresamente cualquier inspiración de esta obra en *El Divino impaciente* (1933), de José María Pemán, facilitando la fecha de su lectura para demostrar la dificultad de una imitación por parte de Ribot. El texto de la obra puede ser consultado en su antología teatral de 1955 (vid. nota anterior).

[15] En esta misma línea se inscriben otras dos de sus piezas, la comedia *Para casar bien o mal*, y el entremés *Zoraida*, estrenadas conjuntamente en la fiesta benéfica del Salón María Cristina el 16-01-1932 (*La Época*).

[16] *Magda Donato* tradujo y adaptó a la escena española los siguientes títulos: *Aquella noche* (comedia dramática 4 actos), *¡Maldita sea mi cara!* (farsa cómica 3 actos, con Antonio Paso), *Melo (Melodrama)* (folletín escénico 3 actos), *El profesor Klenow, Peluquero de señoras*, y, probablemente, *En las redes de la araña* (estos tres últimos títulos proceden del registro dramático de la Sociedad General de Autores Españoles). *Peluquero de señoras,* adaptación de la obra de Armont y Gerbidon, fue estrenada en Buenos Aires, según consta en la reseña de *ABC* (23-05-1929, p. 40).

[17] La vocación interpretativa de *Magda Donato* la llevó a un continuado esfuerzo por entrar a formar parte de alguna compañía profesional, intentos que fracasaron repetida y un tanto inexplicablemente, como ella misma cuenta en la entrevista concedida a Rafael Marquina, "El caso de *Magda Donato:* La imposibilidad de contratarse" (*Heraldo de Madrid*, 28-11-1925, p. 5). Se explica aquí el fracaso de sus tentativas, algunas de las cuales habían sido dadas como seguras en noticias del año anterior ("*Magda Donato,* actriz", *Heraldo de Madrid*, 15-03-1924, p. 3).

[18] A propósito de la colaboración de C. Rivas Cherif y *Magda Donato* en la creación del "Teatro de la Escuela Nueva" (1920), vid. Margarita Ucelay (ed.), *Amor de Don Perlimplín con Belisa en su jardín*, de Federico García Lorca, Madrid, Cátedra, 1990, pp. 134-135, y C. de Rivas Cherif, *Cómo hacer teatro*. Ed. de E. de Rivas, Valencia, Pre-textos, 1991, p. 39. *Magda Donato* colaboró como actriz en el teatro casero de los Baroja, también muy ligado a Rivas Cherif, "El Mirlo Blanco" (1926), y más tarde (1928) en "El Caracol", intento del famoso director de resucitar su propuesta de teatro renovador.

[19] Se han localizado sus colaboraciones en *Estampa* desde 1928 a 1933. A propósito de la columna del *Heraldo de Madrid*, véase Mª Francisca Vilches y Dru Dougherty, "La Página Teatral del *Heraldo de Madrid*", *Siglo XX/ 20th. Century*, VI (1988-89), p. 54. Para una completa semblanza biográfica sobre *Magda Donato*, véase Ángela E. Bordonada, *Novelas breves de escritoras españolas, 1900-1936*, pp. 313-315.

[20] "Homenaje a los cuentistas *Antoniorrobles, Magda Donato*, Salvador Bartolozzi y *Elena Fortún*", *El Liberal*, 1-01-1936, p. 11.

[21] Anteriormente se había estrenado en el Beatriz *Pinocho vence a los malos* (29-01-1933), cuento infantil en 2 actos y 9 cuadros, que se repuso en otras dos ocasiones, el 14-01-1934 y el 13-02-1934, en el Teatro Cómico. La colaboración autorial de *Donato* y Bartolozzi es al menos dudosa en esta ocasión. Mientras que la Sociedad General de Autores Españoles los da a ambos por autores de la misma, las reseñas de prensa localizadas apuntan unánimemente a Bartolozzi como único artífice de libro, escenografía y vestuario –vid. apéndice I–.

[22] "Se trata en la obra de que Pipo y Pipa van a ser los directores de la distribución de juguetes y golosinas en los zapatitos de los niños madrileños y para eso fletan con sus amigos los Reyes Magos, los camellos correspondientes. Pero el malvado Gurriato les engaña, poniendo en el cielo una estrella falsa, que sale y todo en un aeroplano, y les hace perder un día, con lo que llegarán tarde a la distribución de juguetes. Y entonces Pipo (...) se le ocurre robarle al Tiempo el reloj, con lo que se recuperarán las horas perdidas y así los juguetes llegarán a sus destinatarios" *(ABC)*.

[23] "Pipo se duerme sobre un libro de cuentos por donde anda la bruja Pirulí, y la bruja aprovecha la ocasión para escaparse de las páginas. Y empieza su malvada labor. La bella princesa Cucuruchito va a casarse y la odiosa bruja detiene su *auto*, sembrándole de tachuelas el camino. Y secuestra a la princesa y la sustituye en el *auto* nupcial por la horrible Patirroja. (...) Pero aquí entra en acción Pipo, que consigue ponerlos en discordia y robar a la cautiva mientras ellos pelean. (...) Y con nuevos y sabrosos incidentes se logra la derrota de la malvada Pirulí y el triunfo de la belleza y el amor" *(ABC)*.

[24] "En esta última, el hada Risa-Risita ha obsequiado a cierto pueblo con un cascabel que esparce la alegría a su alrededor. La malvada bruja, enemiga de todo regocijo, roba el cascabel, que tira al fondo del mar. Y he ahí al valiente Pipo, en campaña (...) para recuperar el talismán alegre" *(ABC)*.

[25] Estudió en Madrid Filosofía y Letras. Empezó a publicar su literatura para niños en *Blanco y Negro* (1928), en la sección "Gente Menuda", colaborando también en las revistas *Cosmópolis, Crónica, Semana*, y en otras infantiles españolas e hispanoamericanas. Celia, Cuchifritín, Matonkiki, Mila, Roenueces, el Mago Pirulo, el profesor Bismuto, Lita y Lito y la Madrina, son algunos de sus personajes infantiles más logrados. Sobre *Elena Fortún* y su entorno de amistades literarias femeninas, véase el prólogo de Carmen Martín Gaite a Elena Fortún, *Celia, lo que dice* (Madrid, Alianza, 1992, pp. 7-37).

[26] Según Cervera, se trata de una adaptación de un cuento de Matilde Ras *(Historia Crítica del Teatro Infantil Español,* p. 164). La íntima amistad que unió a estas dos escritoras se refleja en el *Diario de Matilde Ras* (2ª ed., Madrid, Reus, 1949), en el que se aportan datos –y hasta alguna carta– sobre el exilio argentino de *Elena Fortún*.

[27] Acerca del teatro de guiñol en el período, puede verse E. Estévez Ortega, "Representaciones con muñecos", *Nuevo escenario*, Barcelona, Lux, 1928, p. 177-182.

[28] "(Es un aro de tela blanca, en que se habrán pintado los ojos y abierto la boca. Un actor sacará los brazos por detrás cuando sea necesario accionar)" (*Luna, Lunera*, p. 199).

[29] Juan Cervera, "Elena Fortún o la transición", *Historia crítica del Teatro Infantil Español*, pp. 162-165.

[30] Otras autoras accedieron también, aunque breve y casi marginalmente, a los escenarios madrileños de estos años. Carmen Baroja, hermana de los más famosos Pío y Ricardo y esposa del editor Caro Raggio, fue autora de una breve pieza para guiñol, basada en una popular tonadilla francesa y titulada *El gato de la Mère Michel* (21-06-1926), estrenada por el "El Mirlo Blanco" (Vid. *Magda Donato*, "Lo decorativo en la escena: 'El mirlo blanco'", *Heraldo de Madrid*, 26-06-1926, p. 4, y 3-07-1926, p. 4 –fotografías de la representación–). Una variedad teatral muy distinta cultivó Irene de Falcón, autora de un juguete infantil proletario titulado *El*

tren del escaparate –Grupo "Nosotros", 19-02-1933–. Por último, resta citar a Carmen Garcinuño, profesora conocida por su labor en relación con el Lectorio Infantil y autora en colaboración con J. Gallo Renovales de *El durmiente despierto,* escenificación de un cuento árabe
popular en 8 cuadros (20-06-1932, T. María Guerrero).

[31] Escritora madrileña, vivió el intenso ambiente cultural en torno a la Residencia de Estudiantes durante los años 20 y 30. Ligada al Grupo del 27 por afinidad personal (amistad con
Alberti y Lorca, relación sentimental con Buñuel y con el que después sería su marido [1932], el
poeta y editor Manuel Altolaguirre) y literaria (su poesía, aunque excluída de la antología de
Gerardo Diego, se incluye en la órbita poética del 27), inició su carrera literaria al tiempo que
se independizaba y decidía emprender aventureros viajes (Inglaterra en un par de ocasiones
[en su segunda estancia, 1935, nace su hija Isabel Paloma], Argentina [1929], Uruguay, Bélgi-
ca...). Su trabajo editorial con Altolaguirre fue esencial para la cohesión del grupo poético citado, que hizo de las revistas *(Poesía, Héroe, 1616, Caballo Verde para la poesía)* y colecciones
poéticas editadas por el matrimonio su vehículo de difusión fundamental. Acabada la guerra,
parte con su familia hacia el exilio, primero en París, luego en La Habana (1939-1943) y, finalmente, a México, donde en 1944 se separa de su marido. Es autora de varios libros de poesía:
Inquietudes (1926), *Surtidor* (1928), *Canciones de mar y tierra* (1930), *Vida a vida* (1932), *Niño
y sombras* (1936), *Lluvias enlazadas* (1939), *Villancicos de Navidad* (1944), *Sombra y sueños*
(1944) y *Vida o río* (1978). Una revisión completa de la vinculación entre su vida y su poesía
puede verse en la introducción de E. Miró a Concha Méndez, *Vida a vida o Vida o río,* Madrid,
Caballo Griego para la Poesía, 1979, pp. 11-34.

[32] Manuel Altolaguirre, *Diez cartas a Concha Méndez.* Ed. de J. Valender, Málaga, Centro
Cultural de la Generación del 27, 1989, p. 12.

[33] Paloma Ulacia Altolaguirre, *Concha Méndez. Memorias habladas, memorias armadas,*
Madrid, Mondadori, 1990, p. 112: "Escribo en verso una obra de teatro que titulo *La caña y el
tabaco,* me apoyé en la lexicografía de Zayas para encontrar el subsuelo, la esencia de los personajes. Incorporé palabras americanas al idioma español (...) y todas aquellas que iba introduciendo en mi lenguaje cotidiano surgieron en mi obra alegórica. Cada personaje tiene su métri-
ca: uno en endecasílabos, otro en décimas (...); otro en octosílabos. Nunca fue presentada,
porque su escenografía necesita un espacio muy grande: una gran variedad de vestuario,
mucho colorido; y la imagino puesta con un estilo parecido al de García Lorca".

[34] "Prólogo de *El Solitario,* drama poético en tres actos de Concha Méndez", *Hora de España,* XVI (abril 1938), pp. 85-99. Escrito en verso, este prólogo titulado "El Nacimiento" tiene un
reparto de dieciocho personajes, entre los que destacan el Cuco, las doce Horas y la Araña. En
un "campanario de una torre antigua abandonada" (p. 86), se describen personajes que, como
ocurría en *El carbón y la rosa,* simulan ser objetos animados de gran tamaño: "(A la izquierda
de la escena, una gran campana. Esta campana es una mujer con indumentaria lo más parecido
posible a lo que representa. Simula estar colgada, enlazando sus brazos a una ancha viga"
(p. 86). Mientras todos esperan el milagro del nacimiento de un nuevo ser, la salida de las
Horas a escena constituye el más bello efecto escénico del prólogo: "(Las grandes manillas del
reloj que marcaban la una, pasan a marcar las dos. De la puertecilla salta a escena una muchacha vestida de blanco, como si fuera una bailarina. Es la hora 2)" (p. 89). En la escena final, las
doce Horas corren y cantan sus dísticos rimados, un bello juego que no impide adivinar lo
mucho que esta obrita infantil acerca del tiempo y la vida tendría que decir también a los adultos. Acerca de esta obra y de su fragmentario proceso de escritura, véase Emilio Miró, "La contribución teatral de Concha Méndez", *El teatro en España ente la tradición y la vanguardia:
1918-1939,* pp. 439-440.

[35] Manuel Altolaguirre, "Nuestro teatro", *Hora de España,* IX (sept. 1937), pp. 29-37.

[36] Paloma Ulacia Altolaguirre, *Concha Méndez. Memorias habladas, memorias armadas,*
p. 112.

[37] F. Miranda Nieto, "Por los teatros", *El Sol,* 13-03-1936, p. 5.

[38] Fue estrenado por el actor José Soler en Radio Barcelona el 6-04-1933. En los ficheros
del Institut del Teatre, de Barcelona, constan otros dos monólogos suyos: *El barrio de los gita-
nos* y *Sagrario "La Gitana"* (1940).

[39] Estrenado en el Teatro Infanta Beatriz (22-11-1925). Vid. Irene López Heredia, *Así son
todas.* Monólogo que parece diálogo y diálogo casi monólogo, s.l., s.e., s.a. (Biblioteca Juan

March). Aparecen además registradas en la Sociedad General de Autores Españoles las siguientes obras de esta autora, algunas con derechos compartidos por tratarse de colaboraciones o traducciones: *Entre gente bien, Todas son así, La dama del antifaz, La última vuelta, Corazonadas, Los pájaros encantados o el violín prodigioso, Fin de semana, Doncellas de hoy* y el drama *Gigi*.

[40] Recitado por su autora el 24-06-1932, con motivo de una fiesta teatral celebrada en el Teatro de la Comedia (*ABC*, 25-06-1932, p. 39).

[41] Dru Dougherty y Mª Francisca Vilches, *La escena madrileña entre 1918 y 1926. Análisis y documentación*, p. 153.

[42] Esta escritora firmó sus trabajos poéticos con el seudónimo *Mary Luci Antillana* ("Información teatral", *El Sol*, 4-03-1925, p. 2).

[43] *Dios los cría* se repuso la temporada siguiente. Una representación de aficionados tuvo lugar el 3-04-1926 en el Teatro Princesa, de Madrid, a cargo de la Sociedad Álvarez Quintero. Poco después, la compañía profesional "Prado-Chicote" la representó en el Teatro Cómico (25-05-1926). En el registro de la Sociedad General de Autores Españoles Mª Luisa Madrona figura como autora de otro título teatral: *La vuelta*. Un año después, Madrona estrenó el monólogo en verso *La tobillera ultrachic* (16-06-1927).

[44] "Este boceto de comedia es como un 'Pim-Pam-Pum', donde cada personaje representa un tipo de los que a diario se cruzan en nuestra vida: no están en escena más que el tiempo preciso para darse a conocer (...), pues la obra no tiene casi argumento" (*Dios los cría*, p. 5).

[45] Así la describe la autora en su primera aparición en escena: "(Mari-Rosa es una muchacha de veinticinco años, que viste sencillo traje de luto. Es una mujer culta, interesante y modesta)" (*Dios los cría*, p. 19).

[46] "(Gracy es una muchacha de unos diez y ocho años, muy pintada y llamativa, con los cabellos rubios o rojos, cortados a lo garçon; irá vestida con traje de calle, de lana, excesivamente corto [según la moda actual], llevará sombrero, un pequeño bolso y bastón. Sus ademanes han de ser muy desenvueltos)" (*Dios los cría*, p. 9).

[47] El mismo comentarista daba cuenta de la consolidada actividad periodística de la autora: "María Luisa Madrona de Alfonso, escritora ya conocida por sus trabajos literarios y poéticos publicados en revistas varias de España y América, hizo ayer sus primeras armas en el teatro, y con tan gran fortuna, que diríase se hallaba avezada a las lides de la escena" (*Heraldo de Madrid*).

[48] En la edición de *Dios los cría* aparece un apéndice crítico en el que se recogen las reseñas citadas correspondientes a la puesta en escena de la Cía. "Prado-Chicote", del Teatro Cómico: *El Sol, Heraldo de Madrid, La Voz, ABC, La Nación, El Liberal* y *Blanco y Negro* (pp. 33-37).

[49] Carmen Díaz de Mendoza y Aguado, condesa de San Luis, nació el 11 de marzo de 1864 en Murcia, en el seno de una importante familia aristocrática local (hija de Mariano Díaz de Mendoza, marqués de Fontanar, y de María de la Concepción Aguado). Contrajo matrimonio en Madrid con Fernando Sartorius Chacón, conde de San Luis, el 9 de febrero de 1891. Su vinculación con el teatro le vino probablemente a través de su hermano Fernando, famoso actor que regentó durante muchas temporadas el Teatro de la Princesa con su esposa, la ilustre actriz María Guerrero. La afición de la familia por la escena se insertaba además en el marco de las tradicionales representaciones en los teatritos particulares de las aristocráticas familias de la corte decimonónica, en las que por supuesto participaba la condesa. Su matrimonio la mantuvo en contacto con los más importantes círculos políticos y culturales (don Fernando ocupó de hecho puestos políticos de relieve: Senador, Embajador en Lisboa, Ministro de Estado...). A sus creaciones para el teatro hay que añadir dos importantes textos del feminismo conservador español: *Educación feminista* (1922) y *Política feminista* (1923). La condesa fue miembro de la Academia de Jurisprudencia en 1920 junto con María Espinosa. Murió rodeada de sus cuatro hijos el 24 de febrero de 1929. (Agradezco a D. José Luis Sartorius y Acuña, nieto de la condesa, algunos de los datos biográficos recogidos aquí).

[50] A. Hernández Cata, "Don Juan, en la picota", *La Voz*, 7-03-1924, p. 1.

[51] En esta misma crítica se facilita un dato imprescindible para entender la buena acogida del público que todos los periodistas comentaron, la celebración del estreno en el marco del abono aristocrático de los "viernes de moda" de la Princesa (*El Liberal*).

[52] También en el marco del teatro representado se insertan otras piezas de diversa designación genérica, todas ellas coincidentes en su carácter de ligero pasatiempo escénico en un acto:

Restaurant 'Good night', de Adela Carbone ("caricatura de opereta", 13-03-1920), *La confesión de Ana María,* de Pilar Millán Astray ("paso cómico", 23-04-1927) y *¡Arrepentidos!,* "juguete cómico", de Rosario Moreno (20-05-1923).

[53] Así lo explicita el mismo Pierrot, protagonista de la farsa, en su inicial diálogo con la fiel Margot: "Pierrot - ¿Sabéis la historia de Pigmalión, Margot? Oídla. Era un rey escultor que cinceló en mármol la estatua de Galatea. A fuerza de pulir su carne de mármol, a fuerza de admirar aquella irreprochable desnudez, se enamoró de ella, como se hubiera podido enamorar de una mujer dotada de nervios, vida y sentimiento" (p. 170).

[54] A propósito de esta última, véase Dru Dougherty, "The Semiosis of Stage Decor in Jacinto Grau's *El señor de Pigmalión", Hispania,* LXVII [1984], pp. 351-357.

[55] Sobre su estreno el 20-03-1926 en el teatro de los Baroja, véase Rafael Marquina, "El Mirlo Blanco", *Herado de Madrid,* 27-03-1926, p. 4.

[56] Isabel de Palencia, *Diálogos con el dolor,* México, Editorial Leyenda, s.a. (1944). Este volumen incluye *La mujer que no conoció el amor, El miedo, La que más amó, La ceguera, La mujer que dejó de amar, La vejez, Madre nuestra, Gestas, el mal ladrón, La cruz del camino,* y el cuento *Alcayata.* La experiencia vital femenina resulta central en los ensayos dramáticos, a excepción de *La vejez,* obra de protagonista masculino, y *Gestas (...),* que recrea la crucifixión de Cristo entre los dos ladrones. En todos ellos, el diálogo entre los personajes se entiende como elemento esencial del drama, medio perfecto para la indagación en la personalidad, en los valores colectivos y en el sentido transformador del dolor físico y espiritual. Falta casi totalmente la acción y el ropaje escenográfico es mínimo.

[57] Sobre la curiosa divergencia entre la recepción crítica coetánea de la pieza azoriniana en relación con el posteriormente difundido tópico del surrealismo de *Lo invisible,* puede verse mi artículo "Crónica de un estreno: 'Lo invisible' (1928), de José Martínez Ruiz, Azorín", *Anales de Literatura Española,* 9 (1993) –En prensa–.

[58] Sobre esta obra, véase el artículo de Catherine G. Bellver, "El personaje presentado: A Surrealist Play by Concha Méndez", *Estreno,* XVI (1990), 1, pp. 23-27.

[59] Paloma Ulacia Altolaguirre, *Concha Méndez. Memorias habladas, memorias armadas,* p. 33.

[60] Dice Concha Méndez en sus memorias: "Uno de los últimos veranos que pasé en San Sebastián gané el concurso de natación de las Vascongadas. Tenía ya publicados mis primeros libros: *Inquietudes, Surtidor* y *El ángel cartero,* y acababa de vender un guión de cine. Las crónicas señalaron que la campeona de natación era poeta y cineasta y publicaron mi fotografía; mi padre, al verme en los periódicos, me comentó: 'Apareces retratada como cualquier criminal'. Este era mi ambiente familiar" (Ibid., p. 55). El guión de cine que menciona la autora bien podría ser el "argumento cinematográfico" *Historias de un "taxi"* (Madrid, Imp. Ducazcal H. González, 1927).

[61] Importantes preocupaciones de orden existencial se deducen de las introspectivas meditaciones que Sonia expresa a menudo en sus diálogos: "Sonia - La atracción de la tierra me espanta. Sin querer, se piensa en esa cosa inevitable que es la muerte, en lo único que no quisiera pensar" (*El personaje presentado,* p. 83). De ellas se deduce su afán de perdurar, de perpetuarse en una obra de arte inmortal –la carga autobiográfica resulta de nuevo aquí evidente–. Una obra que le permitiera la comunicación intemporal con las almas afines, sentimiento de pertenencia a la "selecta minoría": "Una parte de mi yo estaría, como la idea de Dios, presente en muchos sitios a un tiempo, y cerca siempre de los elegidos, de los que tienen un alma afín y sensibilidad. ¡Qué maravillosa existencia sería!..." (p. 82).

CAPÍTULO SEXTO

RECEPCIÓN PERIODÍSTICA Y BIBLIOGRÁFICA DE
LAS AUTORAS TEATRALES DE PREGUERRA.

6.1. RECEPCIÓN DE AUTORAS, ADAPTADORAS Y TRADUCTORAS EN LA PRENSA COETÁNEA. CRÍTICOS Y PERIÓDICOS FRENTE A LA CREACIÓN DRAMÁTICA FEMENINA.

> No es frecuente que se estrenen dos comedias de noveles en
> un mismo día. Menos frecuente aún la aparición de una autora
> nueva. Las mujeres, que han asaltado en masa todos los reduc-
> tos de la actividad varonil, no han podido salvo en aisladas y
> audaces hazañas, abatir la fortaleza teatral[1].

Con estas reveladoras palabras iniciaba su reseña del estreno de
La díscola, de Adelina Aparicio *(Adebel),* el crítico Paulino Masip. Y
aunque declarase una tan favorable comprensión de los problemas
específicos de la mujer escritora para estrenar en el teatro, no pudo
liberarse en ella de los prejuicios comúnmente repetidos en esta
clase de comentarios ("ingenuidad" en el tono y la elaboración, "sencillez" y "elementalidad" de trama y personajes, "limpieza" en los diálogos, "gracia y finura" en el corte de las escenas...), prejuicios que,
como más adelante veremos, asociaban casi invariablemente adjetivos vinculados tradicionalmente a la mujer con la calificación de sus
obras.

Pero si por algo es significativa la anterior cita es por su reconocimiento explícito de una realidad que otros críticos señalaron también: el estreno de una obra de autora era en estos años -y la cita
data de 1929- un hecho todavía insólito. Ante un fenómeno tan
nuevo y sorprendente como éste, los críticos adoptaron básicamente

tres actitudes distintas: alentar invariablemente a las autoras, aún en el caso de realizaciones fallidas, para apoyarlas en su solitaria lucha por abrir camino; minusvalorar sus producciones como frutos intrascendentes del ocio y el aburrimiento, o bien intentar obviar prejuicios y falsas benevolencias para juzgar las obras con independencia del sexo de su creador. Perfecto ejemplo del primer tipo de postura resulta la reseña de estreno de la misma obra aparecida en *La Voz*. El anónimo crítico consideraba la obra como "una comedia más, mezcla de sentimentalismo fácil, de chistes imperantes, de sátira al alcance de todas las fortunas" y, sin embargo, añadía casi inmediatamente:

> Pero una autora en escena es siempre lance importante. Aquí
> en que la mujer no halla facilidades ni estímulos. Aquí en que
> la mujer, para lograr algo, necesita redoblar esfuerzos... Yo
> saludé en la señora Aparici la voluntad tenaz, la generosidad
> del propósito, la limpieza de aspiraciones literarias... *(La Voz)*.

La citada actitud condescendiente y benévola, observable en algunas reseñas de autoras noveles, es decir, de autoras que accedían en esa ocasión por primera vez a los escenarios, se trocaba también muy a menudo en duro ataque en posteriores intentos. Así ocurrió en el segundo estreno de *Adebel, Tal para cual o el secreto de Julia*, negativamente enjuiciado en los dos periódicos anteriores, pues si en *Heraldo de Madrid* se calificó la pieza de "obrita cómica muy de por las tardes", el crítico de *La Voz* (Melchor Fernández Almagro) rendía "el tributo de su silencio" ante el desastre que, según se deduce, había presenciado en el estreno. Parecido es el caso de Pilar Millán Astray, a la que tras los estímulos iniciales de las críticas de sus primeros estrenos -*Al rugir el león, El juramento de la Primorosa*-, la crítica trató con general dureza. Se trataba al parecer de un fenómeno común que encontramos descrito en la introducción de Cristóbal de Castro a su edición de *Teatro de mujeres*:

> Pese a todas las conquistas sociales, políticas y económicas del
> feminismo, ellos [empresarios, autores, actores] persisten en
> que la mujer es, como autora, algo inferior, por no decir impo-
> sible. (...) Y si alguna -rara excepción, mirlo blanco- logra
> estrenar con éxito alguna vez, todos forman "el frente único"
> para que no estrene la segunda[2].

Según Cristóbal de Castro, esta actitud hostil afectaba muy especialmente a las escritoras de firma que querían hacer una primera incursión en las tablas:

> Todavía las absolutamente inéditas pueden, aprovechando la
> ocasión, colocar una obra, siempre a título de rareza o de

extravagancia y siempre "por una sola vez". Porque con éstas no hay cuidado. Mas las escritoras de firma ofrecen ya serios peligros. ¿Y si por dejarlas entrar, se avecindan definitivamente?[3].

Salvado este primer obstáculo (el empresario, los actores), las autoras se enfrentaban con las reseñas de críticos prestigiosos, cuya opinión influiría sin duda en la asistencia de público a la sala y, por tanto, en su permanencia en cartel. Al analizar conjuntamente las más de cuatrocientas reseñas localizadas se observa que operaban en muchas de ellas unos supuestos previos aparentemente ajenos al "mecanismo" crítico habitual. Sorprende comprobar la repetida alusión de los comentaristas a la obligada caballerosidad para con las autoras, por el hecho de ser éstas mujeres. Estas alusiones introducen un curioso matiz de ambigüedad que hace difícil saber en ocasiones el verdadero juicio que la obra ha merecido al crítico. Rafael Marquina, por ejemplo, en su reseña de estreno de *Al rugir el león*, de Pilar Millán, combinaba constantemente tópicos requiebros a la mujer con duros comentarios para con la obra[4]. En otras ocasiones, los partidarios de una obra la defendían de las críticas adversas intentando protegerla bajo el "paraguas" de la gentileza debida a su autora. Con motivo del estreno de *Las ilusiones de la Patro*, el crítico de *Heraldo de Madrid* protestaba contra esta interesada argumentación: "Hubo quien invocó la feminidad para demostrar que las hostiles manifestaciones [del público] eran ilícitas, y a este respecto podíamos dedicarnos en estas líneas a definir las concesiones que se le deben a una mujer que hace comedias".

Hasta tal punto llegaba la confusión que el nuevo fenómeno producía en la conciencia social que los críticos más "ecuánimes" se veían obligados a justificar sus negativos comentarios rechazando lo excesivo de llevar a tales extremos el concepto de caballerosidad. Acerca del estreno de *La pasión ciega*, de la Condesa de San Luis, escribía el crítico del *Heraldo*: "Entre los muchos trances amargos con que tropieza un revistero teatral acaso ninguno lo es tanto como éste en que, frente a la obra de una dama, no puede, como quisiera, equiparar la galantería con la sinceridad" *(Heraldo de Madrid)*. Aún cuando se trataba de felicitar a la autora de turno por lo acertado de su fruto, parecía conveniente eximirse previamente de tal falta. Así iniciaba su elogiosa reseña de *El juramento de la Primorosa* Manuel Machado: "Si dijéramos que Pilar Millán Astray domina el difícil arte (...) del Teatro, 'cometeríamos' una galantería excesiva y nociva para la gentil autora" *(La Libertad)*. Pero lo más común era que, pese a los "supuestos" tratamientos de favor ofrecidos en galante ofrenda por los críticos, las autoras no dejasen de recibir los inevitables "palos" que todo autor sufre alguna que otra vez. José Mayral planteaba de este modo el inicio de su crítica a *El pazo de las hortensias*, no del todo halagüeña:

> Si tan distinguida e inteligente escritora no hubiese estrenado hace poco tiempo su magnífico sainete *El juramento de la Primorosa*, (...) nos bastaría para reverenciar y aplaudir a Pilar Millán Astray que fuese una mujer y que tuviese inquietudes literarias. Pero Pilar Millán Astray (...) entra por derecho propio en la categoría de los que no necesitan de la benevolencia ajena ni del engaño piadoso *(La Voz)*.

Habiéndose trasladado al mundo profesional del teatro el tópico concepto de la obligada "caballerosidad" masculina, aunque ésta fuera con frecuencia más retórica que real, no resulta extraño encontrar en muchas de las reseñas otra muestra de las tradicionales formas de relación entre los sexos, los elogios a la belleza de la autora (piropos), a menudo utilizados para intentar paliar una negativa evaluación de la obra. Un crítico tan prestigioso como Melchor Fernández Almagro no dudó en requebrar abiertamente a Sara Insúa, autora junto con su hermano, Alberto Insúa, de *La domadora*, para después trivializar sus afanes literarios y hacer recaer únicamente sobre ella el fracaso de la obra:

> Cuando (...) salió a escena, en el final del primer acto, la novicia de nuestras letras Sara Insúa (...) no pudimos por menos de lamentar que fuese aquella la hora de la crítica. Más bien, en la realidad de nuestro gusto, era la hora del madrigal. 'Mujer hecha de sombra y jazmines' es esta muchacha, de morenez profunda y vehementes ojos negros, que ceñía con blanco traje las garridas formas de su atractiva juventud *(La Época)*.

También recurre a la belleza de los ojos de la autora Rafael Marquina para suavizar la dureza de sus comentarios sobre *Al rugir el león,* ya citados, comentarios en los que acusa a Millán Astray de "burguesita hacendosa", de hábil artesana que engarza como puede elementos trasnochados para componer su obra. La imagen "modisteril" no puede ser más reveladora: "Hay que tener buenas manos, conforme, pero no limitarse a ello, sobre todo, cuando se tienen unos bellos ojos negros, escrutadores y sagaces (...) como los que, para fortuna suya, tiene la señorita Millán Astray" *(Heraldo de Madrid).*

Junto a semejante actitud para con la mujer autora por parte de algunos de los más prestigiosos críticos del momento, se aprecia también en el tratamiento dado a sus obras una frecuente traslación de las ideas más comunes sobre la femineidad "esencial" a la propia valoración de las obras. Luis Araujo-Costa escribía en *La Época* a propósito de *La díscola:* "Posee la señorita Aparici y Ossorio *sensibilidad femenina* y cerebro bien organizado", añadiendo como conclusión "dejando adivinar en la autora *un gran corazón* servido por un entendimiento fino y sagaz" *(La Época)*. Rara vez el elogio a la inteligencia de las escritoras no iba acompañado -y casi parece "disculpado"- por alabanzas a su sensibilidad, ternura y bondad, cualidades éstas que, como vimos en el primer capítulo de este trabajo, sí podían y debían ser resaltadas en la mujer. Claro que algunas de las autoras no dejaron de explotar la potencialidad de estas supuestas virtudes, bajo cuya "invocación" situaban voluntariamente su creación. Así, la comediógrafa Sofía Blasco explicaba en una entrevista previa al estreno de *Redención:* "Puse al escribirla toda mi *sensibilidad de mujer,* de mujer identificada con el dolor y que sabe bastante de luchas de la vida" *(ABC)*. No es extraño, pues, que Juan G. Olmedilla aplicase más tarde a la obra los consabidos elogios: "comedia *limpia* de intenciones", "rebosante de *ingenuidad y ternura",* y que terminase comentando que la autora "se resistía a salir al proscenio con *ejemplar modestia"* (*Heraldo de Madrid*).

Junto a la tópica alusión a la sensibilidad femenina reflejada en las obras, fue bastante frecuente recurrir a la *elementalidad* y *sencillez* de dichas creaciones bien para su defensa, bien para su ataque. En este último sentido escribía Jorge de la Cueva en relación con *La hermanastra,* de Adela Carbone en colaboración con Joaquín Roa: "La exagerada sencillez, que llega a parecer pobreza, produce una monotonía que no contrarresta lo hinchado (...) del diálogo" *(El Debate)*. Floridor, en su reseña de *La díscola,* aunaba el elogio a la sencillez de su trama con una curiosa revelación *per negationem* de otro prejuicio extendidísimo frente a las autoras: "[Adelina Aparicio] logró escribir una comedia jugosa y amena, con fácil y natural diálogo, *exento de toda cursilería"* *(ABC)*[5]. El crítico de *Heraldo de Madrid* era todavía más explícito con respecto al sentido oculto de la tan explotada referencia a la "sencillez" de las autoras en la reseña de la misma obra:

> Este ligero resumen dará idea al lector del tono ingenuo e inocente de la comedia. En efecto, lo es. Tipos y situaciones corresponden a un teatro elemental, sencillo y claro, que no esconde secretos ni en las reacciones psicológicas de los personajes ni en la disposición externa del conflicto *(Heraldo de Madrid)*.

Cursilería, amaneramiento, pacatería frente a las situaciones de alta tensión dramática, coquetería incluso... definen el polo negativo de las expectativas con que bastantes críticos se acercaban al estreno de las obras de autora[6]. Por otra parte, la siguiente cita extraída de la reseña de Luis Bejarano a *El pazo de las hortensias,* de Pilar Millán, define bien los aspectos "positivos" de dichas expectativas: "Así ha de ser en quien como usted lleva su espíritu femenino *-delicadeza, cuidado del detalle, buen tono-* a éstas sus comedias, que tienen (...) un *aire de sinceridad* que las hace dos veces dignas de estimación y loa" *(El Liberal).*

Al igual que se elogiaba constantemente en las obras de autora la *"limpieza moral",* la *"sanidad en la idea",* no hubo defecto más duramente censurado en estas creaciones que una tesis provocadora y/o un lenguaje atrevido. Lo más positivo que el comentarista de *El Debate* encontraba en *La hermanastra* era "una grata limpieza de intención, una moral irreprochable, un canto al sacrificio y al perdón digno de elogio". De igual modo, el crítico de *La Libertad* defendía la obra de los ataques del público, que esperaba una astracanada típica del Teatro Rey Alfonso, afirmando: "De la pluma de escritora tan exquisita y de actriz de tanto mérito como Adela Carbone (...) no podía salir sino una obra limpia, una verdadera comedia". Bastante mal paradas quedaron las autoras que abordaban alguna idea más o menos avanzada en lo social o en lo moral. Mientras que periódicos como *La Época* o *El Debate* ignoran totalmente el estreno de *La voz de la sombras,* de Mª Teresa Borragán, este último diario atacaba el escabroso tema -el amor de Julio por una mujer casada, a la que compromete sin querer y por cuyo honor se suicida- de *La pasión ciega,* de la Condesa de San Luis. De forma similar, otros periódicos liberales (*El Sol* entre ellos) tachaban a la autora de *Redención,* Sofía Blasco, de una ingenuidad asombrosa al abordar la temible "cuestión social".

Por lo que se refiere a la recusación del lenguaje "rudo y procaz", nadie sufrió más constantemente esta crítica que Pilar Millán, quien, pese a su conservadurismo ideológico y moral, no dudaba en reproducir de un modo verista el habla popular de los barrios bajos de Madrid. Con motivo del estreno de *Pancho Robles,* por citar tan sólo un ejemplo, Melchor Fernández Almagro afirmaba, en un imaginario diálogo con un desconocido espectador, que la obra se orientaba sobre un "patinillo" de vecindad: "Quiero decir con esto que entran allá voces y ruidos de lo más chocarrero y menos interesante: (...) reyertas con criadas respondonas, un aire de trifulca, en fin, bien poco grato: denuestos, interjecciones..." *(La Época).* La actitud escandalizada que mostraban los críticos ante el lenguaje "malsonante" de algunas producciones les llevó a atribuir los diálogos más recusables en este sentido a la participación masculina, en caso de colaboración. Jorge de la Cueva, refiriéndose a la revista de Anita Prieto y E. González del Castillo *Las verbeneras*, comentaba: "de tal manera que la inmoralidad tosca y repulsiva de algunos momentos, hirió la sensibilidad del público, que olvidado ante lo que veía y escuchaba de que presenciaba la obra de una mujer, protestó con energía y con dureza" y, refiriéndose a los "chistes indecentes" que, según él, contenía la obra, añadía:

> Cuesta trabajo pensar que los hayan escrito manos blancas; indudablemente deben ser del señor González del Castillo, y aún así, asombran y extrañan, porque hay cosas que no se dicen cuando se lleva del brazo a una mujer (*El Debate*).

Y no sólo la prensa más conservadora acusaba este prejuicio, sino que comentarios parecidos se encuentran también en periódicos liberales, como *La Voz*, cuyo crítico afirmaba a propósito de esta misma obra: "libro desmañado y de chistes atrevidos excesivamente, cosa inesperable al figurar entre los autores el nombre de una mujer" (*La Voz*).

En términos generales, se percibe en las reseñas consultadas una predisposición más favorable hacia la obrita frívola y sentimental cuando se trataba de una creación femenina que la manifestada en relación con el teatro "serio" de las autoras -comedias dramáticas, dramas, etc.-. De ahí los elogios con que fueron acogidas dos obras de la autora anteriomente citada, *Hacia la vida* (19-06-1930) y *Una tarde a modas* (12-12-1931), obras que habían sido concebidas por su misma autora como destinadas especialmente a las espectadoras. En una entrevista concedida a Olmedilla antes del estreno de esta última, Blasco declaraba que su propósito consistía en divertir "el ánimo de los espectadores y, sobre todo, de las espectadoras, porque es una comedia para mujeres" (*Heraldo de Madrid*). Siempre que se mantuvieran en este estricto marco, las obras eran comentadas si no con entusiasmo, sí con amable condescendencia. Acerca de *Los amores de la Nati*, de Pilar Millán, escribía Arturo Mori: "Su nueva producción es agradable, es ligera, es para mujeres" (*El Liberal*). José L. Mayral aseguraba por su parte que en *El juramento de la Primorosa* la autora lograba "arrancar las lágrimas de emoción de las espectadoras" (*La Voz*). A. Rodríguez de León se admiraba de lo bien "que conoce el paño" la autora y reproducía en este sentido una parte de la autocrítica de Millán Astray a *Mademoiselle Naná*: "las señoras se divertirán mucho, porque van al grano sin atender a la literatura, (...) los hombres se fijan en otras cosas; tienen más prejuicios" (El Sol).

Intentando especializar a las autoras en ciertos géneros y, sobre todo, en un cierto público, el femenino, no es raro tampoco que los críticos alentaran a las escritoras interesadas en cuestiones que afectaban directamente a la mujer, cuestiones tales como la maternidad o el donjuanismo. Ejemplos de este tipo de actitud se encuentran reiteradamente en las reseñas de estreno de El Jayón, de Concha Espina, y de El divino derecho, de Alcira Olivé, obras centradas en el tema maternal que abordaban además el melodramático asunto de la maternidad "natural"[7]. Ciertamente más polémicas resultaron, a juicio de la crítica, las obras de la Condesa de San Luis, Don Juan no existe, y de Anita Prieto, Un suceso vulgar, ambas orientadas a atacar frontalmente el mito del donjuán seductor, un peligro para la mujer que, como vimos en el segundo capítulo de este trabajo, preocupaba muy especialmente a las autoras. En su reseña del significativo título de la condesa, Manuel Machado reconocía a la autora una autoridad especial para pronunciar tan lapidaria defunción del mítico personaje, enfrentado a las "vallas" de la honestidad femenina: "No. No existe Don Juan. Y era justo que una mujer (...) nos descubriera el tremendo y amable secreto y nos demostrara la paradójica irrealidad del famoso y eterno personaje" (La Libertad). Lo mismo afirmaba J. Pérez Bances: "Bien está que una mujer aborde también el tema. Después de todo, ellas son quienes con más autoridad pueden hablar de Don Juan" (Heraldo de Madrid). A fin de cuentas, la autora había calificado su pieza de "ensayo ligero de costumbres más o menos ligeras" y como tal la consideraron, de nuevo "benévolamente", los críticos[8]. Mucho peor tratada por la crítica fue la obra de Anita Prieto, que aparecía anunciada, según el crítico de ABC, como "una lanza contra el donjuanismo, burlador eterno de las infelices enamoradas" (ABC).

Una vez analizados someramente algunos de los tópicos generales presentes en estas reseñas, parece necesario profundizar un tanto en las posturas individuales de cada uno de los críticos frente al citado fenómeno, la actitud general de cada uno de los ocho periódicos que han sido revisados exhaustivamente en el proceso de localización hemerográfica de dichas reseñas (La Época, El Debate, ABC, Heraldo de Madrid, La Voz, El Sol, La Libertad y El Liberal) y la recepción que cada una de las autoras tuvo en cada periódico, así como en el conjunto.

Muchos fueron los críticos que hicieron información teatral en los periódicos citados y, debido al amplio espectro ideológico y político de dichas publicaciones, también fueron muchos y muy diversos sus postulados básicos a la hora de analizar las obras que se estrenaban diariamente. Los críticos más atentos a la presencia de las autoras sobre las tablas fueron, en primer lugar, Jorge de la Cueva, E. Díez-Canedo, M. Fernández Almagro y Arturo Mori[9], con más de veinte reseñas firmadas por cada uno de ellos -véase apéndice I y III-. Integran un segundo grupo, con más de diez reseñas dedicadas a estrenos femeninos, L. Araujo-Costa, Floridor, Manuel Machado y Juan G. Olmedilla. Con menos de diez reseñas, L. Bejarano, R. H. Bermúdez, Rafael Marquina, José L. Mayral y J. Larios de Medrano, constituyen el último grupo de cierta importancia por su asiduidad en los comentarios.

Como se deduce de las tablas incluidas al final de este trabajo -apéndice III-, sus opiniones fueron, lógicamente, bastante diversas. Jorge de la Cueva, asiduo crítico de *El Debate,* prestó una mayoritaria atención a los estrenos de la prolífica Pilar Millán Astray, a la que por término medio dispensó una acogida sólo regular. Similar fue su actitud frente a Adelina Aparicio y la Condesa de San Luis (dos reseñas a cada una), y bastante más negativos sus juicios sobre Sofía Blasco *(Redención)*, Anita Prieto y Lola Ramos. Tan sólo hubo una obra que no le mereció reparos. Se trataba de *Trece onzas de oro,* de Margarita Robles y Gonzalo Delgrás.

Enrique Díez-Canedo fue todavía más duro en sus reseñas, aunque su criterio resulta ser el más cercano a la sensibilidad crítica actual. Invariablemente negativas fueron sus opiniones sobre los diferentes estrenos de Pilar Millán Astray, y no mucho mejores sus reseñas de las obras de Adelina Aparicio, la Condesa de San Luis, Sara Insúa o Lola Ramos de la Vega. Por el contrario, no dudó en elogiar a las autoras más innovadoras (*Halma Angélico,* Carmen Baroja, *Magda Donato* y *Elena Fortún*), siendo probablemente el más atento a los hallazgos de los teatros íntimos, tan ligados a varias de estas autoras ("El Mirlo Blanco", "Fantasio"). Tras el estreno de *El sueño de las tres princesas,* de Pilar de Valderrama, en el teatro "Fantasio", organizado en el domicilio del matrimonio Martínez Romarate-Valderrama, Díez-Canedo fue el único de entre los críticos citados que llevó a la prensa el privado acontecimiento.

Muy similar fue la postura crítica general del también escritor Melchor Fernández Almagro, que compartía con Díez-Canedo su negativa valoración de Adelina Aparicio y Pilar Millán Astray, apoyando igualmente la labor de los estrenos llevados a cabo en el marco de

"El Mirlo Blanco" por Carmen Baroja e Isabel Oyarzábal. Sin embargo, disentía con aquél en su elogio del *Don Juan no existe,* de la Condesa de San Luis.

Bastante más optimista que los tres críticos anteriores se mostraba Arturo Mori en relación con la producción de las autoras, ninguna de las cuales mereció a su juicio una dura crítica. Muy al contrario, estimó muy favorablemente las obras de autoras tan distintas como Sofía Blasco, *Magda Donato,* Alcira Olivé, Lola Ramos o Margarita Robles y no puso, por lo general, grandes reparos a las de *Halma Angélico,* Adelina Aparicio o Pilar Millán.

Curiosamente, los cuatro críticos citados en el segundo grupo "de atención" compensaron el menor número de sus reseñas con una valoración mucho más positiva de la mayor parte de las obras de autora en relación con el predominantemente severo grupo anterior. Para Floridor, por ejemplo, tan sólo una de las quince obras por él reseñadas mereció una dura crítica y ésta fue destinada a *Perla en el fango,* de Pilar Millán, obra que de hecho sólo un crítico defendió (Manuel Machado). Igualmente favorable resulta el panorama general de la producción femenina que se deduce de las críticas llevadas a cabo por Luis Araujo-Costa en *ABC* y *La Época,* destacando su muy positiva valoración de la prolífica producción de Pilar Millán. Por el contrario, la única excepción a las halagüeñas opiniones vertidas por Juan G. Olmedilla en las reseñas que nos ocupan radicó en las creaciones de esta misma autora, negativamente enjuiciadas por él en bastantes casos. Por último, Manuel Machado confirmó su general "bondad" en el ejercicio de la crítica teatral en sus comentarios acerca de las creaciones de Adela Carbone, Condesa de San Luis, Concha Espina, Margarita Robles y Pilar Millán, siendo él uno de los pocos críticos que elogió sin excepciones las obras de esta última autora[10].

Entre fría (R. H. Bermúdez) y favorable (José L. Mayral) oscilaba la acogida dispensada a las autoras por los críticos del tercer grupo señalado. L. Bejarano y J. Larios de Medrano, críticos de *El Liberal,* fueron bastante amables con la producción de Pilar Millán. Frente a ellos, R. H. Bermúdez y Rafael Marquina fueron sin duda los más duros en sus reseñas, dureza que en el caso de Marquina afectó incluso a tres de los grandes éxitos de la autora, *La tonta del bote, El juramento de la Primorosa* y *La Galana.*

Pasando a la segunda cuestión planteada, la actitud de cada uno de los ocho periódicos revisados con respecto a los estrenos de autoría femenina en los años de preguerra, se ha de partir del hecho de una selección previa de los mismos basada en su gran difusión, su notable extensión temporal (para buscar la homogeneidad en todo el período) y su diversidad ideológica, diversidad que los hace representativos de las distintas líneas de opinión de su tiempo. En su *Historia del Periodismo Español (De la Dictadura a la Guerra Civil)*, P. Gómez Aparicio incluye en el marco de la prensa conservadora *El Debate* (diario católico, órgano de la naciente C.E.D.A.), *La Época* (diario monárquico, nacido como órgano del Partido Liberal Conservador) y *ABC* (también monárquico y conservador). Dentro del sector de prensa liberal se inscribían, según este mismo autor, *El Sol* y *La Voz* (ramas de un mismo tronco empresarial). Como liberal de izquierda define al *Heraldo de Madrid,* que como *El Liberal,* era órgano de un "republicanismo todavía inconsistente y amorfo"[11]. *La Libertad* era, por su parte, el medio de difusión de Santiago Alba. Partiendo de esta gran variedad de posturas ideológicas y vinculaciones políticas y sociales, parece conveniente revisar la actitud de cada uno de ellos frente a las autoras, seleccionando, como más representativas, aquellas de las que se recogen dos o más estrenos.

El periódico que demostró una actitud más favorable a las autoras seleccionadas según el criterio anteriormente expuesto fue *ABC,* que elogió las obras de autoras conservadoras como Adelina Aparicio, la Condesa de San Luis, Pilar Millán y Matilde Ribot, al tiempo que las de otras escritoras de talante liberal como Sofía Blasco, *Magda Donato* o *Elena Fortún.* Fue además el periódico que presentó un más alto porcentaje de reseñas dedicadas a las autoras (con un 80 por ciento de estrenos localizados con respecto al total de búsquedas).

Como prueba de que la crítica, que pudo estar en ocasiones vinculada a cuestiones de tipo ideológico y político, no dependía únicamente de tales condicionamientos, y frente a posibles prejuicios acerca de si un determinado sector de prensa pudo ser más o menos reacio a la incorporación de la mujer a la autoría teatral, periódicos tan divergentes como *La Época* en relación con el *Heraldo de Madrid, El Liberal* o *El Sol* presentan unos niveles de productividad en las búsquedas similares (en torno al 60 por ciento). Se observan curiosas coincidencias en ellos acerca de autoras como Adelina Aparicio o *Magda Donato* (autora que recibió unánimes elogios en los ocho periódicos analizados), mientras que divergencias más esperables les separan en torno a obras de claro contenido ideológico como *Redención,* de Sofía Blasco.

Con todo, se observan como es lógico importantes similitudes en periódicos representantes de sectores sociales y políticos afines. En el sector conservador, estas coincidencias aúnan a *La Época* y *El*

Debate (que tan sólo se dividen en relación con las polémicas Sofía Blasco y Anita Prieto). En el sector liberal, *La Voz* y *El Sol* mantienen un relativo acuerdo general, con la excepción de la también muy discutida Condesa de San Luis. Sorprendentemente, este último periódico, de gran prestigio intelectual, presenta la consideración crítica más negativa del grupo de autoras más significativas por su número de estrenos. Entre ellas, *Magda Donato, Elena Fortún* y Mª Luisa Madrona son las mejor consideradas en las reseñas de este periódico.

Aunque sin profundizar en cada caso concreto -pues algunos de los comentarios más significativos aparecen ya recogidos en capítulos anteriores en relación con la constitución formal de las diferentes piezas-, parece conveniente esbozar una visión general de los avatares de las diferentes autoras en relación con la opinión crítica que hasta ahora se ha venido presentando. Dos son las constantes definitorias de la relación crítica-autoras. Por un lado, el apoyo a las iniciativas más innovadoras, a las autoras que se dirigen hacia un público muy concreto y generalmente minoritario (Carmen Baroja, Isabel Oyarzábal), o cuyas piezas no logran insertarse, por lo general, en el marco del teatro comercial *(Halma Angélico).* El caso más sobresaliente de apoyo incondicional de la crítica a una autora "de la innovación" desde todos los medios es el de *Magda Donato,* a la que se estima por término general como buena adaptadora -tal vez con la excepción de su adaptación con Antonio Paso *¡Maldita sea mi cara!-* y a la que se elogia muy especialmente por su colaboración con Salvador Bartolozzi, encaminada hacia la consecución de un teatro infantil renovador, perfectamente adaptado a su tiempo. Sin embargo, aunque llovieron los elogios hacia su labor en los ocho periódicos comentados, el nivel de presencia de reseñas de sus estrenos fue bastante bajo -con la salvedad de *Pipo, Pipa y el lobo Tragalotodo-,* seguramente por tratarse de un género considerado "menor" y poco habitual en este tipo de críticas. Quizá también por este hecho, fueron tan unánimes los elogios. Por otro lado, destaca el desacuerdo crítico general con las coordenadas teatrales premiadas especialmente por el público. Así, autoras de indiscutible éxito como Pilar Millán y, aunque a evidente distancia, Lola Ramos de la Vega, cultivadoras del sainete madrileñista y andalucista respectivamente, sufrieron a menudo los envites de la crítica[12]. Por el contrario, autoras que tuvieron ocasional acceso al contacto con el público como Adela Carbone, Mª Luisa Madrona, Concha Ramonell y Margarita Robles obtuvieron los apoyos de los comentaristas teatrales.

Pueden servir a modo de conclusión del breve panorama expuesto algunos datos relativos a los porcentajes de reseñas localizadas de las obras estrenadas por las autoras en los ocho periódicos elegidos -véase tabla nº1: cuadrícula general-. Alcanzan el cien por cien de presencia autoras como *Halma Angélico (Entre la cruz y el diablo)*, Condesa de San Luis (en sus dos estrenos, *Don Juan no existe* y *La pasión ciega)*, Sara Insúa (quien escribe con su hermano, el famoso escritor Alberto Insúa, *La domadora)*, Pilar Millán Astray (en trece de los veinte estrenos localizados), Margarita Robles (famosa como primera figura de compañía junto con su colaborador, Gonzalo Delgrás, y autores ambos de *Trece onzas de oro)*. Les siguen muy de cerca -entre un 80 y un 90 por ciento de presencia relativa- autoras como Adelina Aparicio, Adela Carbone (quien también despierta interés por su popularidad como actriz), Concha Espina, Linda Morel y Alcira Olivé (que llegan precedidas por su popularidad en Argentina), Anita Prieto (también popular como tiple de primer rango) y Lola Ramos de la Vega. Por encima del 60 por ciento se sitúa Mª Teresa Borragán, manteniéndose en la frontera del 50 por ciento autoras enmarcadas en el teatro "íntimo" como Carmen Baroja e Isabel Oyarzábal -muy por debajo, Pilar de Valderrama, con una sola mención en *El Sol-*. Lo más habitual entre las autoras noveles que no sobrepasan el estreno único es un porcentaje de recepción que oscila entre un 10 y un 25 por ciento aproximadamente (Rosario Cárceles, Concha Ramonel, Carmen Garcinuño, Mª Paz Molinero, etc.). Como resulta habitual en el conjunto de la realidad escénica del momento, el teatro realizado por los aficionados rara vez se recoge en las páginas de los periódicos, con algunas excepciones en *ABC* y *La Época*, dos periódicos que atendían con relativa profusión la "vida de sociedad". De ahí que no se haya encontrado rastro alguno de obras como la de Rosario Moreno o que tan sólo aparezca una única y breve mención de la representación de *La tobillera ultra-chic,* monólogo en verso de Mª Luisa Madrona *(La Voz)*, de *El tren de el escaparate*, de Irene de Falcón *(La Libertad)*, o de *El sueño de las tres princesas*, de Pilar de Valderrama *(El Sol)*, por citar tan sólo algunos ejemplos.

6.2. RECEPCIÓN DE LAS AUTORAS TEATRALES DE PREGUERRA EN ENSAYOS, REPERTORIOS, HISTORIAS Y ANTOLOGÍAS.

Tras el examen de la recepción que tuvieron las autoras que estrenaron sus obras en Madrid entre 1918 y 1936 en la prensa de esos años, puede sorprender la mucho menor presencia de las mismas en los ensayos y repertorios coetáneos (catálogos, antologías, historias, etc.) que hoy se consideran clásicos. El fenómeno no era nuevo. Por el contrario, se heredaba una actitud fuertemente enraizada en décadas anteriores. Un ensayo fundamental de los primeros años del siglo, *El teatro del pueblo* (1909), de Jacinto Benavente[13], ignora totalmente la posibilidad de una "cuestión" autorial femenina en el teatro. Como ocurrirá en los años siguientes, frente al absoluto silencio de las obras más ensayísticas, los libros que guardan una mayor relación con el teatro realmente representado en los escenarios facilitan alguna información sobre la mujer autora. Este es el caso de *El teatro en España. 1908* (s.a.: 1909), de José Francos Rodríguez, que incluye tres autoras en un total de 289 escritores que estrenaron en ese año. Entre ellas, Lola Ramos de la Vega, autora que estrena con éxito en el período que nos ocupa, pero cuya actividad teatral mayoritaria trascurre con anterioridad a la Primera Guerra Mundial. De gran interés resultan los comentarios de Francos Rodríguez, escritor y político que se interesó públicamente por la situación social de las españolas, acerca de la pujante profesión de actriz, única posibilidad para la mujer de alcanzar honra y fama:

> No sólo razones puramente psicológicas son las que frecuentemente empujan a muchas damas a pedir puesto en las listas de las actrices. Hoy por hoy no hay en España para las mujeres carrera que pueda tener los caracteres de brillante y fastuosa más que la del teatro[14].

Ya en los años que nos ocupan, tan solo aparece breve mención de la labor autorial femenina en tres títulos de los catorce consultados[15]. Federico Navas se abstuvo de interrogar a las autoras en la serie de encuestas recogidas en su libro *Las esfinges de Talía o Encuesta sobre la crisis del teatro* (1928)[16]. Tan sólo en las apostillas finales dirige un breve párrafo dedicado a Pilar Millán Astray, revelador de su situación "al margen" del mundillo de los autores masculinos que polemizaban y se apelaban unos a otros constantemente:

> Usted también, y con categoría sobrada, merece figurar en este fantástico escalafón mío de *Postdatillas,* ya que nadie se acordó de usted, o no tuvo interés por el concurso de sus ideas acerca de la crisis del teatro, en la sección de *interwiús* (sic), que casi todas se "hicieron" por alusión de unos a otros, por endoso[17].

Menor aún es la atención concedida a las escritoras de teatro del corpus en el ensayo de E. Jardiel Poncela "Lectura de cuartillas. Ensayo sobre el teatro actual (1933)", trabajo centrado en el análisis de la polémica ausencia de público en los teatros, en el que se alude implícitamente a María de la O Lejárraga en relación con los continuos rumores acerca de su colaboración con Gregorio Martínez Sierra. De nuevo en este caso, salta a la vista la negativa consideración que le merece al autor el estro creativo femenino:

> No sé si las obras de don Gregorio están escritas únicamente por él o en colaboración (...). Pero de lo que sí estoy seguro es de que si existe realmente una colaboración, lo que hay de sensible y de tierno en las comedias de Martínez Sierra... es lo que ha puesto el propio Martínez Sierra. (Y estoy seguro de ello porque, contra las creencias generales, sé que el sentimiento y la poesía no brotan del corazón de la mujer, sino del corazón del hombre, lo que se demuestra sólo con recordar que los grandes artistas poéticos del mundo [...] han sido hombres y no mujeres)[18].

Ligado al teatro representado, el volumen de artículos y reseñas de E. Díez-Canedo *Artículos de crítica teatral. El teatro español de 1914 a 1936* [19] ofrece información acerca de varios de los estrenos de Pilar Millán, autora a la que como vimos en el apartado anterior trata con invariable dureza, así como comentarios relativos a la participación de Carmen Baroja, Isabel Oyarzábal y Pilar de Valderrama en dos grupos de teatro "íntimo": "El Mirlo Blanco" de los Baroja (las dos primeras) y "Fantasio", el teatro del matrimonio Martínez Romarate, en el que se estrenó una pieza de la dueña de la casa (Pilar de Valderrama)[20].

Aunque fue también escasa la presencia femenina en los catálogos y repertorios de teatro representado en estos años, merece la pena destacar el papel de orientación para la mujer asignado con frecuencia a las calificaciones morales de las obras. Un ejemplo claro de este fenómeno se encuentra en *Representaciones escénicas malas, peligrosas y honestas,* del padre Amado de Cristo, que declara haber escrito su libro pensando en la mujer, "para la que de un modo muy particular se ha creado el Teatro" y añade:

> No pueden sustraerse las hijas, como las madres de familia, a la influencia del teatro, puesto que se las brinda o se las obliga a tomar asiento en él: les vendrá como de perillas un *Catálogo* razonado de las obras escénicas para (...) saber a qué atenerse en cada caso particular[21].

Con una parcial visión del teatro representado en la temporada, el catálogo de V. Ojeda Gónzalez y E. Cano Márquez (*Anuario teatral (1919-1920)* (1920) recoge el nombre de una sola mujer (Zenobia Camprubí), en este caso una traductora, en un índice que consta de

228 autores[22]. Mayor es el alcance temporal del catálogo *De Teatros. ¿Qué obras podré ver yo...?* (1925), que abarca los estrenos de los últimos tres años. Se trata de una obra escrita por "discretas jóvenes, asociadas a la *Acción Católica de la Mujer*", cuyo objetivo vuelve a ser la orientación moral de las potenciales espectadoras:

> Sabían a ciencia cierta que muchas incautas jóvenes van al teatro sin tener otra noticia de la índole de las obras que se ponen en escena, que las que han leído en los carteles (...), encontrando luego la ruina de su inocencia allí donde esperaban hallar honesto esparcimiento[23].

De un total de 309 obras reseñadas, el citado catálogo incluye tan sólo cuatro de autora, dos de Pilar Millán *(El juramento de la Primorosa* y *Al rugir el león)*, una de la Condesa de San Luis *(Don Juan no existe)* y otra de Adela Carbone *(La hermanastra)*. Tanto *El juramento de la Primorosa* como *Don Juan no existe* son consideradas moralmente peligrosas ("rojas"), mientras que las otras dos se consideran aptas para todos los públicos ("azules").

Aunque publicado con posterioridad a la guerra, el catálogo de Felipe N. Garin Martí *El teatro español en su aspecto moral y religioso* (1942) aporta también una útil información sobre el teatro representado en los años previos al conflicto, acompañando los datos de la consabida clasificación "por colores"[24]. Garin Martí emite juicio moral acerca de 29 obras, escritas por 9 autoras y 3 adaptadoras: Zenobia Camprubí (las traducciones de *El cartero del rey* y *El rey y la reina)*, Adela Carbone *(La hermanastra)*, Condesa de San Luis *(La pasión ciega, Don Juan no existe)*, Sara Insúa *(La domadora)*, Mª Luisa Madrona *(Dios los cría)*, P. Millán Astray *(Los amores de la Nati, Las ilusiones de la Patro, La Galana, El juramento de la Primorosa, Mademoiselle Naná, Magda la tirana, La mercería de la Dalia Roja, El millonario y la bailarina, Pancho Robles, Por los flecos del mantón, La tonta del bote* y la adaptación de *Adán y Eva)*, Halma Angélico *(Entre la cruz y el diablo)*, Adelina Aparicio *(Tal para cual o el secreto de Julia* y *La díscola)*, Magda Donato *(Pinocho en el país de los juguetes, Aventuras de Pipo y Pipa, Pipo y Pipa en la boda de Cucuruchito* y la adaptación de *¡Maldita sea mi cara!)*, Margarita Nelken (adaptadora de *Una aventura diplomática)*, Alcira Olivé *(El divino derecho)* e Isabel [Oyarzábal] de Palencia (adaptadora de *Anna Christie)*. De entre ellas, once fueron calificadas de "rojas" (sólo aptas para personas formadas), ocho "azules" (impropias para niños), seis "blancas" (inofensivas para todos), dos "verdes" o de tendencia obscena *(Tal para cual (...)* y *¡Máldita sea mi cara!)* y dos "negras", de tendencia anticatólica *(La pasión ciega* y *Pancho Robles)*.

Por desgracia, tampoco los repertorios dedicados exclusivamente a las escritoras españolas publicados en esos años facilitan información sobre las autoras contemporáneas. Tanto la serie de artículos publicada por Mª Victoria de Lara en el *Bulletin of Hispanic Studies* (1931-1932) bajo el epígrafe general "De escritoras españolas", como el valioso ensayo de Margarita Nelken *Las escritoras españolas* (1930) se detienen en la generación romántica y llegan, todo lo más, hasta la polémica "naturalista" Emilia Pardo Bazán[25].

Por lo que se refiere a la presencia de sus textos en las colecciones teatrales famosas por estos años, la cantidad de autoras localizadas por los críticos que han examinado dichas colecciones en las últimas décadas no es mucho más alentadora. El profesor John W. Kronik comenta en su estudio sobre *La Farsa*:

> En la historia del teatro resuenan los nombres de ilustres actrices, pero poquísimas mujeres han escrito para la escena. De igual manera, en el registro de *La Farsa* tan sólo aparecen cinco nombres femeninos, tres de ellos españoles: Halma Angélico, Magda Donato y Pilar Millán Astray[26].

Destaca sin duda la presencia mayoritaria de la última autora citada, con seis comedias y una traducción publicadas en *La Farsa*. Colecciones coetáneas como *Comedias* (1926-1928), con un título de autora entre los 117 censados (*Al rugir el león,* de Pilar Millán Astray); *El Teatro Moderno* (1925-1932), en la que dos autoras (Pilar Millán Astray y Lola Ramos de la Vega) publican 4 títulos entre 356 totales, y *La Comedia* (1925), con dos obras de Pilar Millán Astray frente a una cifra global de 24 títulos, confirman el difícil acceso de las escritoras a los cauces habituales de difusión comercial, también en el marco del teatro impreso. Ni que decir tiene que la situación había mejorado si se compara con unos pocos años atrás. Colecciones de larga vida e importante distribución como *La novela teatral* (1916-1925) o *La novela cómica* (1916-1919) no recogían ni un sólo título de pluma femenina en un conjunto de 446 y 183 números publicados por cada una de ellas[27].

Por su parte, los historiadores de la literatura y el teatro que han revisado en las últimas décadas la actividad creativa de principios de siglo rara vez han dado cuenta de la existencia de mujeres dedicadas al teatro en los años 20 y 30. Se han consultado sistemáticamente en este sentido veinte ensayos de conjunto centrados en el género teatral, que se extienden temporalmente desde 1953 a 1990[28]. La búsqueda emprendida sólo ha sido fructífera en nueve de dichos trabajos[29]. Si en la *Historia del Teatro Español* de Valbuena Prat (1956) se recoge tan solo mención de una traductora -Zenobia Camprubí-, no es muy significativo el incremento de presencia femenina en historias posteriores. En la *Historia del Teatro Contemporáneo,* de J. Guerrero Zamora (1961), de nuevo se menciona únicamente la labor como tra-ductoras-adaptadoras de Zenobia Camprubí, Trudy Graa y Mª de la O Lejárraga. Tres autoras teatrales del período aparecen también en el libro de L. Rodríguez Alcalde *Teatro español contemporáneo:* Mer-cedes Ballesteros, Mª de la O Lejárraga y Pilar Millán Astray[30]. Es éste uno de los pocos casos en el que el crítico se ocupa de hacer un comentario presentando la figura o la obra de dos de ellas. Por lo que se refiere a la tan repetida alusión a la labor conjunta del matri-monio Martínez Sierra, escribe el autor:

> Con la firma de Gregorio Martínez Sierra (1881-1947) se estre-naron numerosas obras -dramáticas y líricas-cuya redacción total o parcial, ha sido reivindicada por su viuda, doña María de la O Lejárraga, en el volumen de memorias titulado *Grego-rio y yo.* En vida del dramaturgo circuló profusamente la comi-dilla de una colaboración conyugal, y hoy no falta quien niega veracidad a las afirmaciones de la señora Martínez Sierra; si ellas son ciertas, nos hallaríamos ante uno de los muy conta-dos casos de mujer dotada para la literatura dramática[31].

En cuanto a la valoración crítica posterior de la obra global de Pilar Millán Astray, el siguiente comentario de Rodríguez Alcalde resulta bastante representativo del juicio comúnmente manifestado acerca de la escritora:

> Entre los saineteros que mantenían la nostalgia del Madrid chu-lapo, cosechó buenos aplausos Pilar Millán Astray, una de las pocas escritoras que han cultivado el teatro con plena dedica-ción; sus piezas, donde no faltan los intencionados toques melodramáticos, son simplemente hábiles, correspondiendo sin duda la mayor popularidad a *La tonta del bote.* Destacaron también en su amplio y olvidado repertorio *El juramento de la Primorosa, Mademoiselle Naná* o *Las tres Marías*[32].

El siguiente título de alcance global, la ya clásica *Historia del Tea-tro Español. S.XX* (1986), de F. Ruiz Ramón, no sobrepasa tampoco el umbral mínimo de las tres menciones entre las autoras anteriores a la guerra. Repite de nuevo Mª de la O Lejárraga, añadiéndose al suyo los nombre de Mª Teresa León -por su vinculación al teatro durante la guerra civil- y Concha Méndez -en relación con *El Solitario,* obra incluida en el "teatro de guerra"-[33]. Ni el libro de Angel Berenguer *El teatro en el siglo XX (hasta 1939)* (1988), ni la *Historia básica del*

Arte Escénico (1990), de César Oliva y F. Torres Monreal, logran paliar la reiterada ausencia de las autoras en las historias del teatro de nuestro siglo[34]. De nuevo, los únicos nombres recordados son los de Mª de la O Lejárraga y Pilar Millán Astray.

Bastante mayor es la atención prestada a la participación femenina en la actividad autorial del teatro en el reciente libro de Dru Dougherty y Mª Francisca Vilches *La escena madrileña entre 1918 y 1926. Análisis y documentación* (1990)[35]. Vinculado estrechamente al teatro representado, la información inédita acerca de las autoras que lograron ver estrenadas sus obras en el ámbito comercial -sin olvidar la significativa recogida de datos en relación con el teatro de aficionados- resulta inestimable. En el catálogo documental que cierra el libro se recogen trece nombres entre autoras y traductoras-adaptadoras: Carmen Baroja, Mª Teresa Borragán, Zenobia Camprubí, Adela Carbone, Carmen Castro, Condesa de San Luis, *Magda Donato,* Concha Espina, Sara Insúa, Irene López Heredia, Mª Luisa Madrona, Pilar Millán Astray e Isabel Oyarzábal. Por lo que se refiere al capítulo introductorio inicial, los autores aportan además interesantes datos acerca de fenómenos sociológicos ligados a la mujer en relación con el teatro -tal es el caso de los "espectáculos para señoras" organizados en el Romea durante la temporada 1922-1923-, su participación en la prensa teatral de entonces (destacadamente Pilar Millán Astray y *Magda Donato*), el acceso de algunas de ellas al "éxito" comercial, el polémico caso de colaboración de los Martínez Sierra y la vinculación de varias autoras a tentativas renovadoras ligadas a los grupos de "teatro de arte" -Mª Teresa Borragán, *Magda Donato,* Carmen Baroja, Isabel Oyarzábal-, etc.[36]

Pese a lo que cabría esperar, la general ausencia de las autoras en historias y ensayos de conjunto se ha visto apenas subsanada con la aparición de catálogos específicos sobre escritoras españolas, caracterizados por su general desatención a la producción teatral de las autoras. El primero de ellos, la *Antología biográfica de escritoras españolas* (1954), de Isabel Calvo Aguilar, deja sin cumplir su ambicioso propósito inicial de ser "una estadística completa del último medio siglo sobre la mujer que escribe"[37]. Pese a su inmediatez temporal, no figura ninguna de las autoras del corpus entre las 85 escritoras biografiadas. El conocido repertorio bio-bibliográfico, coordinado por Carolyn L. Galerstein, *Women Writers of Spain* (1986) relega también la producción para el teatro, incluso en el caso no muy frecuente de recoger a las autoras del período que aquí nos interesan. El libro de Galerstein hace referencia a ocho de nuestras autoras y traductoras-adaptadoras: Mercedes Ballesteros (sin mencionar su tea-

tro de preguerra), Concha Espina, Mª de la O Lejárraga, Mª Teresa
León (sin mención de su pieza de preguerra), Margarita Nelken (sin
mencionar su teatro), Pilar Millán Astray, Isabel [Oyarzábal] de Palencia y Pilar de Valderrama[38]. En *La mujer en la literatura* (1987), Plutarco Marsá Vancells elabora un catálogo bio-bibliográfico de escritoras españolas contemporáneas[39]. Autoras como Pilar Contreras, Concha Méndez y Pilar de Valderrama son presentadas únicamente como
poetisas. Entre las prosistas, se incluye la biografía de autoras del
corpus como Mercedes Ballesteros, Zenobia Camprubí, Carmen Díaz
de Mendoza, Concha Espina, Mª Teresa León, Margarita Nelken y, en
relación con el teatro, a Mª de la O Lejárraga y a Pilar Millán Astray
(de la que se citan tan sólo cinco piezas).

De especial interés se muestra el elaborado volumen de Janet
Pérez, *Contemporary Women Writers of Spain* (1988), aunque, lamen-
tablemente, se centra casi absolutamente en la narrativa en prejuicio
de las escritoras dedicadas a otros géneros. Merece la pena consultar
su visión introductoria del "Estado de la Cuestión" en lo que a bibliografía especializada sobre las escritoras se refiere[40]. En el capítulo que
dedica a la generación del cambio de siglo incluye a Concha Espina,
a propósito de cuyo teatro afirma: "Her plays were few, but concen-
trate upon internal moral dilemmas of women in their varied roles as
mother, daughter, fiancée, and wife"[41]. Poco más que esta breve mención al teatro de Concha Espina se encuentra en el epígrafe dedicado
a la autora, "A Major Popular Success" (pp.25-31). Algo similar ocurre
en el caso de Mercedes Ballesteros (pp.68-73), a la que se estudia con
suficiente extensión, pero sólo en su vertiente de narradora. Debido
al vacío crítico existente en torno a Mª de la O Lejárraga, resultan
especialmente recomendables las páginas que Pérez le dedica ("A
Ghost Writer", pp.31-35), no dudando en otorgarle la autoría de la
producción firmada por su marido: "From 1909 onward, they concen-
trated increasingly upon the theater, producing more than fifty plays,
many of them notable successes and at least one, *Cradle song [Can-
ción de cuna]*, a smash hit"[42]. Pese a semejante afirmación de partida,
el teatro de la autora es totalmente abandonado para analizar su
prosa narrativa. No puede extrañar, pues, que no se mencione siquiera la dedicación teatral de autoras mucho menos conocidas en este
aspecto como Isabel de Palencia (p.35), Margarita Nelken (p.42),
Mª Teresa León (pp.45-49) o Elisabeth Mulder (pp.52-55).

Aunque con un alcance temporal anterior al marco de investigación elegido, el recientemente aparecido manual bio-bibliográfico
Escritoras españolas del siglo XIX, de Mª del Carmen Simón Palmer,
es por ahora la única muestra española de este tipo de repertorios

llevada a cabo con posterioridad al trabajo citado de Isabel Calvo[43]. Por lo que respecta al corpus de autoras teatrales que estrenan o publican desde 1918 a 1936, este excelente trabajo ofrece completa información sobre algunas de las "mayores". Tal es el caso de Pilar Contreras, Mª de la O Lejárraga y Carolina Soto.

Por otra parte, la consulta de diccionarios y enciclopedias, especializados en literatura española o de carácter general, confirma la situación de lamentable olvido que hasta aquí se va describiendo. En 1949 aparece el *Ensayo de un diccionario de la literatura,* de F. Sáinz de Robles. Seis son las autoras de este corpus de las que se puede encontrar alguna información en dicha obra: Concha Espina, *Elena Fortún,* Pilar Millán Astray, Elisabeth Mulder, Matilde Ras y Pilar de Valderrama. De las adaptadoras, tan sólo Margarita Nelken aparece biografiada, aunque sin datos sobre su actividad en el teatro[44]. En el *Diccionario de Literatura Española,* editado por la Revista de Occidente en 1949 y corregido y aumentado en 1964, el nivel de presencia es similar[45]. Cinco son las autoras biografiadas: Mercedes Ballesteros, Concha Espina, *Elena Fortún,* Pilar Millán Astray y Mª de la O Lejárraga.

Sin duda, la *Enciclopedia Universal Ilustrada Europeo Americana,* de Espasa Calpe, ha resultado la mejor fuente de información biográfica sobre las autoras[46]. Es necesario observar, sin embargo, que dado su ambicioso propósito totalizador, presenta en este campo de la literatura femenina indudables lagunas, entre las que destacan las ausencias de *Halma Angélico* y Concha Méndez, sin ir más lejos. Dieciocho autoras y tres adaptadoras-traductoras del corpus abordado aparecen biografiadas en la citada enciclopedia[47]. De nuevo, en la mayoría de los casos no ha sido la escritura teatral la causa de su popularidad e interés público. Conocidas por su fama interpretativa, poco más que una breve mención a sus dotes de escritora de novelas, cuentos y poesía puede hallarse en la biografía de Adela Carbone y ninguna referencia al tema en el caso de Irene López Heredia. En la biografía de la también famosa actriz Conchita Montes, sí se alude a su labor de traductora y adaptadora de piezas teatrales extranjeras, comentándose su especial cualificación en la materia al conocer bien el francés, inglés e italiano. Otras autoras son abordadas por su creación poética -tal es el caso de Pilar Contreras, Carolina Soto o Pilar de Valderrama-. Autoras como Sara Insúa y Mª Luz Morales son recordadas por su actividad periodística. En otros casos, se trata de novelistas (Micaela de Peñaranda) o, incluso, de grafólogas (Matilde Ras).

Conviene recordar, por último, un par de trabajos de diferente alcance que han contribuido a la difusión y mejor conocimiento de algunas de las escritoras que nos ocupan. En primer lugar, el libro de María Laffitte, Condesa de Campo Alange, *La mujer en España. Cien años de su historia* (1964) presenta un capítulo relativamente extenso dedicado íntegramente a las escritoras españolas anteriores a la guerra civil. Los nombres encontrados en estas páginas vuelven a ser los mismos: *Magda Donato,* Concha Espina, Mª de la O Lejárraga, Margarita Nelken y Matilde Ras. Salvo en el caso de la esposa de G. Martínez Sierra, se ignora sistemáticamente la actividad teatral de las citadas escritoras. En el capítulo dedicado a las escritoras entre 1939 y 1960 se menciona a Mercedes Ballesteros, *Elena Fortún* (cuentos infantiles), Mª Luz Morales (periodista), Elisabeth Mulder y Concha Méndez (poeta). En todos los casos se omite su producción teatral de preguerra[48].

El segundo de los trabajos aludidos supone una verdadera excepción en el panorama bibliográfico actual, pues está dedicado exclusivamente a las escritoras teatrales españolas de nuestros días. *Dramaturgas españolas de hoy* (1988), de Patricia O'Connor, es una antología de textos breves de autoras contemporáneas que incluye en sus páginas finales un índice bio-bibliográfico de las dramaturgas españolas del siglo XX, el cual comprende noventa y cinco autoras. De entre ellas, tan sólo nueve realizan su actividad en el período de entreguerras: *Halma Angélico,* Mercedes Ballesteros, Concha Espina, Mª de la O Lejárraga, Concha Méndez, Pilar Millán Astray, Carlota O'Neill, Matilde Ras y Pilar de Valderrama. Semejante nivel de presencia de las autoras de los años 20 y 30 en un libro tan especializado en el tema como el presente revela con nitidez el vacío bibliográfico existente en torno a las escritoras teatrales del período[49].

Las autoras que resultan más frecuentemente abordadas en los ensayos de conjunto revisados hasta aquí son Pilar Millán Astray, María de la O Lejárraga y Concha Espina -con más de ocho menciones cada una-. A cierta distancia (cinco o seis menciones) siguen Mercedes Ballesteros, Zenobia Camprubí y Margarita Nelken. El tercer grupo de atención crítica lo forman la Condesa de San Luis, Concha Méndez, Isabel Oyarzábal y Pilar de Valderrama -cuatro menciones cada una-. Las más injustamente tratadas han sido, sin duda, *Halma Angélico* y *Magda Donato,* cuya categoría literaria supera con mucho las brevísimas menciones que en dos o tres ocasiones se hace de ambas. El resto de las autoras enumeradas, más que estudiadas, en las obras que ahora nos ocupan, hasta alcanzar las treinta localizadas, rara vez superan una única mención. Nada se encuentra en la literatura especializada acerca de las más de sesenta mujeres entre autoras y traductoras que restan entre las estudiadas en este trabajo, evaluando aproximadamente el nivel de presencia de autoras en los ensayos de conjunto enumerados en un porcentaje estimado del 37.5 por ciento.

Una vez revisados brevemente los trabajos de conjunto (historias, catálogos, antologías, ensayos...) desde el punto de vista de la presencia teatral femenina en los mismos, parece oportuno abordar ahora los estudios específicos sobre determinadas autoras para deducir así cuáles han sido las personalidades más atendidas entre los especialistas posteriores. Desgraciadamente, el panorama que se describe a continuación resulta igualmente pobre, pudiendo afirmarse que la atención crítica hacia las autoras teatrales de preguerra ha sido prácticamente nula en las décadas siguientes a la contienda. Por regla general, la única información que se encuentra en relación con muchas de ellas no pasa de una breve mención en estudios socio-históricos sobre la España de esos años o sobre la participación de la mujer en los procesos generales del país (política, educación, trabajo...). La cada vez más profusa atención a la participación femenina en los importantes procesos sociales y políticos vividos en España durante el primer tercio de siglo no se corresponde con un similar esfuerzo bibliográfico en el terreno de los estudios literarios. El problema radica, pues, en la práctica inexistencia de estudios sobre la actividad literaria y, más específicamente, teatral de las escritoras. Es prácticamente nula la bibliografía secundaria sobre escritoras "profesionalizadas" y bastante conocidas en su tiempo como *Halma Angélico,* a la que tan sólo se dedica un brevísimo capítulo en la tesis doctoral de Mamie Salva Patterson *Woman-Victim in the Theater of Spanish Women Playwrights of the Twentieth Century* (1980), centrado en el estudio de una única obra de la autora -*Entre la cruz y el diablo*-. Lo mismo cabe afirmar en el caso de *Magda Donato,* sobre la que no se ha localizado estudio específico alguno. Apenas sirve para paliar dicho olvido la inclusión de una de las novelas cortas de la autora -*La carabina*- en la antología editada por Angela E. Bordonada *Novelas breves de escritoras españolas (1900-1936)* (1990), precedida de un esbozo biográfico con numerosos datos inéditos[50]. Paralela es la situación de olvido y la mínima atención prestada a la figura de Pilar Millán Astray, tan popular durante los años 20 y 30 e incluso durante la posguerra hasta su muerte (1949). De nuevo se debe a Bordonada el único intento de parcial rescate en la antología antedicha. Se edita en este caso la novelita titulada *Las dos estrellas.* En la anteriormente citada tesis de Mamie S. Patterson se aborda también parte de su producción teatral, aunque el análisis llevado a cabo dista mucho de resultar convincente[51]. Algo más recordada, aunque siempre en relación con su mayoritaria producción de posguerra, sobre Mercedes Ballesteros se han ocupado brevemente Patricia O'Connor y Mamie Salva Patterson[52].

Las autoras que han recibido, sin duda, mayor atención crítica son Concha Espina y Mª Teresa León, seguidas por María de la O Lejárraga, Concha Méndez y Pilar de Valderrama. En los dos primeros casos se trata de escritoras famosas en su tiempo y "teóricamente" recordadas después, aunque en función de distintos motivos y por diversos sectores. Concha Espina, ganadora de varios premios de la Real Academia Española de la Lengua y candidata según algunos de los intelectuales coetáneos a su ingreso como miembro de la misma, alcanzó en vida los máximos honores -fue dos veces propuesta para el Nobel-, siendo su obra comentada por algunos de los más prestigiosos escritores del momento[53]. Pese a esta fama y a su aparente inserción en el *canon* establecido por las historias de la literatura española más consultadas, su personalidad creativa ha sido escasamente estudiada, mientras que es prácticamente nula la atención dedicada a sus obras dramáticas. Poco después de acabada la guerra, el primer número de la revista *Cuadernos de Literatura* (1942) dedica dos artículos y una bibliografía a la escritora, trabajos que evocan "poéticamente" su figura más que analizarla con alguna profundidad y que dejan a un lado su actividad teatral[54]. Aunque a menudo recordada en artículos y semblanzas de prensa, habrá que esperar a la década de los ochenta para contemplar el resurgir del interés crítico sobre Concha Espina[55]. Deben ser recordados especialmente los libros de Mary Lee Bretz (1980) y Gerard Lavergne (1986)[56]. En la introducción a su libro, Lavergne incide en el citado contraste entre la consideración de sus coetáneos y el lugar que ha venido ocupando la escritora en épocas más recientes: "La crítica contemporánea (...) ha relegado a Concha Espina (...) a un puesto entre los autores de segunda fila. Mientras ella vivió, en cambio, la prensa multiplicó los artículos elogiosos acerca de ella"[57].

Mucho más controvertida en su tiempo, Mª Teresa León ha sido recordada después sobre todo por su matrimonio con Rafael Alberti. Eclipsada su valía literaria por el fulgor de la estrella poética de su marido, los estudios más extensos dedicados a su obra hasta el momento se deben al profesor Gregorio Torres Nebrera, autor del libro *La obra literaria de Mª Teresa León (Autobiografía, biografías, novelas)* (1987) y de un artículo complementario y anterior titulado "La obra literaria de Mª Teresa León (Cuentos y Teatro)" (1984)[58]. Con excepción de este último trabajo de Torres Nebrera y de la inclusión de la autora en la antología de F. Mundi Pedret *El teatro de la guerra civil* (1987), poca atención se ha prestado a su única obra teatral original localizada hasta el momento -*Huelga en el puerto*-. Además de su faceta como novelista y autora de cuentos para niños, se ha comentado a menudo su labor a cargo del Teatro de Arte y Propaganda durante los años de guerra[59]. En cuanto a su biografía humana y literaria, es necesario recordar aquí el bello relato autobiográfico escrito aún en el exilio por Mª Teresa León, *Memorias de la melancolía* (1970), el cual ha sido tomado como base fundamental de información en los trabajos de Antonina Rodrigo y Angela E. Bordonada[60].

También en el caso de Mª de la O Lejárraga la personalidad de su compañero de vida y obra, Gregorio Martínez Sierra, ha impedido el conocimiento general de su actividad literaria. Muchos críticos de la época señalaron más o menos explícitamente la colaboración de María en las obras dramáticas de su marido y también en sus libros sobre feminismo, citados en el primer capítulo de este trabajo. La propia autora, que tan celosamente se ocultó como escritora durante la vida de su esposo (no así en lo que se relacionaba con su compromiso ideológico y social, como se deduce de su autobiografía "política", *Una mujer por caminos de España*), se vio obligada a abordar públicamente esta cuestión en su autobiografía personal y literaria (*Gregorio y yo. Medio siglo de colaboración*), escrita tras la muerte de Gregorio, en la que aparece implícita una reclamación de derechos de autor que le eran entonces necesarios para vivir. A pesar de la ilusión "romántica" que presidió la auto-renuncia de María a la gloria literaria ("Lo que para mí vale la pena recordar es la alegría que nos causara ver por primera vez nuestro nombre, 'Gregorio Martínez Sierra', adoptado voluntariamente como cifra de nuestra común ilusión juvenil"), ya en la madurez de su vida tuvo que traicionar en parte su silencio ("Ahora, anciana y viuda, véome obligada a proclamar mi maternidad para poder cobrar mis derechos de autora")[61]. Los estudios de la profesora O'Connor han aportado nuevos datos -cartas intercambiadas entre el matrimonio y hasta un acta notarial firmada por Gregorio reconociendo la co-autoría de su primera esposa en su producción teatral- que vienen a confirmar la veracidad de las declaraciones de la escritora en su citada autobiografía. De hecho, Patricia O'Connor afirma taxativamente que María Martínez Sierra es "la dramaturga de más éxito en la historia del teatro español"[62].

Concha Méndez Cuesta constituye otro nuevo ejemplo de escritora casada con un famoso hombre de letras, Manuel Altolaguirre, habiendo sido este hecho parcialmente causante del ensombrecimiento de su personalidad literaria. Como en los casos anteriores, siempre que se ha mencionado su nombre en historias o monografías ha sido en calidad de esposa del poeta, aludiéndose en ocasiones a su propia vocación poética y casi, en ningún caso, a su dedicación teatral. Además de los artículos dedicados específicamente a su figura -el de Margery Resnick sobre su poesía (1978) y el de Catherine Bellver sobre su pieza teatral más importante, *El personaje presentido* (1990)-, la introducción de Emilio Miró a sus poemarios *Vida a vida y Vida o río* (1979) representa una aportación fundamental para el conocimiento biográfico y literario de la escritora[63]. Afortunadamente, la aparición de sus memorias, grabadas por su nieta y después transcritas y estructuradas en forma de libro, ha permitido salvar del olvido las inestimables experiencias vitales de esta mujer excepcional y situar mejor el proceso creativo de su obra[64].

La última de las autoras más arriba enumeradas, la poetisa Pilar de Valderrama, ha sufrido de manera similar el olvido de su teatro en favor de su más conocida faceta poética. Recordada en la bibliografía posterior siempre en relación con Antonio Machado, para quien ella fue musa y amor, poca atención se le ha prestado por su propia actividad literaria. Los trabajos que más directamente se refieren a sus obras para el teatro, la mayoría inéditas, son los de José Mª Moreiro y Juan O. Valencia[65].

Finalmente, existe un grupo de autoras de las que se encuentran breves referencias, casi siempre sin relación con su actividad literaria. Así de Carmen Baroja puede encontrarse interesante información biográfica en el libro de su hijo *Los Baroja*[66]. Acerca de Zenobia Camprubí, traductora junto con su esposo, Juan Ramón Jiménez, de la obra de Tagore y relacionada siempre en la bibliografía con aquél, merece la pena destacar el capítulo que le dedica Antonina Rodrigo en *Mujeres de España*[67]. Pilar Contreras aparece mencionada como representante del feminismo conservador en el libro de Geraldine Scanlon *La polémica feminista en España*[68], pero donde realmente puede encontrarse interesante información es en su libro de memorias *De mis recuerdos. Apuntes del libro de una vida*[69]. También representante de los sectores más conservadores del feminismo reformista, los libros de la Condesa de San Luis *Educación feminista* y *Política feminista* han sido considerados fundamentales en el estudio del emancipismo hispano por Concha Fagoaga, María Laffite y Mercedes Roig[70]. Sobre Irene de Falcón, Carlota O'Neill y la vinculación de ambas al grupo de teatro proletario "Nosotros", de César Falcón, se encuentra interesante información en dos artículos de Christopher Cobb aparecidos en el colectivo *Literatura Popular y Proletaria*[71]. Por último, el teatro infantil de *Elena Fortún,* insuficientemente estudiado, es objeto de una muy positiva valoración en el epígrafe que le dedica Juan Cervera en su *Historia crítica del Teatro Infantil Español*[72].

No es necesario insistir, tras el escuálido panorama bibliográfico expuesto, en la conveniencia de emprender nuevos y más profundos estudios sobre varias de estas figuras, siendo especialmente urgente en casos como los de *Halma Angélico, Magda Donato,* Mª Teresa León, María de la O Lejárraga, Concha Méndez, Pilar Millán y Pilar de Valderrama, interesantes por su actitud innovadora en unos casos (*Angélico, Donato,* León, Méndez...) o por su significativa relevancia en el teatro de esos años (Pilar Millán y María de la O Lejárraga).

NOTAS AL CAPÍTULO SEXTO

[1] P.[aulino] M.[asip], "En el Alkázar hizo su reaparición Irene Alba con el estreno de una buena comedia de autora novel", *Heraldo de Madrid*, 27-04-1929, p.5.

[2] Cristóbal de Castro (ed.), *Teatro de mujeres*, p. 10.

[3] Ibid., p. 10.

[4] "Declaramos, desde luego, indiscutible su habilidad, y no como homenaje a la gentil feminidad de su presencia, sino en justicia a sus dotes literarias. Su habilidad, sin embargo, no está inicialmente bien aplicada. No se atrevería, sin duda, Pilar Millán Astray a calificar de elegante a la burguesita hacendosa que, en la disimulada estrechez económica de su hogar, es tan mañosica y dispuesta que sabe, con lindos añadidos o habilidosos trastueques, cambiar a cada punto, con aspiraciones de darle novedad, el atuendo de su persona, el sombrero pasado de moda y el traje de la temporada anterior" *(Heraldo de Madrid)*.

[5] Más explícito era Jorge de la Cueva en su comentario: "Y esto está conseguido con un diálogo suelto, ligero, propio, que no parece, no ya solamente de un novel, pero ni siquiera de una señora, ya que se nos muestra limpio de amaneramientos feminiles" *(El Debate)*.

[6] La utilización explícita del término "coquetería", sorprendentemente aplicado a la crítica teatral, aparece, sin ir más lejos, bajo una firma tan reconocida como la de Rafael Marquina y referido a uno de los mayores éxitos del teatro madrileño de preguerra, *El juramento de la Primorosa*: "Pilar Millán Astray, que tiene más talento de lo que ella misma se figura, no necesita recurrir a ciertas cosas [brindis retórico y patriótico que cierra el tercer acto], que tratándose de un autor juzgaríamos modestia o cinismo, y que tratándose de una escritora casi deberíamos creer que son coquetería" *(Heraldo de Madrid)*. En cuanto al temor a la "pudibundez" femenina, puede servir de ejemplo la reseña de *Al rugir el león*, primera obra de P. Millán Astray, en *El Liberal*: "El solo anuncio de que una mujer entre decididamente por los caminos de la dramaturgia, produce gran curiosidad en el espectador y acaso un poco de desconfianza, motivada por el temor de que el espíritu femenino retroceda asustado en los momentos en que se hace necesaria la emoción dramática" *(El Liberal)*.

[7] En línea con la cita de la reseña de *El Jayón* en *ABC*, reproducida en el capítulo segundo de este trabajo, recojo aquí otro ejemplo relativo al estreno de *El divino derecho*: "Alcira Olivé ha acertado a componer una comedia dramática que interesa, remueve y apasiona, sobre todo a las espectadoras, cuya fibra sensible la excelente escritora argentina pulsa con certera habilidad de comediógrafo" *(Heraldo de Madrid*, 21-05-1930, p. 5).

[8] Con el siguiente diálogo con un "don Juan maduro a la salida del teatro" concluía su crítica Enrique Díez-Canedo: "¡Hombre!, ¿qué ha de parecerme? Una cosita sin pretensiones" *(El Sol*, 8-03-1924, p. 8).

[9] Arturo Mori supera dicha cifra contabilizando sus reseñas de las obras de adaptadoras.

[10] Acerca del prolífico ejercicio crítico de Manuel Machado en *La Libertad*, véase Mª Teresa García-Abad, "La crítica teatral de Manuel Machado en *La Libertad* (1920-1926)", *Revista de Literatura*, LIII (1991), 106, pp. 535-554.

[11] Pedro Gómez Aparicio, *Historia del Periodismo Español (De la Dictadura a la Guerra Civil)*, vol. 4, Madrid, Editora Nacional, 1981, p. 38.

[12] Pilar Millán Astray se mostraba especialmente sensible a los ataques de la crítica. Respondiendo a la encuesta de *La Voz* a diversos escritores "¿Cómo escribe usted sus obras?", escribía la autora: "En cuanto tengo comedia en proyecto no me da miedo nada (...). Mi público me quiere la mar; los críticos son buenos chicos; en el fondo me tienen simpatía... Y empiezo a recordar que algunos que son amiguísimos míos me llaman cariñosamente Pilarín y 'gran' comediógrafa... (eso en la intimidad y cuando nadie los oye [...]). –¿Por qué me pegásteis tanto en el último estreno? –les pregunto cuando los veo–. ¡Para estimularla! –responden ellos llenos de afecto. Claro que con el estímulo los angelitos me hicieron cisco la comedia, pero como he concebido 'otra' nueva les creo" *(La Voz*, 22-04-1927, p. 2). (Agradezco a Mª Teresa García-Abad el que me haya dado noticia de este artículo desconocido de Pilar Millán Astray).

[13] Jacinto Benavente, *El teatro del pueblo*, Madrid, Librería de Fernando Fe, 1909.

[14] José Francos Rodríguez, *El teatro en España, 1908*, p. 122.

[15] Se han revisado sin resultado alguno los siguientes ensayos: José Alsina, *Museo dramático,* Madrid, Renacimiento, 1918; Luis Araquistáin, *La batalla teatral,* Madrid, Ciap, 1930; E. Estévez Ortega, *Enciclopedia Gráfica: El Teatro,* Barcelona, Cervantes, 1930; Manuel Machado, *Un año de teatro (Ensayos de crítica dramática),* Madrid, Biblioteca Nueva, s.a. (1918); Enrique de Mesa, *Apostillas a la escena,* Madrid, Ciap, 1929; Arturo Mori, *El Teatro. Autores, comedias y cómicos,* Madrid, Reus, s.a. (1921); B. Pérez Galdós, *Nuestro teatro,* Madrid, Renacimiento, 1923; E. Román Cortés, *Desde mi butaca. Crítica de los estrenos teatrales del año 1917,* Madrid, Imprenta Artística, 1918; Felipe Sassone, *El teatro, espectáculo literario,* Madrid, Ciap, s.a. (1930); Felipe Sassone, *Por el mundo de la Farsa (Palabras de un farsante),* s.l., Renacimiento, 1931, y Ramón J. Sénder, *Teatro de masas,* Valencia, Ediciones Orto, s.a. (1931).

[16] Federico Navas, *Las esfinges de Talía o Encuesta sobre la crisis del teatro,* Imprenta del Real Monasterio de El Escorial, 1928. Una significativa muestra de la actitud general del citado crítico hacia la mujer en relación con la actividad teatral se encuentra en las páginas dedicadas a los empresarios. Comentando la candidatura a la Presidencia de la Asociación de Empresarios de la Sra. Arin, escribe: "Porque doña Fabia Arin, viuda de Arturo Serrano y Empresaria del Infanta Isabel, sí tendría novedad e importancia en el cargo, tanto como una escritora, una Concha Espina o una Pilar Millán Astray, en la Academia, sin embargo, no es la persona más indicada una mujer para presidir una entidad como la de Empresarios, por muy mujer de inteligencia que ésta fuese" (p. 201).

[17] Ibid., p. 402. Se incluye además en el libro de Federico Navas otra "postdatilla" dedicada a Adela Carbone, "artista y escritora" (pp. 421-422), y una curiosa mención a la escritora Fernanda de Melgarejo, en la que se alude a un estreno de la autora en el Teatro de la Comedia (p. 422). Con el nombre de Fernanda de Valarino, hija de Fernando Melgarejo de Valarino y de una dama francesa, apareció en *El Sol* una reseña de sus *Obras teatrales* (Paris, Librairie Théatrale, 1928). Véase *El Sol,* 16-10-1928, p. 2.

[18] Enrique Jardiel Poncela, *Tres Comedias con un solo ensayo* (1933), Madrid, Biblioteca Nueva s.a. (1943), p. 23.

[19] Enrique Díez-Canedo, *Artículos de crítica teatral. El teatro español de 1914 a 1936,* México, Joaquín Mortiz, 1968. La información sobre las autoras citadas se encuentra en los volúmenes III y IV de la citada antología crítica.

[20] Véase también el artículo de Enrique Díez-Canedo, "Panorama del Teatro Español desde 1914 hasta 1936", *Hora de España,* XVI (1938), pp. 13-50. En el teatro anterior a la Gran Guerra (1914), destaca entre las autoras a Emilia Pardo Bazán y a María de la O Lejárraga, a la que da como colaboradora segura en la creación de G. Martínez Sierra (p. 22). En el apartado relativo al teatro posterior a 1914 incluye a Pilar Millán Astray, como seguidora de la corriente de éxito comercial representada por Benavente, los Quintero, Arniches, etc. (p. 33). Resulta muy interesante el especial papel que el crítico concede a la mujer en las corrientes de renovación teatral ligadas al teatro de cámara, mencionando en este caso a Carmen Monné, esposa de Ricardo Baroja ("El Mirlo Blanco"); a Pilar de Valderrama, casada con Rafael Martínez Romarate ("Fantasio"), y a Josefina de la Torre, poetisa hermana de Claudio de la Torre y cuñada de Mercedes Ballesteros ("Teatro Mínimo", de Las Palmas) (pp. 41-42).

[21] Amado de Cristo Burguera y Serrano, *Representaciones escénicas malas, peligrosas y honestas,* Barcelona, Librería Católica Internacional, 1911, p. 6. Entre las obras reseñadas están las de autoras como Rosario de Acuña, Lola Ramos de la Vega, Antonia Sampere y Carrera y Loreto Prado. También anterior al período que nos ocupa es el catálogo de P. Caballero *Diez años de crítica teatral (1907-1916)* (Madrid, Apostolado de la Prensa, 1916), en el que aparecen cuatro autoras españolas de un total de 412 autores: Sofía Casanova, Sra. de Mazas, Ángeles Vicente y Cecilia Camps. Con respecto a esta última resulta muy significativa la recomendación que le hace Caballero a propósito de su obra *El gran guiñol:* "Doña Cecilia acabará por comprender, así lo deseamos, que hay mucho que zurcir, y mucho que guisar, y mucho que planchar en las casas, dicho sea con todo respeto" (p. 282).

[22] V. Ojeda González y E. Cano Márquez, *Anuario Teatral (1919-1920),* Madrid, 1920. Entre los compositores (61) aparece también una sola mujer: María Rodrigo.

[23] *De Teatros. ¿Qué obras podré ver yo...?,* Oviedo, Gráfica Asturiana, 1925, p. 3.

[24] F. Garin Martí, *El teatro español en su aspecto moral y religioso,* Valencia, Imprenta de Vicente Torondier, 1942.

[25] Mª Victoria de Lara. "De escritoras españolas", *Bulletin of Spanish Studies*, VIII (1931), pp. 213-217; IX (1932), pp. 31-37, 168-171 y 221-225. Véase también Margarita Nelken, *Las escritoras españolas*, Barcelona, Labor, 1930.

[26] John W. Kronik, *La Farsa (1927-1936) y el teatro español de preguerra*, Valencia, Gráficas España, 1971, p. 26. Véase también a propósito de esta colección M. Esgueva Martínez, *La colección teatral 'La Farsa'*, Madrid, CSIC, 1971.

[27] Acerca de las colecciones teatrales citadas pueden consultarse los siguientes trabajos: R. Esquer Torres, *La colección dramática 'El Teatro Moderno'*, Madrid, CSIC, 1969; C. García Antón, "'Comedias' (1926-1928): Análisis e historia de una colección teatral", *Revista de Literatura*, L (1988), 100, pp. 547-569; J.A. Pérez Bowie, "La colección dramática 'La novela teatral'", *Segismundo*, XIII (1977), 25-26, pp. 273-325; E. Santos Deulofeu, "'La Comedia', breve colección teatral madrileña de 1925", *Revista de Literatura*, XLIX (1987), 98, pp. 551-560, y J.A. Pérez Bowie, "Una aportación al estudio del teatro español de preguerra: La colección dramática 'La novela cómica' (1916-1919)", *Revista de Literatura*, LIII (1991), 106, pp. 679-723.

[28] Cito a continuación los ensayos de conjunto que incluyen el período 1918-1936, careciendo de información al respecto: Charles V. Aubrun, *Histoire du Théatre Espagnol*, Paris, Presses Universitaires de France, 1965; J. P. Borel, *El teatro de lo imposible*, Madrid, Guadarrama, 1966; R. de la Fuente Ballesteros, *Introducción al teatro español del siglo XX (1900-1936)*, Valladolid, Aceña Editorial, 1988; F. García Pavón, *El teatro social en España (1895-1962)*, Madrid, Taurus, 1962; J. García Templado, *El teatro anterior a 1939*, Madrid, Cincel, 1984; José Gordón, *Teatro Experimental Español*, Madrid, Escelicer, 1965; J. Huerta Calvo, *El teatro en el siglo XX*, Madrid, Playor, 1985; José Monleón, *El teatro del 98 frente a la sociedad española*, Madrid, Cátedra, 1975; D. Pérez Minik, *Debates sobre el teatro español contemporáneo*, Sta. Cruz de Tenerife, Goya Ediciones, 1953; G. Torrente Ballester, *Teatro español contemporáneo*, Madrid, Guadarrama, 1968 (2ª ed.), y Victoria Urbano, *El teatro español y sus directrices contemporáneas*, Madrid, Editora Nacional, 1972.

[29] Merece la pena destacar la información aportada por los ensayos de Robert Marrast (*El teatre durant la Guerra Civil Espanyola*, Barcelona, Institut del Teatre, 1978), F. Mundi Pedret (*El teatro de la guerra civil*, Barcelona, Promociones y Publicaciones Universitarias, 1987), y Fernando Collado (*El teatro bajo las bombas en la guerra civil*, Madrid, Kaydeda Ediciones, 1989), en relación con determinadas autoras del corpus, aunque se trate en estos libros de su producción de guerra. El trabajo de Marrast, sin ir más lejos, hace mención a la labor teatral de nueve de las autoras, durante los años de guerra: Halma Angélico (adapt.), *Magda Donato*, Irene Falcón, *Elena Fortún*, Trudy Graa (trad.), Mª Teresa León (dirección y adaptación), Concha Méndez, Mª Luz Morales y Margarita Nelken (trad.). Destaca también la actividad autorial de Mª Luisa Carnés, de cuya escritura de preguerra no se han localizado testimonios. De enfoque absolutamente diverso, la *Historia Crítica del Teatro Infantil Español* (Madrid, Editora Nacional, 1982), de Juan Cervera, resulta igualmente útil, pese a su restringido alcance, pues hace mención a varias autoras del corpus (Pilar Contreras, *Magda Donato*, Ángeles Gasset, *Elena Fortún* y Mª Teresa León). Como dato significativo, nueve de los epígrafes del libro están dedicados a autoras de teatro para niños.

[30] L. Rodríguez Alcalde, *Teatro español contemporáneo*, Madrid, EPESA, 1973. En el índice total de autores, de los 176 nombres recogidos, tan sólo siete corresponden a las autoras. Cuatro de ellas se inician en el teatro después de la guerra: Carmen Conde, Ana Diosdado, Pilar Enciso y Julia Maura.

[31] Ibid., p. 55.

[32] Ibid., pp. 122-123.

[33] F. Ruiz Ramón, *Historia del Teatro Español. Siglo XX*, Madrid, Cátedra, 1986. Se recoge también en este volumen la labor de otras dos autoras, posteriores a la guerra: Ana Diosdado y Julia Maura. Ninguna escritora de teatro es objeto de epígrafe, frente a los 55 autores que aparecen en el índice de materias por este hecho.

[34] Angel Berenguer, *El teatro del siglo XX (hasta 1939)*, Madrid, Taurus, 1988, p. 48: "En la misma línea ideológica [el realismo innovador], pero formalmente más cerca de la comedia benaventina, hay que colocar a los Martínez Sierra (...), que empiezan a escribir al alimón en 1897, y cuyo mayor éxito, *Canción de cuna* (1911), sigue a una producción anterior, en la que habría que destacar *La sombra del padre* (1909) (...). Continúan su producción con la colabora-

ción no confesada de su esposa (...) en obras como *Madame Pepita* (1912), *Don Juan de España* (1912) y *Triángulo* (1930)". Berenguer incluye igualmente a Pilar Millán en la tendencia innovadora, heredera de la "manera benaventina" (p. 51). Con respecto a Mª de la O Lejárraga, véase también César Oliva y F. Torres Monreal, *Historia básica del arte escénico,* Madrid, Cátedra, 1990, p. 348.

[35] Dru Dougherty y Mª Francisca Vilches, *La escena madrileña entre 1918 y 1926. Análisis y documentación,* Madrid, Fundamentos, 1990.

[36] Por lo que respecta a las historias generales de la literatura española, escasa ha sido la información recabada en los nueve títulos consultados exhaustivamente: C. Blanco Aguinaga et al., *Historia social de la Literatura Española,* vol. II, Madrid, Castalia, 1986 (2ª ed.); G.G. Brown, *Historia de la Literatura Española. El siglo XX,* vol. VI, Barcelona, Ariel, 1974; C. Bravo-Villasante, *Historia de la literatura infantil española,* Madrid, Revista de Occidente, 1959; José Mª Castro Calvo, *Historia de la Literatura Española,* vol. II, Barcelona, Credsa, 1964; G. Díaz-Plaja, *Historia General de las literaturas hispánicas,* Barcelona, Vergara, 1967; J. Mª Díez Borque, *Historia de la literatura española (siglos XIX y XX),* Madrid, Guadiana, 1974; Francisco Rico, *Historia y Crítica de la Literatura Española. Época Contemporánea: 1914-1939* (a cargo de V. García de la Concha), Barcelona, Crítica, 1984; Angel del Río, *Historia de la Literatura Española. Desde 1700 hasta nuestros días,* vol. II, New York, Holt-Rinehart-Winston, 1963 (1ª ed. 1948), y A. Valbuena Prat, *Historia de la Literatura Española,* Barcelona, Ed. Gustavo Gili, 1983 (9ª ed.). De entre ellas, sólo cuatro hacen referencia a alguna de las autoras del corpus en relación con el teatro: las historias de Bravo-Villasante *(Magda Donato, Elena Fortún);* Díez-Borque, cuyo capítulo sobre el teatro hasta 1936 escribe Angel Berenguer (Mª de la O Lejárraga, Pilar Millán Astray); Francisco Rico *(Magda Donato,* Irene Falcón y Mª Teresa León), y Valbuena Prat (Pilar Millán Astray y Pilar de Valderrama).

[37] Isabel Calvo Aguilar, *Antología biográfica de escritoras españolas,* Madrid, Biblioteca Nueva, 1954, p. 11.

[38] Carolyn Galerstein (ed.), *Women Writers of Spain: An Annotated Bio-Bibliographical Guide,* Westport- Conn., Greenwood Press, 1986.

[39] Plutarco Marsá Vancells, *La mujer en la literatura,* Madrid, Torremozas, 1987.

[40] Janet Pérez, *Contemporary Women Writers of Spain,* Boston, TWAS, 1988. A propósito de este asunto, Janet Pérez aporta las siguientes cifras: tan sólo un 1.8 por ciento de las tesis realizadas entre 1972 y 1976 en Estados Unidos en relación con España se han dedicado a las escritoras españolas como materia central. De las revistas más importantes del hispanismo norteamericano *(Hispania, Hispanic Review, Hispanófila, Revista de Estudios Hispánicos, Revista Hispánica Moderna),* sólo 26 artículos de entre 850 se han publicado acerca del mismo tema en diez años (3 por ciento). La citada autora concluye tras su revisión de los catálogos de escritoras españolas de todos los tiempos aparecidos hasta ahora que la cifra total de escritoras asciende a unos 2.000 nombres y añade: "If only the top ten percent of these (i.e., two hundred) are worthy of remembering and reading, they comprise a number well in excess of the minimun necessary for establish a feminist canon and tradition" (p. 5).

[41] Ibid., p. 26.

[42] Ibid., p. 31.

[43] Mª del Carmen Simón Palmer, *Escritoras españolas del siglo XIX. Manual bio-bibliográfico,* Madrid, Castalia, 1991.

[44] Federico Sáinz de Robles, *Ensayo de un diccionario de la literatura,* vol. II, Madrid, Aguilar, 1949. Posteriormente, Sáinz de Robles publicó su *Diccionario de mujeres célebres* (Madrid, Aguilar, 1959) en el que vuelve a incluir dos de estas biografías, las de Concha Espina y *Elena Fortún.*

[45] *Diccionario de Literatura Española.* Dirigido por Germán Bleiberg y Julián Marías, Madrid, Revista de Occidente, 1964 (3ª ed.).

[46] *Enciclopedia Universal Ilustrada Europeo Americana,* Madrid-Barcelona, Espasa Calpe, 1958-1988.

[47] Mercedes Ballesteros, Zenobia Camprubí, Adela Carbone, Pilar Contreras, Laura Cortinas, Concha Espina, *Elena Fortún,* Sara Insúa, Irene López Heredia, Pilar Millán Astray, Conchita Montes, Mª Luz Morales, Elisabeth Mulder, Margarita Nelken, Alcira Olivé, Mª Rosa Oliver, Micaela de Peñaranda, Dolores Ramos de la Vega, Matilde Ras, Carolina Soto y Pilar de Valderrama.

[48] María Laffite, Condesa de Campo Alange, *La mujer en España. Cien años de su historia (1860-1960)*, Madrid, Aguilar, 1964. Este volumen contiene, además, importante información gráfica sobre las escritoras comentadas.

[49] Patricia O'Connor, *Dramaturgas españolas de hoy*, Madrid, Fundamentos, 1988. Entre sus numerosos artículos sobre el tema destacan: "¿Quiénes son las dramaturgas contemporáneas y qué han escrito?", *Estreno*, X (1984), 2, pp. 9-12, y "Women Dramatists in Contemporary Spain and the Patriarcal Canon: From Accommodation to Re-Vision", *Signs*, XIV (1989).

[50] Breve referencia a *Magda Donato*, recordada en función de su parentesco –hermanas– con la diputada socialista Margarita Nelken o de su relación con Salvador Bartolozzi, puede encontrarse en el prólogo de Mª Aurèlia Capmany a la reedición del libro de Margarita Nelken *La condición social de la mujer en España*, pp. 22-23, así como en los de Antonina Rodrigo, *Mujeres españolas*, p. 192, y María Laffite, *La mujer en España. Cien años de su historia*, p. 242.

[51] Mamie Salva Patterson, *Woman-Victim in the Theater of Spanish Women Playwrights of the Twentieth Century*, pp. 45-94.

[52] Patricia W. O'Connor, "Mercedes Ballesteros, Unsung Poetic Comedy: *Las mariposas cantan*", *Crítica Hispánica*, VII (1985), pp. 57-63. Puede verse también para esta autora la citada tesis de Mamie Salva Patterson, *Women-Victim in the Theater of Spanish Women Playwrights of the Twentieth Century*, cap. VII (a propósito de otra de sus obras de posguerra, *Lejano pariente sin sombrero);* O'Connor, *Dramaturgas españolas de hoy*, pp. 145-147, y Mª Victoria Cansinos, "Las dramaturgas españolas también existen" *(La Caja*, XVI [1986], 64, pp. 8-11).

[53] Destacan en este sentido el libro de R. Cansinos-Assens *Literaturas del Norte. La obra de Concha Espina* (Madrid, Imprenta de G. Hernández y Galo Sáez, 1924) y la recopilación de artículos y críticas sobre sus obras *Concha Espina. De su vida. De su obra literaria a través de la crítica universal* (Madrid, Renacimiento, 1928).

[54] Isabel de Ambía, "Concha Espina", *Cuadernos de Literatura*, I (1942), pp. 7-8. En este mismo número aparecieron también el artículo de Isabel Behn "La obra de Concha Espina" (pp. 9-18), y J. Romo, "Concha Espina. Bibliografía" (pp. 19-22).

[55] Como excepciones al vacío crítico señalado en las décadas previas, merece ser recordado el libro de Alicia Canales *Concha Espina* (Madrid, EPESA, 1974) y el de Josefina de la Maza *Vida de mi madre, Concha Espina* (Madrid, Magisterio Español, 1969), ambos de carácter biográfico.

[56] Mary Lee Bretz, *Concha Espina*, Boston, Twayne Publishers, 1980, y Gerard Lavergne, *Vida y obra de Concha Espina*, Madrid, Fundación Universitaria Española, 1986. Mientras que Mary L. Bretz se interesa principalmente por el análisis de su producción –supone toda una excepción su estudio específico de las obras teatrales de Espina en el capítulo titulado "Concha Espina as Dramatist"–, Lavergne pone el énfasis en la indagación biográfica y en las relaciones de la autora con las nuevas ideas feministas. La tesis doctoral de Lavergne ofrece, además, entre su valiosa información bibliográfica, una completa recopilación de artículos escritos sobre Concha Espina en la prensa española desde 1888 a 1983. Por su enfoque específicamente teatral, interesa también de un modo especial el artículo de Mary Lee Bretz "The Theater of Emilia Pardo Bazán and Concha Espina", *Estreno*, X (1984), 2, pp. 43-45.

[57] Gerard Lavergne, *Vida y obra de Concha Espina*, p. 11.

[58] Gregorio Torres Nebrera, *La obra literaria de María Teresa León (Autobiografía, biografías, novelas)*, Cáceres, Universidad de Extremadura, 1987, y "La obra literaria de Mª Teresa León (Cuentos y Teatro)", *Anuario de Estudios Filológicos*, VII (1984), pp. 361-384. El profesor Torres Nebrera da cuenta en su libro de una tesis sobre Mª Teresa León en curso de realización en la Universidad de Zaragoza, de la que por el momento no tengo noticia de publicación.

[59] La información más abundante en este sentido se encuentra en el libro de Robert Marrast, *El teatre durant la Guerra Civil Espanyola*, pp. 9, 17, 22, 47-99, 214, 225, 285-7, 289-294.

[60] Antonina Rodrigo, *Mujeres españolas*, pp. 207-224, y Angela E. Bordonada (ed.), *Novelas breves de escritoras españolas*, pp. 391-393 (biografía) y pp. 389-417 ("El tizón en los trigos"). Se han publicado también varios artículos centrados en su vida en el exilio. Destacan Shirley Mangini, "Three Voices of Exile", *Monographic Review/ Revista Monográfica*, II (1986), pp. 208-215 (sobre Victoria Kent, Federica Montseny y Teresa León), y Mª Teresa Pochat, "María Teresa León, memoria del recuerdo del exilio", *Cuadernos Hispanoamericanos* (1989), 473-474,

pp. 135-142. Finalmente es necesario citar la aparición de un volumen conmemorativo de los actos culturales organizados por la Junta de Castilla y León en Burgos (diciembre 1986), como homenaje a la autora (*María Teresa León*, Valladolid, Junta de Castilla y León, 1987), así como la celebración de otro homenaje en los cursos que la Universidad Complutense celebra anualmente en El Escorial (1990), en el que tomó parte José Monleón con la ponencia "Lectura histórica del pensamiento teatral de Mª Teresa León". (Agradezco este último dato al profesor Emilio Miró).

[61] María Martínez Sierra, *Gregorio y yo. Medio siglo de colaboración*, México, Biografías Gandesa, 1953, p. 47 y p. 30. Véase también su libro *Una mujer por caminos de España*, ed. e introd. de Alda Blanco, Madrid, Castalia, 1989. Un análisis de la autobiografía en esta autora, en el marco de las publicadas por otras mujeres de la generación, se encuentra en Alda Blanco, "In their Chosen Place: On the Autobiographies of Two Spanish Women of the Left", *Genre*, XIX (1986), 4, pp. 431-445.

[62] Patricia O'Connor, *Gregorio y María Martínez Sierra. Crónica de una colaboración*, Madrid, La Avispa, 1987, p. 8. La tesis central del libro atribuye a María la escritura "factual" de las obras a partir de situaciones y personajes sugeridos por Gregorio y/o discutidos previamente entre ambos. Vid. de esta misma autora "La madre española en el teatro de Gregorio Martínez Sierra", *Duquesne Hispanic Review* IV, I (1967), pp. 17-24; "A Spanish precursor to Women's Lib: The Heroine in Gregorio Martínez Sierra's Theater", *Hispania*, LV (1972), pp. 865-72; "Spain's First Successful Woman Dramatist: María Martínez Sierra", *Hispanófila*, 66 (1979), pp. 87-108, y "Gregorio Martínez Sierra's Maternal Nuns in Dramas of Renunciation and Revolution", *The American Hispanist*, XII (1976), 2, pp. 8-12.

[63] Margery Resnick, "La inteligencia audaz: vida y poesía de Concha Méndez", *Papeles de Son Armadans*, LXXXVIII (1978), 263, pp. 131-146; Emilio Miró (introd. y ed.) *Vida a vida y Vida o río*, de Concha Méndez, Madrid, Caballo Griego para la Poesía, 1979, y Catherine G. Bellver, "El Personaje Presentido: A Surrealist Play by Concha Méndez, *Estreno*, XVI (1990), 1, pp. 23-27.

[64] Paloma Ulacia Altolaguirre, *Concha Méndez, Memorias habladas, memorias armadas*, Madrid, Mondadori, 1990. En relación con el período que el matrimonio pasó en Inglaterra (1933-1935) aporta interesante información la edición de James Valender de *Diez cartas a Concha Méndez*, de Manuel Altolaguirre (Málaga, Centro Cultural de la Generación del 27, 1989).

[65] José Mª Moreiro, *Guiomar. Un Amor Imposible de Machado*, Madrid, Espasa-Calpe, 1982, y Juan O. Valencia, "Unión platónica de Machado y Guiomar en *El tercer mundo*", *Estreno*, X (1984), 2, pp. 41-42. Sobre su relación con Antonio Machado, puede verse, además del citado libro de Moreiro, los de Concha Espina, *De Antonio Machado a su grande y secreto amor*, Madrid, Lifesa, 1950; J. Ruiz de Conde, *Antonio Machado y Guiomar*, Madrid, Insula, 1964, y su propia autobiografía *Sí, soy Guiomar*, Barcelona, Plaza y Janés, 1981.

[66] Julio Caro Baroja, *Los Baroja*, Madrid, Taurus, 1972, pp. 63-70.

[67] Antonina Rodrigo, *Mujeres de España. Las silenciadas*, pp. 113-135. Para completar esta semblanza biográfica, resulta imprescindible la consulta del *Diario. Cuba (1937-1939)*, de Zenobia, con traducción, introducción y notas de G. Palau de Nemes (Madrid, Alianza Editorial, 1991). Entre los artículos dedicados a la escritora destacan J.M.C., "Zenobia Camprubí", *Papeles de Son Armadans*, III (1956), pp. 230-231, y, con motivo de su muerte, Nilita Vientós, "Zenobia", *Insula* (1957), 128-129, p. 6; Gastón Figuera, "Adiós a Zenobia Camprubí de Jiménez", *Nueva Democracia*, XXXVII (1957), 1, pp. 20-22, así como las bibliografías aparecidas en *Revista de Literatura*, IX (1958) y en el suplemento de *Anthropos*, XI (1989), a cargo de G. Palau de Nemes. Inciden en su relación con Juan Ramón Jiménez: Ricardo Gullón, "Monumento de amor: Epistolario y lira. Correspondencia Juan Ramón-Zenobia", *La Torre*, XXVII (1959), pp. 151-246; el libro de G. Palau de Nemes, *Inicios de Zenobia y Juan Ramón Jiménez en América* (Madrid, Fundación Universitaria Española, 1982), y los artículos de Raquel Sagarra y F.H. Pinzón Jiménez aparecidos en el número monográfico de la revista *Anthropos*, XI (1989), pp. 8-13.

[68] Geraldine Scanlon, *La polémica feminista en España*, p. 144 y 201.

[69] María del Pilar Contreras de Rodríguez, *De mis recuerdos. Apuntes del libro de mi vida*, Madrid, 1915.

[70] Concha Fagoaga, *La voz y el voto (...)*, p. 186; María Laffite, *La mujer en España (...)*, p. 200, y Mercedes Roig, *La mujer en la Historia (...)*, p. 259.

71 Christopher Cobb, "Teatro Proletario-Teatro de masas. Barcelona, 1931-1934" y "El grupo teatral 'Nosotros' (Entrevista con Irene Falcón)", en AA.VV., *Literatura Popular y Proletaria,* Sevilla, Universidad, 1986, pp. 247-266 y pp. 267-277. Véase también el libro de memorias de Carlota O'Neill, *Una mujer en la guerra de España,* Madrid, Turner, 1979.

72 Juan Cervera, *Historia crítica del Teatro Infantil Español,* pp. 162-165. Véase también Carmen Bravo-Villasante, *Historia de la Literatura Infantil,* pp. 182-186 y 243-245.

APÉNDICE I

TEATRO REPRESENTADO EN MADRID
ESCRITO, TRADUCIDO O ADAPTADO POR MUJERES
(TEMPORADAS 1918-1919 / 1935-1936).

1. ÁLVAREZ SANTULLANO, Gloria (trad.) /Julio Dantas/. *Sor Mariana [Soror Mariana]*. Dr. 1a. Teatro María Guerrero. 31-05-1934.

Res.:
   – J.G.O. [Juan G. Olmedilla], "Clausura Estival del Teatro Escuela de Arte. *Patrón de España,* de Henri Ghéon, y *Sor Mariana,* de Julio Dantas", *Heraldo de Madrid,* 11-06-1934, p.4.
   – "Los Teatros", *El Liberal,* 8-06-1934, p.8.
   – H., "El Teatro: Teatro Escuela de Arte. Quinta y última función de abono", *La Libertad,* 8-06-1934, p.6.
   – M. Fernández Almagro, "De Teatros", *El Sol,* 8-06-1934, p.7.
   – Victorino Tamayo, "Los alumnos del Teatro Escuela de Arte representaron ayer *Sor Mariana,* de Julio Dantas (...)", *La Voz,* 8-06-1934, p.3.

2. ANGÉLICO, Halma (Mª Francisca Clar Margarit). *Entre la cruz y el diablo.* Com. 2a. Teatro Muñoz Seca. 11-06-1932.

Res.:
   – A.C. [L. Araujo-Costa], "Informaciones y noticias teatrales: Muñoz Seca. *Entre la cruz y el diablo",* ABC, 12-06-1932, pp.63-64.
   – M.G.B., "Cinematógrafos y Teatros: Muñoz Seca. *Entre la cruz y el diablo",* El Debate, 12-06-1932, p.4.
   – "Veladas Teatrales", *La Época,* 13-06-1932, p.1.
   – "Teatros y Cines: Halma Angélico estrena *Entre la cruz y el dia-blo",* Heraldo de Madrid, 13-06-1932, p.5.

- A.M. [Arturo Mori], "Los Teatros: Muñoz Seca. *Como se besa a un santo* y *Entre la cruz y el diablo*", *El Liberal*, 12-06-1932, p.9.
- E. D-C. [E. Díez-Canedo], "Los Teatros: Muñoz Seca. *Entre la cruz y el diablo*, de 'Halma Angélico'", *El Sol*, 12-06-1932, p.12.
- "Los estrenos de la noche del sábado en varios teatros de Madrid", *La Voz*, 13-06-1932, p.4.

Entrev.:
- V.T. [Victorino Tamayo], "Los autores antes del estreno", *La Voz*, 11-06-1932, p.3.

3. APARICIO Y OSSORIO, Adelina [*Adebel*]. *La díscola*. Com. 3a. Teatro Alkázar. 26-04-1929.

Res.:
- F. [Floridor], "Informaciones y noticias teatrales: *La díscola*", *ABC*, 27-04-1929, p.43.
- Jorge de la Cueva, "Cinematógrafos y teatros: Alkázar. *La díscola*", *El Debate*, 27-04-1929, p.4.
- Luis Araujo-Costa, "Veladas Teatrales", *La Época*, 27-04-1929, p.1.
- Paulino Masip, "Teatros y Cines: Las novedades de ayer. En el Alkázar hizo su reaparición Irene Alba con el estreno de una buena comedia de autora novel", *Heraldo de Madrid*, 27-04-1929, p.5.
- Arturo Mori, "Crónica de Teatros: Gente nueva. En el Español y en el Alkázar", *El Liberal*, 27-04-1929, p.3.
- "Los Teatros", *La Libertad*, 27-04-1929, p.4.
- E. D-C., "Información teatral: Alkázar. *La díscola*, comedia de doña Adelina Aparici (sic) y Ossorio", *El Sol*, 27-04-1929, p.3.
- "Información teatral. Estreno de *Los Gonzalones* en el Español", *La Voz*, 27-04-1929, p.2.

4. APARICIO Y OSSORIO, Adelina [*Adebel*]. *Tal para cual o el secreto de Julia*. Com. 3a. Teatro María Isabel. 25-11-1932.
Res.:
- J. de la C. [Jorge de la Cueva], "Cinematógrafos y Teatros: María Isabel. *Tal para cual o el secreto de Julia*", *El Debate*, 27-11-1932, p.8.
- "Veladas Teatrales", *La Época*, 26-11-1932, p.1.
- "Teatros y cines", *Heraldo de Madrid*, 26-11-1932, p.5.

- A.M., "Crónica teatral: María Isabel. *Tal para cual,* comedia en tres actos de 'Adebel'", *El Liberal,* 26-11-1932, p.8.

- "Los Teatros", *La Libertad,* 26-11-1932, p.9.

- M.F.A., "Los estrenos de ayer en Madrid", *La Voz,* 26-11-1932, p.4.

Entrev.:

- "Teatros y cines: La comedia de esta noche en el María Isabel", *Heraldo de Madrid,* 25-11-1932, p.5.

5. BAROJA, Carmen. *El gato de la Mère Michel.* Guiñ. 2c. Casa de los Baroja. 21-06-1926.

Res.:

- "Informaciones y noticias teatrales", *ABC,* 24-06-1926, p.27.

- Melchor Fernández Almagro, "Nuevos autores", *La Época,* 26-06-1926, p.1.

- *Magda Donato,* "Lo decorativo en la escena: 'El Mirlo Blanco'", *Heraldo de Madrid,* 26-06-1926, p.4.

- E. D-C., "Nuevo programa teatral de 'El Mirlo Blanco'", *El Sol,* 23-06-1926, p.6.

6. BLASCO, Sofía. *Hacia la vida.* Com. 3a. Teatro Infanta Isabel. 19-06-1930.

Res.:

- "Informaciones y noticias teatrales. Función homenaje a Sofía Blasco", *ABC,* 20-06-1930, p.44.

- J.G.O., "Teatros y cines: Se estrena con lisonjero éxito la comedia *Hacia la vida",* *Heraldo de Madrid,* 20-06-1930, p.5.

- A. de la V., "Los Teatros: Infanta Isabel. Homenaje a Sofía Blasco y estreno de la comedia en tres actos *Hacia la vida",* *La Libertad,* 20-06-1930, p.2.

- "Estreno de una comedia de la escritora Sofía Blasco", *La Voz,* 20-06-1930, p.2.

Entrev.:

- J.G.O., "Teatros y cines: *Hacia la vida,* de Sofía Blasco, es una comedia de pasión en un ambiente elegante", *Heraldo de Madrid,* 19-06-1930, p.5.

7.   BLASCO, Sofía. *Las ilusiones de Amanda*. Mo. có. Teatro Comedia. 24-06-1932.

Res.:
-   "Informaciones y noticias teatrales. Festival artístico en la Comedia", *ABC,* 25-06-32, p.39.
-   "Notas Teatrales", *La Época,* 25-06-1932, p.2.
-   "Teatros y Cines: Fiesta teatral en la Comedia", *Heraldo de Madrid,* 25-06-1932, p.5.
-   "Los Teatros", *El Liberal,* 25-06-1932, p.8.

8.   BLASCO, Sofía. *Redención*. Com. social-cristiana. Teatro Chueca. 26-09-1933.

Res.:
-   F., "Informaciones y noticias teatrales: Chueca. *Redención"*, *ABC,* 27-09-1933, p.42.
-   Jorge de la Cueva, "Cinematógrafos y teatros: Chueca. *Redención", El Debate,* 27-09-1933, p.6.
-    Luis Araujo-Costa, "Veladas teatrales", *La Época,* 27-09-1933, p.1.
-   J.G.O., "Se estrenó con gran éxito popular la comedia social-cristiana *Redención,* de Sofía Blasco", *Heraldo de Madrid,* 27-09-1933, p.4.
-   Arturo Mori, "Los Teatros: Chueca. *La redención,* comedia en tres actos, de Sofía Blasco", *El Liberal,* 27-09-1933, p.8.
-   M.F.A. [M. Fernández Almagro], "El Teatro", *El Sol,* 27-09-1933, p.8.
-   Victorino Tamayo, "Información teatral: Reparos y objeciones a la comedia dramática estrenada anoche en el Teatro Chueca", *La Voz,* 27-09-1933, p.3.

Autocr.:
-   Sofía Blasco, "Autocrítica: *Redención"*, *ABC,* 17-09-1933, p.45.

Entrev.:
-   *"La redención,* de Sofía Blasco (...): Se estrena hoy por la noche en el Chueca", *Heraldo de Madrid,* 26-09-1933, p.4.
-   "Los Teatros: Hablando con la autora de *Redención", El Liberal,* 24-09-1933, p.6.

9.   BLASCO, Sofía. *Una tarde a modas*. Com. 3a. Teatro Zarzuela. 12-12-1931.

Res.:

– "Informaciones y noticias teatrales", *ABC,* 13-12-1931, p.59.
– J.G.O., "Sofía Blasco, comediógrafa y actriz cómica, triunfó en la Zarzuela con su comedia *Una tarde a modas",* *Heraldo de Madrid,* 14-12-1931, p.5.
– Arturo Mori, *"Una tarde a modas* revela a una autora en la Zarzuela (...)", *El Liberal,* 13-12-1931, p.6.
– E. D-C., "Información teatral: Zarzuela *Una tarde a modas,* comedia de Sofía Blasco", *El Sol,* 13-12-1931, p.12.

Entrev.:

– O., *"Una tarde a modas* es una comedia muy femenina, y su autora, Sofía Blasco, interpreta en la misma uno de los principales papeles", *Heraldo de Madrid,* 12-12-1931, p.5.

10. BORRAGÁN, Mª Teresa. *La voz de las sombras*. Dr. t. 3a. Teatro Martín. 25-04-1924.

Res.:

– "Informaciones y noticias teatrales: *La voz de la sombra* (sic)", *ABC,* 26-04-1924, p.29.
– A. Vidal, "Teatros y cines", *Heraldo de Madrid,* 26-04-1924, p.4.
– L. Bejarano, "Los Teatros: Martín (...)", *El Liberal,* 26-04-1924.
– M.M. [Manuel Machado], "Los Teatros: Martín. *La voz de las sombras,* drama en tres actos, por doña María Teresa Borragán", *La Libertad,* 26-04-1924, p.5.
– "El Teatro: *La voz de las sombras,* tragedia de doña Mª Teresa Borragán", *El Sol,* 26-04-1924.
– "Escenario: En Martín *La voz de la sombra* (sic)", *La Voz,* 26-04-1924, p.2.

11. CAMPRUBÍ, Zenobia (trad.) /Rabindranath Tagore/. *El cartero del rey*. Dr. indio 2a. Teatro Princesa. 6-04-1920.

Res.:

– Floridor, "Espectáculos y deportes", *ABC,* 7-04-1920, p.20.
– Rafael Rotllan, *"El Cartero del Rey",* *El Debate,* 7-04-1920, p.2.
– Andrenio, "Veladas Teatrales: Princesa. *El cartero del Rey,* drama en dos actos original de Rabindranath Tagore, traducido por Zenobia Camprubí de Jiménez", *La Época,* 7-04-1920, p.1.

- J. Venegas, "Los Teatros: Princesa. Estreno de *El cartero del rey,* drama de Rabindranath Tagore, traducido por Zenobia Campru-bí de Jiménez", *El Liberal,* 7-04-1920, p.3.
- Manuel Machado, "Los Teatros: Princesa (...)", *La Libertad,* 7-04-1920, p.6.
- José Alsina, "Rabindranath Tagore en la Princesa: *El cartero del Rey",* *El Sol,* 7-04-1920, p.3.

12. CAMPRUBÍ, Zenobia y J. R. Jiménez (trads.) /John B. Synge/. *Jinetes hacia el mar.* Com. dram. 1a. Hotel Ritz. 2-05-1921.

Res.:
- "Espectáculos y deportes: Teatro de la Escuela Nueva", *ABC,* 3-05-1921, p.19.
- Rafael Rotllan, "Teatro de la Escuela Nueva", *El Debate,* 3-05-1921, p.3.
- A., "Veladas teatrales: El Teatro de la Escuela Nueva", *La Época,* 3-05-1921, p.1.
- José Alsina, "Los Teatros: Escuela Nueva. *Compañerito",* *El Sol,* 3-05-1921, p.3.
- "Escenario", *La Voz,* 3-05-1921, p.3.

13. CAMPRUBÍ, Zenobia (trad.) /Rabindranath Tagore/. *El rey y la reina.* Dr. 3a. Hotel Ritz. 9-04-1921

Res.:
- "No ha llegado Tagore", *ABC,* 10-04-1921, p.21.
- Rafael Rotllan, *"El Rey y la Reina",* *El Debate,* 10-04-1921, p.3.
- A., "Veladas teatrales: El Teatro de la Escuela Nueva. Una repre-sentación en el Ritz", *La Época,* 11-04-1921, p.1.
- M. Machado, "El Teatro de la Escuela Nueva", *La Libertad,* 10-04-1921, p.5.
- J.A. [José Alsina], "Teatros: Escuela Nueva. *El rey y la reina",* *El Sol,* 10-04-1921, p.3.
- "Varias noticias teatrales", *La Voz,* 10-04-1921, p.2.

14. CARBONE, Adela y Joaquín F. Roa. *La hermanastra.* Com. 1 pról., 3a., pr. Teatro Rey Alfonso. 7-09-1923.

Res.:
- "Espectáculos y deportes: *La hermanastra",* *ABC,* 8-09-1923, pp.21-22.
- J. de la C., *"La hermanastra* en el Rey Alfonso", *El Debate,* 8-09-1923, p.2.

- L.R., "Veladas teatrales", *La Época,* 8-09-1923, p.2.
- E. R. de la S., "Los estrenos: *La hermanastra,* en el Rey Alfonso", *Heraldo de Madrid,* 8-09-1923, p.2.
- Dicenta, "Estrenos en el Español y en el Rey Alfonso", *El Liberal,* 8-09-1923, p.3.
- R. H. Bermúdez, "Teatros: Rey Alfonso. *La hermanastra", El Sol,* 8-09-1923, p.2.
- "Novedades teatrales", *La Voz,* 8-09-1923, p.2.
- C.[ésar] G.[arcía] I.[niesta], "Los Teatros", *La Libertad,* 8-09-1923, p.3.

15. CARBONE, Adela. *Restaurant 'Good night'.* Ca. de Op. Teatro Comedia. 13-03-1920.

Res.:
- F., "Los de la Comedia", *ABC,* 14-03-1920, p.17.
- "En la Comedia", *El Debate,* 14-03-1920, p.3.
- A., "Veladas teatrales: Comedia. Beneficio de la Compañía. Un manojo de estrenos", *La Época,* 15-03-1920, p.1.
- Manuel Machado, "Los Teatros: Comedia. Beneficio de toda la Compañía", *La Libertad,* 14-03-1920, p.3.
- J. A., "Beneficio de artistas en la Comedia", *El Sol,* 14-03-1920, p.3.

16. CÁRCELES, Rosario. *Si te ves en la calle....* S. lír. 3a. Teatro Comedia. 3-06-1936.

Res.:
- "La función de la Comedia a beneficio de Cruz Roja", *Heraldo de Madrid,* 9-06-1936, p.7.
- Foto de Alfonso, *La Libertad,* 4-06-1936, p.7.

17. CASTRO, Carmen y M. Fernández de la Puente. *El lego de San Pablo.* Z. 3a. Teatro Español. 30-04-1919

Res.:
- "Cosas de teatros", *La Época,* 1-05-1919, p.3.
- A.G., "Los Teatros", *El Liberal,* 1-05-1919.

18. CONDESA DE SAN LUIS (Carmen Díaz de Mendoza). *Don Juan no existe.* Bo. de Com. 1a. Teatro Princesa. 7-03-1924.

Res.:
- Floridor, "Informaciones y noticias teatrales: *Don Juan no existe", ABC,* 8-03-1924, p.28.
- Jorge de la Cueva, *"Don Juan no existe", El Debate,* 9-03-1924, p.2.

- Melchor Fernández Almagro, "Veladas teatrales", *La Época,* 8-03-1924, p.2.

- R.M., "Los estrenos de ayer: Un deplorable espectáculo", *Heraldo de Madrid,* 8-03-1924, p.5.

- "Los estrenos de la Princesa, Martín y Price", *El Liberal,* 8-03-1924, p.2.

- Manuel Machado, "Los Teatros", *La Libertad,* 8-03-1924, p.3.

- E. Díez-Canedo, "El Teatro: Princesa. *Don Juan no existe,* un acto de la señora condesa de San Luis", *El Sol,* 8-03-1924, p.8.

- José L. Mayral, "Escenario: En la Princesa. *Don Juan no existe",* *La Voz,* 8-03-1924, p.2.

Entrev. y art.:
- J. Pérez Bances, "De aquí y de allá. Claro que existe Don Juan", *Heraldo de Madrid,* 5-03-1924, p.1.

- *Magda Donato,* "Crónica de Teatros: La Condesa de San Luis, autora dramática", *El Liberal,* 7-03-1924, p.2.

- A. Hernández Catá, "Don Juan, en la picota", *La Voz,* 7-03-1924, p.1.

19. CONDESA DE SAN LUIS (Carmen Díaz de Mendoza). *La pasión ciega.* Dr. 3a. Teatro Princesa. 22-12-1925.

Res.:
- "Informaciones y noticias teatrales", *ABC,* 23-12-1925, p.25.

- Jorge de la Cueva, *"La pasión ciega",* *El Debate,* 23-12-1925, p.3.

- M.F.A., "Veladas teatrales", *La Época,* 23-12-1925, p.1.

- "Movimiento teatral: Los estrenos de ayer", *Heraldo de Madrid,* 23-12-1925, p.6.

- L. Bejarano, "Los estrenos de ayer", *El Liberal,* 23-12-1925, p.4.

- "Los Teatros", *La Libertad,* 23-12-1925, p.5.

- "Información teatral", *El Sol,* 23-12-1925, p.6.

- "Los estrenos de Pascua", *La Voz,* 23-12-1925, p.2.

20. CHAMPOURCÍN, Ernestina de. *Fábrica de estrellas.* Entremés a lo divino. Lyceum Club. 6-01-1929.

Res.:
- "Celebración de la Fiesta de Reyes. En el Lyceum Club Femenino", *ABC,* 8-01-1929, p.29.

21. DONATO, Magda (Carmen Eva Nelken) y Salvador Bartolozzi. *Aventuras de Pipo y Pipa o La duquesita y el dragón.* Com. inf. Teatro Cómico. 28-01-1934.

Res.:

- "Teatro para niños: Ayer tarde se estrenó en el Cómico, con gran éxito, la graciosísima obra infantil *Aventuras de Pipo y Pipa o La Duquesita y el Dragón,* de 'Magda Donato' y Salvador Bartolozzi", *Heraldo de Madrid,* 29-01-1934, p.4.

- "Los Teatros", *El Liberal,* 30-01-1934, p.9.

22. DONATO, Magda (Carmen Eva Nelken) y Salvador Bartolozzi. *Pinocho en el país de los juguetes.* Com. 2a. Teatro Beatriz. 12-03-1933.

Res.:

- "Los Teatros", *El Liberal,* 14-03-1933, p.8.

- "Información teatral: *Pinocho, en el país de los juguetes,* en el Beatriz", *La Voz,* 14-03-1933, p.3.

23. DONATO, Magda (Carmen Eva Nelken) y Salvador Bartolozzi. *Pinocho vence a los malos.* Cu. inf. 2a. 9c. Teatro Beatriz. 29-01-1933.

Res.:

- O., "Se estrena con gran éxito infantil *Pinocho vence a los malos",* *Heraldo de Madrid,* 30-01-1933, p.5.

- "Los Teatros", *El Liberal,* 31-01-1933, p.8.

- "Los Teatros", *La Libertad,* 31-01-1933, p.5.

- "Teatros", *El Sol,* 31-01-1933, p.12.

- M. Fernández Almagro, "Espectáculos para niños: El estreno de *Pinocho",* *La Voz,* 30-01-1933, p.3.

24. DONATO, Magda (Carmen Eva Nelken) y Salvador Bartolozzi. *Pipo y Pipa contra Gurriato.* Teatro Cómico. 22-04-1934.

Res.:

- "Los Teatros", *El Liberal,* 27-04-1934, p.8.

- *"Pipo y Pipa contra Gurriato,* en el Cómico", *Heraldo de Madrid,* 30-04-1934, p.5.

25. DONATO, Magda (Carmen Eva Nelken) y Salvador Bartolozzi. *Pipo y Pipa en busca de la muñeca prodigiosa*. Teatro Cómico. 18-03-1934.

Res.:
- A.M., *"Pipo y Pipa* triunfan de nuevo en el escenario del Cómico", *El Liberal,* 20-03-1934, p.6.

26. DONATO, Magda (Carmen Eva Nelken) y Salvador Bartolozzi. *Pipo y Pipa en el fondo del mar.* Com. inf. 2a. 8c. Teatro María Isabel. 24-03-1935.

Res.:
- "Informaciones y noticias teatrales: María Isabel. Comedia infantil", *ABC,* 27-03-1935, p.45.
- O., *"Pipo y Pipa en el fondo del mar,* de Magda Donato y Bartolozzi", *Heraldo de Madrid,* 29-03-1935, p.8.
- "Los Teatros: María Isabel. *Pipo y Pipa en el fondo del mar",* *El Liberal,* 26-03-1935.
- "Información teatral: En el María Isabel. *Pipo y Pipa en el fondo del mar",* *La Voz,* 26-03-1935, p.3.

27. DONATO, Magda (Carmen Eva Nelken) y Salvador Bartolozzi. *Pipo y Pipa en el país de los borriquitos.* Cu. inf. 11c. Teatro María Isabel. 12-03-1936.

Res.:
- "Informaciones y noticias teatrales: María Isabel. Estreno de una comedia infantil", *ABC,* 13-03-1936, p.47.
- J.O.T. [Javier Ortiz Tallo], "Cinematógrafos y teatros: María Isabel. *Pipo y Pipa en el país de los borriquitos,* de Magda Donato y Salvador Bartolozzi", *El Debate,* 13-03-1936, p.4.
- "Los Teatros: María Isabel. *Pipo y Pipa en el país de los borricos* (sic)", *El Liberal,* 13-03-1936, p.8.
- F. Miranda Nieto, "Por los teatros", *El Sol,* 13-03-1936, p.5.
- H., "El Teatro: *Pipo y Pipa en el país de los borriquitos",* *La Voz,* 13-03-1936, p.4.

28. DONATO, Magda (Carmen Eva Nelken) y Salvador Bartolozzi. *Pipo y Pipa en la boda de Cucuruchito.* Cu. inf. 2a. Teatro María Isabel. 20-01-1935.

Res.:
- "Informaciones y noticias teatrales: María Isabel. *Pipo y Pipa en la boda de Cucuruchito",* *ABC,* 22-01-1935, p.41.

- *"Pipo y Pipa en la boda de Cucuruchito"*, *Heraldo de Madrid*, 21-01-1935, p.6.
- "Los Teatros: María Isabel. *Pipo y Pipa en la boda de Cucuruchito"*, *El Liberal*, 23-01-1935, p.2.
- "Escena y bastidores", *El Sol*, 22-01-1935, p.2.

29. DONATO, Magda (Carmen Eva Nelken) y Salvador Bartolozzi. *Pipo, Pipa y el lobo Tragalotodo*. Cu. inf. 2a. 12c. Teatro María Isabel. 7-11-1935.

Res.:
- "Informaciones y noticias teatrales. Estreno de una comedia infantil", *ABC*, 8-11-1935, p.50.
- "Veladas teatrales", *La Época*, 8-11-1935, p.3.
- A.M., *"Pipo, Pipa y el lobo Tragalotodo*, deliciosa comedia infantil para niños y ... para hombres", *Heraldo de Madrid*, 8-11-1935, p.9.
- "Los Teatros", *El Liberal*, 13-11-1935, p.11.
- A.E. [Antonio Espina], "Escena y Bastidores", *El Sol*, 8-11-1935, p.2.
- E. D-C., "El Teatro: El María Isabel para chicos y grandes", *La Voz*, 8-11-1935, p.4.

30. DONATO, Magda (Carmen Eva Nelken) y Salvador Bartolozzi. *Pipo, Pipa y los muñecos*. Cu. inf. 10c. Teatro María Isabel. 29-12-1935.

Res.:
- "Crónica teatral", *El Liberal*, 1-01-1936, p.11.

31. DONATO, Magda (Carmen Eva Nelken) y Salvador Bartolozzi. *Pipo, Pipa y los Reyes Magos*. Cu. inf. Teatro María Isabel. 23-12-1934.

Res.:
- *ABC*, 25-12-1934, p.49.

32. DONATO, Magda (Carmen Eva Nelken) (adap.) /Lajos Zilahy/. *Aquella noche*. Com. dram. 4a. Teatro Victoria. 6-09-1935.

Res.:
- F., "Informaciones y noticias teatrales: *Aquella noche"*, *ABC*, 7-09-1935, p.41.
- L.O., "Cinematógrafos y teatros: Victoria. *Aquella noche"*, *El Debate*, 7-09-1935, p.8.

- J.M.D., "Veladas teatrales", *La Época,* 7-09-1935, p.3.
- A.M., *"Aquella noche,* en el Victoria", *Heraldo de Madrid,* 7-09-1935, p.8.
- "Teatros y cines: Los acontecimientos teatrales de hoy", *Heraldo de Madrid,* 6-09-1935, p.9.
- Arturo Mori, "Crónica teatral: Empieza la temporada", *El Liberal,* 7-09-1935, p.7.
- Antonio Espina, "Escena y Bastidores: Victoria. *Aquella noche* (...) adaptada a la escena española por Magda Donato", *El Sol,* 7-09-1935, p.2.
- E. Díez-Canedo, *"Aquella noche* no es un melodrama cualquiera", *La Voz,* 7-09-1935, p.4.

Entrev.:
- J.L.S. [José Luis Salado], "Celia y las revistas verdes. Un melodrama que ocurre en Budapest", *La Voz,* 6-09-1935, p.4.

33. DONATO, Magda (Carmen Eva Nelken) y A. Paso Cano (adaps.) /Jean Kolb y León Belières/. *¡Maldita sea mi cara!.* F. có. 3a. Teatro Centro. 26-10-1929.

Res.:
- "Informaciones y noticias teatrales", *ABC,* 27-10-1929, p.55.
- J. de la C., "Cinematógrafos y teatros: Centro. *¡Maldita sea mi cara!",* *El Debate,* 27-10-1929, p.6.
- Luis Araujo-Costa, "Veladas teatrales: Centro. Estreno de la farsa cómica en tres actos (...) de Kolb y Belières, adaptada a la escena española por Magda Donato y Antonio Paso, *¡Maldita sea mi cara!",* *La Época,* 28-10-1929, p.1.
- José Luis Salado, "Valeriano León, amigo de Daladier", *Heraldo de Madrid,* 28-10-1929, p.3.
- A.M., "Los estrenos de ayer: Centro. *¡Maldita sea mi cara!,* vodevill, de Kolb y Belières, traducido por Magda Donato y Antonio Paso", *El Liberal,* 27-10-1929, p.3.
- M.M., "Los Teatros: Centro. *¡Maldita sea mi cara!,* farsa cómica en tres actos, de Kolb y Belières, arreglada a la escena española por Magda Donato y Antonio Paso", *La Libertad,* 27-10-1929, p.6.
- E. D-C., "Los estrenos de ayer: Centro. *¡Maldita sea mi cara!,* farsa cómica de Kolb y Bellères (sic), arreglo de Antonio Paso y Magda Donato", *El Sol,* 27-10-1929, p.12.
- "Los estrenos del sábado: En el Centro y en el Infanta Beatriz", *La Voz,* 28-10-1929, p.2.

Entrev.:

- J.G.O., *"¡Maldita sea mi cara!* -esta noche en el Centro- es un juguete político de 'Magda Donato' y Antonio Paso, en el que Valeriano León tiene dos grandes papeles", *Heraldo de Madrid,* 26-10-1929, p.5.

34. DONATO, Magda (Carmen Eva Nelken) (trad.) /Henry Bernstein/. *Melo (Melodrama).* Folletín e. 3a. 12c. pr. Teatro Cómico. 20-04-1934.

Res.:

- "Informaciones y noticias teatrales", *ABC,* 21-04-1934, pp.44-45.
- Morales Darias, "Veladas teatrales: Cómico. Versión española de *Melo* de Henry Bernstein, traducida por Magda Donato", *La Época,* 21-04-1934, p.4.
- J.G.O., "En el Cómico, Josefina Díaz de Artigas alcanzó una victoria considerable en la protagonista de *Melo,* folletín escénico de Henry Bernstein", *Heraldo de Madrid,* 21-04-1934, p.4.
- A.M., "Los estrenos de anoche. Solemnidad artística en el Cómico", *El Liberal,* 21-04-1934, p.9.
- M. Fernández Almagro, "El Teatro: Cómico. Estreno del folletín escénico en 3 actos, de M. Henri (sic) Bernstein, traducido por 'Magda Donato', *Melo",* *El Sol,* 21-03-1934, p.10.

35. ESPINA, Concha. *El Jayón.* Dr. 3a. Teatro Eslava. 9-12-1918.

Res.:

- "Espectáculos, informaciones y noticias", *ABC,* 10-12-1918, p.20.
- Rafael Rotllan, *"El Jayón", El Debate,* 10-12-1918, p.2.
- "Veladas teatrales", *La Época,* 10-12-1918, p.1.
- Manuel Machado, "Los Teatros", *El Liberal,* 10-12-1918, p.3.

36. FALCÓN, Irene de. *El tren del escaparate.* J. inf. Teatro Proletario. 19-02-1933.

Res.:

- "Teatro Proletario: Las funciones de esta semana", *La Libertad,* 24-02-1933, p.2, y 25-02-1933, p.10.

37. FALCÓN, Irene de (trad.) /Maksim Gorky/. *Albergue de noche [na dne].* Dr. 4a. Teatro Chueca. 10-11-1932.

38. FORTÚN, Elena (Encarnación Aragoneses Urquijo). *Celia dice...* Casa de los marqueses de Luca de Tena. 6-01-1936.

Res.:
- "Una revista infantil en el Teatro Paloma", *La Época,* 7-01-1936, p.3.

39. FORTÚN, Elena (Encarnación Aragoneses Urquijo). *Luna lunera o Cigüeñitos en la torre.* Com. 1a. 4c. Teatro Comedia. 16-02-1930.

Res.:
- "Informaciones y noticias teatrales. Nuevo programa del Teatro Pinocho", *ABC,* 18-02-1930, p.42.
- "Veladas teatrales", *La Época,* 17-02-1930, p.1.
- "Crónica teatral: Comedia. El teatro Pinocho", *El Liberal,* 20-02-1930, p.3.
- E. Díez-Canedo, "El Teatro: Comedia. Teatro Pinocho. Un estreno", *El Sol,* 18-02-1930, p.10.

40. FORTÚN, Elena (Encarnación Aragoneses Urquijo). *La merienda de Blas.* J. inf. Teatro Comedia. 14-02-1932.

Res.:
- "Informaciones y noticias teatrales: Una función infantil de 'Gente Menuda'", *ABC,* 16-02-1932, p.45.

41. GARCINUÑO, Carmen y J. Gallo Renovales. *El durmiente despierto.* Cu. árabe pop. 8c. Teatro María Guerrero. 20-06-1932.

Res.:
- "Informaciones y noticias teatrales", *ABC,* 21-06-1932, p.47.
- "Un brillante festival del Lectorio Infantil", *La Época,* 20-06-1932, p.4.
- "Teatros y cines: Frutos de una iniciativa de Benavente", *Heraldo de Madrid,* 21-06-1932, p.5.

42. GASSET, Angeles (adap.) /Washington Irving/. *El peregrino de amor.* Cu. escolar mím.-hu. Teatro Español. 9-12-1934.

Res.:
- "Una fiesta en el Español en favor de los huérfanos por los sucesos de Asturias", *ABC,* 12-12-1934, p.50, y foto de representación, 11-12-1934, p.63.

43. GRAA, Trudy y Luis Araquistáin (trads.) /Arthur Schnitzler/. *La cacatúa verde [Der Grüne Kakadu]*. Com. 1a. Teatro María Guerrero. 26-04-1934.

Res.:

- M., "Los Teatros: María Guerrero. La TEA, cuarta función de abono", *El Liberal*, 27-04-1934, p.8.
- M. Fernández Almagro, "El Teatro: María Guerrero. Cuarta función de abono del Teatro-Escuela de Arte", *El Sol*, 27-04-1934, p.7.
- Victorino Tamayo, "Información teatral: *La cacatúa verde* (...). Teatro Escuela de Arte", *La Voz*, 27-04-1934, p.4.

44. INSÚA, Sara y Alberto. *La domadora*. Com. 3a. Teatro Cómico. 14-05-1925.

Res.:

- F., "Informaciones y noticias teatrales: *La domadora*", *ABC*, 15-05-1925, p.26.
- Jorge de la Cueva, *"La Domadora"*, *El Debate*, 15-05-1925, p.2.
- Melchor Fernández Almagro, "Veladas teatrales", *La Época* 15-05-1925, p.1.
- M. Chaves Nogales, *"La Domadora"*, *Heraldo de Madrid*, 15-05-1925, p.2.
- L. Bejarano, "Una comedia que no gusta y un nuevo y brillante triunfo de la Goya", *El Liberal*, 15-05-1925, p.3.
- M. Machado, "Los Teatros", *La Libertad*, 15-05-1925, p.3.
- E. Díez-Canedo, "Información teatral", *El Sol*, 15-05-1925, p.2.
- José L. Mayral, "El estreno de anoche en el teatro Cómico", *La Voz*, 15-05-1925, p.2.

45. LÓPEZ HEREDIA, Irene. *Así son todas*. Mo. que parece Diá. (vic.) Teatro Infanta Beatriz. 22-11-1925.

Res.:

- L.B., "Dos estrenos, un beneficio y debut de la Pastora", *El Liberal*, 24-11-1925, p.4.

46. MADRONA, Mª Luisa. *Dios los cría*. Bo. de Com. 1a. Teatro Comedia. 3-03-1925.

Res.:

- "Informaciones y noticias teatrales", *ABC*, 4-03-1925, p.28.
- "Movimiento teatral", *Heraldo de Madrid*, 5-03-1925, p.6.

– "Información teatral", *El Sol,* 4-03-1925, p.2.
– "Novedades teatrales: *Dios los cría",* *La Voz,* 5-03-1925, p.2.

47. MADRONA, Mª Luisa. *La tobillera ultra-chic.* Mo. vr. Teatro Comedia. 16-06-1927.

Res.:
– "Información teatral: Sociedad Álvarez Quintero", *La Voz,* 16-06-1927, p.2.

48. MÉNDEZ CUESTA, Concepción. *El ángel cartero.* Auto mágico. Lyceum Club. 6-01-1929.

Res.:
– "Celebración de la Fiesta de Reyes. En el Lyceum Club Femenino", *ABC,* 8-01-1929, p.29.

49. MILLÁN ASTRAY, Pilar. *Al rugir el león.* Com. 3a. Teatro Centro. 19-04-1923.

Res.:
– "Informaciones y noticias teatrales", *ABC,* 20-04-1923, p.24.
– Jorge de la Cueva, *"Al rugir del león* (sic) en el Centro", *El Debate,* 20-04-1923, p.3.
– Melchor Fernández Almagro, "Veladas teatrales", *La Época,* 20-04-1923, p.1.
– Rafael Marquina, *"Al rugir el león",* *Heraldo de Madrid,* 20-04-1923, p.2.
– "El estreno de ayer en el Centro", *El Liberal,* 20-04-1923, p.2.
– M. Machado, "Los Teatros", *La Libertad,* 20-04-1923, p.5.
– J. A., "Información teatral", *El Sol,* 20-04-1923, p.2.
– "Novedades teatrales", *La Voz,* 20-04-1923, p.2.

50. MILLÁN ASTRAY, Pilar. *Los amores de la Nati.* S. 3a. Teatro Español. 13-03-1931.

Res.:
– F., "Informaciones y noticias teatrales: Español. *Los amores de la Nati",* *ABC,* 14-03-1931, p.52.
– Jorge de la Cueva, "Cinematógrafos y teatros: *Los amores de la Nati",* *El Debate,* 14-03-1931, p.4.
– Luis Araujo-Costa, "Veladas teatrales", *La Época,* 14-03-1931, p.1.
– Juan G. Olmedilla, "Teatros y cines: Pilar Millán Astray y María Guerrero obtienen un buen éxito con el sainete *Los amores de la Nati,* en el Español", *Heraldo de Madrid,* 14-03-1931, p.5.

- Arturo Mori, "Sendos estrenos en el Español y en la Comedia", *El Liberal,* 14-03-1931, p.5.
- E. Díez-Canedo, "El Teatro", *El Sol,* 14-03-1931, p.8.
- M. Fernández-Almagro, "El estreno de ayer en el teatro Español", *La Voz,* 14-03-1931, p.2.

Entrev.:
- J.G.O., "Teatros y cines: Pilar Millán Astray lleva esta noche al Español el aire de la calle con un sainete popular madrileño", *Heraldo de Madrid,* 13-03-1931, p.5.

Autocr.:
- Pilar Millán Astray, *"Los amores de Nati* (sic)", *ABC,* 13-03-1931, p.45.

51. MILLÁN ASTRAY, Pilar. *Las andanzas de Ginesillo.* Com. 3a. Teatro María Isabel. 15-07-1932.

Res.:
- A.C., "Informaciones y noticias teatrales", *ABC,* 16-07-1932, p.37.
- Jorge de la Cueva, "Cinematógrafos y teatros", *El Debate,* 16-07-1932, p.6.
- J. Morales Darias, "Veladas teatrales", *La Época,* 16-07-1932, p.1.
- J.G.O., "Teatros y cines: Estreno de *Las andanzas de Ginesillo,* tres estampas de sainete, de Pilar Millán Astray", *Heraldo de Madrid,* 16-07-1932, p.5, y "Con motivo de un incidente: La vigilancia en los teatros", *Heraldo de Madrid,* 20-07-1932, p.5.
- A.M., "Los Teatros: María Isabel. *Las andanzas de Ginesillo,* de Pilar Millán Astray", *El Liberal,* 16-07-1932, p.9.
- K., "Los teatros: María Isabel. *Las andanzas de Ginesillo,* pieza sin calificación, en tres estampas, de la señora Millán Astray", *La Libertad,* 16-07-1932, p.7.
- A. R.[odríguez] de León, "Teatros", *El Sol,* 16-07-1932, p.8.
- M.F.A., "El estreno de anoche en el María Isabel", *La Voz,* 16-07-1932, p.4.

Autocr.:
- Pilar Millán Astray, *"Las andanzas de Ginesillo,* tres estampas de sainete. Septiembre 1868, enero 1874, mayo 1931", *ABC,* 15-07-1932, p.49.

52. MILLÁN ASTRAY, Pilar. *La casa de la bruja.* Com. pop. md. 3a., pr. Teatro Muñoz Seca. 24-10-1932.

Res.:
- Luis Araujo-Costa, "Veladas teatrales", *La Época,* 25-10-1932, p.1.

- J.G.O., *"La casa de la bruja,* de Pilar Millán Astray, es un melodrama con todas las agravantes, que resultó absuelto por los aplausos del público", *Heraldo de Madrid,* 25-10-1932, p.5.
- A.M., "Anoche en el Muñoz Seca: *La casa de la bruja,* comedia popular melodramática de Pilar Millán Astray", *El Liberal,* 25-10-1932, p.8.
- M.M., "Los Teatros", *La Libertad,* 25-10-1932, p.7.
- E. D-C., "Teatros", *El Sol,* 25-10-1932, p.3.
- M. Fernández Almagro, "Estreno de *La casa de la bruja* en el Muñoz Seca", *La Voz,* 25-10-1932, p.3.

Entrev.:
- J.G.O., "En *La casa de la bruja,* Pilar Millán Astray pinta la vida de dos pilluelos madrileñísimos, una echadora de cartas, un judío, un músico...", *Heraldo de Madrid,* 24-10-1932, p.6.

53. MILLÁN ASTRAY, Pilar. *La confesión de Ana María.* Paso de Com. 1a. Teatro Alkázar. 23-04-1927.

Res.:
- "Informaciones y noticias teatrales: Sociedad Pilar Millán Astray", *ABC,* 27-04-1927, p.36.
- "Teatros y cines", *Heraldo de Madrid,* 23-04-1927, p.5.

54. MILLÁN ASTRAY, Pilar. *La chica de la pensión.* S. 3a. Teatro Benavente. 11-01-1935.

Res.:
- A.C., "Informaciones y noticias teatrales: Benavente. *La chica de la pensión",* ABC, 12-01-1935, p.42.
- Jorge de la Cueva, "Cinematógrafos y teatros: Benavente. *La chica de la pensión.* Sainete de doña Pilar Millán Astray", *El Debate,* 12-01-1935, p.6.
- Luis Araujo-Costa, "Veladas teatrales", *La Época,* 12-01-1935, p.3.
- Juan G. Olmedilla, "Estreno en el Benavente: *La chica de la pensión,* sainete de doña Pilar Millán Astray", *Heraldo de Madrid,* 12-01-1935, p.5.
- A.M., "Los Teatros: Benavente. *La chica de la pensión",* El Liberal, 12-01-1935, p.8.
- H., "El Teatro", *La Libertad,* 12-01-1935, p.4.
- A.E., "El Teatro", *El Sol,* 12-01-1935, p.4.
- E. Díez-Canedo, "Información teatral: En el Benavente *La chica de la pensión,* de doña Pilar Millán Astray", *La Voz,* 12-01-1935, p.3.

55. MILLÁN ASTRAY, Pilar. *La Galana*. Com. 3a., pr. Teatro Apolo. 24-02-1926.

Res.:

- "Informaciones y noticias teatrales: *La Galana*", *ABC,* 25-02-1926, p.25.
- Jorge de la Cueva, *"La Galana", El Debate,* 26-02-1926, p.4.
- M.F.A., "Veladas teatrales", *La Época,* 25-02-1926, p.1.
- Rafael Marquina, "Movimiento teatral: Apolo. *La Galana", Heraldo de Madrid,* 25-02-1926, p.6.
- Luis Bejarano, "Los estrenos de ayer en Apolo y Pavón", *El Liberal,* 25-02-1926, p.3.
- M.M., "Los Teatros", *La Libertad,* 25-02-1926, p.3.
- E. D-C., "Información teatral: Apolo. *La Galana,* tres actos de doña Pilar Millán Astray", *El Sol,* 25-02-1926, p.2.
- V. G. de M., "Los dos estrenos de anoche: En Apolo. *La Galana", La Voz,* 25-02-1926, p.2.

56. MILLÁN ASTRAY, Pilar. *Las ilusiones de la Patro*. S. 3a. Teatro Cómico. 29-08-1925.

Res.:

- "Informaciones y noticias teatrales. Anoche en el Cómico", *ABC,* 30-08-1925, p.37.
- J.G., "Loreto Prado y Chicote en el Cómico", *El Debate,* 30-08-1925, p.2.
- Melchor Fernández Almagro, "Veladas teatrales", *La Época,* 31-08-1925, p.1.
- "Movimiento teatral: Estreno en el Cómico", *Heraldo de Madrid,* 30-08-1925, p.6.
- J. Larios de Medrano, "Estreno de *Las ilusiones de la Patro* en el Cómico", *El Liberal,* 30-08-1925, p.3.
- A. de la V., "Los Teatros", *La Libertad,* 30-08-1925, p.2.
- R.H.B., "Información teatral", *El Sol,* 30-08-1925, p.2.
- J.L.M., "El estreno del sábado en el Cómico", *La Voz,* 31-08-1925, p.2.

57. MILLÁN ASTRAY, Pilar. *El juramento de la Primorosa*. S. 3a., pr. Teatro Princesa. 10-10-1924.

Res.:

- Floridor, "Espectáculos y deportes: Princesa. *El juramento de la Primorosa", ABC,* 11-10-1924, p.27.
- Jorge de la Cueva, *"El juramento de la Primorosa", El Debate,* 11-10-1924, p.2.

- Melchor Fernández Almagro, "Veladas teatrales", *La Época*, 11-10-1924, p.1.
- Rafael Marquina, *"El juramento de la Primorosa"*, *Heraldo de Madrid*, 11-10-1924, p.5.
- J.L. de M., "Estreno de *El juramento de la Primorosa* en la Princesa", *El Liberal*, 11-10-1924, p.2.
- Manuel Machado, "Los Teatros", *La Libertad*, 11-10-1924, p.3.
- E. Díez-Canedo, "Información teatral", *El Sol*, 11-10-1924, p.2.
- José L. Mayral, "Escenario", *La Voz*, 11-10-1924, p.2.

58. MILLÁN ASTRAY, Pilar. *Mademoiselle Naná*. S. 3a. Teatro Apolo. 4-07-1928.

Res.:
- F., "Informaciones y noticias teatrales: *Mademoiselle Naná"*, *ABC*, 5-07-1928, p.35.
- Jorge de la Cueva, "Cines y Teatros: Apolo. *Mademoiselle Naná"*, *El Debate*, 5-07-1928, p.4.
- L.A.C., "Veladas teatrales", *La Época*, 5-07-1928, p.1.
- J.G.O., "Teatros y cines: *Mademoiselle Naná*, sainete de Pilar Millán Astray", *Heraldo de Madrid*, 5-07-1928, p.5.
- Arturo Mori, "Los Teatros: Apolo. Una comedia sainetesca de doña Pilar Millán Astray", *El Liberal*, 5-07-1928, p.5.
- Antonio de la Villa, "En Apolo se estrenó anoche *Mademoiselle Naná"*, *La Libertad*, 5-07-1928.
- A. Rodríguez de León, "El Teatro", *El Sol*, 5-07-1928, p.12.
- M.F.A., "El estreno de anoche en Apolo", *La Voz*, 5-07-1928, p.2.

59. MILLÁN ASTRAY, Pilar. *Magda la Tirana*. S. lír. 3a. Teatro Lara. 18-02-1926.

Res.:
- F., "Informaciones y noticias teatrales: *Magda, la tirana"*, *ABC*, 19-02-1926, p.32.
- Jorge de la Cueva, *"Magda, la tirana"*, *El Debate*, 19-02-1926, p.2.
- M.F.A., "Veladas teatrales", *La Época*, 19-02-1926, p.1.
- Téllez Moreno, "Movimiento teatral: Lara. *Magda la Tirana"*, *Heraldo de Madrid*, 19-02-1926, p.6.
- J. Larios de Medrano, "Los Teatros: Lara. *Magda la tirana*, sainete en tres actos, de Pilar Millán Astray, con ilustraciones musicales de Pepe Serrano", *El Liberal*, 19-02-1926, p.2.
- "Los Teatros", *La Libertad*, 19-02-1926, p.5.

- E. D-C., "Los Teatros", *El Sol,* 19-02-1926, p.8.
- José L. Mayral, "Novedades teatrales: *Magda la Tirana* en Lara", *La Voz,* 19-02-1926, p.2.

60. MILLÁN ASTRAY, Pilar. *La mercería de la Dalia Roja.* Com. asa. 3a. Teatro Cómico. 4-05-1932.

Res.:
- F., "Informaciones y noticias teatrales: Cómico. *La mercería de la Dalia Roja", ABC,* 5-05-1932, p.57.
- Jorge de la Cueva, "Cinematógrafos y teatros: Cómico. *La mercería de la Dalia Roja", El Debate,* 5-05-1932, p.6.
- "Veladas teatrales", *La Época,* 6-05-1932, p.3.
- J.G.O., "Teatros y cines: Pilar Millán Astray estrenó en el Cómico su comedia asainetada *La mercería de la Dalia Roja", Heraldo de Madrid,* 5-05-1932, p.5.
- A.M., "Sendos estrenos en el Cómico, en el Ideal y en Romea", *El Liberal,* 5-05-1932, p.4.
- E. D-C., "Información teatral", *El Sol,* 5-05-1932, p.8.
- M. Fernández Almagro, "Los estrenos de anoche: En el Cómico. Estreno de *La mercería de la Dalia Roja", La Voz,* 5-05-1932, p.4.

Entrev.:
- J.G.O., "Pilar Millán Astray vuelve a probar fortuna con su comedia asainetada *La mercería de la Dalia Roja,* historia de una gran dama española venida a menos", *Heraldo de Madrid,* 4-05-1932, p.5.

Autocr.:
- Pilar Millán Astray, *"La mercería de la Dalia Roja", ABC,* 4-05-1932, pp.41-42.

61. MILLÁN ASTRAY, Pilar. *El millonario y la bailarina.* Com. 3a., pr. Teatro Infanta Isabel. 25-04-1930.

Res.:
- "Informaciones y noticias teatrales", *ABC,* 26-04-1930, p.47.
- Jorge de la Cueva, "Cinematógrafos y teatros: Infanta Isabel", *El Debate,* 26-04-1930, p.4.
- "Veladas teatrales: Infanta Isabel. Estreno del sainete en 3 actos de Pilar Millán Astray *El millonario y la bailarina", La Época,* 26-04-1930, p.1.
- "Teatros y cines: Eusebio de Gorbea triunfa en la Latina con una comedia de ambiente asainetado, y Pilar Millán Astray en el

Infanta Isabel, con un sainete con aire de comedia", *Heraldo de Madrid,* 26-04-1930, p.5.

– "Crónica de teatros. Tríptico de la jornada: la sainetera, el novel y el dramaturgo", *El Liberal,* 26-04-1930, p.5.

– "Los teatros", *La Libertad,* 26-04-1930, p.4.

– E. D-C., "Información teatral", *El Sol,* 26-04-1930, p.6.

– "Información teatral: Los estrenos de ayer y otras varias noticias", *La Voz,* 26-04-1930, p.2.

62. MILLÁN ASTRAY, Pilar. *Pancho Robles.* Com. 3a., pr. Teatro Alkázar. 5-10-1926.

Res.:

– "Informaciones teatrales: *La novela del Rosario. Pancho Robles",* *ABC,* 6-10-1926, pp.28-29.

– Jorge de la Cueva, *"Pancho Robles", El Debate,* 6-10-1926, p.2.

– Melchor Fernández Almagro, "Veladas teatrales", *La Época,* 6-10-1926, p.1.

– Rafael Marquina, "Movimiento teatral: Alkázar. *Pancho Robles", Heraldo de Madrid,* 6-10-1926, p.6.

– L. Bejarano, "Los estrenos de anoche en el Alkázar y en Eslava", *El Liberal,* 6-10-1926, p.3.

– "La vida teatral", *La Libertad,* 7-10-1926, p.5.

– R.H.B., "Información teatral", *El Sol,* 6-10-1926, p.8.

– E.M.A., "Estreno de *La novela del Rosario* en el teatro de Eslava (Y de *Pancho Robles* en el Alkázar)", *La Voz,* 6-10-1926, p.2.

63. MILLÁN ASTRAY, Pilar. *El pazo de las hortensias.* Com. 3a. Teatro Reina Victoria. 16-12-1924.

Res.:

– Floridor, "Informaciones y noticias teatrales: *El pazo de las hortensias", ABC,* 17-12-1924, p.27.

– Jorge de la Cueva, *"El pazo de las hortensias", El Debate,* 17-12-1924, p.2.

– M.F.A., "Veladas teatrales", *La Época,* 17-12-1924, p.1.

– R.M., "Los estrenos", *Heraldo de Madrid,* 17-12-1924, p.2.

– L. Bejarano, "Los estrenos de ayer en el Reina Victoria y Fuencarral", *El Liberal,* 17-12-1924, p.2.

– E. D-C., "Noticias teatrales", *El Sol,* 17-12-1924, p.2

– José L. Mayral, "Escenario: En el Reina Victoria. *El pazo de las hortensias", La Voz,* 17-12-1924, p.2.

64. MILLÁN ASTRAY, Pilar. *Perla en el fango*. Com. 3a. Teatro Latina. 6-05-1927.

Res.:
- F., "Informaciones y noticias teatrales: En la Latina. *Perla en el fango", ABC,* 7-05-1927, p.5.
- Jorge de la Cueva, "Cinematógrafos y teatros: Latina. *Perla en el fango", El Debate,* 7-05-1927, p.4.
- H.F., "Veladas teatrales", *La Época,* 7-05-1927, p.1.
- "Teatros y cines: Latina. *Perla en el fango", Heraldo de Madrid,* 7-05-1927, p.5.
- M.M., "Los Teatros", *La Libertad,* 7-05-1927, p.5.
- E. D-C., "Información teatral: Latina. *Perla en el fango,* comedia melodramática, de doña Pilar Millán Astray", *El Sol,* 7-05-1927, p.8.
- M.F.A., "Un estreno en la Latina", *La Voz,* 7-05-1927, p.2.

65. MILLÁN ASTRAY, Pilar. *Por los flecos del mantón*. S. lír. 2a. 4c. Teatro Apolo. 11-12-1925.

Res.:
- "Informaciones y noticias teatrales", *ABC,* 12-12-1925, p.30.
- L.B., "Veladas teatrales", *La Época,* 12-12-1925, p.1.
- "Movimiento teatral", *Heraldo de Madrid,* 12-12-1925, p.6.
- L. Bejarano, "Los tres estrenos de ayer", *El Liberal,* 12-12-1925, p.2.
- César García Iniesta, "Los Teatros", *La Libertad,* 12-12-1925, p.5.
- R.H.B., "Información teatral", *El Sol,* 12-12-1925, p.2.
- "Los tres estrenos de ayer", *La Voz,* 12-12-1925, p.2.

66. MILLÁN ASTRAY, Pilar. *Ruth*. Com. dram. 4a. Teatro Muñoz Seca. 26-01-1933.

Res.:
- "Informaciones y noticias teatrales", *ABC,* 27-01-1933, p.40.
- T.C., "Cinematógrafos y teatros: Muñoz Seca. *Ruth", El Debate,* 27-01-1933, p.4.
- Luis Araujo-Costa, "Veladas teatrales", *La Época,* 27-01-1933, p.1.
- Juan G. Olmedilla, "*Ruth,* de Pilar Millán Astray, es una serie de cromolitografías religiosas que gustó al público de Muñoz Seca", *Heraldo de Madrid,* 27-01-1933, p.5.
- A.M., "Sendos estrenos en la Zarzuela y el Muñoz Seca: Muñoz Seca. *Ruth,* comedia de Pilar Millán Astray", *El Liberal,* 27-01-1933, p.6.

- "Los Teatros", *La Libertad,* 27-01-1933; p.7.
- E. D-C., "Teatros", *El Sol,* 27-01-1933, p.8.
- "Información teatral", *La Voz,* 27-01-1933, p.2.

Entrev.:

- O., "Esta noche, en el Muñoz Seca, la comedia dramática *Ruth,* de Pilar Millán Astray", *Heraldo de Madrid,* 26-01-1933, p.6.

67. MILLÁN ASTRAY, Pilar. *La tonta del bote.* S. 3a., pr. Teatro Lara. 17-04-1925.

Res.:

- Floridor, "Espectáculos y deportes", *ABC,* 18-04-1925, p.32.
- *"La tonta del bote", El Debate,* 18-04-1925, p.2.
- L.B., "Veladas teatrales: Lara. *La tonta del bote", La Época,* 18-04-1925, p.1.
- R.M., "Las novedades de ayer: Lara. *La tonta del bote", Heraldo de Madrid,* 18-04-1925, p.5.
- L. Bejarano, "Anoche, *La tonta del bote,* de Pilar Millán Astray, en Lara, y estrenos en el Infanta Isabel y Novedades", *El Liberal,* 18-04-1925, p.2.
- Manuel Machado, "Los Teatros: Lara. *La tonta del bote", La Libertad,* 18-04-1925, p.3.
- José L. Mayral, "Los diversos estrenos de anoche en Madrid: *La tonta del bote", La Voz,* 18-04-1925, p.2.

68. MILLÁN ASTRAY, Pilar. *Las tres Marías.* Com. asa. 3a. Teatro Cervantes. 28-02-1936.

Res.:

- A.C., "Informaciones y noticias teatrales: Cervantes. *Las tres Marías", ABC,* 29-02-1936, p.42.
- Jorge de la Cueva, "Los estrenos de anoche en Cervantes y Calderón", *El Debate,* 29-02-1936, p.4.
- Juan G. Olmedilla, "Las novedades escénicas de anoche", *Heraldo de Madrid,* 29-02-1936, p.12.
- A.M., "Crónica teatral", *El Liberal,* 29-02-1936, p.8.
- José Ojeda, "El Teatro", *La Libertad,* 29-02-1936, p.5.
- José Luis Salado, "El Teatro: *Las tres Marías,* de la Millán Astray, en Cervantes", *La Voz,* 29-02-1936, p.4.

Entrev.:

- "Teatros y cines: Guía de espectadores", *Heraldo de Madrid,* 28-02-1936, p.8.

- "El Teatro: *Las tres Marías* y el gabán de paisano", *La Libertad,* 28-02-1936, p.7.
- "El Teatro: Conversaciones. 'Eso, dice la Millán Astray refiriéndose a la política en el teatro, ya pasó'", *La Voz,* 28-02-1936, p.4.

69. MILLÁN ASTRAY, Pilar. (adap.) /Guy Bolton y George Middleton/. *Adán y Eva [Adam and Eva].* Com. 3a. Teatro Infanta Isabel. 17-04-1929.

Res.:
- F., "Informaciones y noticias teatrales: *Adán y Eva",* *ABC,* 18-04-1929, pp.38-39.
- Jorge de la Cueva, "Cinematógrafos y teatros: Infanta Isabel. *Adán y Eva",* *El Debate,* 18-04-1929, p.4.
- Luis Araujo-Costa, "Veladas teatrales", *La Época,* 18-04-1929, p.1.
- Paulino Masip, "Teatros y cines: *Adán y Eva,* de J. Middleton, traducida por Pilar Millán Astray", *Heraldo de Madrid,* 18-04-1929, p.5.
- A.M., "Los teatros: Estreno de *Adán y Eva* en el Infanta Isabel", *El Liberal,* 18-04-1929.
- "Notas teatrales", *La Libertad,* 19-04-1929, p.4.
- E. Díez-Canedo, "Información teatral", *El Sol,* 18-04-1929, p.3.
- M.F.A., "Estreno de *Adán y Eva",* *La Voz,* 18-04-1929, p.2.

70. MOLINERO, Mª de la Paz. *El premio de mi pecado.* Dr. sintético 2a. 1 epíl. Teatro Reina Victoria. 13-10-1928.

Res.:
- "Informaciones y noticias teatrales", *ABC,* 17-10-1928, p.43.

71. MONTES, Conchita y L. Fernández Ardavín (adaps.) /Alexandre Dumas (h.)/. *La dama de las camelias [La dame aux camelias].* Dr. 5a. Teatro Maravillas. 8-02-1930.

72. MOREL, Linda. *La cola de Lucifer.* V. lír.-f. Teatro Pavón. 29-09-1926.

Res.:
- "Informaciones y noticias teatrales: Compañía argentina Morel", *ABC,* 30-09-1926, pp.26-27.
- "Veladas teatrales", *La Época,* 30-09-1926, p.1.
- "Movimiento teatral: Pavón. Compañía de Paco Morel", *Heraldo de Madrid,* 30-09-1926, p.6.
- J.L. de M., "Los Teatros: Pavón", *El Liberal,* 30-09-1926, p.3.

- B., "Información teatral: Pavón. Presentación de una compañía argentina", *El Sol,* 30-09-1926, p.2.
- M., "Información teatral: Una compañía argentina en Pavón", *La Voz,* 30-09-1926, p.2.

73. MOREL, Linda. *Gauchos, chinas y compadres.* Paso có. -lír. Teatro Pavón. 29-09-1926.

Res.:
- Véase entrada anterior.

74. MORENO, Rosario. *Arrepentidos.* J. có. 1a., pr. Coliseo de Lavapiés. 20-05-1923.

75. NELKEN, Margarita y Eduardo Foertsch (adaps.) /Ludwig Bauer/. *Una aventura diplomática [Die Falle].* Com. 3a. Teatro Muñoz Seca. 21-11-1931.

Res.:
- F., "Informaciones y noticias teatrales: Muñoz Seca. *Una aventura diplomática",* *ABC,* 22-11-1931, p.61.
- J.G.O., "Teatros y cines: Estreno en el Muñoz Seca", *Heraldo de Madrid,* 23-11-1931, p.5.
- A.M., "Los Teatros", *El Liberal,* 22-11-1931, p.8.
- E. Díez-Canedo, "Información teatral", *El Sol,* 22-11-1931, p.3.
- M.F.A., "Informaciones teatrales: En el Muñoz Seca. Estreno de *Una aventura diplomática",* *La Voz,* 23-11-1931, p.9.

76. OLIVÉ, Alcira. *El divino derecho.* Com. 4a. Teatro Latina. 20-05-1930.

Res.:
- L.O., "Cinematógrafos y teatros: Latina. *El divino derecho",* *El Debate,* 21-05-1930, p.4.
- J.G.O., "Alcira Olivé y la compañía de Concha Olona obtienen un franco éxito de público en el estreno de *El divino derecho",* *Heraldo de Madrid,* 21-05-1930, p.5.
- A.M., "Los Teatros: Latina. *El divino derecho",* *El Liberal,* 21-05-1930, p.5.
- A. de la V., "Los Teatros: Latina", *La Libertad,* 21-05-1930, p.2.
- E. Díez-Canedo, "Información teatral", *El Sol,* 21-05-1930, p.6.
- M.F.A., "Del estreno de anoche en la Latina: *El divino derecho,* de Alcira Olivé", *La Voz,* 21-05-1930, p.2.

77. OLIVER, Mª Rosa (trad.) /Preston Sturges/. *Perfectamente desho-nesta*. Com. Teatro Alkázar. 15-07-1936.

Res.:
- Antonio de Obregón, "Escena y bastidores", *El Sol,* 16-07-1936, p.2.

78. O'NEILL, Carlota. *Al rojo*. Dr. 1a. Teatro Proletario. 12-02-1933.

Res.:
- "Teatro Proletario: *Al rojo,* de Carlota O'Neill", *La Libertad,* 16-02-1933, p.11.
- "Información teatral: Teatro Proletario. Las funciones del sábado y domingo. Funciones infantiles", *La Voz,* 17-02-1933, p.4.

79. OYARZÁBAL, Isabel [*Beatriz Galindo*]. *Diálogo con el dolor*. Ensayo dram. Casa de los Baroja. 20-03-1926.

Res.:
- "Informaciones y noticias teatrales: 'El Mirlo Blanco'", *ABC,* 25-03-1936, p.31.
- Melchor Fernández Almagro, "Nueva función en el teatro de los Barojas", *La Época,* 22-03-1926, p.1.
- R.M., "El Mirlo Blanco", *Heraldo de Madrid,* 27-03-1926, p.4.
- E. D-C., "Teatro del Mirlo Blanco", *El Sol,* 23-03-1926, p.2.

80. OYARZÁBAL, Isabel (trad.) /Eugene G. O'Neill/. *Anna Christie*. Dr. 4a. Teatro Fontalba. 20-01-1931.

Res.:
- Floridor, "Informaciones y noticias teatrales: En Fontalba, *Anna Christie",* *ABC,* 21-01-1931, p.41.

81. PRIETO, Anita. *Un suceso vulgar*. Cr. 3a. Teatro Fuencarral. 29-01-1929.

Res.:
- "Informaciones y noticias teatrales: *Un suceso vulgar",* *ABC,* 30-01-1929, p.37.
- "Veladas teatrales", *La Época,* 30-01-1929, p.1.
- "Los Teatros: Anoche hubo tres estrenos", *El Liberal,* 30-01-1929, p.5.
- R. de A., "Teatro", *La Libertad,* 30-01-1929, p.5.
- E., "Los tres estrenos de anoche: *Un suceso vulgar,* crónica en tres actos de Anita Prieto", *El Sol,* 30-01-1929, p.3.
- "Los estrenos de anoche", *La Voz,* 30-01-1929, p.2.

82. PRIETO, Anita y E. González del Castillo. *Las verbeneras*. F. có. -lír. 2a. Teatro Chueca. 17-07-1928.

Res.:
- "Informaciones y noticias teatrales: Chueca", *ABC*, 19-07-1928, p.39.
- J. de la C., "Cines y teatros: Chueca. *Las verbeneras*", *El Debate*, 18-07-1928, p.4.
- C.S., "Un éxito clamoroso en el Teatro Chueca", *Heraldo de Madrid*, 18-07-1928, p.5.
- "Novedades teatrales", *La Época*, 18-07-1928, p.2.
- "Crónica de teatros", *El Liberal*, 18-07-1928, p.3.
- "Los Teatros", *La Libertad*, 18-07-1928, p.4.
- "El estreno en Chueca de la revista *Las verbeneras*", *La Voz*, 18-07-1928, p.2.

83. RAMONELL GIMENO, Concha. *¿Octavio... su criado?* Apu. de Com. 3a. 1 pról. Teatro Comedia. 20-04-1936.

Res.:
- "Informaciones y noticias teatrales: Función de la Sociedad Linares Rivas", *ABC*, 21-04-1936, p.44.
- *La Voz*, 25-04-1936, p.9.

84. RAMONELL, Concha. *El retorno de Frasquito*. J. có. 3a. Teatro Mendoza. 5-01-1929.

85. RAMOS DE LA VEGA, Lola y Manrique Gil. *Málaga tiene la fama...*. Dr. pop. 1 pról. 3a., pr. Teatro Eslava. 27-07-1929.

Res.:
- "Informaciones y noticias teatrales", *ABC*, 28-07-1929, p.44.
- Jorge de la Cueva, "Cinematógrafos y teatros: Eslava. *Málaga tiene la fama*", *El Debate*, 28-07-1929, p.4.
- L.A.C., "Veladas teatrales", *La Época*, 29-07-1929, p.1.
- A.M., "Los Teatros: Eslava. *Málaga tiene la fama...*, drama de Lola Ramos y Manrique Gil", *El Liberal*, 28-07-1929, p.2.
- "Los Teatros", *La Libertad*, 28-07-1929, p.8.
- E. D-C., "Información teatral", *El Sol*, 28-07-1929, p.3.
- "Novedades teatrales: En Eslava. *Málaga tiene la fama*", *La Voz*, 29-07-1929, p.2.

86. RIBOT DE MONTENEGRO, Matilde. *Los amores de Colín*. Teatro María Guerrero. 11-06-1932.

87.   RIBOT DE MONTENEGRO, Matilde. *En la corte de un rey.* Teatro Comedia. 15-02-1922.

Res.:
- Dy Safford, "De Sociedad. Ecos diversos", *ABC,* 16-02-1922, p.9.

88.   RIBOT DE MONTENEGRO, Matilde. *¡España, España!* Rv. 1a. 4c. Teatro Comedia. 29-05-1926.

Res.:
- "Espectáculos y deportes. Función benéfica", *ABC,* 30-05-1926, p.35.

89.   RIBOT DE MONTENEGRO, Matilde. *Juan Ciudad (Estampas de la vida de S. Juan de Dios).* Teatro Cómico. 7-01-1936.

Res.:
- "Informaciones y noticias teatrales: *Juan Ciudad,* en la Española de Arte", *ABC,* 9-01-1936, p.44.
- J. de la C., "Los estrenos de ayer: Cómico. *Juan Ciudad,* vida de San Juan de Dios, escenificada por doña Matilde Ribot", *El Debate,* 8-01-1936, p.5.
- "El éxito de *Juan Ciudad* en el Cómico", *La Época,* 11-01-1936, p.3.

90.   RIBOT DE MONTENEGRO, Matilde. *La ofrenda.* Colegio Ntra. Sra. de Loreto. 24-04-1926.

91.   RIBOT DE MONTENEGRO, Matilde. *Para casar bien o mal.* Com. Salón Mª Cristina. 16-01-1932.

Res.:
- "Varias notas de la actualidad madrileña", *ABC,* 19-01-1932, p.4.
- "Crónica de Sociedad: Fiesta benéfica", *El Debate,* 17-01-1932, p.11.
- "Fiesta benéfica: En el Salón María Cristina", *La Época,* 18-01-1932, p.1.

92.   RIBOT DE MONTENEGRO, Matilde. *Pinocho en la Comedia.* Pasatiempo. Teatro Comedia. 13-02-1924.

Res.:
- "De Sociedad. Ecos diversos", *ABC,* 13-02-1924, p.10.

93.   RIBOT DE MONTENEGRO, Matilde. *La princesa encantada.* Cu. hadas 3 jo. 1 pról. Teatro Comedia. 27-01-1920.

Res.:
- Gil de Escalante, "De Sociedad. Ecos diversos", *ABC,* 28-01-1920, p.15.

94. RIBOT DE MONTENEGRO, Matilde. *El príncipe se aburre*. Rv. inf. Teatro Comedia. 7-01-1929.

Res.:
– "De Sociedad. Ecos diversos", *ABC,* 8-01-1929, p.36.

95. RIBOT DE MONTENEGRO, Matilde. *Las tres rosas*. Ballet f. Salón Mª Cristina. 18-05-1932.

Res.:
– "Informaciones y noticias varias de Madrid: Una función benéfica", *ABC,* 18-05-1932, p.31.

96. RIBOT DE MONTENEGRO, Matilde. *Zoraida*. Entremés. Salón Mª Cristina. 16-01-1932.

Res.:
– Véase entrada nº 91.

97. ROBLES, Margarita y Gonzalo Delgrás. *Trece onzas de oro*. Com. 3a. Teatro Lara. 15-06-1929.

Res.:
– F., "Informaciones y noticias teatrales", *ABC,* 16-06-1929, p.53.
– Jorge de la Cueva, "Cinematógrafos y teatros: Lara. *Trece onzas de oro*", *El Debate,* 16-06-1929, p.4.
– Luis Araujo-Costa, "Veladas teatrales", *La Época,* 17-06-1929, p.1.
– Paulino Masip, *"Trece onzas de oro,* de Margarita Robles y Gonzalo Delgrás", *Heraldo de Madrid,* 17-06-1929, p.5.
– A.M., "Crónica de teatros: Un estreno en Lara", *El Liberal,* 16-06-1929, p.2.
– M.M., "Los Teatros", *La Libertad,* 16-06-1929, p.4.
– Herce, "Información teatral", *El Sol,* 16-06-1929, p.3.
– M.F.A., "Estreno de *Trece onzas de oro*", *La Voz,* 17-06-1929, p.2.

98. VALDERRAMA, Pilar. *El sueño de las tres princesas*. Casa de los Martínez-Romarate. 28-04-1929.

Res.:
– E. D-C., "Información teatral: 'Fantasio', teatro íntimo", *El Sol,* 1-05-1929, p.3.

Portada de la antología *Teatro de mujeres* (1934),
diseñada por Molina Gallent.

Portada de la novela de Sara Insúa *Salomé de hoy* (1929).

Portada de la novela de Margarita Nelken
La aventura de Roma (1923).

Portada de *La mercería de la Dalia Roja* (1932), de Pilar Millán.
Retrato de la autora por Julio Romero de Torres.

Caricatura de *Halma Angélico*, por Bon.

Caricatura de Adela Carbone, por Tovar (1918).

Caricatura de Irene López Heredia, por Tovar.

Carmen Díaz de Mendoza.

APÉNDICE II (*)

TEATRO IMPRESO EN ESPAÑA EN LENGUA CASTELLANA ESCRITO, TRADUCIDO O ADAPTADO POR MUJERES ENTRE 1918 Y 1936.

1.   ALFARO DE OCAMPO, Josefa
     Perdía ... no. Mo. Cop. mec., Sevilla, 1931.

2.   ALGORA DE DUPONS, Pilar
     Sin gloria y sin amor. Com. 3a., Santander, Benigno Díez, 1926.

3.   ANGÉLICA DEL DIABLO (M.P.M.)
     Una romántica. Dr. 4a., Barcelona, Sobrs. de López Robert y Cía., 1918.

4.   ANGÉLICO, Halma (Mª Francisca Clar Margarit)
     Al margen de la ciudad. Com. 3 tiempos. En *Teatro de mujeres. Tres autoras españolas,* ed. de Cristóbal de Castro, Madrid, Aguilar, 1934, pp. 17-86.

5.   ANGÉLICO, Halma (Mª Francisca Clar Margarit)
     Entre la cruz y el diablo. Com. 2a., Madrid, *La Farsa,* nº 257 (13-08-1932).

6.   ANGÉLICO, Halma (Mª Francisca Clar Margarit)
     La nieta de Fedra. Teatro irrepresentable, Madrid. Tip. Velasco, 1929.

7. APARICIO Y OSSORIO, E. Adelina *[Adebel]*
   La díscola. Com. 3a., Madrid, Sociedad de Autores Españoles, 1929.

8. APARICIO Y OSSORIO, E. Adelina *[Adebel]*
   Guillermina. Com. 3a. y 1 mut., Madrid, Sociedad de Autores Españoles, 1932.

9. APARICIO Y OSSORIO, E. Adelina *[Adebel]*
   Marquesa de Cairsan. Com. 3a. y 1 mut., Madrid, Sociedad de Autores Españoles, 1932.

10. APARICIO Y OSSORIO, E. Adelina *[Adebel]*
    El secreto de Julia. Com. 3a., Madrid, Sociedad de Autores Españoles, 1929.

11. APARICIO Y OSSORIO, E. Adelina *[Adebel]*
    Tal para cual o El secreto de Julia. J. có. 3a., Madrid, Sociedad de Autores Españoles, 1933.

12. APARICIO Y OSSORIO, E. Adelina *[Adebel]*
    La voz de la sangre. Arg. de Com., Madrid, Sociedad de Autores Españoles, 1929.

13. ARCEDIANO, Elena
    Mujeres solas. Com. 3a., Valencia, Imprenta de José Olmos, 1934.

14. ASTRAY REGUERA, Margarita
    Otro beso. Com. dram. 2a., Madrid, Sociedad de Autores Españoles, 1920.

15. BALLESTEROS, Mercedes
    Tienda de nieve. Trag., s.l., s.e., 1932.

16. BORRAGÁN, Mª Teresa
    La voz de las sombras. Trag. 3a., Madrid, Sociedad de Autores Españoles, 1924.

17. BORRAGÁN DE ALONSO, Mª Teresa
    A la luz de la luna. Com. 4a., Madrid, Sociedad de Autores Españoles, 1918.

18. CAMPRUBÍ, Zenobia (trad.) /Rabindranath Tagore/
     El asceta. Poema dram., Madrid, Tipografía de Ángel Alcoy,
     1918.

     ──────── . Buenos Aires, Losada, 1943. /Con *El rey y la reina*
     y *Malini*./

     ──────── . Madrid, Alianza, 1983. /Con *El cartero del rey* y *El
     rey* y *la reina*./

19. CAMPRUBÍ, Zenobia (trad.) /Rabindranath Tagore/
     El cartero del rey. Madrid, Talleres Poligráficos, 1922 (1ª ed.
     1917).

     ──────── . Buenos Aires, Losada, 1938 (2ª ed. 1941)

     ──────── . Madrid, Alianza, 1983. /Con *El asceta* y *El rey y la
     reina*./

20. CAMPRUBÍ, Zenobia (trad.) /Rabindranath Tagore/
     Ciclo de la primavera. Com., Madrid, Imprenta Fortanet, 1918.

     ──────── . Buenos Aires, Losada, 1947.

21. CAMPRUBÍ, Zenobia (trad.) /Rabindranath Tagore/
     Chitra. Poema lír., Madrid, Imprenta Fortanet, 1919.

     ──────── . Buenos Aires, Losada, 1948.

22. CAMPRUBÍ, Zenobia y J.R. Jiménez (trads.) /John Synge/
     Jinetes hacia el mar. Com., dram. 1a., Madrid, Imprenta Fortanet,
     1920.

23. CAMPRUBÍ, Zenobia (trad.) /Rabindranath Tagore/
     Malini. Poema dram., Madrid, Tipografía de Angel Alcoy, 1918.

     ──────── . Buenos Aires, Losada, 1943. /Con *El asceta* y *El rey*
     y *la reina*./

24. CAMPRUBÍ, Zenobia (trad.) /Rabindranath Tagore/
     El rey del salón oscuro. Poema dram., Madrid, Imprenta de
     Ángel Alcoy, 1919.

     ──────── . Buenos Aires, Losada, 1946.
     ──────── . Madrid, Alianza, 1983.

25. CAMPRUBÍ, Zenobia (trad.) /Rabindranath Tagore/
    *El rey y la reina. Poema dram., Madrid, Tipografía de Ángel
    Alcoy, 1918.

    _____ . Buenos Aires, Losada, 1943. /Con El asceta y Malini./

    _____ . Madrid, Alianza, 1983. /Con El asceta y El cartero
    del rey./

26. CAMPRUBÍ, Zenobia (trad.) /Rabindranath Tagore/
    Sacrificio. Poema dram., Madrid, Tipografía de Ángel Alcoy,
    1919.

27. CARBONE, Adela y Joaquín F. Roa
    La hermanastra. Com. 3a. pról., Madrid, Sociedad de Autores
    Españoles, 1923.

28. CASTARLENAS, Marina
    Entre riscos. Mo. vr., Barcelona, Bazar Barcelonés Tallers, 1933.

29. CONTRERAS DE RODRÍGUEZ, Mª del Pilar
    La caja dotal. Aprop. 1a. pr. y vr., Madrid, Imprenta de Izquier-
    do y Vera, s.a. [1918].

30. CONTRERAS DE RODRÍGUEZ, Mª del Pilar
    Corona de amor. Ofrec. En Teatro para niños, Madrid, Vda. de
    A. Álvarez, 1918, pp. 31-39.

31. CONTRERAS DE RODRÍGUEZ, Mª del Pilar
    El cuento de la abuelita. Mo., vr. En Teatro para niños, pp.7-16.
    Véase entrada nº 30.

32. CONTRERAS DE RODRÍGUEZ, Mª del Pilar
    En la fiesta del árbol. Disc. poet. En Teatro para niños, pp. 61-66.
    Véase entrada nº 30.

33. CONTRERAS DE RODRÍGUEZ, Mª del Pilar
    La entrada en el gran mundo. Zarzta. 1a. En Teatro para niños,
    pp. 67-83. Véase entrada nº 30.

34. CONTRERAS DE RODRÍGUEZ, Mª del Pilar
    El mejor empleo. En Teatro para niños, pp. 41-58. Véase entrada
    nº 30.

35. CONTRERAS DE RODRÍGUEZ, Mª del Pilar
   Las tres Marías. Aprop. vr. En *Teatro para niños,* pp. 17-30.
   Véase entrada nº 30.

36. CORTINAS, Laura
   El buen amor. Com. dram. 3a. En *Teatro del amor,* Barcelona,
   Editorial Juventud, 1930, pp. 83-157.

37. CORTINAS, Laura
   Los tres amores. Poema dram. 3a. En *Teatro del amor,* pp. 5-82.
   Véase entrada nº 36.

38. DAVINS, Alicia (Antonia Pujol y Simón)
   La Vorágine. Dr. social vr. 3a. pról., y epíl., [Sabadell], Imprenta
   Linograf, 1935.

39. DONATO, Magda (Carmen Eva Nelken)
   El cuento de la buena Pipa. Com. inf. 3c., Madrid, *Pinocho,* nº 6,
   7, 8 y 9 (mar.-abr., 1925), p.13.

40. DONATO, Magda (Carmen Eva Nelken)
   El duquesito de Rataplán. Com. bufa representable, Madrid,
   Pinocho, nº 1, 2, 3, 4 y 5 (Feb.-Mar., 1925), p.13.

41. DONATO, Magda (Carmen Eva Nelken) y Salvador Bartolozzi
   Pipo, Pipa y el lobo Tragalotodo. Com. inf. 2a. 12c., Madrid, *La
   Farsa,* nº 433 (4-01-1936).

42. DONATO, Magda (adap.) /Lajos Zilahy/
   Aquella noche [Tüzmadár]. Com. dram. 4a., Madrid, *La Farsa,*
   nº 437 (1-02-1936).

43. DONATO, Magda y Antonio Paso (adaps.) /Kolb y Belières/
   *¡Maldita sea mi cara! [Le père Lampion]. F. có. 3a., Madrid, *La
   Farsa,* nº 115 (23-11-1929).

   ——————— . Madrid, Sociedad de Autores, 1929.

44. DONATO, Magda (trad.) /Henry Bernstein/
   Melo (Melodrama). Folletín e. 3a. 12c., Madrid, *La Farsa,* nº 366
   (15-09-1934).

45. ESPINA, Concha
El Jayón. Dr. 3a., Madrid, Pueyo, 1919.

46. GARCÍA, Gabriela
A Jesús por María. Teatro moral, Madrid-Barcelona, Bruno del Amo-Librería Salesiana, 1925.

47. GARCÍA, Gabriela
Que madre nuestra es.... Colección de Ofrec., Diá., y despedidas, Madrid, Nueva Librería Católica, 1918.

48. GONZÁLEZ LÓPEZ, Agustina
Los prisioneros del espacio. Dr. 3a. 7c. y pr., Granada, Editorial Urania, 1929.

49. GRAA, Trudy y Luis Araquistáin (trads.) /Arthur Schnitzler/
Anatol. En *Anatol y A la cacatúa verde,* Madrid, Calpe, 1921, pp.9-132.

50. GRAA, Trudy y Luis Araquistáin (trads.) /Arthur Schnitzler/
A la cacatúa verde. En *Anatol y A la cacatúa verde,* pp. 133-186. Véase entrada nº 49.

51. KENELESKY, Elisa
La catequista modelo. Aprop. para una fiesta de obreros, Madrid-Barcelona, Calpe, 1920.

52. LEÓN, María Teresa
*Huelga en el puerto. En *Revista Octubre,* III (1933), pp. 21-24.

_____ . En *Teatro de agitación política: 1933-1939,* ed. de Miguel Bilbatúa, Madrid, Edicusa, 1976, pp .55-79.

53. MACNEE, Elena
La princesa Riquilda. Dr. t. 4a. 6c., pr., San Sebastián, Editorial y Prensa, 1919.

54. MADRONA, María Luisa
Dios los cría. Bo. de Com. 1a., pr. y vr., Madrid, Publicaciones Españolas, 1926.

55. MÉNDEZ CUESTA, Concepción
El carbón y la rosa. Teatro Infantil. Madrid, Imprenta de C. Méndez y M. Altolaguirre, 1935.

_____ . La Habana, Imprenta La Verónica, 1942.

56. MÉNDEZ CUESTA, Concepción
El personaje presentido. Espect. 16 mom. En *El personaje presentido y El ángel cartero,* Madrid, Imprenta de Galo Sáez, 1931, pp. 7-128.

57. MÉNDEZ CUESTA, Concepción
El ángel cartero. En *El personaje presentido y El ángel cartero,* pp. 129-141. Véase entrada nº 56.

58. MILLÁN ASTRAY, Pilar
Al rugir el león. Com. 3a., pr., Madrid, Sociedad de Autores Españoles, 1923.

*_____ . Madrid, *Comedias,* nº 61 (16-04-1927).

59. MILLÁN ASTRAY, Pilar
*Los amores de la Nati. S. 3a., Madrid, Sociedad de Autores Españoles, 1931.

_____ . Madrid, *La Farsa,* nº 194 (30-05-1931).

60. MILLÁN ASTRAY, Pilar
La casa de la bruja. Com. pop. md. 3a., Madrid, Sociedad de Autores Españoles, 1932.

*_____ . Madrid, *La Farsa,* nº 368 (29-09-1934).

61. MILLÁN ASTRAY, Pilar
*La Galana. Com. 3a., Madrid, *El Teatro Moderno,* nº 31 (1-05-1926).

_____ . Com. pop. 3a. pr., Madrid, Sociedad de Autores Españoles, 1926.

_____ . Madrid, El Día Gráfico, s.a.

62. MILLÁN ASTRAY, Pilar
*Las ilusiones de la Patro. S. 3a., Madrid, Sociedad de Autores
Españoles, 1925.

—————— . Autógrafo firmado por la autora y remitido el 3 de
abril de 1934 a Díaz de Escobar para su museo del Teatro de
Málaga. Institut del Teatre: Ms. 83.350.

63. MILLÁN ASTRAY, Pilar
El juramento de la Primorosa. S. 3a., pr., Madrid, Sociedad de
Autores Españoles, 1924.

—————— . Madrid, La Comedia, nº 6 (26-07-1925).

*—————— . Madrid, El Teatro Moderno, nº 138 (21-04-1928).

64. MILLÁN ASTRAY, Pilar
*Mademoiselle Naná. S. 3a., Madrid, La Farsa, nº 51 (25-08-1928).

—————— . Madrid, Sociedad de Autores Españoles, 1928.

65. MILLÁN ASTRAY, Pilar
Magda la Tirana. Dr. 3a., pr., Madrid, Sociedad de Autores
Españoles, 1926.

66. MILLÁN ASTRAY, Pilar
*La mercería de la Dalia Roja. Com. asa. 3a., Madrid, La Farsa,
nº 250 (25-06-1932).

—————— . Madrid, Sociedad de Autores Españoles, 1932.

67. MILLÁN ASTRAY, Pilar
*El millonario y la bailarina. Com. 3a., Madrid, La Farsa, nº 143
(7-06-1930).

—————— . Madrid, Sociedad de Autores Españoles, 1931.

68. MILLÁN ASTRAY, Pilar
Pancho Robles. Com. 3a., pr., Madrid, Sociedad de Autores Españoles, 1926.

69. MILLÁN ASTRAY, Pilar
El pazo de las hortensias. Com. 3a., Madrid, Sociedad de Autores
Españoles, 1924.

70. MILLÁN ASTRAY, Pilar
Ruth la Israelita. Com. 3a., Madrid, Sociedad de Autores Españoles, 1923.

71. MILLÁN ASTRAY, Pilar
La Talabartera. S. 2a. 1c., cantables de Javier de Burgos. Cop. mec., con correcciones autógrafas [1929]. Institut del Teatre: Ms. 83.559.

72. MILLÁN ASTRAY, Pilar
La tonta del bote. S. 3a., pr., Madrid, Sociedad de Autores Españoles, 1925.

_____ . Madrid, *La Comedia,* nº 5 (19-07-1925).

*_____ . Madrid, *El Teatro Moderno,* nº 153 (28-07-1928).

_____ . Barna, Editorial Cisne, 1936.

73. MILLÁN ASTRAY, Pilar
Las tres Marías. Com. 3a., Madrid, *La Farsa,* nº 451 (9-05-1936).

74. MILLÁN ASTRAY, Pilar (adap.) /G. Bolton y G. Middleton/
Adán y Eva. Com. norteamericana 3a., Madrid, *La Farsa,* nº 99 (10-08-1929).

_____ . Madrid, Sucesor de R. Velasco, 1929.

75. MINIET BOLÍVAR, Elena
El eterno modernismo. Com. 3a., pr., Madrid, Gráficas Aglaya, [1929].

76. MINIET BOLÍVAR, Elena
El pájaro negro. Com 3a. Cop. mec., Santander, 1930.

77. MINIET BOLÍVAR, Elena
Siguiendo su destino. Com. 3a. Cop. mec., Santander, 1931.

78. MORALES, Mª Luz y Elisabeth Mulder
Romance de media noche. Com. 1 pról. y 3 posibilidades. Cop. mec., s.l., s.e., s.a. [1935].

79. MORENO, Rosario
¡Arrepentidos! J. có., Madrid, Sociedad de Autores Españoles, 1924.

80. MULDER, Elisabeth
Romance de media noche. Véase entrada nº 78.

81. PEÑARANDA, Micaela de
El agua milagrosa. En *Teatro infantil. Piezas en prosa y
verso,* Barcelona, Tip. La Educación, 1926, pp. 125-133.

82. PEÑARANDA, Micaela de
El anónimo. En *Teatro infantil. Piezas en prosa y verso,* pp. 25-54.
Véase entrada nº 81.

83. PEÑARANDA, Micaela de
La carta a Dios. En *Teatro infantil. Piezas en prosa y verso,*
pp. 87-93. Véase entrada nº 81.

84. PEÑARANDA, Micaela de
¿Dónde se encuentra la dicha?. En *Teatro infantil. Piezas en
prosa y verso,* pp.73-86. Véase entrada nº 81.

85. PEÑARANDA, Micaela de
La envidiosa. En *Teatro infantil. Piezas en prosa y verso,*
pp. 95-108. Véase entrada nº 81.

86. PEÑARANDA, Micaela de
Métome en todo y ¿A mí que me importa?... En *Teatro infantil.
Piezas en prosa y verso,* pp. 5-24. Véase entrada nº 81.

87. PEÑARANDA, Micaela de
Nunca apartarse de Dios. En *Teatro infantil. Piezas en prosa y
verso,* pp. 55-72. Véase entrada nº 81.

88. PEÑARANDA, Micaela de
¡Quién fuera rica! En *Teatro infantil. Piezas en prosa y verso,*
pp. 109-124. Véase entrada nº 81.

89. RAMONELL GIMENO, Concha
Octavio... ¿su criado? Apu. de Com. 3a., pról., Madrid, Gráfica
Universal, 1931.

90. RAMONELL GIMENO, Concha
El retorno de Frasquito. J. có. 3a., Madrid, Gráfica Universal,
1929.

91. RAMOS DE LA VEGA, Lola y Manrique Gil
    Málaga tiene la fama.... Dr. pop. basado en una antigua copla andaluza, 3a., pról., Madrid, *El Teatro Moderno,* nº 291 (18-04-1931).

    _____ . Cop. mec. con correcciones autógrafas de Manrique Gil. Dedicado al Sr. Sedó por Gil. Institut del Teatre: Ms. DCCXXXVI [1929].

92. RAS, Matilde
    El amo. Dr. 1a. En *Teatro de mujeres. Tres autoras españolas,* pp. 139-166. Véase entrada nº 4.

93. RAS, Matilde
    El taller de Pierrot. F. 1a. En *Teatro de mujeres. Tres autoras españolas,* pp. 167-185. Véase entrada nº 4.

94. REYES, Julia
    Al pie de la reja. Diá., Madrid, Miguel Albero, 1919.

95. RIBOT DE MONTENEGRO, Matilde
    Por las misiones. Com. 2a., Madrid, Impr. Juan Bravo, 1932.

96. RIBOT DE MONTENEGRO, Matilde
    La princesa encantada. Cu. de hadas 3 jo., pról., Madrid, Papelería Balbino Cerrada, 1920.

    _____ . Madrid, A. Fontana, [1927].

    _____ . En *El Teatro de las fiestas de caridad y de las veladas escolares misionales y de carácter católico,* Madrid, Langa y Cía, 1955, pp. 101-117.

97. ROSICH COTULÍ, Josefa
    Sara Levy. Trag. lír. 3a. 3c. Con música de Celestino Rosich Cotulí. Barcelona, Impr. de M. Galve, 1918.

98. ROVIRA VALDÉS, Genoveva *[Violeta Barruelo]*
    Amor, arte y juventud. Com. 2a., Madrid, Imprenta de Juan Pueyo, 1924.

99. RUIZ, Conchita e Ignacio
Alma valenciana. Com. dram. 1a., Valencia, Talleres Tipográficos "La Gutenberg", 1926.

100. RYUS, Ana (Mª Francisca Clar Margarit) *[Halma Angélico]*
Berta. Dr. 3a., Madrid, Imprenta Clásica Española, 1922.

101. RYUS, Ana (Mª Francisca Clar Margarit) *[Halma Angélico]*
Los caminos de la vida. Bo. de Com. 2a., Madrid, [Imprenta Clásica Española], 1920.

102. SÁNCHEZ Y AROCA, Aurora *[Sancho Abarca]*
*El consejo de los diez. Dr. hco. 3a. 6c., pr., Murcia, Tip. de Carlos García Martínez, 1929.

————— . 2ª ed. Murcia, Tip. Carlos García Martínez, 1930.

103. SOTO Y CORRO, Carolina de
Abejas y zánganos. Fáb. pr. y vr. En *Teatro para niños,* pp. 129-144. Véase entrada nº 30.

104. SOTO Y CORRO, Carolina de
Las hormigas. Apól. vr. para niñas. En *Teatro para niños,* pp. 95-105. Véase entrada nº 30.

105. SOTO Y CORRO, Carolina de
La lechera. Mo. En *Teatro para niños,* pp. 87-94. Véase entrada nº 30.

106. SOTO Y CORRO, Carolina de
Monedas y billetes. Fant. lír. 1a. Con música de Miguel Santonja. Madrid, Viuda de A. Álvarez, 1919.

107. SOTO Y CORRO, Carolina de
Los pájaros cantores. Diá. lír. para párvulos. Con música de Pilar Contreras. En *Teatro para niños,* pp. 145-158. Véase entrada nº 30.

108. SOTO Y CORRO, Carolina de
Un congreso de ratones. Fáb. vr. para párvulos. En *Teatro para niños,* pp. 107-127. Véase entrada nº 30.

109. VALDERRAMA, Pilar de
*El tercer mundo. Poema dram. 2a. en pr. y 1a. en vr., 5c. En
Teatro de mujeres. Tres autoras españolas, pp. 86-137. Véase
entrada nº 4.

——————— . Madrid, Aguilar, 1984.

110. VILLALVILLA, Eudosia
Las damas de la Cruz Roja. Aprop., Madrid, Impr. del Asilo de
Huérfanos del S. C. de Jesús, 1922.

———————

(*) Aparecen marcadas con un asterisco las ediciones utilizadas para las citas y referencias en este trabajo, cuando existe más de una edición de la obra.

APÉNDICE III

**TABLAS DE RECEPCIÓN EN PRENSA DE LOS ESTRENOS
DE LAS AUTORAS**

TABLA 1 - Valoración crítica de los estrenos de las autoras (1918-1936)

AUTORA	OBRA	BALANCE	PERIÓDICOS							
			Época	Debate	ABC	Heraldo	La Voz	El Sol	Libertad	Liberal
ANGÉLICO, Halma	Entre la cruz y el diablo	***	***	***	***	**	***	***	P.n.e	**
APARICIO, Adelina	La díscola	**	***	***	***	**	*	*	***	**
APARICIO, Adelina	Tal para cual o El secr. Julia	*	*	*	P.n.e.	**	*	C.n.e	**	**
BAROJA, Carmen	El gato de la Mère Michel	***	***	C.n.e.	Mención	***	C.n.e.	***	C.n.e.	C.n.e.
BLASCO, Sofía	Hacia la vida	***	C.n.e.	C.n.e.	***	***	**	C.n.e.	Mención	C.n.e
BLASCO, Sofía	Las ilusiones de Amanda	–	Mención	C.n.e.	Mención	Mención	C.n.e.	C.n.e.	P.n.e.	Mención
BLASCO, Sofía	Redención	**	**	*	***	***	*	*	P.n.e.	***
BLASCO, Sofía	Una tarde a modas	***	C.n.e.	P.n.e.	***	***	C.n.e.	***	P.n.e.	***
BORRAGÁN, Mª Teresa	La voz de las sombras	**	C.n.e.	C.n.e.	***	**	**	*	**	***
CARBONE, Adela	La hermanastra	**	**	**	***	Mención	**	Mención	***	***
CARBONE, Adela	Restaurant "Good-night"	***	***	Mención	***	C.n.e.	N.s.p.	Mención	***	C.n.e.
CÁRCELES, Rosario	Si te ves en la calle…	***	P.n.e.	Mención	C.n.e.	***	P.n.e.	C.n.e.	Mención	C.n.e
CASTRO, Carmen y FDEZ. LAPUENTE	El lego de San Pablo	***	***	C.n.e.	C.n.e.	***	N.s.p.	C.n.e.	N.s.p.	***
CONDESA DE SAN LUIS	Don Juan no existe	***	***	**	***	**	***	*	***	***
CONDESA DE SAN LUIS	La pasión ciega	**	**	*	***	*	***	**	***	*
DONATO, Magda y BARTOLOZZI, S.	Aventuras de Pipo y Pipa	***	C.n.e.	C.n.e.	C.n.e.	***	C.n.e.	*	C.n.e.	***
DONATO, Magda y BARTOLOZZI, S.	Pinocho en el país de los juguetes	***	C.n.e.	C.n.e.	C.n.e.	C.n.e.	***	C.n.e.	C.n.e.	***
DONATO, Magda y BARTOLOZZI, S.	Pinocho vence a los malos	***	C.n.e.	C.n.e.	C.n.e.	***	***	***	***	***

AUTORAS	OBRA	BALANCE	PERIÓDICOS							
			Época	Debate	ABC	Heraldo	La Voz	El Sol	Libertad	Liberal
DONATO, Magda y BARTOLOZZI, S.	Pipo y Pipa contra Gurriato	***	C.n.e.	C.n.e.	C.n.e.	***	C.n.e.	C.n.e.	C.n.e.	***
DONATO, Magda y BARTOLOZZI, S.	Pipo y Pipa en la boda de Cucuruchito	***	C.n.e.	C.n.e.	***	***	C.n.e.	***	C.n.e.	***
DONATO, Magda y BARTOLOZZI, S.	Pipo y Pipa en busca de la muñeca prodigiosa	***	C.n.e.	C.n.e.	C.n.e.	C.n.e.	C.n.e.	C.n.e.	***	C.n.e.
DONATO, Magda y BARTOLOZZI, S.	Pipo y Pipa en el fondo del mar	***	C.n.e.	C.n.e.	***	***	***	C.n.e.	C.n.e.	***
DONATO, Magda y BARTOLOZZI, S.	Pipo y Pipa en el país de los borriquitos	***	C.n.e.	***	***	P.n.e.	***	***	P.n.e.	***
DONATO, Magda y BARTOLOZZI, S.	Pipo, Pipa y el lobo Tragalotodo	***	***	C.n.e.	***	***	***	***	C.n.e.	***
DONATO, Magda y BARTOLOZZI, S.	Pipo, Pipa y los muñecos	***	C.n.e.	C.n.e.	C.n.e.	C.n.e.	C.n.e.	C.n.e.	C.n.e.	***
DONATO, Magda y BARTOLOZZI, S.	Pipo, Pipa y los Reyes Magos	***	P.n.e.	P.n.e.	***	P.n.e.	P.n.e.	P.n.e.	P.n.e.	P.n.e.
ESPINA, Concha	El Jayón	***	Mención	***	***	N.s.p.	N.s.p.	C.n.e.	N.s.p.	***
FALCÓN, Irene	El tren del escaparate	–	C.n.e.	C.n.e.	C.n.e.	C.n.e.	C.n.e.	C.n.e.	Mención	C.n.e.
FORTÚN, Elena	Celia dice…	–	Mención	P.n.e.	C.n.e.	C.n.e.	C.n.e.	C.n.e.	P.n.e.	P.n.e.
FORTÚN, Elena	Luna lunera	***	***	C.n.e.	***	C.n.e.	C.n.e.	***	C.n.e.	Mención
FORTÚN, Elena	La merienda de Blas	***	C.n.e.	N.s.p.	***	C.n.e.	C.n.e.	C.n.e.	P.n.e.	C.n.e.
GARCINUÑO, Carmen y GALLO RENOVALES	El durmiente despierto	***	***	C.n.e.	Mención	***	C.n.e.	C.n.e.	P.n.e.	C.n.e.
INSÚA, Sara y Alberto	La domadora	*	*	**	**	*	*	*	**	*
LÓPEZ HEREDIA, Irene	Así son todas	**	C.n.e.	C.n.e.	Mención	C.n.e.	C.n.e.	C.n.e.	C.n.e.	**
MADRONA, Mª Luisa	Dios los cría	***	C.n.e.	C.n.e.	***	***	***	***	C.n.e.	C.n.e.

AUTORAS	OBRA	BALANCE	Época	Debate	ABC	Heraldo	La Voz	El Sol	Libertad	Liberal
MADRONA, Mª Luisa	La tobillera ultra-chic	–	C.n.e.	C.n.e.	C.n.e.	C.n.e.	Mención	C.n.e.	P.n.e.	C.n.e.
MILLÁN ASTRAY, P.	Al rugir el león	**	*	**	***	*	**	**	***	***
MILLÁN ASTRAY, P.	Los amores de la Nati	**	**	**	***	***	*	*	P.n.e.	**
MILLÁN ASTRAY, P.	Las andanzas de Ginesillo	*	***	*	***	*	*	*	*	***
MILLÁN ASTRAY, P.	La casa de la bruja	**	***	C.n.e.	P.n.e.	**	*	*	***	***
MILLÁN ASTRAY, P.	La confesión de Ana María	–	C.n.e.	C.n.e.	Mención	Mención	C.n.e.	C.n.e.	C.n.e.	C.n.e.
MILLÁN ASTRAY, P.	La chica de la pensión	*	***	*	***	*	*	*	*	**
MILLÁN ASTRAY, P.	La Galana	*	*	*	***	*	*	*	**	**
MILLÁN ASTRAY, P.	Las ilusiones de la Patro	*	*	*	**	*	*	*	**	**
MILLÁN ASTRAY, P.	El juramento de la Primorosa	**	*	***	***	**	**	*	***	***
MILLÁN ASTRAY, P.	Mademoiselle Naná	**	***	***	***	**	**	*	**	**
MILLÁN ASTRAY, P.	Magda la Tirana	**	*	**	**	**	**	*	***	***
MILLÁN ASTRAY, P.	La mercería de la Dalia Roja	*	**	**	**	**	*	*	P.n.e.	*
MILLÁN ASTRAY, P.	El millonario y la bailarina	**	*	**	**	**	*	*	**	***
MILLÁN ASTRAY, P.	Pancho Robles	**	*	*	***	*	***	*	**	***
MILLÁN ASTRAY, P.	El pazo de las hortensias	**	*	*	**	**	**	*	C.n.e.	***
MILLÁN ASTRAY, P.	Perla en al fango	*	*	*	**	*	*	*	***	C.n.e.
MILLÁN ASTRAY, P.	Por los flecos del mantón	*	*	C.n.e.	**	*	*	*	**	**
MILLÁN ASTRAY, P.	Ruth	**	***	**	***	*	*	*	Mención	**
MILLÁN ASTRAY, P.	La tonta del bote	**	***	**	***	*	**	C.n.e.	***	**
MILLÁN ASTRAY, P.	Las tres Marías	*	C.n.e.	**	**	*	C.n.e.	C.n.e.	*	**
MILLÁN ASTRAY, P.	El premio de mi pecado	***	C.n.e.	C.n.e.	***	C.n.e.	C.n.e.	C.n.e.	C.n.e.	C.n.e.

AUTORAS	OBRA	BALANCE	PERIÓDICOS							
			Época	Debate	ABC	Heraldo	La Voz	El Sol	Libertad	Liberal
MOREL, Linda	La cola de Lucifer	**	***	C.n.e.	***	*	***	***	P.n.e.	**
MOREL, Linda	Gauchos, chinas y compadres	**	***	C.n.e.	***	*	***	***	P.n.e.	**
MORENO, Rosario	Arrepentidos	–	P.n.e.	C.n.e.	C.n.e.	C.n.e.	C.n.e.	C.n.e.	P.n.e.	P.n.e.
OLIVÉ, Alcira	El divino derecho	***	C.n.e.	***	P.n.e.	***	**	**	***	***
O'NEILL, Carlota	Al rojo	***	C.n.e.	C.n.e.	C.n.e.	***	***	C.n.e.	***	C.n.e.
OYARZÁBAL, Isabel	Diálogo con el dolor	***	***	C.n.e.	Mención	***	C.n.e.	Mención	C.n.e.	C.n.e.
PRIETO, Anita	Un suceso vulgar	*	***	C.n.e.	**	C.n.e.	*	*	**	*
PRIETO, Anita	Las verbeneras	*	*	*	***	Mención	*	P.n.e.	**	**
RAMONELL, Concha	¿Octavio … su criado?	***	C.n.e.	C.n.e.	***	P.n.e.	Mención	C.n.e.	C.n.e.	C.n.e.
RAMOS, Lola y MANRIQUE GIL	Málaga tiene la fama…	*	**	*	**	C.n.e.	*	*	**	***
RIBOT, Matilde	Juan Ciudad	***	***	***	***	C.n.e.	C.n.e.	C.n.e.	C.n.e.	C.n.e.
RIBOT, Matilde	Para casar bien o mal	***	***	Mención	Mención	C.n.e.	C.n.e.	C.n.e.	P.n.e.	C.n.e.
RIBOT, Matilde	Zoraida	***	***	Mención	Mención	C.n.e.	C.n.e.	C.n.e.	P.n.e.	C.n.e.
ROBLES, Margarita y DELGRÁS, G	Trece onzas de oro	***	***	***	**	**	*	***	***	***
VALDERRAMA, Pilar de	El sueño de las tres princesas	–	C.n.e.	C.n.e.	C.n.e.	C.n.e.	C.n.e.	Mención	P.n.e.	C.n.e.

*** = Crítica positiva
** = Crítica intermedia
* = Crítica negativa
Mención = Breve noticia sin valoración
P.n.e. = Periódico no encontrado
C.n.e. = Crítica no encontrada (sin reseña del estreno)
N.s.p. = No se publica

TABLA 2 - Valoración crítica de las adaptaciones y traducciones teatrales de las escritoras (1918-1936)

TRADUCTORA O ADAPTADORA	AUTOR ORIGINAL	OBRA	PERIÓDICOS								BALANCE
			Época	Debate	ABC	Heraldo	La Voz	El Sol	Libertad	Liberal	
ÁLVAREZ SANTULLANO, Gloria	Dantas, J.	Sor Mariana	C.n.e.	C.n.e.	C.n.e.	***	**	**	***	***	***
CAMPRUBÍ, Zenobia	Tagore, R.	El cartero del rey	**	***	***	***	N.s.p.	**	**	Mención	***
CAMPRUBÍ, Zenobia y JIMÉNEZ, J.R.	Synge, J.	Jinetes hacia el mar	Mención	Mención	***	C.n.e.	Mención	Mención	P.n.e.	C.n.e.	***
CAMPRUBÍ, Zenobia	Tagore, R.	El rey y la reina	Mención	—	Mención	C.n.e.	Mención	Mención	***	C.n.e.	—
DONATO, Magda	Zilahy, L.	Aquella noche	***	***	***	***	***	***	P.n.e	***	***
DONATO, Magda	Kolb y Bélières	¡Maldita sea mi cara!	***	**	***	**	*	**	***	**	**
DONATO, Magda	Bernstein, H.	Melo	***	*	C.n.e.	***	*	Mención	—	***	***
GASSET, Ángeles	Irving, W.	El peregrino de amor	P.n.e.	C.n.e.	***	C.n.e.	C.n.e.	C.n.e.	P.n.e.	C.n.e.	—
MILLÁN ASTRAY, Pilar	Bolton y Middleton	Adán y Eva	**	*	Mención	Mención	*	*	*	***	*
NELKEN, M. y FOERTSCH, E.	Bauer, L.	Una aventura diplomática	C.n.e.	P.n.e.	***	***	**	***	P.n.e.	***	**
OLIVER, Mª Rosa	Sturges, P.	Perfectamente deshonesta	P.n.e.	P.n.e.	P.n.e.	P.n.e.	P.n.e.	Mención	P.n.e.	P.n.e.	***
GRAA, Trudy y ARAQUISTÁIN, L.	Schnitzler, A.	La cacatúa verde	C.n.e.	P.n.e.	C.n.e.	C.n.e.	***	***	C.n.e.	***	***

Nota: La bipartición de las casillas indica una doble valoración: de la obra (parte superior) y de la labor de adaptación y/o traducción realizada (parte inferior).

TABLA 3 - Bibliografía posterior. Ensayos de conjunto.

Autoras/Traductoras	Valbuena Prat Hª Teatro Español (1956)	Guerrero Hª Teatro Contemporáneo (1961)	Rodríguez Alcalde Teatro Español Contemporáneo (1973)	Marrast Teatro Guerra Civil (1978)	Cervera Hª Teatro Infantil (1982)	Ruiz Ramón Hª Teatro Español s.XX (1986)	Berenguer Teatro hasta 1939 (1988)	Dougherty y Vilches Escena Mad. (1990)	Oliva y Torres Hª Arte Escénico (1990)
Angélico, Halma				*					
Ballesteros, Mercedes			*						
Baroja, Carmen								*	
Borragán, Mª Teresa								*	
Camprubí, Zenobia	*	*						*	
Carbone, Adela								*	
Castro, Carmen								*	
Condesa de San Luis								*	
Contreras, Pilar					*				
Donato, Magda				*	*			*	
Espina, Concha								*	
Falcón, Irene				*					
Fortún, Elena				*	*			*	
Graä, Trudy		*		*					
Insúa, Sara								*	
Lejárraga, Mª de la O		*	*	*	*	*	*	*	*
León, Mª Teresa				*	*	*		*	
López Heredia, Irene								*	
Madrona de Alfonso, M.L.				*					
Méndez, Concha						*		*	
Millán Astray, Pilar			*				*	*	
Morales, Mª Luz				*					
Nelken, Margarita				*					
Oyarzábal, Isabel								*	

SELECCIÓN BIBLIOGRÁFICA

- AA. VV., *María Teresa León,* Valladolid, Junta de Castilla y León, 1987.
- AA.VV., *Las mujeres y la Guerra Civil Española,* Madrid, Instituto de la Mujer-Dirección General de Archivos Estatales, 1991.
- AA.VV., *Realidad histórica e invención literaria en torno a la mujer,* Málaga, Diputación Provincial, 1987.
- AGUILERA SASTRE, J., M. Aznar Soler y E. de Rivas, "Cipriano Rivas Cherif, retrato de una utopía", *Cuadernos de El Público,* 42. Madrid, Ministerio de Cultura, 1989.
- ALDARACA, Bridget, *El ángel del hogar. Galdós y la ideología de la domesticidad en España,* Madrid, Visor, 1992.
- ALCINA FRANCH, Juan (ed.), *Teatro romántico,* Barcelona, Bruguera, 1984 (3ªed.).
- ALSINA, José, *Museo Dramático,* Madrid, Renacimiento, 1919.
- ALTOLAGUIRRE, Manuel, *Diez cartas a Concha Méndez.* Ed. de James Valender, Málaga, Centro Cultural de la Generación del 27, 1989.
- _____ , "Nuestro teatro", *Hora de España,* IX(1937), pp. 29-37.
- AMBÍA, Isabel de, "Concha Espina", *Cuadernos de Literatura,* I (1942), pp. 7-8.
- AMELANG, James S. y Mary Nash, *Historia y género: Las Mujeres en la Europa Moderna y Contemporánea,* Valencia, Edicions Alfons el Magnànim-Institució Valenciana D'Estudis i Investigació, 1990.
- AMORÓS GUARDIOLA, Andrés, *Luces de candilejas. Los espectáculos en España (1898-1939),* Madrid, Espasa Calpe, 1991.
- ANDERSON, Bonnie S. y Judith P. Zinsser, *Historia de las mujeres. Una historia propia,* 2 vols., Barcelona, Crítica, 1991.

- ANDRADE, Elba y Hilde F. Cramsie, *Dramaturgas latinoamericanas contemporáneas (Antología crítica),* Madrid, Verbum, 1991.
- ANGERMAN, Arina et al., *Current Issues in Women's History,* London and New York, Routledge, 1989.
- ANTÓN DEL OLMET, Luis y José de Torres Bernal, *Los grandes españoles: María Guerrero,* Madrid, Renacimiento, 1920.
- ARANGUREN, José Luis, "La mujer, de 1923 a 1963", *Revista de Occidente,* I (1963), 8-9, pp. 231-243.
- ARAQUISTÁIN, Luis, *La batalla teatral,* Madrid-Barcelona-Buenos Aires, Compañía Ibero-Americana de Publicaciones, 1930.
- ARENAL, Concepción, *La mujer del porvenir* (1870) y *La mujer de su casa* (1883), Barcelona, Orbis, 1989.
- ARIAS DE COSSÍO, Ana Mª, *Dos siglos de escenografía en Madrid,* Madrid, Mondadori, 1991.
- ARISTÓTELES, *Poética.* Ed. de Valentín García Yebra, Madrid, Gredos, 1974.
- ARTAUD, Antonin, *El teatro y su doble,* Buenos Aires, Editorial Sudamericana, 1974.
- AUB, Max, "Algunos aspectos del Teatro Español de 1920 a 1930", *Revista Hispánica Moderna,* XXXI (1965), pp. 17-28.
- AUBRUN, Charles V., *Histoire du Théâtre Espagnol,* Paris, Presses Universitaires de France, 1965.
- AZORÍN (José Martínez Ruiz), *La farándula,* Zaragoza, Librería General, 1945.
- _____ , *Ante las candilejas,* Zaragoza, Librería General, 1947.
- _____ , *Escena y sala,* Zaragoza, Librería General, 1947.
- BAHAMONDE, Angel y Luis E. Otero (eds.), *La sociedad madrileña durante la Restauración. 1876-1931,* Madrid, Comunidad de Madrid, 1989.
- BAJTIN, Mijail, *Teoría y estética de la novela,* Madrid, Taurus, 1989.
- BARTHES, Roland, *El grado cero de la escritura,* Buenos Aires, Siglo XXI, 1973.
- BEHN, Isabel, "La obra de Concha Espina", *Cuadernos de Literatura,* I (1942), pp. 9-18.
- BELLVER, Catherine G., "El personaje presentido: A Surrealist Play by Concha Méndez", *Estreno,* XVI (1990), 1, pp. 23-27.
- _____ , "Tres poetas desterradas y la morfología del exilio [Champourcín, Méndez, Zardoya]", *Letras Femeninas,* XVII (1991), 1-1, pp. 51-63.
- BELLVESER, Ricardo, *Teatro en la encrucijada. Vida cotidiana en Valencia. 1936-1939,* Valencia, Ayuntamiento, 1987.

- BENAVENTE, Jacinto, *El teatro del Pueblo,* Madrid, Librería de Fernando Fé, 1909.
- ———, *Obras Completas,* Madrid, Aguilar, 1962.
- BERENGUER, Angel, *El teatro del siglo XX (hasta 1939),* Madrid, Taurus, 1988.
- BIZCARRONDO, Marta, "Notas sobre la mujer y el socialismo en España", *Bulletin du Departement de Recherches Hispaniques Pyrenaica,* XXIX (1984), pp. 59-70.
- BLANCO, Alda, "In Their Chosen Place: On the Autobiographies of Two Spanish Women of the Left", *Genre,* XIX (1986), 4, pp. 431-445.
- ———, "Las voces de Mª Teresa León", *Anthropos* (1991), 125, pp. 45-49.
- BLANCO AGUINAGA, Carlos et al., *Historia social de la Literatura Española,* Vol. II, Madrid, Castalia, 1986 (1ª ed.1978).
- BLASCO, Sofía, *Peuple d'Espagne: journal de guerre de la "Madrecita",* Paris, Ed. de la Nouvelle Revue Critique, 1938.
- BLEIBERG, German y Julián Marías, *Diccionario de la Literatura Española,* Madrid, Revista de Occidente, 1964 (1ª ed. 1949).
- BOBES NAVES, Carmen, *Semiología de la obra dramática,* Madrid, Taurus, 1988.
- BORDONADA, Angela E. (ed.), *Novelas breves de escritoras españolas (1900-1936),* Madrid, Castalia, 1990.
- BOREL, Jean Paul, *El teatro de lo imposible,* Madrid, Guadarrama, 1966.
- BORRAGÁN, Mª Teresa, *Los dioses futuros,* Madrid, Imprenta de Antonio G. Izquierdo, 1921.
- ———, *La sonata del misterio,* Segovia, Román García, 1923.
- BOUCHER, Denise, "Comment les femmes changent le théâtre", *Actes Congrés International de Teatre a Catalunya,* IV (1985), pp. 127-130.
- BRAVO-VILLASANTE, Carmen, *Historia de la literatura infantil española,* Madrid, Revista de Occidente, 1959.
- ——— y J. García Padrino, *Homenaje a Salvador Bartolozzi,* Madrid, Porrúa, 1984.
- BRETZ, Mary Lee, *Concha Espina,* Boston, Twayne Publishers, 1980.
- ———, "The Theater of Emilia Pardo Bazán and Concha Espina", *Estreno,* X (1984), 2, pp. 43-45.
- BROOK, Peter, *El espacio vacío. Arte y técnica del teatro,* Barcelona, Nexos, 1986.

- BROWN, Gerald G., *Historia de la Literatura Española. El siglo XX,* vol. VI, Barcelona, Ariel, 1974.
- BROWN, J., *Women Writers of Contemporary Spain,* New Jersey, Associated University Presses, 1991.
- BUENO, Manuel, *Teatro español contemporáneo,* Madrid, V. Prieto y Compañía, 1909.
- _____ , "Teatro Femenino", *ABC,* 7-06-1934, p.14.
- BURGOS SEGUÍ, Carmen de *[Colombine], El divorcio en España,* Madrid, 1904.
- _____ , *La mujer en España,* Valencia-Madrid, F. Sempere y Cía., 1906.
- _____ , *La mujer moderna y sus derechos,* Madrid, 1927.
- _____ , *La Flor de la Playa y Otras Novelas Cortas.* Ed. de Concepción Núñez Rey, Madrid, Castalia, 1989.
- BURGUERA Y SERRANO, P. Fr. Amado de Cristo, *Representaciones escénicas malas, peligrosas y honestas,* Barcelona, Librería Católica Internacional, 1911.
- BUSSY, Danièle, "Tiempo histórico y tiempo de las mujeres: notas sobre la prensa femenina entre 1931 y 1936", *Bulletin du departement de recherches hispaniques pyrenaica,* XXIX (1984), pp. 99-123.
- _____ , "Problemas de aprehensión de la vida cotidiana de las españolas a través de la prensa femenina y familiar (1931-1936)", en Pilar Folguera (ed.), *La mujer en la historia de España (s.XVI-XX),* Madrid, Universidad Autónoma de Madrid, 1984.
- CABALLERO, P., *Diez años de crítica teatral (1907-1916),* Madrid, Apostolado de la Prensa, 1916.
- CALDERA, Ermanno, "La perspectiva femenina en el teatro de Joaquina García Balmaseda y Enriqueta Lozano", *Escritoras románticas españolas,* Madrid, Fundación Banco Exterior, 1990, pp. 207-217.
- CALVO AGUILAR, Isabel, *Antología biográfica de escritoras españolas,* Madrid, Biblioteca Nueva, 1954.
- CAMPOAMOR, Clara, *El voto femenino y yo (Mi pecado mortal),* Barcelona, La Sal, 1981 (2ª ed.).
- CAMPRUBÍ, Zenobia, *Diario: 1. Cuba (1937-1939).* Trad. y ed. de G. Palau de Nemes, Madrid, Alianza, 1991.
- CANALES, Alicia, *Concha Espina,* Madrid, EPESA, 1974.
- CANSINOS, Mª Victoria, "Las dramaturgas españolas también existen", *La Caja,* XVI (1986), 64, pp. 8-11.
- CANSINOS-ASSENS, R., *Literaturas del Norte. La obra de Concha Espina,* Madrid, Imp. G. Hernández y Galo Sáez, 1924.
- CANYA, Lucia, *L'etern femení,* Barcelona, Librería Durán, 1934.

– CAPEL MARTÍNEZ, Rosa Mª, *El trabajo y la educación de la mujer en España: 1900-1930,* Madrid, Ministerio de Cultura, 1982.

– —————— et al., *Mujer y sociedad en España (1700-1975),* Madrid, Ministerio de Cultura, 1986.

– CAPMANY, Aurèlia, *La dona i la II República,* Barcelona, La Gaia Ciencia, 1977.

– CARO BAROJA, Julio, *Los Baroja,* Madrid, Taurus, 1972.

– CARRETERO, José Mª *[El Caballero Audaz], Más de cien vidas extraordinarias contadas por sus protagonistas,* Madrid, Caballero Audaz, 1943.

– CASTILLÓN MORA, Luis, "Pilar de Valderrama: su poesía, su mundo, sus amores", *NEST.* (1982), 48-49, pp. 159-162.

– CASTRO, Cristóbal de (ed. y pról.), *Teatro de mujeres. Tres autoras españolas,* Madrid, Aguilar, 1934.

– CASTRO CALVO, José María, *Historia de la literatura española.* Vol.II, Barcelona, Crédito Editorial Sánchez, 1964.

– *CATÁLOGO de obras de Teatro Español del siglo XX,* Madrid, Fundación Juan March, 1985.

– *CATÁLOGO de publicaciones periódicas madrileñas existentes en la Hemeroteca Municipal de Madrid (1661-1930),* Madrid, Artes Gráficas Municipales, 1933.

– *CATALOGUE Général des Livres Imprimés de la Bibliothèque Nationale: Auteurs,* Paris, Imprimerie Nationale, 1897-1959.

– CERVERA, Juan, *Historia crítica del Teatro Infantil Español,* Madrid, Editora Nacional, 1982.

– CIPLIJAUSKAITÉ, Biruté, "Escribir entre dos exilios: Las voces femeninas de la Generación del 27 [Ernestina de Champourcín, Mª Teresa León y Concha Méndez]", *Homenaje al profesor Antonio Vilanova,* II, Barcelona, Universidad de Barcelona, 1989, pp. 119-26.

– CLEMESSY, Nelly, "Une page d'histoire sociale de l'Espagne: Carmen de Burgos et la polemique sur le divorce", *Annales de la Faculté des Lettres et Sciences Humaines de Nice,* XXX (1978), pp. 155-167.

– —————— , "Carmen de Burgos: Novela Española y Feminismo hacia 1920", *Iris,* IV (1983), pp. 39-53.

– COBB, Christopher, *El teatro de Agitación y propaganda en España: El grupo Nosotros (1932-1934),* Lima, Hora del hombre, 1985.

– —————— , "Teatro proletario - Teatro de masas. Barcelona. 1931-1934" y "El grupo teatral *Nosotros* (Entrevista con Irene Falcón)", en AA.VV., *Literatura Popular y Proletaria,* Sevilla, Universidad, 1986, pp. 247-277.

– COLLADO, Fernando, *El teatro bajo las bombas durante la guerra civil,* Madrid, Kaydeda Ediciones, 1989.

- *CONCHA ESPINA. De su vida. De su obra literaria a través de la crítica universal,* Madrid, Renacimiento, 1928.
- CONDESA DE SAN LUIS (Carmen Díaz de Mendoza), *Educación feminista,* Madrid, Editorial Reus, 1922.
- ––––––– , *Política feminista,* Madrid, Editorial Reus, 1923.
- CONTRERAS DE RODRÍGUEZ, Mª del Pilar, *De mis recuerdos. Apuntes del libro de mi vida,* Madrid, 1915.
- CRIADO Y DOMÍNGUEZ, J. P., *Literatas españolas del siglo XIX. Apuntes bibliográficos,* Madrid, Pérez Dubrull, 1889.
- CRISPIN, John, *Oxford y Cambridge en Madrid. La Residencia de estudiantes y su entorno cultural (1910-1936),* Santander, La Isla de los Ratones, 1981.
- CULLER, Jonathan, *Sobre la deconstrucción,* Madrid, Cátedra, 1984.
- CHARLON, Anne, *Condition Féminine et Roman Féminin dans la Catalogne Contemporaine: 1893-1983,* These III Cycle, Paris, Université Paris IV, 1987.
- CHECA PUERTA, Julio, "Los teatros de Gregorio Martínez Sierra", *El teatro en España entre la tradición y la vanguardia: 1918-1939,* Madrid, CSIC-FGL-Tabapress, 1992, pp. 121-126.
- *DE teatros. ¿Qué obras podré ver yo...?,* Oviedo, Editorial Gráfica Asturiana, 1925.
- DÍAZ-PLAJA, Guillermo, *Historia General de las literaturas hispánicas,* Barcelona, Vergara, 1967.
- DIEGO, Estrella de, "Prototipos y Antiprototipos de comportamiento femenino a través de las escritoras españolas del último tercio del siglo XIX" , *Literatura y vida cotidiana. Actas de las IV Jornadas de Investigación Interdisciplinaria,* Zaragoza, Seminario de Estudios de la Mujer de la Universidad Autónoma de Madrid, 1987, pp. 233-250.
- DÍEZ BORQUE, J. M. (Coord.), *Historia de la Literatura Española. Siglos XIX y XX,* Madrid, Guadiana, 1974.
- DÍEZ-CANEDO, Enrique, *Artículos de crítica teatral. El teatro español de 1914 a 1936,* 4 vols., México, Joaquín Mortiz, 1968.
- ––––––– , "Teatro de mujeres", *Escenarios,* 4-05-1936.
- ––––––– , "Panorama del teatro español desde 1914 hasta 1936", *Hora de España,* XVI (Abril, 1938), pp. 13-50.
- DOMERGUE, Lucienne, "Le feminisme dans la 'Revista Blanca' (1898-1905): la Femme vue par les anarquistes", *La femme dans la pensée espagnole,* Tolouse-le Mirail-Paris, Editions du CNRS, 1984, pp. 79-95.
- DOUGHERTY, Dru, "Talia convulsa: la crisis teatral de los años 20", *Dos ensayos sobre teatro español de los veinte,* Murcia, Universidad, 1984, pp. 85-157.

- _____ , "The Semiosis of Stage Decor in Jacinto Grau's *El señor de Pigmalión*", *Hispania*, LXVII (1984), pp. 351-357.
- _____ y Mª Francisca Vilches, *La escena madrileña entre 1918 y 1926. Análisis y documentación*, Madrid, Fundamentos, 1990.
- _____ y Mª Francisca Vilches (coords. y eds.), *El teatro en España entre la tradición y la vanguardia: 1918-1939*, Madrid, CSIC-FGL-Tabapress, 1992.
- _____ y Mª Francisca Vilches, "Un lustro de teatro en Madrid: 1919-1924", *Siglo XX/ 20th. Century,* V (1987-88), 1-2, pp. 1-11.
- "DRAMATURGAS españolas: Presencia y condición en la escena española contemporánea. Mesa Redonda", *Estreno*, XIX (1993), 1, pp.17-20.
- DUBY, Georges y Michel Perrot (dirs.), *Historia de las Mujeres,* vols. I-II, Madrid, Taurus, 1991-1992.
- DURÁN, Mª Angeles y José A. Rey (eds.), *Literatura y vida cotidiana. Actas de las IV Jornadas de Investigación Interdisciplinaria,* Zaragoza, Seminario de Estudios de la Mujer de la Universidad Autónoma de Madrid, 1987.
- ECHARRI, María de, *Conferencia sobre el trabajo a domicilio de la mujer en Madrid,* Sevilla, 1904.
- _____ , *Diario de una obrera,* Sevilla, 1912.
- ELLMANN, Mary, *Thinking about Women,* New York, Harcourt, 1968.
- *ENCICLOPEDIA Universal Ilustrada Europeo Americana,* Madrid-Barcelona, Espasa-Calpe, 1908-1988.
- "ENCUESTA: ¿Por qué no estrenan las mujeres en España?", *Estreno,* X (1984), 2, pp. 13-25.
- ESGUEVA MARTÍNEZ, M., *La colección teatral 'La Farsa',* Madrid, CSIC, 1971.
- ESPINA, Antonio, *Bartolozzi. Monografía de su obra,* México, Unión Editorial, 1951.
- ESPINA, Concha, *De Antonio Machado a su grande y secreto amor,* Madrid, Lifesa, 1950.
- ESQUER TORRES, Ramón, *La colección dramática 'El Teatro Moderno',* Madrid, CSIC, 1969.
- ESTÉVEZ-ORTEGA, Enrique, *Nuevo escenario,* Barcelona, Lux, 1928.
- _____ , *Enciclopedia Gráfica. El teatro,* Barcelona, Cervantes, 1930.
- EULATE SANJURJO, Carmen, *La mujer moderna. Libro indispensable para la felicidad del hogar,* Barcelona, Maucci, s.a. (1924).

– FAGOAGA, Concha, *La voz y el voto de las mujeres. El sufragismo en España. 1877-1931,* Barcelona, Icaria, 1985.

– –––––––––– y Paloma Saavedra, *Clara Campoamor. La sufragista española,* Madrid, Ministerio de Cultura-Instituto de la Mujer, 1986.

– FERNÁNDEZ CAMBRIA, Elisa, *Teatro español del siglo XX para la infancia y la juventud (Desde Benavente hasta Alonso de Santos),* Madrid, Escuela Española, 1987.

– FERNÁNDEZ CIFUENTES, Luis, *García Lorca en el teatro: La norma y la diferencia,* Zaragoza, Universidad de Zaragoza, 1986.

– FERNÁNDEZ GUTIÉRREZ, José Mª, *Enrique Díez-Canedo: su tiempo y su obra,* Badajoz, Departamento de Publicaciones de la Excma. Diputación, 1984.

– FERRERAS, J.I., "Mujer y literatura", *Literatura y vida cotidiana. Actas de las IV Jornadas de Investigación Interdisciplinaria,* Zaragoza, Seminario de Estudios de la Mujer de la Universidad Autónoma de Madrid, 1987, pp. 39-52.

– FOLGUERA, Pilar, *Vida cotidiana en Madrid. El primer tercio de siglo a través de las fuentes orales,* Madrid, Comunidad de Madrid, 1987.

– –––––––––– , *El feminismo en España. Dos siglos de historia,* Madrid, Editorial Pablo Iglesias, 1988.

– FOKKEMA, D. W. y Elrud Ibsch, *Teorías de la literatura del siglo XX,* Madrid, Cátedra, 1988.

– FORNEAS FERNÁNDEZ, Mª Celia, *Personajes femeninos en la literatura española escrita por mujeres (1944-1959),* Madrid, Universidad Complutense, 1987.

– FRANCO, Andrés, *El teatro de Unamuno,* Madrid, Insula, 1971.

– FRANCO RUBIO, G., "La contribución de la mujer española a la política contemporánea de la Restauración a la Guerra Civil (1876-1939)", en Rosa Mª Capel et al., *Mujer y Sociedad en España. 1700-1975,* Madrid, Ministerio de Cultura, 1982.

– FRANCOS RODRÍGUEZ, J., *El teatro en España. 1908,* Madrid, Imprenta de Nuevo Mundo, s.a. (1909).

– –––––––––– , *El teatro en España. 1909,* Madrid, Imprenta de Bernardo Rodríguez, s.a. (1910).

– –––––––––– , *La mujer y la política españolas,* Madrid, Pueyo, 1920.

– FRIEDMAN, Sharon, "Feminism as Theme in Twentieth-Century American Women's Drama", *American Studies,* XXV (1984), 1, pp. 69-89.

– FRYE, Northrop, *El camino crítico. Ensayo sobre el contexto social de la crítica literaria,* Madrid, Taurus, 1986 (1ªed. 1971).

- FUENTE BALLESTEROS, Ricardo de la, *Introducción al teatro español del siglo XX (1900-1936),* Valladolid, Aceña Editorial, 1988.
- GALÁN, Eduardo, "La política teatral impide los estrenos teatrales de autoras", *Ya,* 1-04-1989, p.31.
- GALÁN QUINTANILLA, Mª Antonia, *La mujer a través de la información en la II República Española,* Tesis Doctoral, Madrid, Universidad Complutense, 1980.
- GALERSTEIN, Carolyn (ed.), *Women Writers of Spain: An Annotated Bio-Bibliographical Guide,* Westport- Conn., Greenwood Press, 1986.
- GARCÍA-ABAD, Mª Teresa, "La crítica teatral de Manuel Machado en *La Libertad* (1920-1926)", *Revista de Literatura,* LIII (1991), 106, pp. 535-554.
- GARCÍA ANTÓN, Cecilia, *"Comedias* (1926-1928): Análisis e historia de una colección teatral", *Revista de Literatura,* L (1988), 100, pp. 547-569.
- GARCÍA MÉNDEZ, Esperanza, *La actuación de la mujer en las Cortes de la II República,* Madrid, Ministerio de Cultura, 1979.
- GARCÍA NIETO, Mª Carmen, "Movimientos sociales y nuevos espacios para las mujeres: 1931-1939", *Bulletin du Departement de Recherches Hispaniques Pyrenaica,* XXIX (1984), pp. 71-97.
- GARCÍA PAVÓN, Francisco, *El teatro social en España (1895-1962),* Madrid, Taurus, 1962.
- GARCÍA TEMPLADO, José, *El teatro anterior a 1939,* Madrid, Cincel, 1984.
- GARIN MARTÍ, F. N., *El teatro español en su aspecto moral y religioso,* Valencia, Imprenta de Vicente Tarondier, 1942.
- GARRIDO GALLARDO, M. A., "Notas sobre el sainete como género literario", *El teatro menor en España a partir del siglo XVI,* Madrid, CSIC, 1983, pp. 13-22.
- GÓMEZ APARICIO, P., *Historia del Periodismo español. De la Dictadura a la Guerra Civil,* vol. IV, Madrid, Editora Nacional, 1981.
- GÓMEZ GEA, J., "Las revistas teatrales madrileñas (1790-1930)", *Cuadernos Bibliográficos,* XXXI (1974), pp. 65-140.
- GÓMEZ FERRER, G., "La imagen de la mujer en la novela de la Restauración: ocio social y trabajo doméstico" y "La imagen de la mujer en la novela de la Restauración: hacia el mundo del trabajo", en Rosa Mª Capel et. al., *Mujer y sociedad,* Madrid, Ministerio de Cultura, 1982, pp. 147-206.
- GONZÁLEZ BLANCO, Andrés, *Los dramaturgos españoles contemporáneos,* Valencia-Buenos Aires, Cervantes, s.a. (1917).

- GONZÁLEZ CASTILLEJO, Mª José, *La nueva Historia. Mujer, vida cotidiana y esfera pública en Málaga (1931-1936)*, Málaga, Universidad de Málaga, 1991.
- GONZÁLEZ RUIZ, Nicolás, *Sara Bernhardt y María Guerrero*, Barcelona, 1946.
- GORDÓN, José, *Teatro Experimental Español*, Madrid, Escelicer, 1965.
- GREGERSEN, Halldan, *Ibsen and Spain*, Cambridge, Harvard Univ. Press, 1936.
- GUERRERO ZAMORA, J., *Historia del Teatro Contemporáneo*, 3 vols., Barcelona, Juan Flors, 1961.
- GULLÓN, Ricardo, *Relaciones amistosas y literarias entre Juan Ramón Jiménez y los Martínez Sierra*, Puerto Rico, Ediciones de la Torre, 1961.
- _____ ,"Monumento de amor: Epistolario y lira (Correspondencia Juan Ramón - Zenobia)", *La Torre*, XXVII (1959), pp. 151-246.
- HOLLOWAY, Vance, *La crítica teatral en ABC (1918-1936)*, New York, Peter Lang, 1991.
- _____ , "La Página Teatral de *ABC*: Actualidad y renovación del teatro madrileño (1927-1936)", *Siglo XX/ 20th. Century*, VII (1988-89), pp. 1-6.
- HUERTA CALVO, Javier, *El teatro en el siglo XX,* Madrid, Playor, 1985.
- HUMM, Maggie, *An Annotated Critical Bibliography of Feminist Criticism,* Brighton, The Harvester Press Ltd., 1987.
- INSÚA, Alberto, *Memorias,* Madrid, Tesoro, 1953.
- ISER, Wolfgang, *El acto de leer,* Madrid, Taurus, 1987.
- JARDIEL PONCELA, Enrique, "Lectura de cuartillas: Ensayo sobre el teatro actual" (1933), *Tres comedias con un solo ensayo,* Madrid, Biblioteca Nueva, 1943 (1ª ed.1934).
- JAUSS, H. Robert, *Experiencia estética y hermenéutica literaria (Ensayos en el campo de la experiencia estética),* Madrid, Taurus, 1986.
- JIMÉNEZ MORELL, Inmaculada, *La prensa femenina en España (desde sus orígenes a 1868),* Madrid, Ediciones de la Torre, 1992.
- J.M.C., "Zenobia Camprubí", *Papeles de Son Armadans,* III (1956), pp. 230-231.
- KOLODNY, Annette, "Some Notes on Defining a 'Feminist Literary Criticism'", *Critical Inquiry,* II (1975), 1, pp. 75-92.
- KRONIK, John W., *La Farsa (1927-1936) y el teatro español de preguerra,* Chapell Hill, University of North Carolina, 1971.
- LAFFITE, María (Condesa de Campo Alange), *La mujer en España. Cien años de su historia (1860-1960),* Madrid, Aguilar, 1964.

- LARA, Mª Victoria de, "La cultura femenina en España", *Bulletin of Hispanic Studies,* VII (1930), 26, pp. 82-84.
- _____ , "De escritoras españolas", *Bulletin of Spanish Studies,* VIII (1931), pp. 213-217; IX (1932), pp. 31-37, 168-171 y 221-225.
- LARRAZ, Emmanuel, *Teatro español contemporáneo,* Paris, Masson et cie., 1973.
- LÁZARO, Ángel, *Vida y obra de Benavente,* Madrid, Afrodisio Aguado, 1964.
- LAVAUD, J.M., "El teatro de los niños (1909-1910)", *Hommage des Hispanistes Français a Noël Salomon,* 1979, pp. 499-507.
- LAVERGNE, Gerard, *Vida y obra de Concha Espina,* Madrid, Fundación Universitaria Española, 1986.
- LAVIADA, Fernando, *El teatro en España,* Madrid, Imp. S.P.N., 1935.
- LEÓN, Mª Teresa, *Memoria de la melancolía,* Barcelona, Círculo de Lectores, 1987 (1ª ed. 1970).
- LÓPEZ, Aurora y Mª Angeles Pastor (eds.), *Crítica y ficción literaria. Mujeres españolas contemporáneas,* Granada, Universidad de Granada, 1989.
- MACHADO, Manuel, *Un año de teatro (Ensayos de crítica dramática),* Madrid, Biblioteca Nueva, s.a. (1918).
- MADARIAGA, María de, *¿Quieres casarte por lo civil?,* Madrid, Ed. Ibérica, 1931.
- McGHAHA, M. D., *The Theater in Madrid During the Second Republic,* London, Grant and Cutler, 1979.
- MAINER, José C., *La Edad de Plata (1902-1939). Ensayo de interpretación de un proceso cultural,* Barcelona, Asenet, 1975.
- MANGINI, Shirley, "Three Voices of Exile [Victoria Kent, Mª Teresa León, Federica Montseny]", *Monografic Review,* II (1986), pp. 208-215.
- MAQUIEIRA, Virginia et al. (eds.), *Mujeres y Hombres en la formación del pensamiento occidental. Actas de las VII Jornadas de Investigación Interdisciplinaria,* vol.II, Madrid, Ediciones de la Universidad Autónoma de Madrid, 1989.
- MARQUERÍE, Alfredo, *En la jaula de los leones,* Madrid, Ediciones Españolas, 1944.
- _____ , *Veinte años de teatro en España,* Madrid, Editora Nacional, 1959.
- MARRAST, Robert, *El teatre durant la Guerra Civil Espanyola,* Barcelona, Institut del Teatre, 1978.

– MARSÁ VANCELLS, Plutarco, *La mujer en la literatura,* Madrid, Ediciones Torremozas, 1987.
– MARTÍN GAITE, Carmen, *Usos amorosos de la postguerra española,* Barcelona, Anagrama, 1987.
– —————— (Pról.), *Celia, lo que dice,* de Elena Fortún. Madrid, Alianza Editorial, 1992, pp. 7-37.
– MARTÍN RODRÍGUEZ, Mariano, "Ejemplos de renovación: Teatro francés e italiano en la escena madrileña (1918-1936)", *El teatro en España entre la tradición y la vanguardia: 1918-1939,* Madrid, CSIC-FGL-Tabapress, 1992, pp. 127-135.
– —————— , "El Teatro: Revista Teatral Madrileña (1900-1905)", *Anales de la Literatura Española Contemporánea,* XVII (1992), pp.87-98.
– MARTÍNEZ SIERRA, Gregorio, *Cartas a las mujeres de España,* Madrid, Renacimiento, 1918.
– —————— , *Feminismo, feminidad, españolismo,* Madrid, Saturnino Calleja, 1920.
– —————— , *La mujer moderna,* Madrid, Saturnino Calleja, 1920.
– MARTÍNEZ SIERRA, María (María de la O Lejárraga), *La mujer española ante la República,* Madrid, J. Poveda, 1931.
– —————— , *Gregorio y yo. Medio siglo de colaboración,* México, Biografías Gandesa, 1953.
– —————— , *Una mujer por caminos de España*. Ed. de Alda Blanco, Madrid, Castalia-Instituto de la Mujer, 1989.
– MAZA, Josefina de la, *Vida de mi madre, Concha Espina,* Madrid, Magisterio Español, 1969.
– MCKAY, D.R., *Carlos Arniches,* New York, Twayne Publishers, 1972.
– MEMBREZ, Nancy, *The Teatro por Horas: History, Dynamics and Comprehensive Bibliography of a Madrid Industry (1867-1922),* 3 vols., Diss. University of California, Santa Barbara, 1987.
– MESA, Enrique de, *Apostillas a la escena,* Madrid, Compañía Ibero-Americana de Publicaciones, 1929.
– MILLER, Beth (ed.), *Women in Hispanic Literature: Icons and Fallen Idols,* Berkeley, University of California Press, 1983.
– MIRÓ, Emilio (introd. y ed.), *Vida a vida y Vida o río,* de Concha Méndez, Madrid, Caballo Griego para la Poesía, 1979.
– —————— , "La contribución teatral de Concha Méndez", *El teatro en España entre la tradición y la vanguardia: 1918-1939,* Madrid, CSIC-FGL-Tabapress, 1992, pp. 439-451.
– MOI, Toril, *Teoría Literaria Feminista,* Madrid, Cátedra, 1988.
– MÖLLER-SOLER, Mª Lourdes, "La mujer de la pre- y postguerra civil española en las obras teatrales de Carmen Montoriol y de Mª Aurèlia Capmany", *Estreno,* XII (1986), 1, pp. 6-8.

- MONLEÓN, José, *El teatro del 98 frente a la sociedad española,* Madrid, Cátedra, 1975.
- —————, "De María Teresa León a Santiago Ontañón", *Primer Acto,* CCXXIX (1989), pp. 119-125.
- MORA, Gabriela y Karen S. Van Hooft, *Theory and Practice of Feminist Literary Criticism,* Michigan, Bilingual Press, 1982.
- MORCILLO GÓMEZ, A., "Feminismo y lucha política durante la II República y la Guerra Civil", en Pilar Folguera (ed.), *El feminismo en España: Dos siglos de historia,* Madrid, Pablo Iglesias, 1988, pp. 57-83.
- MOREIRO, José Mª, *Guiomar. Un amor imposible de Machado,* Madrid, Espasa-Calpe, 1982.
- MORI, Arturo, *El Teatro. Autores, comedias y cómicos. Impresiones críticas en un momento de transición (1918-1920),* Madrid, Editorial Reus, s.a. (1921).
- MUNDI PEDRET, F., *El teatro en zona republicana de 1936-1939,* Barcelona, Universidad, 1982.
- —————, *El teatro de la Guerra Civil,* Barcelona, Promociones y Publicaciones Universitarias, 1987.
- NASH, Mary (sel. y pról.), *Mujeres libres. España 1936-1939,* Barcelona, Tusquets, 1975.
- —————, *Mujer y movimiento obrero en España, 1931-1939,* Barcelona, Fontamara, 1981.
- —————, *Mujer, familia y trabajo en España (1875-1936),* Barcelona, Anthropos, 1983.
- NAVAS, Federico, *Las esfinges de Talía o Encuesta sobre la crisis del teatro,* Imprenta Real Monasterio de El Escorial, 1928.
- NELKEN, Margarita, *La condición social de la mujer en España,* Madrid, CVS, 1975 (1ª ed. 1919).
- —————, *Las escritoras españolas,* Barcelona, Labor, 1930.
- NIEVA DE LA PAZ, Pilar, "La polémica teatral en *Sparta,* revista de espectáculos (1932-33)", *Siglo XX/ 20th. Century,* VII (1990), pp.12-19.
- —————, "El estreno de *Es mi hombre* y su recepción en la crítica coetánea (1921-1922)". En *Arniches,* de J. A. Ríos, Alicante, Caja de Ahorros, 1990, pp.172-181.
- —————, *"Teatros:* La página teatral de *El Sol (1927-1928)",* Anales de la Literatura Española Contemporánea, XVI (1991), 3, pp.291-319.
- —————, "Tradición y vanguardia en las autoras teatrales de preguerra: Pilar Millán Astray y *Halma Angélico",* *El teatro en España entre la tradición y la vanguardia: 1918-1939,* Madrid, CSIC-FGL-Tabapress, 1992, pp.429-438.

- NÚÑEZ PÉREZ, Gloria, *Trabajadoras en la Segunda República. Un estudio sobre la actividad económica extradoméstica (1931-1939)*, Madrid, Ministerio de Trabajo y Seguridad Social, 1989.
- O'CONNOR, Patricia, *Gregorio y María Martínez Sierra. Crónica de una colaboración,* Madrid, La Avispa, 1987.
- _____ , *Dramaturgas españolas de hoy,* Madrid, Fundamentos, 1988.
- _____ , "Death of Gregorio Martínez Sierra's Co-author", *Hispania,* LVIII (1975), pp. 210-211.
- _____ , "Spain's First Successful Woman Dramatist: María Martínez Sierra", *Hispanófila,* LXVI (1979), pp.87-108.
- _____ , "¿Quiénes son las dramaturgas contemporáneas y qué han escrito?", *Estreno,* X (1984), 2, pp.9-12.
- OJEDA GONZÁLEZ, V. y CANO MÁRQUEZ, E., *Anuario Teatral (1919-1920),* Madrid, 1920.
- OLIVA, César y F. Torres Monreal, *Historia básica del arte escénico,* Madrid, Cátedra, 1990.
- O'NEILL, Carlota, *Una mujer en la guerra de España,* Madrid, Turner, 1979.
- OÑATE, Mª del Pilar, *El feminismo en la Literatura Española,* Madrid, Espasa-Calpe, 1938.
- ORDÓÑEZ, Elizabeth J., *Voices of Their Own. Contemporary Spanish Narrative by Women,* Lewisburg, Associated University Presses, 1991.
- ORTIZ, Lourdes, "Los horizontes del teatro español: Nuevas Autoras", *Primer Acto* (1987), 220, pp.10-21.
- PALAU DE NEMES, Graciela, *Inicios de Zenobia y Juan Ramón Jiménez en América,* Madrid, Fundación Universitaria Española, 1982.
- _____ , "Bibliografía de y sobre Zenobia Camprubí", *Anthropos. Suplementos,* XI (1989), pp.153-155.
- PARADA, Diego I., *Escritoras y eruditas españolas,* Madrid, Minuesa, 1881.
- PARDO BAZÁN, Emilia, "La mujer española: La aristocracia" y "La mujer española: La clase media", *La España Moderna* (jun.-jul. 1890), pp.5-15 y 121-131.
- PATTERSON, Mamie Salva, *Women-Victim in the Theater of Spanish Women Playwrights of the Twentieth Century,* University of Kentucky Dissertation, UMI, 1980.
- PAULINO, José (introd. y ed.), *La Esfinge. La Venda. Fedra,* de M. de Unamuno, Madrid, Castalia, 1988.
- PAVIS, Patrice, *Diccionario del Teatro. Dramaturgia, estética, semiología,* Barcelona-Buenos Aires-México, Paidós, 1984.

- PÉREZ, Janet, *Contemporary Women Writers of Spain,* Boston, Twayne Publishers, 1988.
- _____ , "Vanguardism, Modernism and Spanish Women Writers in the Years between the Wars", *Siglo XX/20th. Century,* VI (1988-1989), 1-2, pp.40-47.
- PÉREZ DE AYALA, Ramón, *Las máscaras.* En *Obras Completas,* vol. III, Madrid, Aguilar, 1966 (1ª ed. 1917-1919).
- PÉREZ BOWIE, José Antonio, "La colección dramática *La novela teatral* (1916-1925)", *Segismundo,* XIII (1977), 25-26, pp.273-325.
- _____ , "Una recepción crítica ideologizada: la crítica teatral del diario madrileño *ABC* durante la Segunda República", *II Simposio Internacional de Semiótica,* vol. II, Oviedo, Universidad, 1988, pp.317-334.
- _____ , "Una aportación al estudio del teatro español de preguerra: La colección dramática *La novela cómica* (1916-1919)", *Revista de Literatura,* LIII (1991), pp.679-723.
- PÉREZ GALDÓS, Benito, *Nuestro teatro,* Madrid, Renacimiento, 1923.
- PÉREZ-MANSO, Elvira, *Escritoras asturianas del siglo XX,* Oviedo, Publicaciones del Principado de Asturias, 1991.
- PÉREZ MINIK, Domingo, *Debates sobre el teatro español contemporáneo,* Santa Cruz de Tenerife, Goya Ediciones, 1953.
- _____ , *Teatro europeo contemporáneo,* Madrid, Guadarrama, 1961.
- PERINAT, Adolfo y Mª Isabel Marrades, *Mujer, prensa y sociedad en España. 1800-1939,* Madrid, Centro de Investigaciones Sociológicas, 1980.
- POCHAT, Mª Teresa, "María Teresa León, memoria del recuerdo del exilio", *Cuadernos Hispanoamericanos* (1989), 473-474, pp.135-142.
- RAGUÉ-ARIAS, Mª José, *Los personajes femeninos de la tragedia griega en el teatro español del siglo XX.* Resum de la tesi presentada per assolir al grau de doctor en Filología. Barcelona, Universidad de Barcelona, 1986.
- _____ , "La mujer como autora en el teatro español contemporáneo", *Estreno,* XIX (1993), 1, pp.13-16.
- RAMÍREZ, José, *Catalina Bárcena,* Caracas, 1928.
- RAMOS, Vicente, *Vida y teatro de Carlos Arniches,* Madrid, Alfaguara, 1966.
- RAS, Matilde, *Diario,* Madrid, Reus, 1949 (2ªed.).
- RESNICK, Margery, "La inteligencia audaz: Vida y poesía de Concha Méndez", *Papeles de Son Armadans,* LXXXVIII (1978), 263, pp.23-27.

– RICO, Francisco, *Historia y crítica de la Literatura Española. Época Contemporánea: 1914-1939.* A cargo de Victor García de la Concha. Barcelona, Crítica, 1984.

– RÍO, Angel del, *Historia de la Literatura Española. Desde 1700 hasta nuestros días,* II, New York, Holt-Rinehart-Winston, 1963.

– RÍOS CARRATALÁ, Juan A., *Arniches,* Alicante, Caja de Ahorros, 1990.

– RIVAS CHERIF, C. de, *Cómo hacer teatro. Apuntes de orientación profesional en las artes y oficios del teatro español.* Ed. de E. de Rivas, Valencia, Pretextos, 1991.

– RODRIGO, Antonina, *Margarita Xirgu y su teatro,* Barcelona, Planeta, 1974.

– _____, *Mujeres de España. Las silenciadas,* Barcelona, Círculo de Lectores, 1989 (1ª ed. 1979).

– _____, *María Lejárraga, una mujer en la sombra,* Barcelona, Círculo de Lectores, 1992.

– RODRÍGUEZ ALCALDE, L., *Teatro español contemporáneo,* Madrid, EPESA, 1973.

– ROE, Sue (ed.), *Women Reading Women's Writing,* Brighton, The Harvester Press Limited, 1987.

– ROIG CASTELLANOS, Mercedes, *La mujer en la historia (Francia, Italia, España). A través de la prensa. Siglos XVIII-XX,* Madrid, Instituto de la Mujer, 1986.

– ROMÁN CORTÉS, E., *Desde mi butaca. Crítica de los estrenos teatrales de 1917,* Madrid, Impta. Artística Saez Hermanos, 1918.

– ROMERA CASTILLO, José, "Semiótica teatral en España", *II Simposio Internacional de Semiótica,* vol. II, Oviedo, 1988, pp.353-388.

– ROMERO TOBAR, Leonardo, "Tres notas sobre aplicación del método de recepción en historia de la literatura española", *1616,* II (1979), pp.25-32.

– ROMO, J., "Concha Espina. Bibliografía", *Cuadernos de Literatura,* I (1942), pp.19-22.

– RUBIO JIMÉNEZ, Jesús, "El 'Teatro de Arte' (1908-1911): Un eslabón necesario entre el modernismo y las vanguardias", *Siglo XX/20th. Century,* V (1987-1988), 1-2, pp.25-33.

– RUIZ DE CONDE, Justina, *Antonio Machado y Guiomar,* Madrid, Insula, 1964.

– RUIZ CONTRERAS, Luis, *Medio siglo de teatro infructuoso,* Madrid, CIAP, 1931.

– RUIZ RAMÓN, F., *Historia del teatro español. Siglo XIX,* Madrid, Cátedra, 1975.

– _____, *Historia del Teatro Español. Siglo XX,* Madrid, Cátedra, 1986.

- SÁINZ DE ROBLES, Federico C., *Ensayo de un diccionario de la literatura. Vol.II. Escritores españoles e hispanoamericanos,* Madrid, Aguilar, 1949.
- _____ , *Diccionario de mujeres célebres,* Madrid, Aguilar, 1959.
- SÁIZ, Concepción, *La revolución del 68 y la cultura femenina. Un episodio nacional que no escribió Galdós,* Madrid, Victoriano Suárez, 1929.
- SALAÜN, Serge, "El 'Género chico', o los mecanismos de un pacto cultural", *El teatro menor en España a partir del siglo XVI,* Madrid, CSIC, 1983, pp.251-261.
- SALGE, Marie Claude, *La Femme dans le théâtre moderne espagnol de 1920 à 1970,* Paris III. U.E.R. d'Etudes Ibériques, 1973.
- SÁNCHEZ ESTEVAN, Ismael, *María Guerrero,* Barcelona, Joaquín Gil Editores, 1946.
- SANTOS DEULOFEU, Elena, *"La Comedia,* breve colección teatral madrileña de 1925", *Revista de Literatura,* XLIX (1987), 98, pp.551-560.
- _____ , *"La Farsa:* Una revista teatral de vanguardia (1925-1926)", *Siglo XX/20th. Century,* VI (1988-89), 1-2, pp.57-65.
- SARRAMIA, Tomás, "Zenobia Camprubí: Traductora de Rabindranath Tagore", *Educación* (1983), 51-52, pp.231-237.
- SASSONE, Felipe, *El teatro, espectáculo literario,* Madrid, CIAP, 1930.
- _____ , *Por el mundo de la Farsa (palabras de un farsante),* Renacimiento, 1931.
- _____ , *María Guerrero (la Grande). Primera actriz de los teatros de todas las Españas,* Madrid, Escelicer, s.a.
- SCANLON, Geraldine M., *La polémica feminista en la España contemporánea,* Madrid, Akal, 1986.
- SEGURA, Isabel y Marta Selva, *Revistes de dones (1846-1935),* Barcelona, Edhasa, 1984.
- SEGURA Y SORIANO, Isabel, "La literatura de mujeres como fuente de documentación de la experiencia histórica de las mujeres", *Literatura y vida cotidiana (...),* Zaragoza, Seminario de Estudios de la Mujer de la Universidad Autónoma de Madrid, 1987, pp. 251-260.
- SENABRE, Ricardo, "Literatura femenina", *ABC,* 14-01-1992.
- SENDER, Ramón J., *Teatro de masas,* Valencia, Ediciones Orto, s.a., (1931).
- SERRANO Y SANZ, Manuel, *Apuntes para una biblioteca de escritoras españolas desde el año 1401 al 1833,* 2 vols., Madrid, Suc. de Rivadeneyra, 1903-1905.

- SIMÓN PALMER, Mª del Carmen, *Manuscritos dramáticos de los siglos XVIII-XX de la Biblioteca del Instituto del Teatro de Barcelona,* Madrid, CSIC, 1979.
- _____, *Escritoras españolas del siglo XIX. Manual Bio-bibliográfico,* Madrid, Castalia, 1991.
- _____, "Revistas femeninas españolas del siglo XIX", *Homenaje a don Agustín Millares Carlo,* vol. I, Caja Insular de Ahorros de Gran Canaria, 1975, pp. 401-445.
- _____, "Libros de religión y moral para las mujeres españolas del siglo XIX", *Primeras Jornadas de Bibliografía,* Madrid, Federación Universitaria Española, 1977, pp. 355-385.
- SOLDEVILA-DURANTE, Ignacio, "Sobre la escritura femenina y su reivindicación en el conjunto de la historia de la literatura contemporánea de España. (A propósito de un reciente libro de Janet Pérez)", *Revista Canadiense de Estudios Hispánicos,* XVI (1990), 3, pp.606-616.
- STARCEVIC, Elizabeth, *Carmen de Burgos, defensora de la mujer,* Almería, Librería-Editorial Cajal, 1976.
- TORRENTE BALLESTER, G., *Teatro español contemporáneo,* Madrid, Ediciones Guadarrama, 1968 (1ª ed. 1957).
- TORRES NEBRERA, G., *La obra literaria de María Teresa León (Autobiografía, biografías, novelas),* Cáceres, Univ. de Extremadura, 1987.
- _____, "La obra literaria de Mª Teresa León (Cuentos y Teatro)", *Anuario de Estudios Filológicos,* VII (1984), pp.361-384.
- UBERSFELD, Anne, *Lire le Théâtre,* Paris, Editions Sociales, 1977.
- UCELAY, Margarita (ed.), *Amor de don Perlimplín con Belisa en su jardín,* de F. García Lorca, Madrid, Cátedra, 1990.
- ULACIA ALTOLAGUIRRE, Paloma, *Concha Méndez. Memorias habladas, memorias armadas,* Madrid, Mondadori, 1990.
- URBANO, Victoria, *El teatro español y sus directrices contemporáneas,* Madrid, Editora Nacional, 1972.
- VALBUENA PRAT, Ángel, *Historia del Teatro Español,* Barcelona, Noguer, 1956.
- _____, *Historia de la literatura española,* vol. III, Barcelona, Gustavo Gili, 1983 (1ª ed. 1960).
- VALDERRAMA, Pilar de, *Sí, soy Guiomar: memorias de mi vida,* Barcelona, Plaza y Janés, 1981.
- VALENCIA, Juan O., "Unión platónica de Machado y Guiomar en *El tercer mundo",* Estreno, X (1984), 2, pp.41-42.
- VIENTOS, Nilita, "Zenobia", *Insula* (1957), 128-129, p. 6.

- VILCHES DE FRUTOS, Mª Francisca, *La Generación del Nuevo Romanticismo. Estudio bibliográfico y crítico (1924-1939)*, Madrid, Universidad Complutense, 1984.
- _____ , *La temporada teatral española 1982-1983*, Madrid, CSIC, 1983.
- _____ y Dru Dougherty, *Los estrenos teatrales de Federico García Lorca (1920-1945)*, Madrid, Tabapress, 1992.
- _____ y Dru Dougherty, "La renovación del teatro español a través de la prensa periódica: La *Página Teatral* del *Heraldo de Madrid* (1923-1927)", *Siglo XX/20th Century*, VI (1988-89), 1-2, pp.47-56.
- _____ y Dru Dougherty, "La escena madrileña entre 1900 y 1936: Apuntes para una historia", *Anales de la Literatura Española Contemporánea*, XVII (1992), pp. 207-220.
- VOLTÉS, Mª José y Pedro, *Las mujeres en la historia de España*, Barcelona, Planeta, 1986.
- WOOLF, Virginia, "La mujer en la literatura" (1929), *Camp de l'arpa*, XLVII (1978), pp. 9-16.
- "ZENOBIA Camprubí Aymar", *Anthropos. Suplementos*, XI (1989), pp. 134-142.

ÍNDICE DE ABREVIATURAS

a.	Actos
adap.	Adaptadora
adaps.	Adaptadores
Apól.	Apólogo
Aprop.	Apropósito
Apu.	Apunte
Arg.	Argumento
art.	Artículo
asa.	Asainetado
Autocr.	Autocríticas
Bo.	Boceto
c.	Cuadro
Ca.	Caricatura
Colec.	Colección
có.	Cómico
Com.	Comedia
Cop. mec.	Copia mecanografiada
Cr.	Crónica
Cu.	Cuento
Diá.	Diálogo
Disc.	Discurso
Dr.	Drama
dram.	Dramático
e.	Escénico
Entrev.	Entrevistas
epíl.	Epílogo
Espect.	Espectáculo
f.	Fantástico
F.	Farsa
Fáb.	Fábula
Fant.	Fantasía
Guiñ.	Guiñolada
h.	Hijo
hco.	Histórico
hu.	Humorístico
inf.	Infantil
J.	Juguete
jo.	Jornada
lír.	lírico
md.	melodramático

mím.	mímico
Mo.	Monólogo
mom.	Momentos
mut.	Mutación
Ofrec.	Ofrecimiento
Op.	Opereta
poet.	Poético
pop.	Popular
pr.	Prosa
pról.	Prólogo
Res.	Reseñas
Rv.	Revista
S.	Sainete
t.	Trágico
trad.	Traductora
trads.	Traductores
Trag.	Tragedia
V.	Viaje
vic.	Viceversa
vr.	Verso
Z.	Zarzuela
zarzta.	Zarzuelita
/ /	Autor texto original
( )	Nombre real
[ ]	Seudónimo
	Nombre escondido tras las siglas
	Datos probables

ÍNDICE ONOMÁSTICO